José Rodrigues dos Santos

Journaliste, reporter de guerre, présentateur vedette du journal de 20 h au Portugal, José Rodrigues dos Santos est l'un des plus grands auteurs européens de thrillers historiques. Ses ouvrages *La Formule de Dieu* (2012), traduit dans plus de 17 langues et en cours d'adaptation au cinéma, *L'Ultime Secret du Christ* (2013), *La Clé de Salomon* (2014) – suite de *La Formule de Dieu* –, *Codex 632* (2015), *Furie divine* (2016) et *Vaticanum* (2017), sont publiés en France aux Éditions Hervé Chopin et repris chez Pocket. Son dernier roman, *Signe de vie*, paraît en 2018 chez le même éditeur.

José Rodrigues dos Santos vit à Lisbonne.

Retrouvez toute l'actualité de l'auteur sur :
www.joserodriguesdossantos.com

D0774428

VATICANUM

J.R. DOS SANTOS

VATICANUM

*Traduit du portugais
par Adelino Pereira*

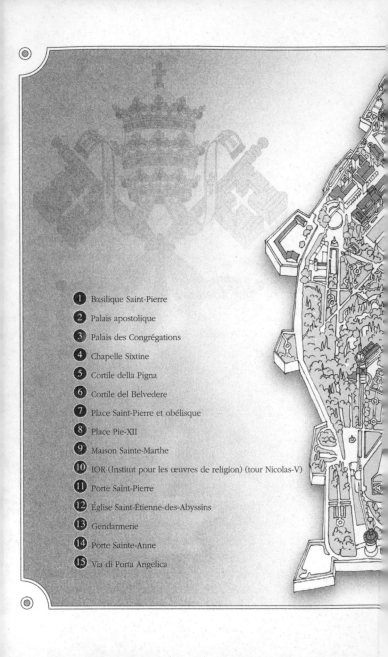

1 Basilique Saint-Pierre

2 Palais apostolique

3 Palais des Congrégations

4 Chapelle Sixtine

5 Cortile della Pigna

6 Cortile del Belvedere

7 Place Saint-Pierre et obélisque

8 Place Pie-XII

9 Maison Sainte-Marthe

10 IOR (Institut pour les œuvres de religion) (tour Nicolas-V)

11 Porte Saint-Pierre

12 Église Saint-Étienne-des-Abyssins

13 Gendarmerie

14 Porte Sainte-Anne

15 Via di Porta Angelica

CITÉ DU
VATICAN

Titre original :
VATICANUM

L'ordre de parution des romans de la série des Tomás Noronha
en France ne suit pas l'ordre de parution au Portugal. D'un
commun accord avec l'auteur, nous avons en effet décidé
de privilégier le thème abordé par les romans de la saga et sa
résonance dans notre société française et notre actualité, plutôt
que l'ordre chronologique. La vie de Tomás Noronha en France
n'est donc pas linéaire, mais chaque roman peut se lire de manière
totalement autonome.

Pocket, une marque d'Univers Poche,
est un éditeur qui s'engage pour la préservation
de son environnement et qui utilise du papier fabriqué
à partir de bois provenant de forêts gérées
de manière responsable.

© José Rodrigues dos Santos/Gradiva Publicações, S.A., 2016
© 2017, Éditions Hervé Chopin, Paris
pour l'édition en langue française

ISBN : 978-2-266-28251-2
Dépôt légal : avril 2018

*À ma femme Florbela
et mes filles Catarina et Inês.*

*« Ma maison sera appelée
une maison de prière pour tous les peuples.
Mais vous en avez fait
une caverne de voleurs. »*

Évangile selon saint Matthieu, 21,13

AVERTISSEMENT

Toutes les informations historiques présentées
dans ce roman sont vraies.

PROLOGUE

Les deux hommes, agiles et souples comme des chats, gravirent les marches dans l'obscurité, s'éclairant avec les torches qu'ils tenaient de leurs mains gantées. Totalement vêtus de noir, ils se fondaient dans l'ombre. Seuls leurs yeux étaient visibles.

En arrivant au premier étage, ils s'arrêtèrent. Celui qui marchait devant leva la main et, d'un signe, ordonna le silence. Ils tendirent l'oreille pendant un instant, essayant de discerner des bruits suspects. Ils n'entendirent rien et reprirent confiance. Puis, lentement et avec mille précautions, celui qui semblait être le chef entrouvrit la porte pour voir ce qu'il y avait derrière.

Tout paraissait tranquille. Il se retourna et murmura :

— Ibn Taymiyyah, tu es prêt ?

Celui qui le suivait fit un signe affirmatif.

— Qu'Allah nous guide, Abu Bakr.

L'homme de tête s'engagea aussitôt dans le couloir du premier étage. Tout était sombre, seule la lueur vacillante des torches déchirait les ténèbres.

Abu Bakr regarda encore en arrière et lança un œil

inquisiteur vers son compagnon qui marchait à quelques pas de distance.

— C'est où ?

En guise de réponse, Ibn Taymiyyah sortit une feuille de papier de son manteau et consulta les instructions.

— La deuxième porte.

Sur la pointe des pieds, ils avancèrent et s'immobilisèrent, accroupis, pour examiner la serrure, le chef désigna d'un signe de la tête le sac que l'autre transportait.

— Le chalumeau.

L'assistant sortit du sac un petit cylindre bleu qu'il lui tendit. Abu Bakr tourna la valve de sécurité, ouvrit lentement la bombonne de butane pour libérer le gaz et alluma le chalumeau. Il approcha la flamme rouge de la serrure et le métal fondit en quelques secondes. La porte s'ouvrit d'un simple coup d'épaule.

Toujours en silence, les deux hommes entrèrent dans le bureau et, suivant les instructions écrites sur la feuille de papier, se dirigèrent aussitôt vers le coffre dissimulé derrière le secrétaire au fond de la pièce. Abu Bakr composa les numéros de la combinaison et, après une série de déclics, le coffre se déverrouilla.

— Ça y est ! murmura l'homme, le tissu noir qui lui recouvrait le visage cachant son sourire triomphal. Nous sommes plus forts qu'Ali Baba, tu ne crois pas ?

Il mit la main dans le coffre et en retira une liasse de billets qu'il remit à son compagnon. Ibn Taymiyyah les compta et secoua la tête, avec une pointe de déception.

— Quatre cents euros...

Le chef haussa les épaules avec indifférence, comme si le montant ne l'intéressait pas, et se leva pour se diriger vers la sortie.

Après avoir mis l'argent dans le sac, son comparse l'imita et quitta la pièce en laissant le coffre ouvert.

Ils visitèrent ainsi tous les bureaux du premier étage en une demi-heure, faisant fondre les serrures des portes d'entrée avec le chalumeau et vidant les coffres qu'ils trouvaient. Six cents euros ici, trois cents là, cinq cents ailleurs, peu à peu leur pécule augmentait.

Après avoir siphonné tout l'étage, Abu Bakr s'immobilisa au bout du couloir et contempla les portes qu'ils avaient successivement ouvertes, toutes poussées de manière à avoir l'air fermées. Seul un examen attentif permettait de repérer les serrures fondues.

— Le premier étage, c'est fait.

Ils revinrent à l'escalier et montèrent au deuxième. Là, ils poursuivirent tranquillement leurs activités. Comme ils l'avaient fait au niveau inférieur, ils ouvrirent les bureaux les uns après les autres et en sortirent tout l'argent qui se trouvait dans chacun des coffres. Là encore, ce n'étaient jamais de grosses sommes, quelques centaines d'euros à chaque fois ; pas de quoi devenir millionnaire.

Lorsqu'ils eurent vidé le dernier coffre du deuxième étage, Ibn Taymiyyah posa le sac et en sortit tout l'argent qu'il déversa sur le sol.

— Alors, ça fait cent, deux cents, trois cents...

— Par Allah, que fais-tu ? demanda Abu Bakr avec irritation. Tu es con ou quoi ?

— Tu vois bien, je compte, répondit l'autre, marquant une courte pause avant de reprendre. Quatre cents, cinq cents, six cents...

— Arrête ça, sombre crétin, ce n'est pas le moment !

— Ça prendra un instant. Sept cents, huit cents, neuf cents...

Le chef s'approcha du visage masqué de son compagnon et colla son nez contre le sien.

— Arrête ça tout de suite, sinon...

Un sifflement dans le couloir l'interrompit, il se tut aussitôt. Les deux hommes éteignirent leurs lampes ; Abu Bakr s'approcha en silence de la porte d'entrée et s'y appuya délicatement.

C'était sans doute l'agent de sécurité qui avait sifflé. Apparemment, l'homme avait eu la mauvaise idée de faire sa ronde à ce moment-là et tout indiquait qu'il ne s'était pas encore rendu compte de l'état dans lequel se trouvaient les serrures. C'était le scénario le plus probable. Mais il y en avait un autre : le garde s'était déjà aperçu de l'anomalie et il faisait semblant de n'avoir rien remarqué. Ça ne semblait pas être le cas, mais on ne pouvait exclure cette hypothèse.

Après avoir poussé la porte, le chef des cambrioleurs se leva et sortit la dague qu'il portait à la ceinture. Si le vigile entrait dans la pièce, c'était un homme mort. Adossé au mur derrière la porte, Abu Bakr attendit. Le sifflement se rapprochait ; c'était la mélodie du film *Les Feux de la rampe*. L'agent de sécurité finit par s'immobiliser tout près de la porte derrière laquelle se trouvaient les intrus et cessa brusquement de siffler.

Suspendant sa respiration, Abu Bakr se prépara. Si le garde s'était subitement tu à cet endroit précis, c'est certainement parce qu'il avait remarqué que la serrure avait fondu.

— *Pronto ?* fit tout à coup une voix dans le couloir. Vous m'entendez ?

Ils avaient été découverts, pensa le chef des cambrioleurs, dont le rythme cardiaque s'accéléra. Que devait-il faire ? Attendre que le garde entre pour lui tomber dessus et lui trancher la gorge ? Ou prendre l'initiative, ouvrir brusquement la porte et l'attaquer dans le couloir ? La première solution lui paraissait préférable, car il aurait ainsi l'avantage de la surprise, mais on ne pouvait exclure que le garde n'entre pas et qu'au lieu de cela il déclenche l'alarme, ce qui ferait perdre totalement le contrôle de la situation au cambrioleur.

Pas de doute, il valait mieux prendre l'initiative et l'attaquer avant que l'alarme ne retentisse.

— Je voudrais prendre rendez-vous pour 6 heures du matin, *per favore*. Qui sera là ?

Des gouttes de sueur perlant sur son front et le cœur battant à tout rompre, Abu Bakr posa doucement la main sur la poignée et, silencieux comme un moudjahidine, se prépara à passer à l'action. Il lui planterait le couteau dans le dos ou la poitrine avant de lui saisir la tête par les cheveux et de lui trancher la gorge, comme le Prophète, que la paix soit avec lui, l'avait fait aux *kafirun*, aux infidèles, au cours des djihads sacrés. Ça risquait d'être sanglant, mais il n'y avait pas d'autre solution.

Son plan arrêté, il prépara son arme et, contrôlant sa respiration et les battements de son cœur, il compta mentalement jusqu'à trois avant de lancer son attaque.

Un...

Advienne que pourrait, le garde devait être éliminé, sinon la grande opération dont ce cambriolage ne constituait que la première étape risquait d'être irrémédiablement compromise.

Deux...

— À cette heure-là, il y a la Française ? C'est laquelle ? Celle qui a des gros seins ? demanda le garde.

Benissimo ! (Il fit une pause.) Où est-elle ? Piazza Cavour ? Ça va. À 6 heures avec la Française. *A dopo*.

Abu Bakr se retint à temps et resta collé à la porte. Le vigile venait de prendre rendez-vous avec une prostituée qu'il irait retrouver à la fin de son service. « Ah, que ces *kafirun* sont dépravés ! »

Après avoir essuyé la sueur de son front avec ses gants noirs, le cambrioleur recula d'un pas et poussa un soupir de soulagement. Heureusement qu'il avait attendu jusqu'à la dernière seconde. Il patienta encore deux minutes en silence pour s'assurer que le garde s'était effectivement éloigné, puis murmura en direction de son compagnon qui s'était caché derrière un secrétaire.

— *Yallah !* Allons-y !

La taille du bureau situé au quatrième et dernier étage, et le bon goût avec lequel il était décoré indiquaient qu'il s'agissait de toute évidence de la pièce la plus importante du bâtiment. Après avoir vérifié les instructions sur le papier que tenait son compagnon, Bakr dirigea sa lampe vers le grand cadre accroché au mur derrière le secrétaire, révélant ainsi l'image invisible dans le noir.

La lueur tremblante de la torche fit apparaître un homme au sourire bienheureux, tout de blanc vêtu, portant une calotte blanche sur la tête, un camail et une soutane, blancs eux aussi, une grande croix en métal sombre au cou et la main droite levée, comme s'il bénissait ceux qui regarderaient la photographie.

— Ah, voilà le grand chef des croisés ! grommela Abu Bakr, sur un ton sarcastique. Tu vas voir, je vais t'ôter ce sourire stupide, chien d'infidèle, propagateur de mensonges !

Il saisit le cadre avec la photo du pape, le décrocha du mur et le posa par terre. Avec sa torche, son compagnon éclaira le pan de mur que le cadre dissimulait.

— Les voilà !

Le chef constata que les six coffres se trouvaient exactement à l'endroit indiqué sur le papier des instructions. Il s'approcha des petites portes métalliques, qu'il contempla avec satisfaction. La mission atteignait son point culminant.

Il tendit la main à Ibn Taymiyyah.

— Les instructions ?

Au lieu de lui remettre la feuille demandée, son compagnon en vérifia le contenu.

— C'est le deuxième en partant de la droite.

Après avoir esquissé de la main un geste d'insistance, Abu Bakr se saisit de la feuille et s'approcha du coffre indiqué. Il en examina le mécanisme d'ouverture, puis vérifia le code griffonné sur le papier et le composa, un chiffre après l'autre.

Lorsqu'il eut achevé l'opération, la porte blindée émit un bruit métallique et s'ouvrit lentement.

— *Mash'Allah !* s'exclama-t-il. Grâce à Dieu !

Les deux hommes échangèrent un regard de satisfaction. Abu Bakr vida l'intérieur du coffre puis inspecta attentivement les documents qu'il en avait retirés. Il vérifia les titres et la première page de chacun d'entre eux pour s'assurer de leur teneur.

Au bout de cinq minutes, il leva le pouce, indiquant que tout était en ordre et qu'il s'agissait bien de ce qu'ils cherchaient.

— Avec ça, on a largement de quoi enterrer ce chien et tous ces sales *kafirun* !

Il plaça les documents dans le sac puis, avec une bombe de peinture noire, il dessina une espèce de graffiti sur la photo du pape qui se trouvait par terre.

Il mit ensuite le sac sur son épaule, comme le Père Noël lorsqu'il s'apprête à distribuer les cadeaux, et avança vers la porte du bureau.

— Et les autres coffres ? demanda Ibn Taymiyyah, étonné de voir le chef se diriger vers la sortie. On ne les ouvre pas ?

— Non.

— Mais nos instructions étaient d'ouvrir tous les coffres !

Abu Bakr s'arrêta près de la porte, son profil sombre se détachant dans la lueur de la torche.

— Les instructions ne prévoyaient pas que le garde ferait sa ronde, or il l'a faite, rétorqua-t-il sèchement. Décampons d'ici avant que l'infidèle ne revienne.

Il se retourna et, après avoir éteint sa lampe, il s'engouffra dans le couloir obscur, se fondant dans la nuit comme un fantôme.

I

Une odeur de moisi et de renfermé saturait l'air lourd, chaud et chargé d'humidité des catacombes. Après avoir ajusté le casque de chantier qui lui protégeait la tête, Tomás Noronha fit signe à la personne qui l'accompagnait de le suivre et éclaira devant lui avec sa lampe torche. Les rayons lumineux qui s'agitaient nerveusement sur les murs rongés par le temps se perdirent soudain dans l'espace plus vaste qui s'ouvrit devant eux.

L'historien s'immobilisa et examina une des nouvelles cloisons dévoilées ; ils semblaient être arrivés dans une salle ou une cour intérieure remplie de décombres.

— Brrr, quel endroit sinistre ! gémit Maria Flor derrière lui, rompant le silence. Où sommes-nous ?

— Sous les *Grotte Vecchie*, précisa Tomás. Les vieilles grottes. Plus précisément, au mur sud. Plus nous avançons, plus nous reculons dans le temps. Ici, c'est le IIIe siècle, là-bas au fond le IIe, et plus loin encore le Ier.

Leurs voix résonnaient dans cet espace clos, amplifiées par le réseau de galeries et de *clivi*, ou ruelles, qui perçaient les murs et les fenêtres des mausolées

23

autour d'eux. Au plafond des catacombes s'accumulaient des gouttes d'eau invisibles qui coulaient à un rythme cadencé, en flics-flacs humides dont l'écho emplissait les ruines ; des spectres semblaient hanter les multiples cryptes oubliées, recouvertes de siècles de poussière.

— C'est encore loin ?

Après qu'ils eurent traversé un autre *clivus*, la lueur de la torche illumina une structure qui semblait insérée dans les décombres devant le grand mur enduit de rouge qui s'étendait en face d'eux.

— Nous sommes arrivés, dit-il. Nous entrons dans le Ier siècle.

Le regard de Maria Flor glissa sur les ruines.

— Qu'est-ce que c'est que ça ?

— Le Champ P.

La lumière parcourut une colonne de marbre de quatre-vingts centimètres de haut, puis une paroi perpendiculaire et s'arrêta sur la pièce de marbre que la colonne soutenait, avec ses deux niches superposées ; on aurait dit un auvent de pierre, mais, dans une nécropole, il ne pouvait s'agir que d'un mausolée en forme d'édicule. L'une des colonnes avait disparu, mais l'autre demeurait.

Maria Flor désigna la structure.

— C'est ça, le Champ P ?

— Non, répondit Tomás, tout en examinant le mausolée creusé dans la pierre. Le Champ P, c'est tout cet espace restreint où nous venons de pénétrer et qui est fermé au public. La structure devant nous est apparemment le trophée de Gaius.

— Qui ?

— Gaius.

24

— Qu'est-ce que c'est ?

L'historien avança et traversa le Champ P jusqu'à la structure ; l'espace formait un rectangle de sept mètres de long environ, recouvert de pierres et de tombeaux posés à même le sol, probablement les sépultures de personnes plus modestes que celles dont les dépouilles reposaient dans les mausolées pour l'éternité.

— C'est la découverte autour de laquelle je tourne depuis que je suis arrivé à Rome.

— Je croyais que tu travaillais sur la tombe de saint Pierre...

Tomás saisit le sac d'instruments archéologiques qu'il portait en bandoulière et le posa délicatement devant la colonne, au pied du muret qui y était érigé.

— Le trophée de Gaius est la tombe de Pierre, ma chérie. Le Champ P est l'appellation archéologique du Champ de Pierre.

Peu convaincue, elle examina la colonne avec méfiance.

— Ça c'est une tombe ?

— Oui, c'est dans cette zone que Pierre a été crucifié et que l'on a enseveli ses restes mortels. Nous nous trouvons dans le tombeau de Simon, le premier des Apôtres, le pêcheur à qui Jésus a dit qu'il serait « la pierre » sur laquelle il bâtirait son Église. Le mot *pierre* est à l'origine du nom sous lequel Shimon, ou Simon, est resté éternellement connu : Pierre. Simon, la pierre, ou Pierre, le premier pape.

— Comment tu sais ça ?

— Comment je sais quoi ? rétorqua-t-il sur un ton moqueur. Que Pierre était Simon le pêcheur qui accompagnait Jésus et qui, par la suite, devint le premier pape ?

25

— Mais non, idiot ! Que c'est en ce lieu que saint Pierre a été crucifié et enseveli. Comment tu le sais ?

— Toutes les sources antiques, par exemple Tertullien en 195 ou Eusèbe en 325, attestent que Pierre était l'évêque de Rome et qu'il a été crucifié lors des persécutions lancées par l'empereur Néron contre les chrétiens en l'an 64. Dans un texte apocryphe intitulé Actes de Pierre, il est indiqué qu'il a été crucifié la tête en bas, version que semblent confirmer indirectement l'Évangile de Jean et une autre source citée par Eusèbe.

Maria Flor désigna avec insistance la structure qu'encadrait la colonne.

— Bon, d'accord. Mais comment sais-tu que c'est arrivé précisément en ce lieu ? Il y a une inscription quelconque ?

— Non, mais on dispose de plusieurs pistes, à commencer par une citation que rapporte le premier historien de l'Église, Eusèbe. Selon lui, un prêtre, le fameux Gaius, a écrit, en 200, qu'il était possible de visiter le trophée de Pierre sur la colline du Vatican, à Rome.

D'un geste, la jeune femme indiqua l'espace alentour.

— À l'époque, c'était déjà le Vatican ?

— Bien sûr, confirma-t-il. Du temps de Néron, cette zone se trouvait aux limites de Rome et elle était considérée comme insalubre. Pline l'Ancien a même écrit que la colline du Vatican était infestée de moustiques et de serpents. Apparemment, il y avait un jardin dans les parages. Par la suite, Caligula y a fait construire un cirque ; d'ailleurs, on en a découvert les fondations dans le secteur sud. L'obélisque égyptien qui occupe le centre de l'actuelle place Saint-Pierre en faisait partie. Selon les chroniques, après l'incendie de Rome dont furent accusés les chrétiens, Pierre fut crucifié dans le cirque de Caligula, justement.

— Mais comment sait-on que c'est en ce lieu, exactement, que saint Pierre a été exécuté et enterré ?

— À l'époque, cette nécropole existait déjà et il est donc vraisemblable que les restes de saint Pierre aient été conservés ici, comme l'indique Gaius. Par ailleurs, tu remarqueras que ce mausolée a été creusé dans le mur rouge, qui lui est antérieur. Pourquoi l'a-t-on fait ? N'aurait-il pas été plus facile de construire le mausolée à côté du mur rouge plutôt que se donner la peine d'ouvrir cet espace dans le mur ? Si on a fait cela, c'est parce qu'il était très important d'ériger le mausolée précisément en ce lieu, malgré les obstacles. La précision devait être absolue. En outre, n'oublie pas qu'en 324, l'empereur Constantin a décidé de faire construire à cet endroit la basilique Saint-Pierre. Pourquoi ici ? Il devait y avoir une bonne raison, non ? Or, quelle meilleure raison, sinon que Pierre, la pierre sur laquelle on avait bâti l'Église, avait été crucifié à cet endroit ?

— Certes, mais il aurait pu être crucifié ici et sa dépouille conservée ailleurs...

L'historien s'accroupit et passa sa main sur le sol humide, la maculant d'une terre rougeâtre.

— À ton avis, quel type de terre est-ce là ?

Maria Flor examina la terre rougeâtre.

— De l'argile ?

— Exactement. (Toujours accroupi, il indiqua ensuite la surface du sol.) Tu as remarqué cette pente ?

Elle examina le terrain. Maintenant que son compagnon attirait son attention sur le sol, il lui sembla en effet incliné.

— Oui.

— Il y a onze mètres de dénivelé entre les extrémités nord et sud de la première basilique. Ce fait ainsi que la composition argileuse du sol rendent cet endroit techniquement très inadapté à l'édification d'un tel bâtiment. Cela pose des problèmes de stabilité et de sécurité pour les structures, ce que les architectes et ingénieurs romains ne pouvaient ignorer. D'ailleurs, l'inclinaison est si prononcée qu'il a fallu poser des fondations très profondes et construire des murs de soutènement particulièrement épais. Compte tenu de toutes ces difficultés, pourquoi les chrétiens de cette époque ont-ils insisté pour que la première basilique soit édifiée en ce lieu ? Qu'avait-il de tellement sacré qui le rendît incontournable ?

— C'est ici que saint Pierre a été crucifié, tu l'as déjà dit. Mais ce n'était pas ma question...

— Il faut que tu comprennes que les ruines de trois constructions coexistent ici : le cirque de Caligula, les catacombes chrétiennes et la première basilique érigée par Constantin. L'actuelle basilique Saint-Pierre, dont la construction a commencé en 1513 sur les ruines de la première basilique, ainsi que les autres dépendances du Vatican ont été bâties par-dessus.

— D'accord, il y a trois niveaux archéologiques sous l'actuelle basilique. Et alors ?

— Eh bien, ce n'est pas par hasard que la première basilique a été édifiée pour que cette structure à deux colonnes soit située au point focal de l'abside. En plaçant les deux colonnes en ce point central du sanctuaire, les bâtisseurs soulignaient son importance. Et pour quelle raison cet endroit était-il aussi important ? Qu'a-t-il de si spécial ?

— C'est ici qu'a été exécuté saint Pierre, j'ai compris. Mais ça ne garantit pas qu'il ait été enterré ici.

— À l'époque, les chrétiens avaient coutume d'enterrer les gens à proximité de l'endroit où ils étaient morts, pratique autorisée par le droit romain. De plus, n'oublie pas que les restes mortels suscitaient une vénération plus grande que l'endroit même du décès, c'est naturel. Or, toute l'importance architecturale que la nécropole et les deux basiliques, la première et l'actuelle, ont accordée à ce monument montre qu'il est extrêmement valorisé. Par ailleurs, le cirque de Caligula se situait bien ici, sur la colline du Vatican, mais ce lieu précis se trouvait à l'extérieur du cirque, ce n'est donc probablement pas l'endroit exact de la crucifixion. Dès lors, pourquoi construire ici cet important mausolée ?

Maria Flor fronça les sourcils, considérant le problème. Compte tenu des explications, la conclusion s'imposait d'elle-même.

— En effet... Très certainement parce qu'il s'agissait de la sépulture de saint Pierre.

— Évidemment ! s'exclama Tomás en faisant un geste vers les ruines autour d'eux. D'ailleurs, tu constateras que cette première basilique n'est pas parfaitement alignée sur la nécropole ou le cirque. Elle s'en éloigne de quelques degrés. Or, si elle n'est pas dans l'alignement de ces ruines, sur quoi est-elle alignée ? (Il désigna le mur rouge.) Sur ce vieux mur qui supporte la structure mortuaire ! Cela prouve, ma belle, que cette structure mortuaire à deux

29

colonnes était d'une importance absolument primordiale. En somme, ce lieu ne peut être que celui désigné par Gaius comme étant la sépulture de saint Pierre.

Maria Flor secoua affirmativement la tête.

— Je vois.

Son compagnon caressa la colonne qui subsistait de la structure et secoua la poussière qui s'y était accumulée.

— D'ailleurs, cette structure funéraire se trouve exactement sous la Confession de saint Pierre, une chapelle souterraine de l'actuelle basilique où, selon la tradition, Pierre a été enterré et qui daterait de 160, ce qui une fois de plus correspond au trophée de Pierre évoqué par Gaius. C'est autour de ce mausolée que l'empereur Constantin a fait construire la première basilique. (Il leva le doigt.) Et dans la basilique actuelle, au-dessus du trophée de Pierre et de la chapelle de la Confession de saint Pierre, a été édifié le baldaquin de saint Pierre, ce superbe dais de bronze foncé qui domine l'autel papal, autrement dit le maître-autel de la basilique Saint-Pierre. En somme, tous les papes ont célébré la messe jusqu'à nos jours au-dessus de cette structure funéraire. Il ne peut s'agir d'une coïncidence.

Impressionnée, la jeune femme contempla longuement la structure à deux colonnes.

— Si saint Pierre a été enseveli ici, où sont ses ossements ?

À cette question, Tomás ne répondit pas, il se gratta la tête. Les restes mortels du principal compagnon de Jésus existaient-ils encore ? Où pouvaient-ils être et comment les trouver ? La réponse était compliquée.

II

Après avoir nettoyé autour du trophée de Pierre, aussi appelé trophée de Gaius, Tomás rangea quelques outils, deux pelles et une petite pioche, dans une cavité du mur proche de la colonne disparue ; il n'en avait pas besoin tout de suite et préférait circuler plus légèrement dans le périmètre archéologique.

Saisissant son sac délesté, il se faufila par un trou ouvert dans le mur rouge.

— Viens.

— Où va-t-on ?

— Travailler, bien sûr. On n'est pas venus ici pour faire du tourisme ! Aujourd'hui tu as voulu m'accompagner pour voir les fouilles archéologiques, alors tu vas me donner un coup de main.

En réalité, Maria Flor avait bien plus envie de se promener dans Rome pour faire du shopping que de passer toute la matinée enfermée dans les catacombes sous le Vatican, mais elle avait pris sa journée pour ça et elle se résigna. Elle avait décidé de rejoindre son fiancé pour la semaine, pendant qu'il travaillait dans le secteur archéologique de la basilique Saint-Pierre et elle voulait rester quelques heures à ses côtés. Elle aurait bien assez de temps plus tard pour le shopping.

Elle se pencha et se faufila à son tour par l'ouverture ménagée dans les ruines, revenant ainsi dans le secteur aux petits compartiments, les zones mortuaires derrière le Champ P.

— Qu'est-ce que tu es en train de faire ?

— J'ai fait un relevé de toutes ces chambres mortuaires derrière le trophée de Pierre, précisa Tomás, en montrant les ruines autour d'eux. Il y a ici de nombreux ossements qui doivent être examinés et c'est pour ça que le Vatican m'a engagé. Ils veulent savoir qui est qui.

Maria Flor regarda autour d'elle. Sans doute parce qu'ils s'étaient engagés plus avant, l'air semblait encore plus fétide et saturé que dans le reste du secteur.

— Waouh, c'est vraiment sinistre ici ! s'exclama-t-elle. Comment a-t-on pu laisser cette zone se dégrader autant en deux mille ans ?

— C'est simple. On a oublié les catacombes pendant plus d'un millénaire.

Elle écarquilla les yeux, surprise.

— On les a oubliées pendant plus de mille ans ?

— Exactement.

— Et quand est-ce qu'on s'en est souvenu ?

— Pendant la Seconde Guerre mondiale. Le pape Pie XI est mort en 1939 et, dans son testament, il avait exprimé le désir d'être enterré sous la basilique, dans les *Grotte Vecchie*, les vieilles grottes situées exactement sous la Confession de saint Pierre, cette fameuse chapelle souterraine du Vatican où, selon la tradition, se trouverait le tombeau de saint Pierre. Quoi de plus grand que d'être enterré près du premier pape, la pierre sur laquelle fut bâtie l'Église ?

— Je vois. C'est comme ça qu'on a découvert tout ça...

— Absolument. Lorsqu'ils sont venus ici, les *sampietrini*, les ouvriers spécialisés de la Cité du Vatican, ont constaté que la place manquait pour enterrer Pie XI. On leur a donc ordonné de sonder les *Grotte Vecchie* pour voir ce qu'il y avait dessous et... bingo ! Ils ont découvert les restes du plancher de la première basilique. Tu imagines l'excitation ! Plus important encore, ils ont détecté des fissures qui menaient à une curieuse chambre remplie de blocs de pierre.

— C'étaient ces catacombes ?

— Oui, mais personne ne le savait à l'époque. Le sous-sol de la basilique regorgeait de mystères. Le nouveau pape, Pie XII, s'intéressa à la question et, après mûre réflexion, il décida de faire explorer toute cette zone. Bien sûr, il connaissait la tradition qui voulait que saint Pierre fût enterré en ce lieu et il voulait savoir si cette sépulture existait vraiment et si elle avait survécu au temps. Outre que la découverte archéologique aurait été extraordinaire, les enjeux théologiques étaient également évidents.

— Eh oui ! On prouvait ainsi l'existence de saint Pierre...

— Plus que ça, très chère. Rappelle-toi que Luther avait contesté que le Vatican abritait le tombeau de saint Pierre, et que l'Église orthodoxe remettait aussi en question la primauté de l'Église catholique au sein du christianisme. La découverte du tombeau de saint Pierre sous le Vatican ferait de l'Église catholique l'héritière légitime de la véritable foi, la chrétienté créée par Simon, la pierre sur laquelle Jésus a dit qu'il bâtirait son Église. Ce serait une cuisante défaite théologique tant pour les protestants que pour les orthodoxes. Comment pourraient-ils alors nier que l'Église catholique est vraiment l'Église de Pierre, le principal apôtre de Jésus ?

Ils avançaient lentement, la torche éclairant le chemin parmi les décombres, afin de ne pas se laisser surprendre par un trou ou trébucher sur une pierre.

— D'accord, mais il me semble que ça comportait un risque. Et si on ne découvrait rien ? Cela prouverait qu'en fin de compte, les protestants et les orthodoxes avaient raison...

— En effet. C'est pourquoi les travaux ont été exécutés dans le plus grand secret, précisa Tomás. En outre, il y avait très peu de chances que les restes de saint Pierre aient pu se conserver deux mille ans au milieu de toutes ces ruines, avec une humidité défavorable à la préservation des corps, et après tous les épisodes sanglants qu'avait connus le Vatican, notamment les invasions de Rome par les Wisigoths, les Vandales, les Ostrogoths et les musulmans.

— Ils sont venus chercher les restes mortels de saint Pierre, répéta Maria Flor. Tout à l'heure, je t'ai demandé où ils se trouvaient et tu ne m'as pas répondu.

L'historien hésita.

— Eh bien, le but ultime de ces travaux était de découvrir les ossements du plus important compagnon de Jésus, cela va de soi.

— Mais était-ce possible ? s'interrogea la jeune femme, en désignant de la main les catacombes qui les entouraient. Comme tu l'as dit, ici les conditions sont telles qu'elles ne permettent pas de conserver des corps pendant deux mille ans. De plus, que fallait-il chercher exactement ? Une sépulture portant la mention « Ci-gît saint Pierre » ?

— Et pourquoi pas ?

Maria Flor lui lança un regard sceptique.

— Tu plaisantes, je suppose...

— Au contraire, je suis très sérieux, répondit Tomás. Écoute, nous savons que le deuxième successeur de Pierre, le pape Anaclet, a fait faire un reliquaire, une espèce de cercueil en terre cuite ou en pierre creuse, pour conserver les ossements du vieux compagnon de Jésus. Et grâce au témoignage de Gaius, cité par Eusèbe, nous savons que ce reliquaire a été déposé dans le trophée de Pierre, la structure que nous avons vue, là-derrière.

— Et... on a trouvé le reliquaire dans la structure ?

Tomás marqua une hésitation.

— Pas là.

— Que veux-tu dire ? Si le reliquaire n'a pas été découvert à cet endroit, où d'autre ?

— La réponse n'est pas simple, car le reliquaire a traversé des époques agitées. On sait que durant les persécutions contre les chrétiens, les restes de saint Pierre ont été cachés dans les catacombes de la via Appia. Lorsque les choses se sont calmées, les ossements sont revenus à la nécropole de la colline du Vatican. Le problème, c'est que la ville a ensuite été pillée à plusieurs reprises par les Barbares et les musulmans, qui ont volé tout ce qui avait de la valeur. Il est dès lors très probable qu'ils aient aussi emporté le reliquaire de saint Pierre.

— Donc, on n'a rien trouvé...

Tomás fit une grimace.

— Pas vraiment. Pendant la Seconde Guerre mondiale, les techniciens envoyés par le pape Pie XII ont effectué des sondages en profondeur, ils ont ouvert des tunnels dans les murs épais et extrait des tonnes de terre, de gravats et d'eau. Au bout d'un an, ils ont concentré leurs recherches dans le secteur situé sous la Confession de saint Pierre car, comme je l'ai déjà dit, c'était là que, selon la tradition, se trouvaient les restes mortels du fondateur de l'Église. Ils sont alors tombés sur tout ce réseau de tombes et de mausolées. Ils ont ainsi pénétré dans des lieux où personne n'était allé pendant plus de mille ans, dans lesquels ils ont découvert des sarcophages, des fresques, des urnes, des ossuaires et des fragments de céramique. C'est ainsi qu'ils ont trouvé le Champ P et le trophée de Pierre mentionné par Gaius.

— Mais pas les ossements de saint Pierre...

Tomás contracta le visage en une expression d'incertitude.

— On l'ignore.

— Comment ça on l'ignore ? Soit on les a trouvés, soit on ne les a pas trouvés, c'est très simple.

Sachant qu'il lui fallait s'expliquer plus clairement, l'historien s'efforça de mettre de l'ordre dans ses pensées.

— Pendant la Seconde Guerre mondiale, une équipe dirigée par monseigneur Ludwig Kaas a été constituée pour explorer tout cet espace situé sous les *Grotte Vecchie*. Les travaux ont duré dix ans. Le problème, c'est que monseigneur Kaas était un véritable amateur, sans la moindre notion d'archéologie. Il en ignorait même les règles les plus élémentaires, comme la nécessité de tenir un journal pour consigner toutes les découvertes, tu te rends compte !

— Oui, et alors ? s'impatienta Maria Flor. On a découvert les restes mortels de saint Pierre, oui ou non ?

L'historien désigna l'ouverture qui conduisait au Champ P, derrière eux.

— L'équipe a effectivement trouvé des ossements près du trophée de Gaius, dans une niche du mur rouge.

Le regard de Maria Flor s'illumina.

— Vraiment ?

— Ces ossements étaient mêlés à des morceaux de tissu, des bouts de bois et quelques pièces de monnaie. Les examens radiographiques, chimiques et microscopiques effectués conclurent qu'il s'agissait du squelette presque complet d'un être humain du sexe masculin, d'une corpulence supérieure à la moyenne et d'un âge avancé.

Elle parvint difficilement à contenir son excitation.

— C'est-à-dire... saint Pierre !

— C'est en effet la conclusion qui a été tirée, confirma Tomás, amusé par l'enthousiasme de sa fiancée. On avait enfin découvert les restes de saint Pierre.

Maria Flor ne contint plus son enthousiasme.

— C'est génial !

L'historien leva la main pour ménager son ardeur.

— Le problème, c'est qu'un autre chercheur, plus compétent, étudia les mêmes ossements et en conclut qu'il s'agissait en fait des restes de trois individus différents, dont une femme, et que rien ne correspondait à ce que l'on savait de saint Pierre.

Maria Flor ne put cacher sa déception.

— Oh !

— En gros, on n'avait rien dans une main et pas grand-chose dans l'autre...

— Alors... alors, les restes de saint Pierre n'existent pas ? C'est ça ?

En guise de réponse, Tomás respira profondément, comme s'il tentait de se conformer à la conclusion inévitable, et il se leva. Sa fiancée semblait tellement dépitée qu'il s'approcha d'elle et l'embrassa.

— Les restes de saint Pierre n'ont pas été découverts, murmura-t-il. Et après ? Qu'est-ce que ça peut bien faire ?

Il l'embrassa sur les lèvres, d'abord avec douceur puis avec de plus en plus d'ardeur. Les baisers et la chaleur du corps de Maria Flor, qu'il serrait dans ses bras, l'emportèrent.

— Oh ! s'exclama-t-elle lorsqu'elle parvint à décoller ses lèvres. On dirait que...

— Eh oui, acquiesça Tomás avec un sourire malicieux. On est tout seuls ici et... enfin...

Maria Flor le dévisagea.

— Et enfin quoi ?

Son fiancé regarda autour de lui, comme s'il voyait cet espace sous un nouveau jour.

— Tu ne trouves pas qu'il y a je ne sais quoi de romantique ici ? Romantique et... excitant, non ? Pourquoi ne pas en profiter ?

— Tomás Noronha, tu n'es pas en train de suggérer que... que... ?

Elle ne finit pas sa phrase car il l'embrassa avec passion. Tomás sentit son corps généreux serré contre le sien. D'une main, il commença maladroitement à enlever sa ceinture.

— Ce n'est pas possible ! dit-elle brusquement,

en se détachant de son compagnon. Ce n'est pas possible !

Maria Flor fit un pas en arrière et faillit trébucher sur un mausolée.

— Et pourquoi donc ? s'étonna-t-il, la soutenant pour qu'elle ne tombe pas à la renverse. Qu'y a-t-il ?

— Pas ici. Nous sommes dans une nécropole, Tomás ! Et au Vatican en plus !

— Et après ?

La question la scandalisa.

— Et après ? (Elle désigna le secteur des catacombes.) Juste à côté se trouve le mausolée où saint Pierre a été enseveli ! (Elle indiqua le plafond.) Et au-dessus, la basilique Saint-Pierre, tout le Vatican, et même le pape ! C'est un lieu sacré ! On ne peut pas se mettre à... à...

Tomás pencha la tête et, croisant les bras, la dévisagea avec un air moqueur.

— Ne me dis pas que tu es devenue bigote ?

— Tu sais très bien que je ne suis pas bigote pour deux sous, mais je suis catholique et, de toute évidence, j'ai plus de bon sens que toi ! Vous les hommes, vous êtes tous les mêmes ! Vous ne pensez qu'à ça !

— Mais enfin, mon cœur, quel mal y a-t-il à vouloir profiter de ce moment, nous sommes tout seuls et...

Sa fiancée refusa d'écouter la suite.

— Tu n'as pas de travail à faire ?

— Euh... oui, bien sûr.

— Alors, tu n'as qu'à t'y mettre !

— Mais, voyons, ma chérie, tu ne veux pas...

— Va travailler, insista-t-elle avec fermeté. Tout de suite.

Les épaules de Tomás s'affaissèrent. Il savait qu'il était vaincu.

— Bon, puisque c'est comme ça, dit-il résigné. (Il saisit le sac contenant les outils.) Et toi, que vas-tu faire ?

— J'ai envie d'explorer un peu tout ça. Tu peux me prêter une torche ?

L'historien sortit du sac une deuxième lampe et la lui tendit.

— Attention de ne rien abîmer, la prévint-il. N'oublie pas que toute cette zone est réservée aux travaux archéologiques. Ne touche à rien.

— J'ai compris. Et toi, tu vas où ?

Tomás fit demi-tour et commença à s'éloigner, éclairé par sa torche.

— On m'a demandé de cataloguer les chambres mortuaires et tout ce qui se trouve ici, dit-il. Je serai vers le secteur de la famille Valerius.

Parmi les ruines, Maria Flor ne distingua bientôt plus que la clarté de la lampe et le son de ses pas qui résonnaient dans les vieilles catacombes.

III

Cela faisait une heure que Tomás s'interrogeait sur l'inscription gravée près de la structure funéraire. Depuis qu'il se trouvait dans cette aile de la nécropole souterraine, il avait consacré tout son temps à un mausolée voisin de celui des Valerii dont l'inscription chrétienne qu'il y avait trouvée le fascinait. Les parents du défunt, sans doute une personne importante dans la société de l'époque, demandaient à saint Pierre d'intercéder pour les âmes des morts enterrés « près de lui ».

— « Près de lui »..., murmura Tomás, réfléchissant à ces mots gravés dans la pierre. Hum... intéressant.

C'était un indice supplémentaire, s'il en était besoin, que le principal compagnon de Jésus avait effectivement été enterré à proximité ; c'était la seule manière de comprendre cette requête. C'est d'ailleurs dans cette chambre que se trouvait la deuxième plus ancienne peinture connue du Christ, ce qui lui conférait un caractère encore plus particulier.

Il gribouilla quelques notes dans le journal des travaux archéologiques. Il fallait dater ces inscriptions de façon précise. Quel qu'eût été leur auteur, à l'époque où la requête avait été écrite, les ossements de saint Pierre devaient certainement se trouver encore dans le trophée de Gaius. Comment expliquer autrement la prière adressée à l'apôtre d'intercéder pour les âmes de ceux qui étaient enterrés « près de lui » ?

— Tomás ?

D'ailleurs, le travail d'un archéologue était fait de détails. La plupart des informations arrachées au passé résultaient d'indices indirects recueillis dans les fouilles. Des éléments qui, à première vue, paraissaient secondaires, voire parfaitement insignifiants, ouvraient souvent des pistes qui menaient à d'importantes découvertes. En croisant les informations et...

— Tomás !

La voix lointaine de Maria Flor parvint jusqu'à l'historien, plongé dans ses réflexions. Il sursauta et se retourna, mais ne vit que l'obscurité des catacombes.

— Qu'y a-t-il ?

— Tu peux venir ici ?

Il soupira, frustré. Tout compte fait, l'amener avec lui n'était pas une bonne idée. Il aimait travailler pendant des heures, concentré sur une tâche unique, seule façon d'être efficace, et les interruptions troublaient sa concentration.

— J'arrive.

Il se leva et esquissa une grimace de douleur ; passer autant de temps accroupi à examiner des vestiges archéologiques était non seulement fatigant, mais aussi très mauvais pour son dos. Il saisit la torche et marcha en direction de la voix de Maria Flor, vers la zone du Champ P.

Il zigzagua entre les ruines et distingua la lueur de

la lampe de sa fiancée par l'ouverture percée dans le mur rouge ; elle se trouvait près du trophée de Pierre.

— Viens voir, dit Maria Flor, viens voir ça.

Tomás se faufila et repassa de l'autre côté. Elle était installée dans le trophée de Pierre, penchée sur le muret situé à l'endroit où la colonne avait disparu ; le mur faisait presque un mètre de hauteur et cinquante centimètres d'épaisseur.

— Qu'y a-t-il ?

— Il y a plein d'inscriptions. Regarde.

Tomás s'approcha de sa fiancée et scruta les messages sculptés dans le mur.

— Ah, oui. C'est le mur des graffitis.

— Le quoi ? s'alarma-t-elle. Ne me dis pas qu'on a vandalisé la tombe de saint Pierre !

— Non, non. Ça s'appelle le mur des graffitis parce qu'il est rempli d'inscriptions faites par les chrétiens du IIIe siècle. Le fait qu'il y ait autant de graffitis ici, ce qui n'est pas très courant, montre l'importance que les premiers chrétiens attribuaient à ce mausolée. En outre, ces inscriptions sont codées afin que seuls les initiés puissent les déchiffrer, ce qui est très intéressant et nous donne un aperçu des croyances de l'époque. (Il désigna l'une des inscriptions.) Tu vois ces deux symboles ? Il s'agit d'un *chi* et d'un *rhô*, et ensemble ils représentent le Christ.

— Ah, je vois. C'est comme sur ce caillou par terre.

— Quel caillou ?

Maria Flor se baissa et lui montra un fragment qu'elle ramassa sur le sol.

— Ça, tu vois ? Il y a aussi des signes sculptés.

L'historien le saisit et constata qu'il ne s'agissait pas d'un caillou mais d'un morceau de plâtre identique à celui du mur rouge. Il dirigea la lumière vers la surface du fragment et examina l'inscription.

— Curieux...

Il semblait tellement intrigué que son amie s'inquiéta.

— Qu'y a-t-il ?

Tomás garda le silence pendant un long moment, scrutant les contours de l'inscription et s'interrogeant sur sa signification, l'air incrédule.

— Est-ce possible ? murmura-t-il, pour lui-même plus que pour elle. Serait-ce que... que...

— Que quoi ? Que se passe-t-il, Tomás ?

Il finit par détacher les yeux du fragment et la regarda.

— Où as-tu trouvé ça ?

Elle désigna le sol, à l'endroit où le mur rouge et le mur des graffitis se rejoignaient.

— Ici. Pourquoi ?

Ouvrant hâtivement son bloc-notes, Tomás copia sur une feuille les deux mots gravés sur le fragment, l'un au-dessus de l'autre, et se mit à réfléchir. Le deuxième caractère du premier mot, celui du dessus, était un E et le dernier un I. Un peu hésitant, il ajouta un accent sur le E, de manière à obtenir un É, et compléta le haut du I avec un cercle fermé, ce qui le transforma en une sorte de P. Testant l'hypothèse qu'il avait formulée mentalement, il ajouta ensuite deux nouveaux caractères, un O et un Σ.

Il écarquilla les yeux et fit un bond.

— Eurêka !

— Quoi ? Qu'est-ce qu'il y a ?

— Tu ne vois pas ce qui est écrit ?

Il lui présenta la feuille qu'il venait de griffonner

avec les mots déchiffrés sur le fragment, complétés
par le ΠΟΣ final du mot du dessus.

ΠΈΤΡΟΣ
ΈΝΙ

Maria Flor manifesta son incompréhension.

— Je n'y comprends rien.

— *Petrus eni* ! s'exclama-t-il. N'est-ce pas extraordinaire ?

— Certainement, mais qu'est-ce que ça veut dire ?

L'historien était tellement excité qu'il lui fallut un
instant pour se rappeler qu'elle n'était pas versée en la
matière et ne pouvait donc pas suivre son raisonnement.

— *Petrus*, c'est Pierre, écrit en caractères grecs. Et
eni est une contraction d'un verbe grec qui signifie
« est ici ». *Petrus eni,* cela veut dire « Pierre est ici » !
Tu comprends ?

Sa fiancée le dévisagea, toujours sans comprendre.

— Ici ? Où ici ?

Tomás fit un geste en direction de la colonne qui
soutenait le trophée de Pierre.

— Ici, dans le mausolée !

Elle le dévisagea, les yeux écarquillés.

— Ah, je commence à comprendre ! s'exclama-
t-elle. (Elle fronça les sourcils, assaillie par un doute,
et observa l'annotation.) Il est écrit que saint Pierre est
ici, d'accord, mais où exactement ?

La question était pertinente. L'historien examina à
nouveau le fragment de plâtre : sa couleur et sa texture
laissaient penser qu'il s'était détaché du mur rouge.
Comme celui-ci était antérieur au mausolée, tout

indiquait que quelqu'un avait utilisé le fragment pour signaler le lieu par écrit, comme sur une tablette. Les restes de Pierre se trouvaient donc quelque part dans le mur ou près de lui. C'était là qu'il fallait chercher.

Après avoir placé le fragment dans un sachet en plastique pour un futur examen en laboratoire, Tomás s'approcha de l'endroit où le mur rouge touchait le mur des graffitis, dans lequel il découvrit une ouverture ; cela ressemblait davantage à une cachette qu'à un reliquaire.

— Ça alors !

— Qu'y a-t-il ?

— Un *loculus*, constata-t-il. C'est un *loculus*.

— C'cst-à-dirc ?

Il glissa la main dans l'ouverture qu'il venait de découvrir. Le *loculus* contenait une espèce de coffre en marbre, sans couvercle, qu'il explora à tâtons.

— C'est une niche.

— Il y a quelque chose dedans ?

Après avoir tâtonné d'abord lentement, puis avec une plus grande frénésie, Tomás sortit sa main et afficha un air déçu.

— Non, rien.

— Mais alors, où peut bien être saint Pierre ?

L'historien examina également le mur rouge, puis fouilla dans les gravats qui jonchaient le mausolée. Mais il ne découvrit rien là non plus. Frustré, il s'arrêta pour considérer les différentes hypothèses. Ses yeux verts allaient de l'inscription *Petrus eni* sculptée dans le fragment de plâtre rouge au *loculus* du mur des graffitis. Était-il possible que le *loculus* fût vraiment vide ? Il se mit à cogiter. Selon l'inscription, saint Pierre se trouvait là, mais il n'y avait rien dans le *loculus*. Quelle pouvait être l'explication ?

Et si... ?

— Je sais !

Il pivota sur ses talons et, dirigeant la lampe vers l'ouverture qui conduisait au *clivus* le plus proche, s'en alla d'un pas rapide et déterminé ; comme s'il venait d'être chargé d'une mission.

IV

Le vieillard, un homme chauve à la peau ridée, avec une barbiche blanche effilée, était assis à la fenêtre qui donnait sur le Cortile della Pigna. Encore à moitié endormi, il profitait du soleil matinal tout en observant les touristes qui prenaient des photos près de la grande pomme de pin verte en contrebas, et les prélats qui traversaient la cour. Sa main osseuse tenait un bâton et tremblait légèrement mais continuellement, signe qu'il était atteint de la maladie de Parkinson, et les paupières commençaient à lui peser au point qu'il s'endormait constamment, pour se réveiller aussitôt.

À l'instant où il recommençait à s'endormir, il sentit un léger mouvement et tourna la tête pour voir qui s'approchait.

— Signor Sigone ?

Le vieillard sursauta et se réveilla tout à fait en reconnaissant l'homme qui venait de l'interpeller.

— Ah, professeur Noronha ! s'exclama-t-il. Quelle chance de vous rencontrer. Son Éminence vous cherche.

L'information surprit Tomás. Venu avec Maria Flor pour s'entretenir avec Giovanni Sigone, il se rendait compte que c'était lui que l'on cherchait.

— Qui ?

— Son Éminence le cardinal Barboni. Il est passé me voir tout à l'heure en demandant où vous étiez.

L'expression de l'historien se transforma complètement : il n'était plus seulement étonné mais intrigué. Il y avait de quoi. Angelo Barboni était le secrétaire d'État, le « Premier ministre » du Saint-Siège, la personne la plus puissante de l'Église après le pape. Enfin, en principe, car en réalité, il avait tendance à être encore plus puissant que le souverain pontife, dans la mesure où il s'occupait des affaires courantes de la curie, le gouvernement du Vatican, tandis que le pape se consacrait aux grandes questions spirituelles de l'Église.

— Le cardinal Barboni ? Que me voulait-il ?

— Je l'ignore. (Sigone leva la main et fit signe à un jeune homme qui venait du musée Pio-Clementino.) Fabio ! appela-t-il. Informe Son Éminence que le professeur Noronha est là ! *Adesso !*

Après un « *Certo !* » affirmatif, le jeune fonctionnaire du musée disparut dans les couloirs du Vatican, laissant à nouveau Sigone seul avec Tomás et Maria Flor.

— Comme vous le savez, signor Sigone, la Commission pontificale pour l'archéologie sacrée m'a chargé de dresser le catalogue des sépultures qui se trouvent dans la nécropole et de rechercher des vestiges des restes de saint Pierre, rappela l'historien portugais. Or, vous avez participé aux travaux de monseigneur Kaas, n'est-ce pas ?

— *Vero*, confirma Sigone. À l'époque, j'étais un jeune et naïf *sampietrino* et j'ai été choisi pour faire partie de l'équipe de monseigneur Kaas, qui a mené, là, en dessous, les fouilles ordonnées par Sa Sainteté. Ah, quelle époque glorieuse !

— Quelle épopée cela a dû être de fouiller dans la nécropole et, surtout, de découvrir le trophée de Pierre, convint-il. Quelle expérience !

— Ah, professeur, vous ne pouvez pas imaginer ! Ce que j'ai pu prier la Vierge ce jour-là pour la remercier !

Tomás toussota, se préparant à aborder la question pour laquelle il était venu.

— Signor Sigone, j'ai une question à vous poser au sujet du mur des graffitis. Je ne sais pas si vous voyez, c'est celui qui est à côté du trophée de Pierre...

Le regard du vieillard se perdit dans le vague tandis qu'il visualisait mentalement l'image du mur en question. Cela faisait des décennies qu'il ne s'était pas rendu sur place, mais tous les détails du Champ P étaient gravés dans sa mémoire, y compris le mur des graffitis.

— Oui, je vois très bien. Le mur rempli d'inscriptions, qui est attaché au mausolée.

— C'est cela même. Je suppose que vous savez aussi que ce mur des graffitis comporte une niche, à mi-hauteur ?

— Une niche ?

— Oui, un *loculus*... une sorte de trou ouvert dans le mur revêtu de plaques de marbre. Vous vous souvenez d'avoir vu ça ?

Le regard terne du vieux s'anima.

— Ah oui ! Je vois ! Je vois !

— Il se trouve que ce *loculus* est vide.

— Effectivement.

— Mais, signor Sigone, c'est étrange, vous ne trouvez

pas ? Si les chrétiens de l'époque ont recouvert le *loculus* de marbre, c'est qu'il était important, surtout si l'on considère l'endroit où il se trouvait. Ils auraient dépensé une fortune en marbre et se seraient donné autant de peine pour ensuite le laisser vide ?

L'ancien *sampietrino* secoua affirmativement la tête.

— Oui, c'est étrange.

— Lorsque vous avez découvert le mausolée, le *loculus* du mur des graffitis était déjà vide ?

Sigone acquiesça de nouveau.

— Oui, oui.

Tomás fut déçu par la réponse du vieil homme. Le message du fragment de plâtre tombé du mur rouge indiquait clairement *Petrus eni*, « Pierre est ici ». Ici, mais où ? Ça ne pouvait être que dans le *loculus*. Il parlait cependant au dernier des *sampietrini* qui avaient pénétré pour la première fois dans la nécropole et découvert le trophée de Pierre, lequel confirmait que la niche en question était vide lorsqu'elle fut découverte.

— Je comprends, murmura l'historien. Il n'y avait rien dedans.

Le vieil homme hésita.

— Enfin, seulement des gravats.

La réponse suscita la curiosité de Tomás.

— Des gravats ? Quel genre de gravats ?

— Des cochonneries. Des déchets. (Il haussa les épaules pour souligner le caractère insignifiant du contenu.) Rien de spécial.

Le cœur de l'historien portugais s'emballa en entendant cette nouvelle. Serait-il possible que...

— Que... qu'avez-vous fait de ces gravats ?

— Monseigneur Kaas les a fait enlever.

Tomás fit un bond et cria presque.

— Il les a fait enlever ?

Sigone fut effrayé par cette réaction, qui lui parut déplacée : qu'avait-il dit de si grave qui justifiât une telle agitation de la part de son interlocuteur ?

— Il y a un problème, professeur ?

— Mais c'est une catastrophe ! s'écria Tomás, saisissant le vieux par les épaules et le secouant comme s'il n'était qu'un tas d'os. Vous vous rendez compte de ce que vous avez fait ? Vous comprenez le crime que... que...

Apeuré, le *sampietrino* se protégea la tête avec les mains.

— Professeur, qu'ai-je fait ?

S'apercevant qu'il avait perdu son sang-froid au point d'agresser physiquement un vieil homme, le Portugais le relâcha aussitôt. Il regarda autour de lui et remarqua plusieurs touristes qui observaient la scène, se demandant s'ils devaient appeler la gendarmerie ou les gardes suisses.

Pour donner le change, Tomás se fendit d'un grand sourire et posa une main amicale sur l'épaule de Sigone. Les badauds poursuivirent leur promenade.

Soulagé, l'historien recommença à interroger son frêle interlocuteur.

— Signor Sigone, monseigneur Kaas en a-t-il au moins informé les archéologues ?

L'Italien semblait encore un peu effrayé, mais il répondit.

— Ce n'étaient que des gravats, professeur.

— Certes, mais en a-t-il informé les archéologues, oui ou non ?

— Bien sûr que non, professeur. Pourquoi aurait-il dû le faire puisqu'il ne s'agissait que de décombres ?

Tomás ébaucha un geste d'exaspération, se voyant contraint d'expliquer ce qui était évident pour le premier archéologue venu. Il avait envie de secouer à nouveau le vieillard, de le sermonner et de crier.

Mais il se contint.

— Sur un site archéologique, tout a de l'importance, signor Sigone. Même les décombres. Surtout s'ils proviennent d'une niche signalée par la mention *Petrus eni*, vous comprenez ?

— *Petrus*... quoi ?

Sentant qu'il allait s'énerver à nouveau, Tomás estima qu'il valait mieux partir ; d'ailleurs, le vieux *sampietrino* n'était pas responsable de l'incompétence de monseigneur Kaas, qui s'était pris pour un archéologue et avait ainsi détruit l'une des plus grandes découvertes de l'histoire de l'archéologie biblique. Et même si Sigone avait une part de responsabilité, il était trop tard, le mal était fait.

Résigné, l'historien fit demi-tour et s'apprêta à partir.

— Oubliez tout cela, signor Sigone, dit-il en guise de salut. Il ne viendrait à l'idée de personne de jeter les gravats découverts sur un site archéologique, encore moins un site de cette importance, mais... enfin. Ce qui est fait est fait. (Il le salua.) Passez une bonne journée.

Accompagné de Maria Flor, Tomás s'éloigna, tête basse, et, exaspéré, il se dirigea vers le long couloir de Bramante, en direction du Palais médiéval, afin de quitter le Vatican le plus vite possible et tenter d'oublier ce fiasco. Comment pouvait-on être aussi stupide ? se demandait-il. Nul n'aurait l'idée de...

— Il ne les a pas jetés.

Les mots prononcés par le vieil homme firent se retourner l'universitaire.

— Pardon ?

— Les décombres. Monseigneur Kaas ne les a pas jetés.

Tomás s'immobilisa et dévisagea de nouveau Sigone, avec un mélange d'espoir et d'incrédulité.

— Quoi ?

L'ancien *sampietrino* se leva et commença à marcher lentement en direction des deux Portugais, la pointe de sa canne émettant des sons métalliques lorsqu'elle cognait le marbre du sol.

— Je sais où est conservé le contenu du *loculus*.

V

Après avoir ouvert les portes de la vieille armoire du magasin, Giovanni Sigone y plongea sa tête chenue et se mit à farfouiller dans le contenu de la première étagère. Ne trouvant rien, il passa à celle du dessus, et ainsi de suite jusqu'à ce qu'il finisse par bougonner d'insatisfaction. L'armoire ne contenait pas ce qu'il recherchait.

Il en referma les portes, se dirigea vers celle d'à côté et répéta l'opération. Lorsqu'il arriva à la troisième étagère, il s'arrêta.

— Voilà !

Brûlant de curiosité, Tomás et Maria Flor s'approchèrent et tentèrent de regarder par-dessus son épaule.

— Je peux vous aider ?

L'ancien *sampietrino* se pencha sur l'étagère et, rassemblant toute son énergie, saisit un objet qui s'y trouvait.

— *Porca miseria !* marmonna-t-il entre ses dents. Je suis peut-être vieux, mais j'ai encore assez de force pour ça, que diable !

Les deux Portugais n'avaient nullement l'intention de mettre en cause ses capacités. Voir le vieil homme faire preuve d'une telle volonté pour montrer sa vitalité était même attendrissant. Mais son corps chétif tremblait tellement en essayant de soulever l'objet en question qu'ils doutèrent vraiment.

— Est-ce que je peux...

Déséquilibré par un tel poids, Sigone tourna sur lui-même et, titubant comme un ivrogne, posa un énorme plateau sur la table qui occupait le centre de la pièce.

— Ahhh, gémit-il, le visage écarlate et gonflé par l'effort.

Ça n'était pas la meilleure manière de traiter de précieuses reliques, mais Tomás préféra ne rien faire remarquer pour ne pas agacer l'homme qui essayait de l'aider. Les jeunes gens regardèrent avidement ce qu'il y avait sur le plateau, un sac en plastique poussiéreux au contenu indéterminé. À première vue, on pouvait croire que, comme le supposait le responsable de la première exploration de la nécropole, ça n'était que des gravats.

— C'est ce que monseigneur Kaas a retiré du *loculus* caché dans le mur des graffitis ?

Encore essoufflé par l'effort, le cœur battant, le vieil homme acquiesça.

— Absolument. Vous voulez ouvrir le sac, professeur ?

Tomás sortit de sa poche les gants que les archéologues utilisent toujours lorsqu'ils manipulent des objets précieux et les enfila avant d'étendre un grand drap sur la table vide qui se trouvait à côté.

Avec des gestes lents et délicats, il défit le nœud qui fermait le sac en plastique et en retira le contenu pièce par pièce. Toujours avec une infinie prudence, comme s'il manipulait du cristal, il déposa les morceaux sur le drap l'un après l'autre.

— Flor, tu peux noter ?

Maria Flor retira du sac le journal d'archéologie qu'il utilisait pour ce type d'opération et prépara le stylo.

— Je t'écoute.

— Alors, écris s'il te plaît. Deux fragments rouges. Elle nota.

— Hmm-hmm.

— Deux morceaux de tissu.

— Hmm-hmm.

— Des os incrustés de terre.

— Oui.

— Des petits cailloux, des grains de sable et d'argile.

— Hmm-hmm.

Le sac en plastique était vide ; les deux Portugais et l'Italien contemplèrent pendant un long moment les pièces éparpillées sur le drap.

— Monseigneur Kaas avait raison, conclut le vieux Sigone en rompant le silence. Ce ne sont que des gravats.

Impassible, Tomás rétorqua sur un ton neutre qui dissimulait mal l'émotion qui l'avait envahi.

— C'est un trésor.

— Un trésor ? s'étonna le vieux *sampietrino*. Ces... ces gravats ? Mais voyons, professeur, ce n'est que de la terre, du sable et quelques morceaux d'os, rien de plus. Regardez ce tissu : de la vulgaire toile, totalement ordinaire. Comment cela pourrait-il être un trésor ?

— En ce temps-là, il n'y avait pratiquement pas de soieries en Europe, signor Sigone. Tous les tissus étaient ordinaires. Mais voyez-vous, celui-ci brille. Ce n'est pas de la toile, mais un tissu qui, bien que grossier à nos yeux, était précieux à l'époque.

Le vieil homme ébaucha une grimace sceptique.

— Vous pensez, professeur ?

— Oui. (Il indiqua un détail sur le tissu.) Vous voyez, il est brodé de fils d'or.

À ce mot, Sigone écarquilla les yeux.

— De l'or ?

— Oui, de l'or.

— *Dio mio !* Mais alors c'est vraiment très précieux !

— En effet, mais il faut à présent comprendre pourquoi le *loculus* contenait un tissu d'une si grande qualité pour l'époque. Pour quelle raison a-t-on déposé un objet aussi précieux dans une niche creusée dans un mur ?

— Vraisemblablement parce que le tissu enveloppait quelque chose de très grande valeur, observa Maria Flor qui était restée muette jusqu'à présent. Je ne vois pas d'autre explication.

— Mais quoi ? demanda Sigone, une lueur dans les yeux. De l'or ? Des pierres précieuses ?

Tomás croisa les bras.

— Quelque chose d'encore plus précieux.

L'Italien éclata de rire.

— Que peut-il y avoir de plus précieux que de l'or ou des pierres précieuses, professeur ?

L'historien montra les fragments blancs, souillés par la terre, qu'il avait retirés du sac en plastique.

— Ces os.

— Allons donc ! Qu'ont-ils de si précieux ?

Prenant l'un des os vieux et sales, Tomás l'approcha de ses yeux pour l'examiner de plus près. Intrigué par un détail, il sortit de son sac une loupe qu'il utilisa pour étudier le fragment. Il semblait effectivement très vieux. Puis il rangea la loupe et reposa l'os à sa place, sur le drap à côté du plateau.

— Ce sont les restes de saint Pierre.

VI

Les yeux écarquillés de Maria Flor et de Giovanni Sigone exprimaient l'immense stupéfaction qui les saisit en apprenant que les ossements sur le drap étaient ceux de l'apôtre Pierre. Si Tomás ne s'était pas montré aussi sûr de lui, et s'il n'avait pas été l'auteur de travaux universitaires reconnus, ils ne l'auraient pas cru.

Le vieux *sampietrino* était tellement surpris qu'il garda la bouche ouverte un long moment.

— *Madonna mia !*

Après avoir enveloppé tous les objets dans le drap, Tomás le plia soigneusement et le replaça dans le sac en plastique qu'il referma d'un nœud.

— À présent, il faut faire analyser tout ça au laboratoire, dit-il. (Il ouvrit son journal archéologique, en arracha une feuille et se mit à écrire.) Ces os devront faire l'objet d'un test au carbone 14 et il faudra utiliser un spectromètre pour...

— Professeur Noronha, grâce à Dieu je vous ai trouvé !

En entendant la voix résonner dans la pièce, tous trois se retournèrent. Vêtu d'une soutane pourpre et coiffé d'une calotte, un ecclésiastique bedonnant les regardait depuis la porte, sa silhouette se détachant à contre-jour.

Le premier à le reconnaître et à réagir fut le vieux Sigone, qui s'agenouilla aussitôt, baissa la tête et joignit ses mains tremblantes. Ses nombreuses années passées au Vatican lui avaient appris le lourd protocole du Saint-Siège, ordonnant de s'incliner devant un personnage de l'Église aussi important.

— Votre Éminence...

Faisant un signe par lequel il prenait acte de la révérence que lui adressait l'ancien *sampietrino*, le cardinal traversa la pièce d'un pas ample, posé et presque impérial, puis s'adressa à Tomás.

— Je crois que nous ne nous connaissons pas encore, mon fils, aussi laissez-moi me présenter. Je suis le cardinal Angelo Barboni, secrétaire d'État du Saint-Siège. *Come sta*, professeur ?

L'historien serra machinalement la main du nouveau venu tout en le regardant, sidéré. L'homme qui se tenait devant lui et le saluait avec une expression de béatitude était le personnage le plus puissant du Vatican après le pape.

— Cardinal... Votre Éminence, hésita le Portugais, confus, sans savoir s'il devait lui baiser la main, comme venait de le faire le *sampietrino*, ou simplement la serrer. Que me vaut cet honneur ?

Le cardinal Barboni lui sourit aimablement.

— Je vous cherchais, mon fils.

Tomás se rappela alors ce que Sigone lui avait dit lorsqu'il l'avait rencontré.

— C'est vrai, on m'en avait informé, acquiesça-t-il. En quoi puis-je vous être utile ?

— Vous allez m'être très utile, mon fils, répondit le secrétaire d'État avec une bienveillance qui lui était manifestement naturelle. Mais je regrette d'avoir à vous annoncer, auparavant, une mauvaise nouvelle. Les fouilles dans les catacombes sont suspendues, je le crains.

L'annonce eut l'effet d'une claque pour l'historien.

— Pardon ?

— Je sais que c'est un choc pour vous et, croyez-moi, nous le déplorons autant que vous. Mais les faits sont les faits. Les piliers de la basilique reposent justement sur la zone où vous travaillez et nous ne voulons pas prendre de risques inutiles.

— Quels risques, Votre Éminence ? Que je sache, je ne touche pas à la structure de la basilique !

— Il ne s'agit pas de toucher à la structure, mon fils. D'après ce qu'on m'a dit, vous effectuez des fouilles au niveau des piliers de la basilique, et puis vous utilisez aussi des pelles et des pioches, n'est-ce pas ?

— En effet, c'est vrai, mais il s'agit d'instruments de petite taille, dont je ne me sers que pour des travaux spécifiques et minutieux. Cela n'a rien à voir avec un grand chantier. Je n'utilise ni grue, ni marteau-piqueur, ni rien de ce genre.

— Je crains que cela n'entre pas en ligne de compte. Nos ingénieurs s'inquiètent de ce que vos travaux dans la nécropole ne provoquent, involontairement, des éboulements ou des infiltrations d'eau susceptibles d'affecter l'intégrité structurelle de la basilique.

— Mais j'ai été engagé par la Commission pontificale pour l'archéologie sacrée, pour dresser l'inventaire des inscriptions dans la nécropole. J'ai toutes les autorisations nécessaires. Votre Éminence peut en parler avec monseigneur Respighi qui vous...

— Je regrette, mais je crains que votre autorisation ne soit temporairement suspendue, ajouta le secrétaire d'État avec douceur mais fermeté. On procède actuellement à la fermeture des catacombes et personne ne pourra y retourner tant que nos ingénieurs ne l'auront pas autorisé.

— Mais... mais...

Le cardinal Barboni lui posa la main sur l'épaule.

— Mon fils, je comprends votre déception et je vous présente mes sincères excuses pour cette décision subite et désagréable. Cependant, comme vous pourrez certainement le comprendre, l'intégrité de la structure de la basilique et la sécurité des personnes qui la fréquentent sont notre préoccupation première, cela va de soi. Je vous demande de faire preuve de patience et de compréhension. N'ayez aucune crainte en ce qui concerne vos honoraires, nous respecterons nos engagements, même si vous n'aurez pas à travailler pendant que nos ingénieurs vérifient la solidité des infrastructures et que les autorités prennent les décisions qui s'imposent.

Vaincu, Tomás soupira : comment pouvait-il contester une décision prise pour des raisons de sécurité ?

— Bon, très bien, accepta-t-il. Savez-vous quand je pourrai y retourner ?

— D'ici quelques jours, très probablement.

— Et en attendant, que puis-je faire ? Me promener ?

L'ecclésiastique se frotta les mains.

— Il y a une question qui devrait vous occuper et au sujet de laquelle vos services pourront se révéler indispensables. (Il désigna la porte.) Auriez-vous la gentillesse de m'accompagner, *per favore* ?

— De quoi s'agit-il ?

— D'une question extrêmement urgente, en rapport avec une... (S'apercevant que Maria Flor et le vieux Sigone l'écoutaient, il s'arrêta au milieu de sa phrase.) Enfin, il s'agit d'une affaire dont je ne peux parler devant n'importe qui.

L'historien fit un geste en direction de Maria Flor.

— Ma fiancée n'est pas n'importe qui...

Le cardinal la regarda avec une expression indéfinie.

— *Mi dispiace*, mais il est risqué de mettre une personne ordinaire comme la *signorina* au courant de questions d'une telle importance.

Elle écarquilla les yeux, scandalisée.

— Je vous demande pardon ? Qu'insinuez-vous ?

Ouvrant la bouche, Tomás s'apprêtait aussi à protester, mais le secrétaire d'État, s'approchant de son oreille, le devança.

— Il s'agit d'une menace grave, professeur, murmura-t-il. Pour des raisons de sécurité, il est impératif que la *signorina* ou toute autre personne ignore ce dont il s'agit. S'il vous plaît, faites-moi confiance. C'est aussi pour son bien.

Tomás hésita. Il ne souhaitait pas écarter Maria Flor, mais ces mots l'ébranlèrent. Une menace grave ? L'ignorance la protégerait-elle ? Que signifiait tout cela ? On pouvait raisonnablement supposer que seule une question d'une extrême importance avait amené un personnage aussi haut placé que le secrétaire d'État à arpenter, en personne, les couloirs du Vatican à sa recherche.

Avec une expression d'impuissance, il se tourna vers sa fiancée pour lui signifier qu'ils devaient se résigner.

— Écoute, Flor, il va falloir que...

— Comment ça ? coupa-t-elle, sur un ton plein de colère. J'ai pris ma journée pour être avec toi et tu veux que je m'en aille ?

Il fit un pas en arrière, surpris par sa réaction violente.

— Ce n'est pas ça, ma chérie. Le problème c'est que...

Maria Flor avança dans sa direction, un doigt accusateur tendu vers lui.

— Et moi qui m'imaginais que tu tenais à moi ! protesta-t-elle avec indignation. (Elle désigna l'ecclésiastique.) Il suffit qu'un cardinal arrive, qu'il prenne ses grands airs et dise que je ne suis qu'une « personne ordinaire », visiblement indigne de confiance, pour qu'il me mette pratiquement dehors, et que toi tu... tu l'acceptes ?

— Calme-toi, voyons, ce n'est pas du tout ce...

— C'est un véritable outrage ! Une insulte !

— Allons, calme-toi, mon cœur.

Tournant les talons, Maria Flor sortit comme une furie du département d'Archéologie du Vatican et descendit l'escalier vers la sortie.

— Ne compte pas sur moi pour dîner, tu entends ?

— Mais, Flor...

— Adieu !

Tomás voulut la suivre ; la réaction de sa fiancée était disproportionnée et il devait la calmer.

Il resta cependant figé sur le palier lorsqu'il entendit les mots que le cardinal Barboni prononça dans son dos.

— Professeur Noronha, attendez ! La survie de l'Église est en jeu !

L'historien hésita, indécis. Connaissant le caractère de Maria Flor, il aurait dû la rattraper et lui prouver qu'elle était plus importante pour lui que tout le reste, y compris son travail. Il ne pouvait pourtant pas ignorer les paroles du cardinal. Le Vatican avait besoin de lui et le secrétaire d'État lui avait annoncé que la survie de l'Église était en jeu. Que diable voulait-il dire ? Que se passait-il donc ?

Il n'était pas dans sa nature de fuir ses responsabilités professionnelles. En outre, il le reconnaissait, il ne s'agissait pas seulement de devoir, mais aussi de curiosité. Quelle question vitale avait amené le cardinal Barboni à remuer le Vatican pour le trouver ? Quel danger pouvait bien menacer la survie même de l'Église catholique ?

Du haut de l'escalier, il vit Maria Flor disparaître, le bruit de ses pas s'estompant peu à peu jusqu'à se mêler aux voix des touristes qui arpentaient le Vatican.

— Bon sang ! murmura-t-il, les yeux encore fixés sur le couloir par où elle avait disparu. Quel sale caractère !

VII

Accompagné par un garde suisse dans son exubérant uniforme qui, contrairement à ce que dit une légende tenace, n'a pas été conçu par Michel-Ange, le cardinal Barboni conduisit le Portugais jusqu'aux jardins du Saint-Siège. Malgré son corps lourd et son souffle court, le secrétaire d'État cheminait d'un bon pas, imposant un rythme soutenu à Tomás, pourtant bien plus jeune que lui.

Ils tournèrent à gauche et passèrent quelques portes qui les conduisirent au Cortile del Belvedere, qu'ils traversèrent hâtivement.

— Vite, dit le cardinal Barboni, haletant mais continuant à marcher d'un pas vif. Nous sommes en retard.

— Que se passe-t-il, Éminence ?

— Il nous attend.

Il n'expliqua pas qui les attendait et Tomás, absorbé par d'autres préoccupations, ne le demanda pas. Il avait emporté le sac avec les ossements retirés du *loculus* du mur des graffitis, et il décida d'expliquer au secrétaire d'État ce qui s'était passé dans la matinée.

Pendant qu'ils marchaient, il lui raconta leur découverte dans la nécropole. Il conclut son exposé en lui montrant le sac qui contenait les ossements et lui révéla ce qu'il croyait avoir réellement trouvé.

— Éminence, ce sont les restes de l'apôtre Pierre.

Il disait cela alors qu'ils se trouvaient sous la tour Borgia et se préparaient à entrer par une porte qui les mènerait aux bâtiments situés autour du Cortile di San Damaso. À ces mots, le cardinal Barboni s'arrêta net et le dévisagea avec perplexité, se demandant s'il avait bien entendu.

— Que dites-vous ?

— Ce sont les restes de Pierre. Je parle du compagnon de Jésus, le pêcheur, dont on a dit qu'il serait la pierre sur laquelle serait bâtie l'Église et qui devint le premier pape.

— Saint Pierre ?

Comme s'il montrait un trophée, Tomás leva le sac pour le montrer au secrétaire d'État du Saint-Siège.

— Oui. Ses propres os sont ici.

Regardant le ballot avec des yeux incrédules, le cardinal Barboni eut comme une révélation. Il s'agenouilla aussitôt et fit le signe de croix devant le sac.

— *Madonna mia !* (Lorsqu'il eut fini, il se releva et, assailli par le doute, dévisagea l'historien.) Vous en avez la certitude, mon fils ?

— Quasi absolue. Ces restes ont été retirés d'une niche revêtue de marbre dans le mur contigu au trophée de Pierre. Par terre, à proximité, j'ai trouvé un fragment du mur rouge avec l'inscription, en grec, *Petrus eni*, c'est-à-dire « Pierre est ici ». Que faut-il en conclure ?

Cette fois le secrétaire d'État se signa lui-même.

— Très Sainte Vierge ! Mais c'est... c'est extra-ordinaire.

— Il va de soi que les ossements doivent à présent être analysés en laboratoire pour confirmation. S'il est établi qu'ils appartenaient à quelqu'un correspondant à ce que nous savons de Pierre, nous aurons alors un maximum de certitudes, compte tenu des circonstances. C'est pour cette raison que j'aimerais confier ces échantillons au laboratoire pour analyse avant d'aller là où Votre Éminence veut m'emmener.

— Ah, vous n'avez donc pas de certitude absolue et il faut encore faire des tests...

— Bien sûr. Imaginez que les analyses révèlent que les restes mortels appartiennent à une femme ou à un jeune garçon, par exemple. Dans ce cas, on saura qu'il ne peut pas s'agir de Pierre. Il nous faut confirmer ce qu'il est possible de confirmer.

Le cardinal Barboni regarda pensivement le sac contenant les ossements.

— Écoutez, mon fils, gardons cela pour nous, vous voulez bien ? Il s'agit d'une découverte trop importante pour que l'on suscite un espoir qui, ensuite, se révélerait infondé. Cela serait très fâcheux, voire contre-productif. Nous serions la risée du monde entier. Ces ossements seront d'abord envoyés au laboratoire. S'il se confirme qu'ils appartiennent effectivement à un homme qui correspond à ce que nous savons de saint Pierre, alors nous pourrons l'annoncer. (Il mit le doigt sur la bouche.) Mais d'ici là, il ne faut surtout pas créer d'espoir prématuré.

— Soyez rassuré, je n'en parlerai à personne.

Le secrétaire d'État leva l'index, pour souligner combien il importait de garder le silence sur la découverte tant qu'il n'y aurait pas de certitude absolue.

— Ni même au pape, vous entendez ?

Tomás sortit de sa poche la feuille sur laquelle il avait pris des notes et la montra à son interlocuteur.

— Voici la liste des examens qui devront être faits en laboratoire. Pourrions-nous y passer pour leur remettre les échantillons ?

Prenant le papier, le cardinal recommença à marcher, entraînant Tomás et le garde suisse à sa suite.

— Je crains qu'on ne puisse y aller pour le moment, dit-il sur un ton péremptoire, comme quelqu'un que rien ne pouvait éloigner de son objectif. Nous sommes déjà en retard et la réunion à laquelle nous avons été convoqués est d'une importance absolue.

— Plus importante que de s'assurer que ces ossements sont effectivement ceux de l'apôtre Pierre ?

L'ecclésiastique hésita. Du point de vue théologique, rien, en effet, n'avait plus d'importance qu'une telle découverte. En outre, quel coup l'Église catholique porterait à ses rivales protestantes et orthodoxes si, après avoir démontré que les catacombes sous le Vatican abritaient depuis plus de deux mille ans le principal compagnon de Jésus, elle pouvait à présent exhiber ses restes mortels !

— Hervé ! appela-t-il en se tournant vers le garde suisse qui les accompagnait. Lorsque tu nous quitteras au Palais apostolique, tu remettras ce sac à l'estafette afin qu'elle le porte au laboratoire de l'université de Rome, entendu ? (Il lui tendit la liste établie par Tomás.) Qu'ils fassent les analyses demandées par le professeur Noronha. N'oublie pas de préciser à l'estafette de demander un reçu. Si on la questionne sur ces ossements, qu'elle ne dise rien.

Le garde acquiesça.

— Oui, Éminence.

— Elle pourra néanmoins préciser qu'il s'agit probablement des plus importantes reliques jamais découvertes sur notre planète, afin qu'ils en prennent le plus grand soin. Je veux qu'on me donne un profil détaillé de la personne à laquelle appartenaient ces ossements, tu comprends ?

— Bien sûr, Éminence.

Un détail dans les propos du cardinal Barboni intrigua le Portugais.

— Nous avons rendez-vous au Palais apostolique ? s'étonna-t-il. N'est-ce pas là que vit le pape ?

— Les appartements du pape se trouvent en effet au troisième étage du Palais apostolique.

Le palais était un bâtiment imposant, qui jouxtait la basilique et donnait sur la place Saint-Pierre. Il servait traditionnellement de résidence au souverain pontife, mais les étages restants avaient d'autres fonctions ; s'y trouvaient notamment les bureaux du Saint-Siège ainsi que les appartements Borgia, confiés aux musées du Vatican. Aurait-on besoin de lui aux musées ?

— Ah. Et qui allons-nous rencontrer ?

Le secrétaire d'État était si pressé qu'il ne regarda même pas son interlocuteur lorsqu'il lui répondit.

— Sa Sainteté révérendissime.

— Sa... qui ?

C'est alors que le cardinal Barboni se tourna vers l'historien et, de son air affable et plein de bonhomie, il lui annonça :

— Le pape.

VIII

Un homme vêtu de blanc se tenait près de l'une des fenêtres de la bibliothèque privée, le buste courbé, les mains derrière le dos, méditant. Son regard glissait sur les milliers de touristes et de fidèles qui affluaient au Vatican, le Palais apostolique dominant la place Saint-Pierre, mais il était clair que son esprit explorait d'autres horizons, absorbé par d'autres questions.

Lorsque les deux visiteurs pénétrèrent dans la bibliothèque privée, une salle vaste et lumineuse du troisième étage qui n'avait de privé que le nom, l'homme en blanc se retourna et les dévisagea.

— Ah, Angelo ! s'exclama-t-il en s'approchant du secrétaire d'État. Je t'attendais avec impatience.

Il s'agissait de l'un des visages les plus médiatiques de la planète, vénéré par un milliard d'êtres humains et respecté par des millions d'autres ; Tomás reconnut aussitôt dans ce personnage étonnamment maigre le chef de l'Église catholique et guide spirituel de tant de monde.

Le pape.

Tomás lui trouva l'air plus vieux et fatigué qu'à la télévision ou sur les photos des magazines, lorsqu'il souriait à la fenêtre du Vatican ou saluait la foule de la main en visite à l'étranger. Malgré cela, il se dégageait de lui un éclat intimidant. L'historien supposa qu'il s'agissait du charisme naturel que conférait un pouvoir aussi important, mais il se sentit néanmoins impressionné par l'aura qui semblait l'entourer.

Ployant sous son poids, le cardinal Barboni s'agenouilla et baisa la main que lui tendait le souverain pontife. Le contraste était saisissant : l'un était imposant, l'autre, très mince ; le premier, rougeaud, le second, pâle ; le cardinal vêtu de pourpre, le pape habillé de blanc.

— *Padre beatissimo...*

Puis le pape regarda Tomás.

— Vous devez être notre éminent professeur. Soyez le bienvenu dans la maison du Christ !

Sans être familier du protocole du Saint-Siège, Tomás savait au moins qu'il devait faire la révérence et baiser la main du souverain pontife, ou plus précisément son anneau. Aussi s'empressa-t-il d'imiter le secrétaire d'État.

— Votre Sainteté...

En ce moment solennel, il fut saisi d'une pensée puérile, subite et inopportune. Comment réagirait Maria Flor lorsqu'elle saurait qu'ils s'étaient séparés afin qu'il rencontre le pape ? Serait-elle encore plus furieuse ou, débordant de générosité chrétienne, lui pardonnerait-elle ? Tout compte fait, se dit-il, s'il avait accepté que sa fiancée ne l'accompagne pas, c'était pour accomplir les désirs du chef de l'Église catholique. Comment aurait-il pu refuser la convocation du représentant de Dieu sur terre ? Sa fiancée comprendrait certainement. Et puis, il avait baisé l'anneau du pape ! Certes, il ne s'agissait pas du célèbre anneau du pêcheur que le souverain pontife n'utilisait qu'en des circonstances particulières, mais de l'anneau d'argent qu'il avait reçu lorsqu'il était cardinal. Quoi qu'il en soit, cela ne diminuait en rien la solennité de l'acte.

— Cher Samot ! le salua le pape en souriant chaleureusement. Vous n'imaginez pas le plaisir que j'ai de vous voir ici, en notre compagnie ! Que Dieu vous bénisse !

Se relevant, le Portugais le regarda d'un air interrogateur.

— Pardon ?

— J'ai beaucoup entendu parler de vous, Samot, déclara son hôte. J'ai lu les documents qui rendent compte du brio avec lequel, il y a quelques années, vous avez éclairci le mystère de cet horrible crime qui a été commis dans nos murs. J'ai été impressionné par la subtilité dont vous avez fait preuve en cette triste occasion. Tout à fait impressionnant.

L'historien détourna un moment les yeux pour dévisager le cardinal Barboni avec une expression de panique, avant de fixer à nouveau le souverain pontife.

— Je... Votre Sainteté, enfin... il doit y avoir un malentendu, bredouilla-t-il troublé. Votre Sainteté doit me confondre avec quelqu'un d'autre.

Le pape le regarda d'un air inquisiteur.

— Vous n'êtes pas le professeur Samot ?

— Non, non, s'empressa de répondre le Portugais. Je m'appelle Tomás Noronha, Votre Sainteté, je suis un historien qui a été engagé comme consultant. J'ai été recruté par le Saint-Siège pour faire des fouilles dans la nécropole du Vatican et dresser un catalogue des catacombes. Je n'ai rien à voir avec...

— Je pensais, professeur, que vous étiez non seulement historien, mais aussi ce fameux cryptanalyste qui, voilà quelques années, a résolu le mystère du crime de la bibliothèque du Vatican, interrompit le pape l'air déçu. Il semblerait que je me sois trompé. (De la main, il fit un geste résigné.) Ce qui prouve bien que l'infaillibilité des papes n'est qu'un mythe. Comme l'a écrit saint Matthieu, les derniers seront les premiers, et les premiers seront les derniers !

En entendant ces mots, Tomás hésita. De toute évidence, le souverain pontife savait qu'il était cryptanalyste et que, quelques années auparavant, il avait participé à l'enquête au sujet d'une historienne galicienne assassinée au Vatican, ce qui signifiait qu'il n'y avait aucun malentendu, aucune confusion. Mais que voulait-il dire avec cette citation de l'Évangile ? « Les derniers seront les premiers, et les premiers seront les derniers » ? Et pour quelle raison le pape l'appelait-il Samot ? À vrai dire, le nom pouvait évoquer une quelconque divinité païenne mentionnée dans l'Ancien Testament, au même titre que Baal, Chemosh, Moloch ou Sikkouth. S'agissait-il d'une référence biblique ou....

Au bout d'un instant, ses yeux s'illuminèrent, il venait de comprendre.

— Ah, Samot ! s'exclama-t-il en faisant un large sourire. Très spirituel, Votre Sainteté ! Spirituel et... ingénieux.

Le pape rit.

— J'ai cru que vous n'alliez pas comprendre ! (Il tendit l'index vers lui.) J'ai failli penser que le fameux Samot n'allait pas être à la hauteur de sa réputation.

— Vous savez ce que c'est, Votre Sainteté, j'ai été intimidé de me trouver en face du vicaire du Christ et cela m'a quelque peu embrouillé. D'où la lenteur de mon esprit. Que Votre Sainteté me pardonne.

Le souverain pontife se tourna vers son secrétaire d'État.

— Tu as compris, Angelo ?

Le cardinal Barboni, dont le corps bedonnant lui donnait davantage l'air d'un moine paresseux qui aime le bon vin que d'un évêque passé maître dans l'art des intrigues de cour, avait l'expression opaque de celui qui n'a pas tout saisi.

— Je... enfin... je confesse que... non.

Le pape se tourna à nouveau vers le Portugais.

— Expliquez-lui, Samot.

— « Samot » est un code, et la citation de saint Matthieu la clé, expliqua Tomás au secrétaire d'État. La référence au verset de l'Évangile selon saint Matthieu, « les derniers seront les premiers, et les premiers seront les derniers », indique qu'il faut inverser l'ordre des lettres pour déchiffrer le code. En d'autres termes, la première lettre devient la dernière et la dernière la première, la deuxième l'avant-dernière et l'avant-dernière la deuxième. Si l'on procède à cette conversion, qu'obtient-on ?

Le cardinal se troubla.

— La première devient la dernière et la dernière la... euh, bredouilla-t-il, ne comprenant visiblement pas. Eh bien... enfin...

— Sa Sainteté a dit mon nom en utilisant un code, précisa le cryptanalyste. Vous ne voyez pas ? « Samot » c'est Tomás à l'envers.

Des gouttes de sueur dégoulinant sur son visage, le secrétaire d'État s'efforça de sourire ; c'était, de toute évidence, un homme bienveillant, agréable et doté d'un bon coup de fourchette, qui préférait les choses simples de la vie aux subtilités des énigmes de salon.

— Ah !

D'un geste courtois, le pape indiqua deux chaises blanches devant son bureau.

— Une simple plaisanterie, veuillez me pardonner, dit-il en se dirigeant vers son siège derrière le bureau. Mais, je le confesse, qui n'a rien d'innocent. Comme vous êtes, professeur, un cryptanalyste de renom, j'ai recouru à ce petit jeu pour tester les compétences qui font de vous le Sherlock Holmes des chiffres et des codes. Vous avez passé le test avec brio, permettez-moi de vous le dire.

L'explication intrigua Tomás.

— Un test, Votre Sainteté ?

Une fois installé sur son siège, le souverain pontife posa les coudes sur le bureau et joignit les mains. Son expression changea complètement pour devenir très concentrée, comme si la question le ramenait aux affaires sérieuses qui avaient suscité cette réunion.

— Nous allons avoir besoin de votre aide, répondit-il. Nous nous trouvons face à un grave problème et, pour être sincère, je ne sais en qui je peux avoir confiance. Il se trouve que j'ai été informé, par hasard, que vous aviez été engagé par la Commission pontificale pour l'archéologie sacrée afin de travailler dans la nécropole et, me rappelant comment, il y a quelques années, vous aviez résolu le mystère de ce triste crime, j'ai interprété votre présence comme un signe de la divine Providence. (Il se pencha, les yeux rivés sur son invité.) Seriez-vous, par hasard, disposé à nous aider, moi et la sainte Église ?

— Euh... Oui, bien sûr, répondit l'historien. Comment pourrais-je refuser une requête du pape en personne ? Si cela relève de mes compétences, il va de soi que Votre Sainteté peut compter sur moi.

À cette réponse, le pape porta son regard sur le secrétaire d'État.

— Angelo, peux-tu faire venir Mme Rauch ?

Le cardinal, qui s'épongeait le front, sursauta.

— Bien sûr, *Vostra Santità*. Tout de suite.

Le cardinal Barboni recula, de façon à ne pas tourner le dos au pape, passa la porte de la bibliothèque et emprunta le couloir du pas lourd d'un éléphant au trot, laissant Tomás seul avec le chef de l'Église.

Un silence pesant s'installa et l'historien songea à évoquer la découverte sensationnelle qu'il venait de faire. Mais sans la confirmation du laboratoire et étant donné la demande du cardinal de ne rien révéler pour l'instant, pas même au pape, il rejeta l'idée.

Tout à coup, le chef de l'Église commença à respirer avec difficulté, essuyant du revers de la main les gouttes de sueur qui venaient d'apparaître sur son front.

— Que se passe-t-il, Votre Sainteté ? s'inquiéta le Portugais. Vous ne vous sentez pas bien ?

Presque hors d'haleine, le pape s'adossa à son fauteuil et, caressant de manière obsessionnelle la grande croix en fer qu'il portait au cou, il fixa son interlocuteur pendant de longues secondes, comme s'il réfléchissait à la meilleure manière de répondre à la question. La bonhomie et la bonne humeur dont il avait fait preuve quelques instants auparavant avaient disparu, remplacées par deux rides sur le front qui laissaient transparaître sa préoccupation.

— Vous savez, depuis que j'ai commencé mon pontificat, je suis obsédé par une idée, murmura-t-il presque dans un souffle. Plus qu'une idée, c'est une certitude terrible qui m'assaille tous les jours. Mon destin est tracé.

— Votre destin, Votre Sainteté ? demanda Tomás, sans comprendre exactement la source d'une telle anxiété. Pourquoi dites-vous cela ?

— Allons, professeur. (Il fronça les sourcils.) En tant qu'historien, vous devez certainement savoir ce qui me tourmente...

La phrase demeura en suspens. Tomás esquissa une expression embarrassée. Serait-ce un nouveau test ? Que pouvait-il répondre sinon l'évidence ?

— Je confesse que... que je ne vois pas de quoi Votre Sainteté veut parler.

Après une profonde respiration, le souverain pontife se redressa sur son siège et, faisant un effort pour retrouver son calme, il annonça enfin :

— Vous ne savez pas que je suis le dernier pape ?

IX

Dans un effort surhumain, le chef de l'Église se leva et, le visage empourpré, se précipita vers la fenêtre la plus proche. Il semblait en proie à une crise d'angoisse. Il ouvrit la fenêtre, se pencha à l'extérieur et respira profondément, remplissant ses poumons de l'air extérieur. La méthode sembla efficace car, quelques instants plus tard, il revint s'asseoir, l'air rasséréné.

Il dévisagea Tomás et rompit le silence qui s'était installé pendant la brève crise.

— Je n'aime pas le Palais apostolique, déclara-t-il. Tout ce faste et cet isolement m'oppriment. J'ai besoin de contact avec les gens, de parler avec eux, mais les appartements pontificaux sont tout le contraire, un véritable entonnoir. L'entrée est très étroite et on y entre au compte-gouttes. (D'un geste, il désigna l'espace autour de lui.) Vous savez comment on appelle cette résidence dans le jargon du Vatican ?

— L'Appartement, je crois.

— Exactement. Ici, au Saint-Siège, on dit « l'Appartement » pour se référer aux ordres qui viennent d'en haut, comme si j'étais Dieu ou César. Mais je ne le suis pas, et c'est pour ça que je refuse l'apparat impérial qui plaît tant à la curie et qui a fait les délices de mes prédécesseurs. Si je ne porte pas de souliers ou de manteau de pourpre, ce n'est pas par entêtement, mais parce que ces pratiques papales ne sont pas chrétiennes, elles relèvent davantage de l'Empire romain. C'est l'empereur Dioclétien qui cultivait le sacré, non seulement dans les édits, mais aussi dans la chambre à coucher, la garde et la chancellerie du palais ! Et c'est à l'époque des Césars que l'on disait de celui qui avait une audience avec l'empereur qu'il était « admis à la cérémonie de l'adoration de la pourpre », la couleur du manteau impérial. (Il soupira.) Ah, comme j'aimerais une Église pauvre et pour les pauvres ! La pourpre est le symbole du pouvoir absolu des Césars et c'est pour cette raison que j'ai refusé de la porter. Je suis un pape, pas un César.

Tomás examina les parures de son interlocuteur.

— Est-ce aussi pour cela, Votre Sainteté, que la croix que vous portez autour du cou est en fer et que vous n'avez pas d'or aux doigts, pas même sur l'anneau du pêcheur que le camerlingue vous a offert au début de votre pontificat ? demanda-t-il. C'est pour cette raison que vous vous êtes rendu au palais du Quirinal, pour rendre visite au président italien, dans une petite Ford, sans sirènes, ni motards, ni escorte d'honneur de cuirassiers à cheval, comme le veut la tradition ?

— Bien sûr, confirma le pape. Bien souvent, les chefs de l'Église ont été narcissiques, adulés et flattés par les courtisans. Il n'y a pas si longtemps, mes prédécesseurs se déplaçaient encore en chaise à porteurs surmontée d'un éventail, et ils arboraient la tiare sur la tête, symbole de la suprématie des papes sur tous les rois. Il est temps de mettre fin à toute cette aura impériale. C'est pour cela que j'ai décidé que mes appartements seraient à la résidence Sainte-Marthe, de l'autre côté de la basilique. Ainsi disparaît le cercle magique des gourous qui se vantent d'avoir accès à « l'Appartement ». Les personnes ordinaires peuvent me voir et je veux mener une vie normale. Je commence la journée en assistant à une messe publique, je mange à table avec tout le monde et je ne vis pas isolé. Le matin, je viens ici, à « l'Appartement », mais le soir je retourne à la résidence Sainte-Marthe. Je suis un jésuite et, nous autres les Jésuites, nous sommes austères.

— J'imagine que de nombreux traditionalistes de la curie n'apprécient guère ces innovations...

Au lieu de répondre, le pape grommela. Il était évident qu'il se demandait s'il devait aller directement à la question qui le tourmentait vraiment.

— Vous savez qui est *Petrus Romanus* ?

— Pierre le Romain ? demanda l'historien, traduisant directement du latin. Pierre, le pêcheur, était le principal compagnon de Jésus et le fondateur de l'Église. Cependant, que je sache, il n'était pas romain, mais juif...

Le pape ouvrit la bouche pour parler, mais il la referma aussitôt, comme s'il hésitait sur ce qu'il allait dire.

— Est-ce que, par hasard, vous avez lu les prophéties de saint Malachie ?

Cette deuxième question permit à Tomás de comprendre aussitôt le sens de la première, ainsi que ce qui trottait dans la tête de son interlocuteur.

— Ah, je crois que je saisis ! Votre Sainteté fait allusion à *Petrus Romanus*, le dernier pape selon Malachie.

Le souverain pontife passa les doigts sur le bord du bureau, comme s'il voulait vérifier qu'il n'y avait pas de poussière, mais en réalité il s'interrogeait sur la meilleure manière d'aborder la question qui le préoccupait.

— Que savez-vous des prophéties de Malachie ?

— Ce que sait toute personne initiée à ces questions, je suppose, répondit Tomás, comprenant que le pape le sondait pour voir s'il maîtrisait la question. Mael Maedoc Ua Morgair, dont le nom fut simplifié en Malachie, a vécu au XIIe siècle, et fut le premier saint irlandais. En 1595, si ma mémoire est bonne, l'historien bénédictin Arnold de Wyon publia une œuvre en deux volumes dans laquelle il inclut un court essai contenant les prophéties de Malachie, canonisé entre-temps. Wyon expliqua qu'il avait décidé de publier ces prophéties car elles étaient célèbres et de nombreuses personnes souhaitaient les lire, en précisant qu'elles lui étaient parvenues grâce au père Alfonso Chacón. Selon certaines sources, les prophéties, qui auraient circulé lors du conclave de 1590 organisé pour choisir un nouveau chef de l'Église, comportaient une liste de cent douze papes, qui étaient désignés par des surnoms en latin. Les prophéties, qui donnaient des caractéristiques de leur pontificat, commençaient avec Célestin II, au XIIe siècle, et se terminaient avec le dernier pape. Lorsque la liste a été divulguée, la moitié des papes mentionnés étaient déjà morts, tandis que l'autre moitié restait à venir.

— Très bien, approuva le souverain pontife. Et savez-vous, par hasard, qui est le dernier de la liste ?

— C'est le pape que Malachie a appelé *Petrus Romanus*. Après lui, et selon les prophéties, il n'y en aura plus aucun.

L'homme en blanc posa un regard lugubre sur son interlocuteur.

— Et, à votre avis, qui le destin a-t-il choisi pour être *Petrus Romanus* ?

Parfaitement conscient de ce que son hôte illustre avait en tête, l'historien le désigna.

— Vous, Votre Sainteté.

— En effet. Et vous ne trouvez pas qu'étant donné les circonstances, j'ai de bonnes raisons de me sentir perturbé ?

Avant de répondre, Tomás chercha la manière la plus diplomatique d'exprimer son point de vue.

— Si je puis être sincère, Votre Sainteté, non, finit-il par dire. Rien de tout cela n'a le moindre fondement.

— Comment pouvez-vous affirmer une telle chose ?

L'historien pesa ses mots avant de répondre.

— Votre Sainteté n'est pas sans savoir que la liste originale de Malachie n'a jamais été découverte. Vous ne vous êtes jamais demandé pourquoi ? C'est que, vraisemblablement, elle n'a jamais existé. Tout bien considéré, on ne connaît les prophéties que grâce au texte que Wyon a inséré dans son œuvre.

— Certes, mais Arnold de Wyon était un auteur respecté, un historien patenté, encore aujourd'hui considéré comme une source d'information historique fiable. S'il a publié la liste des papes, c'est parce qu'il l'a trouvée quelque part, dans un document.

— C'est vrai. Cependant, il s'est contenté de publier un texte qui lui est parvenu. Mais dans quelles circonstances cela s'est-il produit ?

Le souverain pontife haussa les épaules.

— Je l'ignore. D'aucuns ont soutenu que les prophéties avaient été égarées pendant des siècles, ici, au Vatican.

— Ça, c'est ce qu'a écrit le Français François Cucherat au XIXe siècle. Si je me souviens bien, Cucherat a affirmé que tout a commencé lorsque Malachie est venu à Rome, en 1139 ou 1140, pour rencontrer Innocent II. Malachie aurait eu une vision prophétique au sujet des papes à venir et, après l'avoir relatée à un scribe qui la consigna par écrit, il offrit la liste à Innocent II pour lui montrer que la papauté allait perdurer pendant des siècles et des siècles. Selon Cucherat, cette liste fut conservée et oubliée dans les archives du Saint-Siège durant quatre cents ans, jusqu'à ce que Wyon la découvre et la publie en 1595.

— En effet, telle est l'histoire.

— Le problème, c'est que Cucherat n'a pas révélé la source de son information. Il s'est contenté de raconter que Malachie a eu une vision et l'a relatée à un moine qui l'a consignée par écrit. Mais qui était ce moine ? Où ses notes ont-elles été conservées ? Rapportant des faits survenus sept siècles plus tôt, comment Cucherat a-t-il eu vent de toute cette histoire ? Quelles sont ses sources ? Sont-elles fiables ? De tout cela, nous ne savons rien.

Ces questions étaient pertinentes. En guise de réponse, le pape se leva à nouveau et se dirigea vers une étagère de la bibliothèque privée. Il examina les dos de plusieurs livres jusqu'à ce qu'il trouve l'ouvrage recherché, un épais volume qu'il sortit de l'étagère.

Il revint à sa place et le montra à son visiteur ; sur la couverture, on pouvait lire : *Lignum Vitae*.

— Voici le deuxième volume de l'œuvre de Wyon,

expliqua-t-il. (Il ouvrit l'ouvrage et se mit à le feuilleter.) Le texte qui nous intéresse se trouve ici, page trois cent sept. (Après avoir identifié le passage, il poussa le livre vers l'autre bout de la table.) Voyez ce qui y est dit au sujet du dernier pape.

Tomás saisit l'ouvrage et balaya le texte. Il s'intitulait *Prophéties de l'archevêque Malachie au sujet des papes*. Il survola la liste des surnoms prophétiques, en latin, attribués aux chefs de l'Église qui avaient vécu soi-disant après la vision du saint irlandais, et il avança rapidement jusqu'au dernier nom des cent douze papes.

— Voilà, dit le Portugais, s'éclaircissant la voix pour lire le texte. « *In persecutione extrema S. R. E. sedebit Petrus Romanus, qui pascet oves in multis tribulationibus : quibus transactis civitas septicollis deiruetur, & Judex tremedus judicabit populum suum. Finis.* »

— Je présume que vous avez compris ce que vous avez lu ?

— Je suis historien, Votre Sainteté, rappela Tomás. Et je suis spécialisé en langues anciennes, le latin n'a donc pas beaucoup de secrets pour moi. (Il revint au texte et le traduisit pour prouver ce qu'il disait.) « Dans la dernière persécution de la sainte Église romaine siégera Pierre le Romain, qui fera paître ses brebis à travers de nombreuses tribulations. Celles-ci terminées, la cité aux sept collines sera détruite, et le Juge redoutable jugera son peuple. Fin. »

Un court silence s'installa entre les deux hommes, comme s'ils méditaient sur ce qu'ils venaient d'entendre. Ce fut le pape qui parla enfin.

— Que Dieu nous aide.

X

S'efforçant de comprendre ce qui se passait dans la tête du pape, Tomás le regarda fixement dans les yeux. Quel genre de personne avait-il devant lui ? Un vieillard ingénu ? Un obscurantiste superstitieux ? Un politique roublard ? À moins que tout cela ne fût qu'un test de plus ? En accordant crédit aux prophéties de Malachie, en particulier celle selon laquelle le dernier pape de la liste, c'est-à-dire lui-même, serait victime de persécutions et assisterait à la destruction de Rome et au Jugement dernier, le souverain pontife n'était-il pas en train de le sonder, comme au début de leur rencontre, avec l'anagramme de son prénom ?

— Vous croyez vraiment, Votre Sainteté, que vous êtes le *Petrus Romanus* prophétisé par Malachie et que la papauté s'achèvera avec vous ?

Après une hésitation, le chef de l'Église ouvrit les mains en signe d'incertitude.

— Comme vous le savez sans doute, nous autres Jésuites sommes les plus méfiants envers l'authenticité des prophéties de saint Malachie. Personne n'a plus fait que nous pour décrédibiliser cette liste.

— C'est vrai.

— Et cependant... cependant...

Il laissa la phrase en suspens ; l'hypothèse selon laquelle les prophéties seraient vraies ne lui semblait pas si absurde que cela.

— Et cependant... ?

— Écoutez professeur, dit-il, je dois reconnaître que je n'ai jamais étudié la question avec l'attention qu'elle mérite car, comme vous pouvez le deviner, je n'avais jamais imaginé arriver là où je suis aujourd'hui. Cependant, à présent que, grâce à la divine Providence, j'occupe le poste le plus élevé de la hiérarchie de l'Église, et étant directement impliqué puisque je suis le dernier pape de la liste de saint Malachie, j'aimerais évaluer la crédibilité de ces prédictions. (Il soupira.) Mais je n'ai hélas pas le temps de le faire. Je suis surchargé par les fonctions qui sont les miennes et je n'ai aucun moment pour me pencher sur la question avec l'attention et la rigueur qu'elle mérite.

Tomás saisit distraitement l'exemplaire du *Lignum Vitae* qui était resté sur le bureau.

— Vous savez, si j'étais à votre place, je ne perdrais pas une seconde de plus avec ça...

— Eh bien ! rétorqua le chef de l'Église, un regain de vigueur dans la voix. Une vieille prophétie chrétienne me désigne comme le dernier pape et annonce qu'avec moi l'Église sera persécutée et Rome détruite, puis que viendra le Jugement dernier, et... et vous trouvez que je ne devrais pas m'en préoccuper ? Il faudrait que je sois totalement inconscient !

Tomás comprenait bien le point de vue du souverain pontife. Certaines choses ne pouvaient se régler simplement par la raison et la déduction logique. Par exemple, combien de fois s'était-il dit qu'il n'était pas dangereux de prendre l'avion ? Les statistiques le prouvaient ; voyager en avion était plus sûr que conduire une voiture pour aller de chez soi à l'aéroport. Il avait néanmoins chaque fois l'impression de s'enfermer dans un cercueil volant, et il ne recouvrait un sentiment de sécurité que lorsqu'il en sortait. C'était insensé, bien sûr, mais cette simple expérience prouvait que même pour les esprits les plus rationnels, l'émotion l'emportait bien souvent sur la raison. En outre, l'émotion n'était-elle pas une forme de raison ?

Cela n'empêchait pas l'universitaire portugais de continuer à croire en la force du raisonnement logique. C'était cette croyance en la raison pure, et l'idée qu'un homme de science devait toujours être capable de prouver ce qu'il disait, qui l'incitèrent à chercher dans le livre de Wyon la liste des surnoms latins désignés par les prophéties de Malachie.

— Je vais vous montrer ce qui est fondamentalement erroné dans ces prédictions, annonça-t-il. Si vous y prêtez attention, vous remarquerez, Votre Sainteté, que dans la liste des cent douze papes, une modification fondamentale se produit avec le soixante-seizième, Urbain VII, qui meurt en 1590. Jusque-là, Wyon a toujours donné le surnom latin des papes accompagné d'un bref commentaire, expliquant en quoi ce surnom prophétique s'appliquait au pape en question. Or, après Urbain VII, ce commentaire disparaît.

— C'est vrai, mais Wyon s'en est expliqué, argumenta le souverain pontife. Il a écrit dans le livre que les surnoms latins correspondent à la prophétie de saint Malachie, mais que les commentaires sont de la responsabilité du père Alfonso Chacón, qui a montré comment chaque prophétie s'appliquait à chaque pape qui avait déjà vécu. Il est clair que Chacón n'a pas pu faire de commentaires au sujet des papes postérieurs à 1590, puisqu'ils n'avaient pas encore vécu.

— C'est exact. Le problème, c'est que jusqu'en 1590, les commentaires de Chacón aux prophéties de Malachie semblent suivre la teneur de l'*Epitome Romanorum Pontificum usque ad Paulum IV*, l'œuvre publiée en 1557 par Onuphrius Panvinius qui raconte l'histoire des papes jusqu'à Paul IV, dont c'était alors le pontificat.

— Je ne vois pas le problème, rétorqua le pape. Il me semble d'ailleurs très révélateur que les prophéties de Malachie sur un pontificat déterminé aient été confirmées par les événements ultérieurs. Si Panvinius dit que tel événement s'est produit sous tel pontificat et que saint Malachie avait déjà prophétisé cet événement, cela prouve la véracité des prophéties.

— Certes, mais les prophéties de Malachie contiennent des erreurs qui apparaissent aussi dans l'œuvre de Panvinius.

— Des erreurs ?

Tomás feuilleta le *Lignum Vitae* et indiqua l'un des surnoms latins.

— Vous voyez ce pape, dans les prophéties de Malachie ?

Le souverain pontife mit ses lunettes, se pencha sur le bureau et lut le nom signalé par l'historien.

— Calixte III ? (Il retira ses lunettes et dévisagea son interlocuteur avec une expression intriguée.) C'est étrange ; que je sache, il n'a pas été pape, mais antipape.

— Intéressant, vous ne trouvez pas ? Les prophéties de Malachie comprennent aussi les antipapes, c'est-à-dire ceux qui n'ont pas été reconnus par Rome et qui sont dus aux schismes survenus au sein de l'Église. (Il chercha d'autres noms dans la liste figurant dans le *Lignum Vitae*.) Et Calixte III n'est pas le seul antipape de la liste. Voyez, ici Octave, là Pascal III. Eux aussi étaient des antipapes.

Le souverain pontife haussa les épaules.

— Très bien, la vision de saint Malachie comprenait les antipapes. Et alors ?

— Le problème, Votre Sainteté, c'est que l'auteur des prophéties a décidé d'inclure les antipapes, mais il a oublié Innocent III. Et, comme par hasard, Panvinius a inclus dans son œuvre les antipapes qui figurent dans la liste de Malachie, mais il a également oublié de mentionner Innocent III !

— Vous en êtes sûr ?

Le Portugais tapota de l'index les pages du *Lignum Vitae* portant la liste de Malachie.

— Même erreur dans les prophéties et dans l'œuvre de Panvinius ! Cela prouve que l'auteur des prophéties suivait en réalité le texte de l'histoire des papes de Panvinius ! Or, comme je l'ai déjà indiqué, Panvinius a publié son livre en 1557, donc les prophéties sont nécessairement postérieures à cette année-là. Donc, et c'est d'une logique imparable, elles ne peuvent pas avoir été écrites par Malachie, lequel a vécu au XIIᵉ siècle. Elles sont d'un autre auteur et le nom de Malachie n'a été utilisé que pour les rendre crédibles.

Le chef de l'Église feuilleta les pages de l'œuvre de Wyon, cherchant dans la liste le nom d'Innocent III. L'antipape n'était pas mentionné.

— Je commence à comprendre...

— En somme, jusqu'en 1557 au moins, les prophéties

ont été écrites *a posteriori*. Cette conclusion est étayée par le fait que, jusqu'en 1557, elles se sont révélées exactes à cent pour cent. Il s'agirait, en quelque sorte, de *vaticinia ex eventu*, c'est-à-dire de prophéties postérieures à l'événement. Ce qui signifie que leur véritable auteur les a écrites à partir du livre de Panvinius. Quant aux prophéties relatives aux papes qui ont vécu entre 1557 et 1590 et qui n'étaient pas mentionnés dans l'ouvrage de Panvinius, elles ont été écrites à partir de ce qu'on savait à l'époque, car ces pontificats étaient encore récents et les souvenirs demeuraient vivaces.

Cette conclusion amena le souverain pontife à secouer vigoureusement la tête.

— Cela ne s'est pas nécessairement passé comme ça, contesta-t-il. Wyon, ou celui qui lui a donné la liste, peut avoir comparé les prophéties avec l'œuvre de Panvinius et fait des corrections et des ajouts, en insérant par exemple les antipapes, afin que les prédictions de saint Malachie soient compatibles avec les événements survenus entre-temps. L'oubli d'Innocent III prouve seulement que quelqu'un a retouché les prophéties.

Tomás souleva un sourcil, ne comprenant pas le sens de l'affirmation.

— Cela n'est pas impossible, reconnut-il. Mais où voulez-vous en venir, Votre Sainteté ?

Le pape fit une pause et examina longuement les ongles de sa main gauche avant de répondre, conscient qu'il allait choquer son interlocuteur.

— Et si je vous prouve que les prophéties sont authentiques ?

XI

Intimement convaincu que les célèbres prophéties de Malachie n'étaient rien d'autre qu'une falsification, Tomás réagit avec un profond scepticisme en entendant le pape annoncer leur authenticité. Comment, au XXIᵉ siècle, de grandes personnalités de renom international pouvaient-elles croire en de pareilles sornettes ?

— Admettons que la version des prophéties que nous connaissons soit une fraude, concéda le chef de l'Église. Vous remarquerez cependant que rien n'empêche de supposer que Wyon, ou sa source, probablement Chacón, ait eu accès à un autre manuscrit, le document authentique dont saint Malachie était l'auteur, et qu'ensuite il en ait corrigé le contenu pour en accroître l'exactitude eu égard aux circonstances de son temps.

Le Portugais eut du mal à contenir un nouveau sourire d'incrédulité.

— Si vous me permettez mon audace, Votre Sainteté, ce que vous êtes en train de dire me semble un peu tiré par les cheveux, parvint-il à formuler sur le ton le plus raisonnable possible. C'est que l'inexactitude décelée à propos des antipapes n'est pas la seule anomalie. On constate en effet que, chaque fois que Panvinius a commis une erreur factuelle en ce qui concerne le nom, le blason ou encore le titre cardinalice de tel ou tel pape, celle-ci se retrouve dans les interprétations des prophéties. Cela démontre qu'il existe un lien entre le livre de Panvinius et les prophéties, ce qui constitue un indice élevé de fraude.

— Si je comprends bien, ces erreurs concernent l'interprétation, pas les prophéties elles-mêmes...

— Oui, c'est vrai, reconnut Tomás. En toute rigueur, les erreurs n'entachent que les commentaires qui tentent de relier la phrase prophétique aux événements historiques. En soi, les prophéties demeurent, il faut bien le reconnaître, immaculées, exception faite de l'incohérence pour ce qui est des antipapes.

Réalisant qu'il venait de marquer un point, le chef de l'Église tapa sur la table avec la main.

— Cela fait toute la différence ! s'exclama-t-il. De plus, si, comme vous le soutenez, il s'agit une fraude, pour quelle raison se serait-on donné la peine de la commettre ? Quelle en serait la motivation ?

— Influer sur le choix du pape, c'est évident.

Ne comprenant pas la réponse, le souverain pontife le fixa, les yeux mi-clos.

— Que voulez-vous dire par là ?

— Lorsque, en 1590, Urbain VII mourut, un conclave fut convoqué pour choisir son successeur. Or, pour la première fois dans la liste publiée par Wyon, il n'y avait aucun commentaire établissant un lien entre la prophétie de Malachie et le pape effectivement élu. La prophétie se contentait de mentionner ce qui caractériserait le pontificat suivant. Voulez-vous me dire, Votre

100

Sainteté, ce qui est prophétisé pour le successeur d'Urbain VII ?

Le chef de l'Église lut le surnom en latin qui figurait après Urbain VII dans le *Lignum Vitae*.

— *Ex antiquitate urbis*, dit-il, traduisant aussitôt. De l'ancienneté de la ville.

— Ce qui signifie que le successeur d'Urbain VII viendra de la ville ancienne. Il se trouve que, lors du conclave de 1590, l'un des candidats fut le cardinal Girolamo Simoncelli, un homme d'Orvieto, un village qui en latin se dit *Urbs Vieto*, « ville ancienne ». En d'autres termes, Malachie prédisait que le successeur d'Urbain VII serait le cardinal Simoncelli.

— Il semblerait, en effet.

— Eh bien, il se trouve que le cardinal Simoncelli a perdu face au cardinal qui allait devenir Grégoire XIV ! Ce qui signifie que la prophétie ne s'est pas produite. En réalité, il ne s'agissait, ni plus ni moins, que d'une tentative pour manipuler le conclave.

Le pape écarquilla les yeux, presque scandalisé par le mot choisi.

— Manipuler ?

— Oui, manipuler. Nous savons tous que le pouvoir des papes était tellement grand que, durant le premier millénaire de l'histoire de l'Église, l'élection des souverains pontifes a été soumise à l'influence des autorités politiques et économiques des États italiens et des grandes puissances chrétiennes, qui manœuvraient pour faire désigner celui qui leur convenait le plus. Rois, empereurs, sénateurs... tous tentaient d'influencer le choix. C'est justement pour cela qu'au XIIe siècle des efforts ont été faits pour que les papes soient choisis uniquement par les cardinaux, objectif qui n'a été vraiment atteint qu'au cours de ces derniers siècles.

— Oui, c'est vrai, concéda le chef de l'Église. Et alors ?

— Les prophéties de Malachie s'inscrivent dans cette logique. Très probablement, la liste attribuée à Malachie est l'œuvre de partisans du cardinal Simoncelli, pour convaincre les autres cardinaux. À une époque de grandes superstitions, une telle prophétie pouvait se révéler décisive, Malachie étant en plus un saint très réputé. Qui aurait osé aller contre sa prédiction ? Le fait que le cardinal Simoncelli ait perdu le conclave montre que la manipulation n'a pas abouti, les cardinaux ayant pris la liste pour ce qu'elle était, une fraude.

— Mais, professeur, la prophétie de saint Malachie était pourtant juste en annonçant que le successeur d'Urbain VII serait *ex antiquitate urbis*, c'est-à-dire d'une ville ancienne !

— Elle s'est trompée. Simoncelli, le cardinal d'Orvieto, a perdu le conclave.

— Mais Grégoire XIV l'a gagné. Or Grégoire XIV, si je me souviens bien, venait de Milan, une ville ancienne !

Tomás fit une grimace contrariée.

— À ce compte-là, la plupart des cardinaux sont originaires de villes anciennes, dès lors la prophétie pourrait s'appliquer à la majorité des autres candidats qui étaient présents au conclave.

— Peut-être, mais si l'objectif était vraiment de conditionner le conclave de 1590, pour quelle raison le falsificateur aurait-il établi une liste aussi longue de noms postérieurs à l'élection ? Vous remarquerez que les prophéties couvrent une période de neuf siècles, et qu'elles se prolongent pendant cinq cents ans après le conclave de 1590. Pourquoi le prétendu falsificateur se serait-il donné tout ce mal ?

— Pour rendre les prophéties crédibles, bien sûr.

— Pour cela, il n'avait pas besoin d'allonger à ce point la liste, observa le pape avec l'expression de quelqu'un qui n'était pas très convaincu. En outre, vous noterez que la dernière prophétie prévoit la destruction de Rome et la persécution finale de l'Église. Une telle prédiction est extrêmement embarrassante dans la mesure où les chrétiens ont toujours cru dans la protection de Dieu et la victoire finale de leur foi. Le christianisme était destiné à conquérir le monde et à convertir toutes les âmes. Qui voudrait croire que la papauté s'achèverait par une grande défaite et que Rome serait détruite ? La chute de la papauté est une idée absolument intolérable pour un esprit chrétien de l'époque. Un faussaire choisirait certainement une autre fin, quelque chose de plus conforme aux attentes des chrétiens.

Tomás se gratta la tête, pesant l'argument, d'une force indubitable.

— Peut-être.

— Notez que tout cela ne m'empêche pas de reconnaître que la liste de saint Malachie a la capacité de conditionner bon nombre de cardinaux et de les amener à adopter des comportements tendant à confirmer les prophéties, ajouta le chef de l'Église. Par exemple, lors du conclave de 1958, tous savaient que saint Malachie avait prophétisé que le pape qui serait élu serait *pastor et nauta*, c'est-à-dire « pasteur et nautonier ». Accordant foi à cette prophétie, le cardinal américain Francis Spellman trouva un bateau, installa un troupeau dedans et se mit à naviguer sur le Tibre pour essayer de prouver qu'il était le candidat annoncé.

Tomás éclata de rire.

— Il a vraiment fait cela ?

— C'est ce qu'on raconte. Cela ne lui a servi à rien car il a fini par perdre le conclave face au cardinal de Venise.

— Quoi qu'il en soit, cela prouve bien que certains cardinaux au moins font vraiment attention aux prophéties de Malachie. Même les papes s'en préoccupent. Je me souviens que Pie XII avait fait réaliser un documentaire sur sa vie intitulé *Pastor Angelicus*, qui était justement le surnom prophétique que Malachie lui avait attribué des siècles auparavant.

— Le cas de Sa Sainteté Pie XII est révélateur, observa le pape. Si les prophéties sont réellement une falsification du XVIe siècle, comme vous-même et mes coreligionnaires jésuites le prétendent, comment expliquer que mes prédécesseurs au Vatican, y compris Pie XII, lui aient accordé crédit ?

— En effet, vous avez raison.

Le souverain pontife se tut pendant quelques instants. Il se frottait le menton tout en réfléchissant à l'idée qu'il venait d'avoir.

— Vous savez, il y a un moyen de prouver que les prophéties de saint Malachie sont authentiques.

— Sérieusement ? Comment ?

Le pape saisit le *Lignum Vitae* sur le bureau et commença à le feuilleter :

— Il suffit de les lire.

XII

Les doigts délicats du pape parcoururent rapidement le vieux livre d'Arnold de Wyon jusqu'à la page qu'il cherchait. Affirmant qu'il était possible de démontrer que les prophéties de Malachie postérieures à 1590 s'étaient effectivement réalisées, il lui appartenait à présent de le prouver. Il n'avait pas l'intention d'échouer.

Il désigna une ligne du *Lignum Vitae* et regarda Tomás avec une expression de défi.

— Vous voyez ici, le 244ᵉ pape, 88ᵉ sur la liste des prophéties ?

L'historien regarda la page en question.

— C'est celui à qui Malachie avait prédit qu'il serait *rastrum in porta* ?

— Lui-même. *Rastrum in porta*, c'est-à-dire « le râteau à la porte ». Il se trouve que le 88ᵉ pape de la liste fut Innocent XII, élu en 1691. Son nom de famille était Rastrello, qui signifie râteau en italien, et d'ailleurs son blason comportait effectivement un râteau. Comment le prétendu falsificateur de 1590 pouvait-il prévoir cela au sujet d'un pape dont le pontificat ne commencerait qu'un siècle plus tard ? Et pourtant, il a deviné avec une exactitude absolue. La prophétie s'est réalisée.

— Une coïncidence, sans aucun doute, précisa Tomás. Sur cent douze prophéties, il était inévitable que l'une ou l'autre tombe juste.

— En réalité, il n'y a pas cent douze prophéties postérieures à 1590, mais seulement soixante-huit. Cependant, ce qui importe véritablement, professeur, c'est que le taux de réussite de ces prophéties est très élevé.

— Qu'entend Votre Sainteté par « réussite d'une prophétie » ? Car, à bien y regarder, les expressions en latin attribuées à Malachie sont tellement vagues et ambiguës qu'elles peuvent être appliquées à un très grand nombre de situations et de papes différents.

— Je n'en suis pas si sûr. La prophétie du « râteau à la porte » concernant le 88e pape de la liste me semble très spécifique ; et elle s'est parfaitement réalisée avec Innocent XII.

L'historien ne semblait pas convaincu.

— Un seul cas ne suffit pas pour fonder une thèse, insista-t-il. Votre Sainteté me pardonnera d'affirmer qu'il faut davantage d'exemples.

Le souverain pontife feuilleta le vieil ouvrage de Wyon.

— Il me semble qu'il serait plus facile et moins fastidieux d'examiner le cas des papes du xxe siècle, à partir de la Première Guerre mondiale, proposa-t-il. Ils sont plus récents et leurs pontificats sont donc plus frais dans notre mémoire.

— Très bien, voyons cela.

Le chef de l'Église posa les doigts sur les derniers noms de la longue liste.

— Alors commençons avec Benoît XV, pape de 1914 à 1922. La prophétie de saint Malachie à son sujet était, comme c'est indiqué ici, *religio depopulata*, c'est-à-dire « la religion dépeuplée », une étrange prophétie qui ne saurait être considérée comme vague et ambiguë, et qui s'appliquerait difficilement à un autre pape. Or, Benoît XV a été témoin de la boucherie que fut la Première Guerre mondiale, de l'hécatombe provoquée par la pandémie de grippe espagnole et de la révolution bolchevique de 1917, qui a fait de la Russie un pays athée où non seulement la religion était découragée, mais où les croyants étaient ouvertement poursuivis. Ce fut la période de l'histoire de l'humanité au cours de laquelle les morts et les persécutions religieuses ont été les plus nombreuses. Où cela s'est-il produit ? Essentiellement en Europe, un continent où l'écrasante majorité de la population est chrétienne. Eh bien, c'est justement à propos de ce pontificat-là que saint Malachie a prédit « la religion dépeuplée ». La prophétie correspond donc parfaitement au pontificat de Benoît XV.

— Certes, cette prophétie très spécifique s'est effectivement réalisée, reconnut l'universitaire portugais. Mais... et les autres ?

Le souverain pontife porta son attention sur la ligne suivante :

— Saint Malachie a associé le pape suivant à *fides intrepida*, c'est-à-dire « la foi intrépide ». Pie XI, qui a exercé ce pontificat, est justement le Saint-Père qui s'est insurgé contre le communisme, l'antisémitisme et le nazisme. En 1937, il a publié l'encyclique antinazie

Mit brennender Sorge, la plus violente condamnation d'un régime politique jamais prononcée par le Saint-Siège. Il a dénoncé « le mythe du sang et de la race » et « l'hitlérisme barbare », en ajoutant que les chrétiens étaient tous sémites, et en présentant Hitler comme l'Antéchrist, ce qui, dans le contexte de l'alliance italo-germanique alors conclue entre Hitler et Mussolini, exigeait un grand courage.

— Ce courage n'a servi à rien...

— En effet, car Pie XI est mort en 1939, au début de la Seconde Guerre mondiale, et il a malheureusement laissé inachevée une encyclique contre le racisme, intitulée *Humanis generis unitas*, que son successeur, Pie XII, n'a pas eu le courage de promulguer. Visiblement, il n'avait pas la *fides intrepida* que saint Malachie avait prophétisée au sujet de son prédécesseur.

Impatient, Tomás vérifia le nom suivant du livre de Wyon.

— Pie XII a été désigné dans les prophéties comme *pastor angelicus*, c'est-à-dire « le pasteur angélique ».

— Sa priorité durant la Seconde Guerre mondiale n'a pas été de dénoncer le nazisme et le communisme, comme l'avait courageusement fait son prédécesseur, mais de défendre le troupeau chrétien face aux épreuves en ces temps difficiles. C'est pourquoi il a effectivement été un pasteur. En somme, cette prophétie s'est également réalisée.

— Hum... Un peu vague tout de même, considéra l'historien, pas très convaincu mais incapable de contredire l'interprétation du pape. Ensuite ce fut Jean XXIII, au sujet duquel Malachie avait prédit qu'il serait *pastor et nauta*, c'est-à-dire le « pasteur et nautonier ».

— Jean XXIII était originaire de Venise, une ville de canaux, de gondoles et de marins.

Tomás fit une moue de scepticisme :

— Encore une fois, il s'agit d'une prophétie assez vague...

— Peut-être, mais pas inexacte.

Le Portugais n'était guère enthousiaste, sans avoir d'arguments convaincants à avancer. Il passa au nom suivant.

— Le pape Paul VI a été désigné par *flos florum*, « la fleur des fleurs ». (Il fit une grimace.) Qu'est-ce que cela peut bien vouloir dire ?

— Le blason de la famille de Paul VI comportait trois fleurs de lys.

— Vraiment ?

— Je suppose que vous connaissez, professeur, l'importance des lys, n'est-ce pas ?

— Le lys est la fleur des fleurs, confirma-t-il. Tant dans la mythologie grecque que dans la symbolique chrétienne, elle a quelque chose de divin. Chez les catholiques, elle représente la pureté de Marie.

— Or, Paul VI a été un pape marial, qui a accordé de l'importance aux apparitions de la Vierge Marie à Fátima, ce qui fit de lui le souverain pontife des lys, la fleur de Marie et la fleur des fleurs.

Dans ce cas, la coïncidence était effectivement troublante. Comme il ne pouvait contester l'interprétation de cette prophétie, Tomás passa à la suivante.

— Ensuite, ce fut Jean-Paul Ier, *de medietate lunae*, « de la moitié de la lune ».

— Ce que personne n'a oublié du pontificat de Jean-Paul Ier, c'est qu'il a été le plus court des temps modernes. Il a duré à peine trente-trois jours, ce qui équivaut plus ou moins à un cycle de la lune. De plus, comme par hasard, Jean-Paul Ier est né dans le diocèse de Belluno, « belle lune » en italien. Enfin, il est devenu pape le jour où la lune est entrée dans sa phase décroissante, ce qui correspond à une moitié de lune, c'est-à-dire *medietate lunae* en latin. Une fois de plus, saint Malachie a vu juste.

Toujours incapable de contredire cette interprétation, le Portugais aborda la prophétie suivante.

— De la lune nous passons au soleil, saint Malachie ayant désigné Jean-Paul II *de labore solis*, c'est-à-dire « du labeur du soleil ». Quelle est la relation entre le soleil et ce pape ?

La réponse fut immédiate.

— Vous savez certainement que le pontificat du Polonais Karol Wojtyla, Sa Sainteté Jean-Paul II, a été marqué par la lutte inlassable qu'il a menée contre le régime communiste qui opprimait l'Europe de l'Est en général et sa Pologne natale en particulier. Moscou a pris peur avec ce pape qui manœuvrait contre les régimes communistes ; c'est pourquoi elle a donné l'ordre qu'il soit assassiné, et elle a recouru pour cela aux services secrets bulgares. Le Turc Ali Ağca, soi-disant engagé par les Bulgares, a tenté de le tuer le 13 mai 1981. Je suppose, professeur, que vous n'ignorez pas la signification de cette date, n'est-ce pas ?

— C'est l'anniversaire de la première apparition de la Vierge à Fátima.

— Lorsqu'il s'est réveillé à l'hôpital, informé de ce qui s'était passé et se rendant compte de la coïncidence des dates, Jean-Paul II a demandé à voir le document dans lequel la bergère Lúcia avait consigné la troisième partie du secret de Fátima, alors encore inconnu du grand public. Le secret, semble-t-il, prophétisait l'assassinat d'un pape. Jean-Paul II en conclut que le pape en question n'était autre que lui-même et que la Vierge Marie avait dévié la balle de quelques millimètres, empêchant qu'elle n'atteigne ses organes vitaux. Il était persuadé d'avoir été sauvé par l'intervention de la Vierge. Un an après l'attentat, il s'est rendu à Fátima et, en action de grâce, il fit incruster la balle qui faillit le tuer dans la couronne de la statue de Notre-Dame de Fátima. Jusqu'au bout, il demeura convaincu que l'intervention de la Vierge Marie lui avait permis d'accomplir sa mission historique.

— Mission historique ? Que voulez-vous dire par là, Votre Sainteté ?

— Si vous vous rappelez, en 1917, Notre-Dame de Fátima avait prophétisé qu'un jour, la Russie reviendrait à la foi chrétienne, opposant le parvis blanc de Fátima à la place Rouge de Moscou. Cette prophétie finit par se réaliser sous le pontificat de Jean-Paul II, en grande partie grâce à son action. Fátima a joué un rôle si déterminant dans la chute du communisme que, sur l'immense parvis de la basilique, se trouve aujourd'hui un morceau du mur de Berlin, tribut au triomphe de Marie.

— Mais qu'est-ce que tout cela a à voir avec « le labeur du soleil » ?

Le pape garda les yeux fixés sur son invité.

— Cela ne vous semble pas évident ? Vous savez ce que les personnes qui se trouvaient à Fátima, en 1917, la dernière fois que la Vierge est apparue aux bergers, ont dit au sujet du soleil ?

L'historien ouvrit de grands yeux, se souvenant des récits de l'époque.

— Elles l'ont vu danser dans le ciel !

— *De labore solis*, avait prévu saint Malachie. « Du labeur du soleil ». La prophétie relie Jean-Paul II aux apparitions de Fátima. Et il existe une seconde interprétation. En se reliant ainsi à Fátima, Jean-Paul II a apporté la lumière du soleil, la lumière de la vérité et de la chrétienté aux ténèbres du communisme athée, dictatorial et totalitaire, ce qui était au fond sa mission historique. Le soleil, après un dur labeur, a enfin vaincu les ténèbres. En somme, une fois de plus, la prophétie de saint Malachie s'est réalisée.

Tomás respira profondément. Il n'avait rien trouvé qui fût susceptible de contrarier cette nouvelle interprétation des prophéties. Mais il voulait passer à l'avant-dernier nom de la longue liste.

— Le pape suivant fut l'Allemand Joseph Ratzinger et saint Malachie avait prédit au sujet de son pontificat qu'il serait *gloria olivae*, « la gloire de l'olivier »... quoi que cela veuille dire.

— Professeur, vous ne savez pas de quel ordre monastique le rameau d'olivier est le symbole ?

— Les Bénédictins. (Il ébaucha un sourire, fier d'avoir surpris son interlocuteur.) Mais, que je sache, Ratzinger n'était pas bénédictin...

— En effet, mais il a adopté le nom de Benoît XVI, ce qui le relie à l'ordre des Bénédictins, qui est l'ordre de saint Benoît ! Une fois de plus, saint Malachie a vu juste !

Le sourire de Tomás se décomposa et ses épaules s'affaissèrent. En tant qu'homme de science, il se refusait catégoriquement à accorder du crédit aux prophéties. Mais il était conscient qu'il n'avait pas été capable de mettre en doute l'interprétation d'une seule des prophéties de saint Malachie au sujet des papes récents, c'est-à-dire tous ceux qui avaient porté l'anneau du pêcheur depuis la Première Guerre mondiale. Il est vrai que certaines de ces prophéties restaient suffisamment vagues pour ouvrir la voie à toutes sortes d'interprétations, mais d'autres étaient tellement précises qu'il semblait très perturbant qu'elles se soient réalisées. Saint Malachie avait-il vraiment pu prévoir l'avenir ?

Il avait du mal à le croire.

— Penchons-nous à présent sur le dernier pape de la longue liste de Malachie, proposa le Portugais en guise de conclusion. Celui auquel le saint a donné le nom de *Petrus Romanus*.

— C'est-à-dire moi.

L'historien garda les yeux fixés sur le souverain pontife comme s'il l'interrogeait.

— Vous croyez vraiment, Votre Sainteté, que vous êtes le dernier pape ?

— Je le sais.

La réponse n'était pas satisfaisante pour un esprit sceptique et rationnel tel que celui de Tomás Noronha.

— Comment pouvez-vous le savoir, Votre Sainteté ?

— Le taux de réussite très élevé des prédictions de saint Malachie ne vous a pas échappé. Ses prophéties ont certainement été parmi celles les plus réalisées de tous les temps ! L'une après l'autre, elles se sont accomplies, comme nous venons de le voir. Un tel fait ne saurait être ignoré, vous ne trouvez pas ?

— Certes, mais il doit y avoir davantage d'indices...

Comme s'il pesait ses paroles, le pape marqua un court silence avant de répondre.

— Il y a d'autres prophéties.

— Lesquelles ?

— Fátima, par exemple.

Cette nouvelle référence à Fátima intrigua Tomás.

— Que voulez-vous dire par là, Votre Sainteté ?

Le chef de l'Église se pencha et baissa la voix.

— Je vais vous révéler quelque chose, dit-il presque en murmurant. Contrairement à ce qui a été annoncé, la troisième partie du secret de Fátima ne concerne pas Karol Wojtyla.

— Pardon ? fit le Portugais, surpris. Mais qui alors ?

Le pape prit le *Lignum Vitae* et relut la prophétie apocalyptique de Malachie au sujet de *Petrus Romanus*. Les références aux persécutions finales, aux nombreuses tribulations imminentes, à la destruction de la ville aux sept collines et au jour du Jugement dernier le firent trembler, car il croyait que c'était effectivement le sort qui attendait l'Église et l'humanité durant son pontificat.

Écrasé par l'angoisse, il soupira bruyamment et posa la main sur sa poitrine tout en fixant son interlocuteur.

— Moi.

XIII

Après s'être agenouillé et avoir dit un *Ave Maria* devant une petite image de Notre-Dame de Fátima posée sur une étagère de la bibliothèque privée du Palais apostolique, le pape se signa puis revint vers le bureau. Son hôte était resté assis, attendant les explications.

— Que savez-vous, professeur, des apparitions de Fátima ?

Tomás remua sur sa chaise.

— Historien et, qui plus est, portugais, j'en sais sans doute plus que la plupart des gens, répondit-il. Le 13 mai 1917, alors qu'ils faisaient paître leur troupeau à Cova da Iria, un hameau du centre du Portugal, trois jeunes bergers auraient vu apparaître sur un arbre une femme qui, selon eux, avait l'air d'une statue de neige, plus blanche que le soleil. La femme leur dit qu'elle venait du ciel, les invita à revenir en ce même lieu chaque mois, toujours le même jour et à la même heure. Elle prophétisa la fin de la Grande Guerre et consacra le monde au Cœur immaculé de Marie. Lúcia la voyait, l'entendait et parlait avec elle, Jacinta la voyait et l'entendait, quant au garçon, Francisco, il la voyait seulement. De fait, les apparitions se seraient répétées au cours des cinq mois suivants, toujours le 13 du mois, et chaque fois elles ont donné lieu à des révélations et attiré des foules de plus en plus nombreuses. Les gens ne voyaient pas la dame dont parlaient les bergers, mais ils ont affirmé avoir vu le soleil s'obscurcir à chaque apparition et une multitude d'entre eux ont dit avoir entendu un bruit semblable à un bourdonnement d'abeilles ou de mouches.

— Vous savez lors de quelle apparition le secret de Fátima a été révélé ?

— Au cours de la deuxième apparition, la dame a annoncé la mort prochaine de Jacinta et Francisco, ce qui se produisit effectivement deux ans plus tard, à cause de la pandémie de grippe espagnole, mais c'est à la troisième apparition qu'elle a fait la grande révélation. La première partie du secret est la vision de l'enfer. La deuxième, la prophétie selon laquelle, après la Grande Guerre, une autre se produirait et que la Russie, après avoir répandu toutes ses erreurs à travers le monde, finirait par se convertir, et serait consacrée au Cœur immaculé de Marie. Quant à la troisième partie, je confesse que je ne connais pas...

— C'est celle dont nous allons parler, coupa le souverain pontife. Vous savez certainement que Notre-Dame avait promis de faire un miracle à la dernière apparition.

— Bien sûr. Comme les bergers se plaignaient que personne ne les croyait, la Vierge a promis un miracle que tous verraient et qui convaincrait tout le monde. Ce serait le 13 octobre. La promesse attira ce jour-là cinquante mille personnes à Cova da Iria, y compris des journalistes. D'ailleurs, j'ai lu l'article publié dans un des plus grands journaux de l'époque, *O Século*. Alors qu'il pleuvait, écrivit le journaliste, les nuages s'ouvrirent soudainement et tous virent le soleil danser trois fois en douze minutes. Cette dernière apparition fut une apothéose.

Le pape s'adossa à son siège et, comme si cela l'apaisait, il regarda l'image de Notre-Dame de Fátima qui ornait la bibliothèque privée de ses appartements.

— Fátima est la plus prophétique de toutes les apparitions modernes de la Vierge, dit-il sur un ton serein. Ce n'est pas par hasard qu'ici, au Vatican, nous appelons le Portugal « le pays de Marie ». Je suis convaincu que c'est la protection spéciale de la Vierge qui a sauvé votre pays de l'hécatombe lors de la Seconde Guerre mondiale.

Tomás ébaucha un sourire sceptique.

— Votre Sainteté comprendra certainement qu'en tant qu'historien je ne puis accepter d'explications mystiques à des événements historiques.

Le pape haussa les épaules avec indifférence.

— Comme vous voudrez, dit-il. Venons-en à ce qui nous intéresse. Vous connaissez sans doute la troisième partie du secret de Fátima ?

— Pas très bien, je l'admets. (Il remua sur sa chaise.) Vous savez, Votre Sainteté, je suis un homme de science. Je ne crois pas à ce qui est mystique, à la... enfin, à la spiritualité, qui pour moi n'est rien d'autre qu'une invention pour nous réconforter et nous protéger de la cruauté de l'existence et de la peur de notre condition mortelle.

— Ça, je l'ai déjà compris. Cependant, la science montre qu'il nous est possible d'avoir une certaine connaissance de choses qui ne se produiront que dans l'avenir...

— En effet. L'expérience de la double fente retardée, théorisée en physique quantique par John Wheeler et confirmée sur le plan expérimental dans plusieurs laboratoires, a prouvé qu'il est effectivement possible qu'une information se transporte vers le passé. Ce phénomène a déjà été observé par les physiciens.

— En d'autres termes, professeur, vous reconnaissez implicitement que les lois de la physique admettent l'existence des prophéties et des prémonitions...

L'affirmation mit Tomás mal à l'aise. S'il n'aimait pas voir la conversation dévier vers ce domaine, il n'avait pas d'arguments pour contredire la conclusion de son hôte.

— Eh bien... enfin, c'est... c'est vrai.

Ce point était très important, compte tenu de la confiance que Tomás accordait à la méthode scientifique. Il entrouvrait les portes de tout un monde nouveau. Le pape joignit les mains et dévisagea intensément l'homme qui était assis devant lui.

— Très bien. Alors revenons à la troisième partie du secret de Fátima. Qu'en savez-vous ?

— Je sais uniquement qu'elle a été rendue publique en 2000 et que, d'après ce que le Vatican a annoncé, elle concerne l'attentat de 1981 contre le pape Jean-Paul II. (Du doigt, il désigna son interlocuteur.) Apparemment, vous ne croyez pas en cette version.

Le chef de l'Église secoua la tête.

— En effet, je n'y crois pas.

— Sur quoi vous fondez-vous pour mettre en doute la conclusion du pape Jean-Paul II ?

La réponse à cette question était délicate, car elle

impliquait un désaccord vis-à-vis d'un prédécesseur. C'est pourquoi le pape ne répondit pas immédiatement. Au lieu de cela, il prit, dans un tiroir situé sous le bureau, une enveloppe aux bords jaunis par le temps. Il l'ouvrit et en sortit deux petites feuilles noircies de lettres menues.

— Jacinta et Francisco sont morts peu après les apparitions de 1917, Lúcia resta donc seul témoin de ce qui s'était passé, dit-il. Compte tenu de cette situation, et comme entre-temps elle avait appris à lire et à écrire, l'évêque de Leiria lui demanda de consigner par écrit les prophéties faites par Notre-Dame de Fátima. Lúcia acheva son premier récit à la fin de 1935.

— Mais ce n'est que plus tard qu'elle commença à divulguer les prophéties, me semble-t-il.

Le pape fit un signe affirmatif.

— Rien ne vous échappe, professeur, confirma-t-il. En effet, ce n'est que lors de la publication de ses Mémoires en 1941 que Lúcia a annoncé que le secret de Fátima était composé de trois parties, et qu'elle accepta de révéler les deux premières, alléguant que le monde était enfin prêt à les connaître.

— Mais pas la troisième...

— Non, pas la troisième.

— Cependant, elle l'a consignée par écrit.

Le pape montra les feuilles à son hôte.

— Voici la troisième partie du secret, dit-il. Lúcia est tombée malade en 1943, ce qui préoccupa énormément l'évêque de Leiria. Si elle venait à mourir, comment pourrait-on connaître cette troisième partie ? Lorsque Lúcia fut rétablie, l'évêque lui ordonna de mettre noir sur blanc la partie du message de Notre-Dame qui manquait. Lúcia obéit. Elle écrivit le message l'année suivante et le conserva dans une enveloppe scellée, avec ordre de ne l'ouvrir qu'après 1960, ou alors après sa mort.

Tomás tendit la main droite.

— Puis-je voir ?

Le chef de l'Église lui donna les feuilles.

— Lisez, lisez.

Conscient qu'il touchait un document d'une très grande valeur, l'historien prit les feuilles et les analysa avec curiosité, comme s'il craignait de les abîmer. Ne serait-il pas plus prudent d'utiliser ses gants d'archéologue ? Le côté informel de la situation le rassura pourtant et, considérant qu'il était inutile de respecter le protocole relatif au maniement de manuscrits ou de découvertes de grande valeur, il se contenta d'étudier le document qu'il avait entre les mains.

Les feuilles étaient très fines, du type de celles qu'on utilisait dans les années quarante pour écrire des lettres, et l'écriture de Lúcia, petite et serrée, ne comportait pas les pleins et les déliés si caractéristiques des manuscrits féminins. À certains endroits, il avait du mal à déchiffrer, comme pour une écriture de médecin, mais cela ne l'empêchait pas de comprendre. Si les hiéroglyphes ne l'intimidaient pas, ce n'étaient pas les pattes de mouche de sœur Lúcia qui le feraient.

— « Et nous vîmes dans une lumière immense qui est Dieu : "quelque chose de semblable à la manière dont se voient les personnes dans un miroir quand elles passent devant", un évêque vêtu de blanc, "nous avons eu le pressentiment que c'était le Saint-Père" », lut-il enfin à voix haute à partir du texte écrit en portugais. « Divers autres évêques, prêtres, religieux et religieuses montaient sur une montagne escarpée, au sommet de laquelle il y avait une grande croix en troncs bruts, comme s'ils étaient en chêne-liège avec leur écorce ; avant d'y arriver, le Saint-Père traversa une grande ville à moitié en ruine et, à moitié tremblant, d'un pas vacillant, affligé de souffrance et de peine, il priait pour les âmes des cadavres qu'il trouvait sur son chemin ; parvenu au sommet de la montagne, prosterné à genoux au pied de la grande croix, il fut tué par un groupe de soldats qui tirèrent plusieurs coups avec une arme à feu et des flèches ; et de la même manière moururent les uns après les autres les évêques, les prêtres, les religieux et religieuses et divers laïcs, hommes et femmes de classes et de catégories sociales différentes. »

Il posa la lettre et regarda son hôte.

— Alors ? demanda le pape. Qu'en pensez-vous ?

Rongé par la curiosité, Tomás posa l'index sur les feuilles qu'il venait de lire.

— C'est en se fondant sur ce texte que Jean-Paul II a déclaré que la troisième partie du secret de Fátima concernait l'attentat de 1981 contre lui ?

— Oui, confirma le chef de l'Église. Cette prophétie a eu un énorme impact sur lui. Conformément au vœu exprimé en 1917 par Notre-Dame de Fátima d'assurer la conversion de la Russie, aussitôt après l'attentat de 1981, Jean-Paul II s'est hâté de la consacrer au Cœur immaculé de Marie dans la basilique de Sainte-Marie-Majeure, à Rome, puis l'année suivante à Fátima, et à nouveau, en 1984, place Saint-Pierre. Lorsqu'on lui a demandé si les exigences de la Vierge avaient été enfin satisfaites, Lúcia répondit : « Oui, elles l'ont été, le 25 mars 1984, comme Notre-Dame l'avait demandé. » (Le pape fit un geste vague avec les mains.) Le reste c'est de l'histoire...

— De l'histoire ? Que voulez-vous dire par là, Votre Sainteté ?

— Je veux dire qu'en mars 1985, un an après la consécration au Cœur immaculé de Marie, Mikhaïl Gorbatchev est arrivé au pouvoir au Kremlin et, en quelques années, le mur de Berlin est tombé, l'Union soviétique s'est désintégrée et le communisme s'est achevé. Le blanc parvis de Fátima a vaincu la place Rouge de Moscou.

— Vous êtes vraiment convaincu, Votre Sainteté, que la fin du communisme a un rapport avec les prophéties de Fátima ?

— Sans aucun doute.

La fermeté avec laquelle le pape avait répondu signifiait clairement qu'il en était convaincu. Tomás envisageait tout cela sous l'angle bien différent de l'historien, mais il pouvait comprendre qu'un dirigeant religieux ait une interprétation mystique de tels événements.

— Vous croyez donc, Votre Sainteté, que la prophétie faite par Notre-Dame en 1917 s'est effectivement accomplie ?

— À partir du moment où Jean-Paul II a consacré, en trois occasions distinctes entre 1981 et 1984, la Russie au Cœur immaculé de Marie, se sont produits les événements qui ont abouti à l'effondrement du communisme. En ce sens, la prophétie s'est réalisée.

— Entièrement ?

Les yeux du pape glissèrent vers les deux feuilles de la lettre que l'historien avait lue quelques instants auparavant, et qu'il avait posée sur le bureau.

— Exception faite de la troisième partie du secret, comme je vous l'ai déjà dit.

— Et vous ne croyez pas, Votre Sainteté, que la troisième partie soit en rapport avec l'attentat de 1981 ?

— Non.

— Pourquoi ?

Le chef de l'Église prit les deux feuilles de papier.

— Vous ne voyez pas ? demanda-t-il en exhibant le texte écrit par Lúcia comme s'il s'agissait d'une preuve. Il y a d'énormes différences entre la prophétie de 1917 et les événements survenus sur la place Saint-Pierre en 1981.

Le Portugais essaya de se souvenir des détails de l'attentat contre Jean-Paul II et de comparer les événements de 1981 avec le contenu du texte qu'il venait de lire.

— Si je me souviens bien, en 1981, le pape se trouvait au milieu de la foule place Saint-Pierre lorsqu'Ali Ağca lui a tiré dessus, dit-il. Alors que la prophétie de 1917 évoque un homme vêtu de blanc, probablement le pape, qui traverse une ville à moitié en ruine et gravit une montagne où, avec de nombreuses autres personnes, il est abattu par des soldats.

— Vous voyez les différences ?

— Eh bien, je dirais que, d'un point de vue symbolique, il y a aussi des ressemblances entre la prophétie et ce qui s'est produit. La ville en ruine représente les nombreuses guerres qui ont éclaté dans le monde entier en raison de la guerre froide, l'homme vêtu de blanc qui gravit la montagne symbolise les difficultés de l'Église face au communisme athée, les soldats qui l'attaquent représentent Ali Ağca, à la solde des communistes, et le meurtre du pape et des autres personnes, y compris des évêques et des prêtres, représente les tueries provoquées par les guerres. D'une certaine manière, tout concorde dès lors que l'on adopte une interprétation symbolique.

Le souverain pontife se pencha en avant comme s'il allait partager un secret avec son invité.

— À ceci près que Jean-Paul II n'est pas mort...

L'observation était tellement juste qu'elle perturba Tomás.

— Oui... en effet.

— La vision de Fátima prophétise la mort du pape, mais en réalité Jean-Paul II n'est pas mort. Quelle conclusion en tirez-vous ?

— Si je me souviens bien, Jean-Paul a affirmé que la Vierge avait dévié la balle et l'avait sauvé.

— Ça, c'est l'*interprétation* de mon prédécesseur, affirma le pape de manière sentencieuse, en soulignant le mot d'une manière telle qu'il était évident qu'il n'y croyait pas. La prophétie dit que l'homme vêtu de blanc meurt sous les balles et les flèches. Or, qu'on le veuille ou non, Jean-Paul II n'est pas mort.

— C'est cette différence entre la prophétie et la réalité qui vous fait dire, Votre Sainteté, que la vision de Fátima ne s'est pas encore réalisée et qu'elle ne se concrétisera qu'avec vous ?

— C'est à cause de cette différence, en effet, mais également en raison d'autres prophéties, ainsi que...

Il hésita, comme s'il craignait d'en avoir trop dit, et se tut brusquement.

— Ainsi que quoi ?

Le chef de l'Église temporisa ; il ne voulait pas tout dire, mais il devait terminer sa phrase.

— De... enfin, d'une menace réelle.

— Une menace ? Contre qui ?

Le pape détourna le regard vers le tableau du Christ

sortant du tombeau, attribué au Pérugin, qui ornait l'un des murs de la bibliothèque privée, et il resta silencieux quelques secondes, semblant envisager de ne pas répondre à la question. Puis, il dévisagea son interlocuteur, respira profondément, comme s'il avait hâte de se libérer d'un poids qu'il ne supportait plus.

— Contre moi et contre le Vatican.

XIV

L'affirmation du chef de l'Église laissa Tomás sans voix. Le pape lui annonçait qu'une menace réelle pesait sur lui et le Vatican, confirmant ainsi les paroles énigmatiques prononcées une heure plus tôt par le cardinal Barboni. Mais, le plus impressionnant, c'était la peur que Tomás devinait dans la voix du souverain pontife.

— Que se passe-t-il, Votre Sainteté ?

Le pape ouvrit à nouveau le tiroir du bureau d'où il sortit un autre papier.

— Le deuxième pape du XXe siècle, Pie X, a eu deux visions prophétiques, indiqua-t-il en consultant le papier. En pleine audience avec des franciscains, en 1909, il sembla entrer en transe. Au bout de quelques minutes, il rouvrit les yeux, se leva et dit : « Ce que j'ai vu est terrifiant ! J'ignore si cela se passera avec moi ou avec l'un de mes successeurs. Ce qui est sûr, c'est que le pape quittera Rome et, en sortant du Vatican, il devra marcher parmi les cadavres de ses prêtres. Ne parlez de cela à personne tant que je serai vivant. »

Il leva les yeux et les posa sur son interlocuteur avec un air interrogateur.

— Pie X a vraiment dit cela ?

— Il y a des témoins et ses paroles sont consignées ici. Qu'en dites-vous ?

— Eh bien... je dois admettre qu'il existe quelques ressemblances avec la prophétie de Fátima, reconnut l'historien. En particulier, le passage où le pape marche parmi les cadavres des prêtres. Cependant, dans cette prophétie, contrairement à celle de Fátima, le pape ne meurt pas.

En guise de réponse, le souverain pontife revint au document.

— Pie X a eu une seconde vision prophétique, en 1914, révéla-t-il. Peu avant de mourir, il dit ceci : « J'ai vu l'un de mes successeurs, ayant le même nom, courant sur les cadavres de ses pairs. Il ira se réfugier en un lieu caché, mais après une courte trêve, il subira une mort cruelle. Le respect de Dieu a disparu du cœur des hommes. Ils voudront même effacer sa mémoire. Cette perversion annonce le début des derniers jours du monde. »

Lorsque le pape finit de citer Pie X, Tomás se frottait pensivement le menton.

— Quels sont les mots qu'il a employés ? demanda-t-il. Vous avez dit que le pape à qui cela arrivera porte « le même nom » ?

— Oui. L'expression utilisée est « ayant le même nom ».

— Mais le même nom que qui ? Que lui-même ? Dans ce cas, il s'agirait d'un pape appelé Pie.

— Pie X n'a pas précisé s'il s'agissait du même nom que lui, ou du même nom que l'ordre de ceux à qui il donnait audience, c'est-à-dire l'ordre des Franciscains.

L'historien fronça les sourcils en entendant cette nouvelle hypothèse.

— C'est-à-dire un pape nommé Pie ou François.

— Telle est la prophétie, en effet, confirma le chef de l'Église. Ce qui est intéressant cependant, c'est la ressemblance entre ces deux visions, celle de Pie X et la prophétie qu'énonce la troisième partie du secret de Fátima.

— En effet, la similitude est vraiment troublante. La prophétie du pape courant sur des cadavres puis se faisant tuer coïncide parfaitement avec celle formulée par les bergers portugais. Reste à savoir si le fait de connaître l'une n'a pas influencé l'autre.

— Cela ne semble pas probable, professeur. Il suffit de vérifier les dates.

Tomás fit un effort de mémoire.

— Vous avez parfaitement raison, Votre Sainteté. Ayant eu sa seconde vision en 1914, Pie X ne pouvait pas être influencé par la prophétie de Fátima qui n'a eu lieu qu'en 1917. Par ailleurs, il est peu crédible qu'en 1917, les bergers, enfants pauvres et analphabètes qui vivaient dans un coin perdu du Portugal, aient pu connaître la vision que Pie X avait eue huit ans plus tôt. Nous pouvons donc écarter l'idée d'une influence mutuelle.

Le pape leva la main gauche.

— Ce n'est pas tout, souligna-t-il. Remarquez, professeur, que les deux visions de Pie X et la prophétie de Fátima coïncident avec la prophétie de saint Malachie au sujet du dernier pape. À savoir, que le dernier pape de sa liste, *Petrus Romanus*, assistera à la persécution de l'Église, à la destruction de Rome et au Jugement dernier ; cela est parfaitement compatible avec les images prophétiques de Pie X et des bergers de Fátima, du pape passant au milieu des cadavres et finissant assassiné.

Une expression d'anxiété passa à nouveau dans le regard du souverain pontife ; visiblement persuadé que tout cela allait se produire sous son pontificat, il en était profondément affecté. Tomás comprit qu'il devait le rassurer.

— Si mon insistance ne vous semble pas impertinente, Votre Sainteté, je continue de penser qu'il n'y a pas de raison de se préoccuper, affirma-t-il avec assurance. Ce ne sont que des histoires à dormir debout. Il ne se produira aucune catastrophe, vous verrez, et un autre pape succédera à Votre Sainteté, quoi que disent les prophéties de saint Malachie, de Fátima, de Pie X ou de qui que ce soit d'autre.

Le pape répondit avec difficulté.

— J'aimerais partager votre certitude.

— Soyez convaincu que rien de tout cela n'arrivera. Les prophéties eschatologiques ne manquent pas et, que je sache, elles ne se sont pas réalisées. Lorsque est arrivé l'an 1000, des tas de gens se sont suicidés avant que le monde ne finisse. Eh bien, cette année fatidique s'est achevée et rien ne s'est produit.

— En effet... vous avez raison.

— Votre Sainteté se souvient-elle de la prophétie du calendrier maya qui annonçait la fin du monde pour 2012 ? Une fois de plus, il n'est rien arrivé. Il en ira de même avec ces prophéties. La seule chose aussi vieille que les prophéties annonçant la fin du monde est leur échec. Elles se sont toutes trompées, et je vous assure que ce sera encore une fois le cas.

Le chef de l'Église ferma les yeux un instant, entrelaça les doigts, comme s'il méditait. Il semblait évident qu'il était assailli par les émotions et qu'il faisait un effort titanesque pour garder sa sérénité.

— Je ne suis pas uniquement préoccupé par les prophéties, finit-il par dire. Les menaces sont très réelles, je le crains.

— Comment ça, réelles ?

— Il existe une menace bien concrète, je vous l'ai déjà dit.

C'était effectivement la deuxième fois que le pape évoquait la question.

— Tout à l'heure vous avez précisé qu'il s'agissait d'une menace contre vous-même et contre l'Église. Mais qui a proféré cette menace ?

— Qui ? Il n'est pourtant guère difficile de le comprendre.

Il se tut, ce qui incita Tomás à l'encourager à poursuivre sa phrase.

— J'avoue que je ne vois pas...

Le pape s'adossa à son fauteuil, visiblement mal à l'aise. Il se passa le doigt autour du cou, comme pour respirer plus facilement, et dévisagea son invité, le regard sombre :

— Les islamistes radicaux.

XV

L'expression de Tomás se figea. Certes, une personnalité aussi exposée que le chef de l'Église court toujours un risque, il suffisait de se rappeler les rumeurs au sujet des étranges circonstances de la mort de Jean-Paul Ier ou les divers attentats contre Jean-Paul II, mais le souverain pontife faisait clairement référence à un danger immédiat.

— Que se passe-t-il, Votre Sainteté ?

Le pape haussa les épaules, non pas en signe d'ignorance mais plutôt de résignation.

— Vous avez bien évidemment entendu parler des islamistes radicaux.

— Bien sûr, acquiesça Tomás. Ils sont une menace permanente pour le monde occidental.

— En effet, mais celle contre le Vatican est très spécifique, expliqua le souverain pontife. L'État islamique a annoncé publiquement, à deux reprises, qu'il avait l'intention de conquérir Rome, de détruire les symboles chrétiens qui s'y trouvent et de m'assassiner. Je ne parle pas d'une prophétie vague, mais d'une menace bien réelle. D'ailleurs, l'ambassadeur d'Irak a confirmé que la menace de l'État islamique est très concrètement dirigée contre moi, information également confirmée par les services secrets israéliens. L'État islamique me considère comme le premier représentant de la religion chrétienne et, par conséquent, le porteur d'une vérité que les fondamentalistes islamiques considèrent comme fausse, raison pour laquelle je devrais être tué.

— Je suppose que la police est au courant de tout cela.

— Bien sûr, confirma le pape. Le problème, c'est qu'il n'existe pas de système de sécurité parfait, comme vous le savez. Le chef de la gendarmerie du Vatican semble très préoccupé, car il dispose d'à peine cent cinquante hommes pour garantir la sécurité du Saint-Siège. Nous pouvons compter, il est vrai, sur l'aide d'Interpol et d'autres polices. La police italienne a ainsi réussi à arrêter il y a quelque temps quatre musulmans qui planifiaient un attentat contre moi.

— Cela prouve que les autorités sont sur leurs gardes et que leur action est efficace.

— Cela prouve aussi que cette menace est bien réelle, ajouta le pape. Je n'ai aucune illusion, professeur. Il est impossible d'arrêter tous ceux qui souhaitent me tuer. Comment empêcher un terroriste prêt à tout d'agir ? Il suffit de voir les attentats commis un peu partout dans le monde, y compris ici en Europe, pour comprendre que rien ne les arrête s'ils préparent bien une opération et s'ils sont disposés à mourir, comme c'est malheureusement le cas.

— En effet.

Le pape hésita avant de continuer. Même s'il ne voulait pas paraître alarmiste ou même effrayé, les informations qui lui parvenaient de différentes sources n'étaient pas faites pour le rassurer.

— Le pire... c'est qu'une attaque contre le Vatican pourrait être bien plus grave qu'on ne le pense.

— Plus grave ? s'étonna Tomás. Dans quel sens ?

Le souverain pontife marqua une courte pause avant de répondre, presque dans un murmure :

— Je parle d'un attentat nucléaire.

Le Portugais écarquilla les yeux, incrédule. Ces derniers mots lui semblaient tellement incroyables qu'il se demanda s'il les avait bien entendus.

— Pardon ?

— L'un des objectifs des islamistes radicaux est l'accès aux armes nucléaires, rappela le chef de l'Église. Ben Laden a affirmé, en 1998, vouloir doter Al-Qaïda d'engins nucléaires et, en 2014, un journaliste allemand qui a été en contact avec l'État islamique a révélé que le mouvement souhaitait également acquérir une force de frappe nucléaire pour exterminer des centaines de millions d'infidèles. En 2016, la police belge a découvert une vidéo du réseau djihadiste qui avait participé aux attentats de Paris, sur laquelle on voit la maison d'un responsable de l'industrie nucléaire, filmée clandestinement pendant dix heures. À votre avis, qu'est-ce que tout cela signifie ?

Le Portugais soupira et secoua la tête, découragé ; par expérience, il savait bien comment fonctionnait le cerveau des fondamentalistes islamiques et il n'ignorait pas que le scénario esquissé par le pape était parfaitement plausible.

— Il est certain que les islamistes radicaux tentent à tout prix de mettre la main sur des engins nucléaires, admit-il. Tôt ou tard, ils y parviendront. Les experts reconnaissent d'ailleurs qu'un attentat nucléaire se produira forcément un jour. La question n'est pas de savoir si un tel attentat aura lieu, mais quand.

— En outre, les prophéties de saint Malachie, de Pie X et de Fátima correspondent bien à un attentat de ce type à Rome.

— Je dois le reconnaître...

Le pape se signa.

— Ah ! que Dieu nous protège.

Tomás regarda vers la fenêtre qui donnait sur la place Saint-Pierre.

— Je suppose que vous avez fait renforcer les mesures de sécurité, ici au Saint-Siège.

Le pape soupira, angoissé, avant de répondre.

— Pour quoi faire ? murmura-t-il. Le Vatican n'est pas un État policier. Je n'y consentirai pas.

— La sécurité doit néanmoins y être assurée.

— Certainement. La vie des personnes qui se trouvent ici, les employés, les fidèles, les touristes, est sacrée, aussi sacrée que la vie de n'importe quel autre être humain. C'est justement pour assurer leur sécurité que nous disposons du corps de la gendarmerie et des gardes suisses.

— Et votre vie ?

Le souverain pontife tourna les paumes des mains vers le ciel, comme s'il faisait une prière.

— Je m'en remets à la grâce de Dieu.

— Mais Votre Sainteté est en danger...

— Ma vie est entre les mains du Seigneur. S'Il considère que mon heure est venue, eh bien que Sa volonté soit faite. (Il hésita, se demandant s'il devait vraiment révéler ce qui le tourmentait.) Je mentirais, cependant, si je ne reconnaissais pas que j'ai peur.

Je suis un être humain et, malgré la foi qui m'habite, j'ai peur de mourir, naturellement. Cependant, comme vous le comprendrez certainement, le vrai problème se situe bien au-delà de ma personne, il s'étend à mon « troupeau », aux nombreux innocents qui seraient victimes d'une telle folie.

— C'est évident. Je dois néanmoins souligner que les prophéties ne sont pas catégoriques à cet égard. Malgré les allusions indubitables à des scénarios de destruction généralisée, l'origine d'un tel cataclysme n'est pas nécessairement nucléaire.

— À Dieu ne plaise ! Mais, même s'il ne s'agit que de ma vie et de celle de quelques personnes autour de moi, vous imaginez les répercussions d'un tel acte ? Vous avez idée de ce qui se passerait si le pape était assassiné par des musulmans fondamentalistes ? Qu'adviendrait-il si le Vatican était détruit par ces hommes ? Comment réagirait-on dans le monde entier ? Cela ne risquerait-il pas de dégénérer en guerre religieuse ? Il s'agirait d'un événement cataclysmique sans précédent, un véritable séisme dans les relations interreligieuses, susceptible de déclencher un conflit beaucoup plus vaste ! Ce serait terrible !

Tomás acquiesça d'un mouvement de tête ; il savait que l'histoire avait tendance à se répéter et qu'il suffisait parfois de bien peu de choses pour passer d'une situation de normalité à la rupture catastrophique de l'ordre établi. Combien de civilisations s'étaient effondrées dans une crise soudaine et intense ?

— C'est pourquoi toutes ces prophéties m'inquiètent, ajouta le pape. Connaissant les menaces des islamistes radicaux contre moi et contre le Vatican, et sachant que je suis le dernier pape de la liste de saint Malachie dont les prophéties, comme celles de Pie X et de Fátima, évoquent la destruction de Rome, l'assassinat du pape et de nombreux chrétiens, et de... de...

Entendant un bruit de voix au loin, le chef de l'Église se tut.

— Il me semble que le cardinal Barboni est revenu, observa Tomás qui avait reconnu l'une des voix. Apparemment, il est accompagné.

Le pape s'empressa de s'éponger le front et de relever une mèche blanche qui avait glissé devant ses yeux.

— Enfin ! dit-il, visiblement soulagé. Vous savez, cette question m'embarrasse beaucoup. Vraiment beaucoup. C'est pourquoi je suis content de pouvoir en rester là pour le moment, et de passer à l'affaire qui nous réunit.

— Cela concerne encore la menace islamique qui pèse sur Votre Sainteté et le Vatican ?

— Nous avons besoin de votre aide, rétorqua le pape sans vraiment répondre à la question. Étant donné ce que vous avez fait il y a quelques années, je suis convaincu que vos talents pourront nous être extrêmement utiles.

— Utiles pour quoi ?

— Vous ne savez pas ce qui s'est passé ici la semaine dernière ?

— Que s'est-il passé ?

Le regard de l'historien était plein de curiosité, mais c'est à ce moment-là que la porte de la bibliothèque privée des appartements du pape s'ouvrit et qu'après avoir demandé l'autorisation d'entrer, deux personnes apparurent. L'une d'elles était effectivement le cardinal Angelo Barboni et l'autre une vision inattendue. Une femme extrêmement belle.

Le pape se leva pour les accueillir, mais avant de se diriger vers eux, il répondit à la question de Tomás.

— Le Vatican a été cambriolé.

XVI

Tomás n'était pas encore entièrement revenu de sa surprise que le cardinal Barboni était près de lui, avec la femme qui l'accompagnait. L'historien l'examina du coin de l'œil ; elle était attirante et élégante. Elle avait l'allure d'un cadre supérieur ; sa robe bleu marine parfaitement coupée et l'écharpe violette en soie qu'elle portait autour du cou révélaient le bon goût raffiné et intimidant de quelqu'un qui sait attirer les regards.

— Professeur, dit le secrétaire d'État, laissez-moi vous présenter Mme Catherine Rauch, une auditrice française réputée qui collabore avec nous.

Face à une telle beauté, avec ses cheveux blonds et raides tombant sur les épaules et ses yeux d'un bleu limpide, Tomás retint sa respiration. Ils se serrèrent la main pendant que le cardinal approchait une nouvelle chaise. Tous trois s'assirent alors devant le bureau du pape et regardèrent le souverain pontife, à qui il appartenait naturellement de conduire la réunion.

— Je vous disais, professeur, que le Vatican a été cambriolé, répéta-t-il, reprenant la conversation où il l'avait interrompue un peu plus tôt. C'est justement à cause de cet incident que nous avons besoin de vous. Une épée de Damoclès est suspendue au-dessus de l'Église, le mal nous entoure, et l'heure est extrêmement grave. Par-delà ce qui semble être, à première vue, un simple cambriolage se cache une sinistre menace, un danger terrifiant et absolu, au point que nous craignons que l'apocalypse prédite par les visions dantesques de saint Malachie, de Pie X et de Fátima ne se réalise.

Le Portugais s'agita sur sa chaise, troublé par les paroles de son hôte, mais aussi par la beauté angélique de la femme assise à côté de lui.

— Avec tout le respect que je vous dois, Votre Sainteté, cela n'est-il pas exagéré ?

— Lorsque vous connaîtrez les détails du cambriolage, professeur, vous comprendrez ce que je veux dire.

— S'il s'agit d'un cambriolage et d'une réelle menace, l'affaire ne relève-t-elle pas de la police ?

— Les autorités s'en occupent, bien sûr. Cependant, le problème va bien au-delà d'un simple cambriolage. La triste vérité est que nous sommes entourés d'intérêts occultes et de gens qui jouent un double jeu. Les courtisans sont la lèpre de la papauté. À dire vrai, les seules personnes dans lesquelles j'ai véritablement confiance sont celles qui sont ici avec moi. J'ai choisi le cardinal Barboni pour exercer les importantes fonctions de secrétaire d'État, et c'est lui qui m'a encouragé à m'attaquer à la pourriture qui est au cœur des finances de l'Église. Quant à Mme Rauch, elle est la responsable de la COSEA, l'équipe d'auditeurs que nous avons engagée pour vérifier les comptes du Saint-Siège. Vous êtes les seules personnes sur lesquelles je peux m'appuyer. Tout le reste n'est qu'incertitude.

La curie qui gouverne le Vatican est corrompue, les cardinaux sont divisés, le corps de fonctionnaires est infiltré, la gendarmerie n'est pas fiable ; quant à la police judiciaire italienne, elle ne nous inspire guère confiance. La terrible vérité c'est qu'ici rien ni personne n'est ce qu'il paraît être. (Il haleta, presque à bout de souffle.) Une horreur !

— Mais qui est derrière tout cela, Votre Sainteté ?

— Satan.

La réponse déconcerta Tomás. Il regarda les trois personnes assises autour du bureau, en face et à côté de lui, comme s'il leur demandait s'il ne s'agissait pas d'une plaisanterie, mais leur expression fermée indiquait clairement qu'ils prenaient tout cela très au sérieux.

— Satan, Votre Sainteté ? Que voulez-vous dire par là ?

Le pape s'appuya sur la table et le dévisagea fixement.

— Professeur, avez-vous déjà entendu parler de l'Institut pour les œuvres de religion ?

— Bien sûr, c'est la banque du Vatican.

— Officiellement, la banque du Vatican n'existe pas, coupa le souverain pontife avec une soudaine brusquerie. Nous l'appelons l'IOR. Peu après le début de mon pontificat, j'ai mis sur pied une commission, dirigée par Mme Rauch, pour faire un audit et enquêter sur l'IOR et les finances du Saint-Siège. (Il fit un geste en direction de la technocrate française.) Racontez-lui, madame Rauch, ce que vous avez découvert.

L'auditrice rompit le mutisme qu'elle avait observé jusque-là, et dit, sans tergiverser :

— Le Vatican est au bord de la faillite.

L'expression était forte et elle suscita chez Tomás une expression d'incertitude.

— Comment cela ? s'enquit-il. Cet État est l'un des plus riches au monde si l'on s'en tient à la richesse *per capita*. Il y a ici quelques-uns des plus grands trésors de l'art mondial, des œuvres qui valent des milliards. Des statues et des peintures de Michel-Ange, de Raphaël, de Léonard de Vinci, du Titien, du Caravage, de Botticelli, de Fra Angelico, de Giotto, de Crivelli et de qui sais-je encore. La richesse du Vatican est incommensurable. Sans parler, bien sûr, de la capacité de l'Église à lever des fonds, à recevoir des donations, ni des aumônes et des oboles des fidèles du monde entier. Comment une telle institution pourrait-elle être au bord de la faillite ? Ce n'est pas possible !

— Cependant, c'est le cas.

— Mais comment ? Pour que le Vatican fasse faillite il faudrait... je ne sais pas moi, une escroquerie aux proportions bibliques ! Je n'ignore pas qu'il y a eu de graves problèmes à cet égard récemment, en particulier à l'époque de monseigneur Marcinkus, mais je suppose que des réformes ont été engagées et que plus personne ne ferait cela aujourd'hui !

Embarrassée par cette dernière observation, Catherine Rauch échangea un regard avec le pape comme si elle lui demandait l'autorisation de répondre. Le souverain pontife acquiesça d'un subtil mouvement de la tête.

— L'intendance du Saint-Siège est une véritable catastrophe, professeur Noronha, expliqua l'économiste. La gestion des ressources est inexistante, les dépenses ne sont pas contrôlées, il n'y a aucune transparence, les produits sont achetés à des prix invraisemblables. La manière dont le Vatican est administré est totalement irrationnelle.

— Que voulez-vous dire ?

— Eh bien, par exemple, la restauration de la bibliothèque du Vatican était estimée à cent millions d'euros, mais on s'est rendu compte qu'elle avait coûté deux cents millions d'euros et que personne n'y avait trouvé à redire. Les travaux sont effectués sans devis, les entrepreneurs demandent des sommes incroyables, tout est réglé sans regarder à la dépense, ni faire d'appel d'offre.

Le cardinal Barboni toussota, un peu gêné. La gestion du Saint-Siège relevait de la responsabilité du secrétariat d'État, qu'il dirigeait, et tout cela le mettait dans une situation inconfortable.

— Eh bien... on ne peut pas non plus avoir une vision purement économique des choses, n'est-ce pas ?

— Sans vouloir vous offenser, Éminence révérendissime, c'est ce que disent les incompétents et les irresponsables pour se justifier de dépenser sans compter l'argent des autres, rétorqua l'experte sans prendre de gants. Tenir des comptes, ce n'est pas avoir une vision bassement économique, c'est faire preuve de bon sens. On ne peut pas dépenser ce que l'on n'a pas, n'importe quelle ménagère vous le dira. Le Saint-Siège doit apprendre à vivre selon ses moyens avant qu'il ne soit trop tard.

Malgré son air débonnaire, le secrétaire d'État se raidit.

— On ne saurait réduire les âmes chrétiennes à des chiffres, madame !

— Certes, mais l'Église ne s'administre pas avec des *Ave Maria*. Pour faire la charité, il faut en avoir la volonté, mais il faut aussi avoir de l'argent et, pour qu'il ne soit pas dilapidé, il faut savoir le gérer.

— Seriez-vous par hasard en train d'insinuer que...

La conversation s'envenimait, à tel point que le pape se vit contraint d'intervenir.

— Du calme, demanda-t-il, en levant les mains pour les apaiser. Du calme. Notre objectif n'est pas de désigner des coupables ni de montrer qui que ce soit du doigt. N'oublions pas que le cardinal Barboni a été celui qui a le plus bataillé pour que le Saint-Siège mette ses comptes à jour et apprenne à gérer ses ressources de manière rationnelle. Ce qui importe à présent, c'est évaluer la situation, identifier les problèmes et les régler. Ce n'est pas par la discorde que nous y arriverons. C'est en coopérant de façon harmonieuse.

Tous deux baissèrent la tête.

— Je vous demande pardon, Votre Sainteté.

L'ordre étant rétabli, le chef de l'Église reprit la parole.

— Le vieux curé de ma paroisse m'a dit un jour : « Si nous ne savons pas préserver notre argent, alors que c'est une chose visible, comment pourrions-nous préserver les âmes de notre troupeau, qui sont invisibles ? » Nous devons régler nos difficultés. Le problème c'est qu'elles ne se limitent pas à la gestion au jour le jour. Prenez les investissements, par exemple. Quand j'étais un prélat provincial, mon comptable m'a raconté que les Jésuites argentins avaient investi quelques réserves dont ils disposaient dans une banque qu'ils pensaient honnête. Or, ils ont fini par découvrir que plus de soixante pour cent des sommes qu'ils avaient ainsi investies avaient été placées en actions d'entreprises qui fabriquaient des armes ! Vous avez bien entendu : soixante pour cent de l'argent de l'Église investi dans l'armement ! Comment est-ce possible ?

— Les investissements sont effectivement des opérations sensibles, reconnut Catherine Rauch. Le Vatican a investi quatre-vingt-quinze millions d'euros par le biais de Goldman Sachs, d'UBS et de Black Rock. Vous savez ce qui s'est passé ensuite ? Il a perdu la moitié de cette somme. Les deniers des croyants ont été dilapidés dans le casino des marchés spéculatifs.

— Comme vous le savez, notre ministère est un ministère de Dieu, se défendit le cardinal Barboni avec douceur. Nous qui sommes de simples bergers du Seigneur, des hommes humbles uniquement habitués à nous occuper des fidèles, que savons-nous de ces questions d'argent, de gestion, des marchés à terme et de je ne sais quoi d'autre ? Ce monde est si complexe et nous sommes si ignorants qu'il est très facile pour des vautours de profiter de notre ingénuité et de notre bonne foi.

La Française s'éclaircit la voix, ce qui signifiait qu'elle n'était pas de cet avis et qu'elle n'était pas disposée à se taire.

— Je vous demande pardon, Votre Éminence, mais cela fait des années que les auditeurs appellent l'attention du Vatican sur ses problèmes de gestion, sans que personne ne leur prête attention, affirma-t-elle sèchement. McKinsey, Ernst & Young, KPMG, Promontory Financial Group... les sociétés d'audit les plus réputées du monde ont déjà fait des suggestions et proposé des améliorations. À quoi bon ? Tous leurs conseils ont été superbement ignorés. Les responsables de la curie semblent considérer que les règles ne s'appliquent pas à eux. Lorsqu'on tente d'évaluer les faits, l'information est court-circuitée et le travail saboté. Si les auditeurs arrivent, malgré tout, à comprendre ce qui ne va pas et suggèrent des solutions, celles-ci sont purement et simplement ignorées. Il n'est pas possible de gérer une institution qui fonctionne de la sorte !

— C'est vrai, j'en conviens, dit le pape. Maintes anomalies dans les structures de l'Église sont enracinées dans le solipsisme. Une espèce de narcissisme théologique conduit de nombreux membres de la curie à penser qu'ils sont au-dessus des autres, mais surtout que rien n'existe au-delà d'eux-mêmes. C'est pour cette raison qu'ils considèrent que les règles ne s'appliquent pas à eux.

— Avec une telle attitude, il est impossible de redresser la situation, ajouta la chef de l'équipe d'auditeurs. Le Vatican va tout droit à la faillite et personne ne fait rien.

— Personne ne fait rien, en effet, souligna le souverain pontife, en se tournant vers le cardinal Barboni. Tu te souviens, Angelo, de ce que tu m'as dit le premier jour de mon pontificat ?

Le secrétaire d'État sourit.

— Comment pourrais-je oublier, Votre Sainteté ? Je vous ai dit que l'heure était venue de nettoyer la curie et de rendre l'Église aux pauvres, comme nous l'enseigne l'Évangile.

— Et tu avais raison. C'est pourquoi j'ai décidé de réformer le fonctionnement du Saint-Siège et, avec l'aide de Dieu, nous le réformerons. Je ne saurais dire comment tout cela s'achèvera, mais l'IOR, que ce soit une banque, un fonds d'appui ou tout autre chose, doit être régie honnêtement. Nous devons veiller à la transparence de nos comptes et mettre un terme aux dépenses effrénées qui nous conduisent tout droit à la ruine. Au cours des cinq dernières années seulement, les dépenses de personnel ont augmenté de trente pour cent. (Il tapa de la paume de la main sur la table.) On ne peut pas continuer comme ça ! Les fidèles ne nous confient pas leur argent pour alimenter des vices de cour, mais pour aider ceux qui sont dans le besoin. Les cardinaux devront comprendre que le monde ne tourne pas autour d'eux et qu'il existe une réalité au-delà des murs du Vatican ! Nous vivons pour servir les autres, et non l'inverse ! Notre troupeau a besoin de bergers disposés au sacrifice, et non de bureaucrates choyés. Le Saint-Siège regorge de Narcisse entourés d'adulateurs, et l'esprit de cour qui prévaut ici est devenu un vrai cancer. La curie vit centrée sur elle-même et se soucie uniquement de défendre ses intérêts temporels. L'argent a contaminé la pensée et la foi, il corrompt notre âme et nous conduit à considérer la religion comme une simple source de revenus. (Il secoua la tête avec solennité.) Ça ne peut pas continuer ! Jésus veut que ses évêques soient des serviteurs, non des princes. On ne peut pas comprendre l'Évangile sans la pauvreté. Il est temps de réformer le Vatican !

Catherine Rauch ébaucha une expression d'impuissance.

— Mais, Votre Sainteté, comment allons-nous faire ?

Le chef de l'Église désigna l'économiste comme s'il l'accusait :

— C'est justement pour ça qu'Angelo et moi-même avons créé la COSEA et que nous vous avons nommée pour la diriger, madame Rauch ! s'exclama-t-il. Vous avez les pleins pouvoirs ! J'ai signé un chirographe qui oblige tous les départements du Saint-Siège à collaborer avec votre Commission pour l'organisation de la structure économique et administrative et qui vous donne accès à tous les documents nécessaires à l'accomplissement de votre mission, même ceux classés top secret ! La COSEA dispose d'une complète autonomie et d'un accès total ! La confidentialité ne saurait être invoquée comme obstacle ! Que voulez-vous de plus ? Il vous appartient à présent d'établir un diagnostic et d'élaborer des solutions pour nous sortir de ce bourbier !

— Mais la curie a paniqué lorsqu'elle a su que vous alliez toucher aux fonds gérés par les cardinaux et vous en prendre à leurs privilèges. Malgré le chirographe que Votre Sainteté a signé, aucun d'entre eux n'a voulu collaborer avec ma commission d'auditeurs. Pire, notre travail est saboté. Dès qu'ils entendent le mot COSEA, les cardinaux sortent leurs griffes ! Nous avons introduit de nouveaux règlements budgétaires, or nous venons de découvrir que de nombreux départements du Saint-Siège ont créé un budget parallèle afin de ne pas déclarer leurs recettes. Ils gèrent ces sommes comme s'il s'agissait de leurs biens privés ! Comment peut-on réformer avec cet état d'esprit ? Pour ne rien dire du problème posé par le manque d'appui au plus haut niveau, bien entendu.

Le pape se raidit.

— Que voulez-vous dire ?

— Vous vous souvenez, Votre Sainteté, que monseigneur Viganò s'est plaint que l'arbre de Noël érigé place Saint-Pierre avait coûté plus de cinq cent mille euros ? Il avait critiqué le fait que c'était toujours les mêmes entreprises qui travaillaient pour le Saint-Siège, à des prix deux ou trois fois supérieurs à ceux du marché, et accusé le Comité des finances et de la gestion d'avoir dilapidé plus de deux millions de dollars dans une opération financière sans rendre de comptes à personne. Eh bien, au lieu de le récompenser pour lui avoir fait part de ce scandale, qu'a fait le pape Benoît XVI ? Il a destitué monseigneur Viganò de la direction du Gouvernorat et l'a exilé aux États-Unis ! En somme, il l'a sanctionné !

— Certes, mais c'est du passé, argumenta le pape. Angelo et moi-même, nous vous apporterons tout le soutien nécessaire, comme je l'ai déclaré à plusieurs reprises. Nous sommes tous pécheurs, mais nous ne sommes pas tous corrompus. Je sais que nous nous attaquons à des castes privilégiées ici au Vatican, mais il faut le faire car il est immoral de continuer à dilapider des ressources pour alimenter une cour alors que ces sommes devraient être mises à la disposition de ceux qui en ont véritablement besoin, à savoir les pauvres. Que le Seigneur nous aide à ne pas tomber dans le piège de l'idolâtrie de l'argent. (Sa main tournoya dans l'air, désignant l'espace qui les entourait.) Ce n'est pas seulement parce que le Palais apostolique m'intimidait que j'ai décidé de ne pas vivre ici. C'est surtout parce que je trouve que le pape doit donner l'exemple ! Le pape ne saurait prêcher qu'il faut aider les pauvres et vivre dans une telle opulence, ni permettre que des sommes considérables soient dilapidées pour alimenter les vices de la curie ! Je ne le tolérerai pas !

— Et il n'y a pas que cela, Votre Sainteté, ajouta Catherine Rauch. Comme vous le savez, la situation financière du Vatican est devenue extrêmement préoccupante et la survie de l'Église dépend de la réforme que vous serez capable d'entreprendre.

— Oui, ça aussi, je le sais.

— Je n'ai pas le moindre doute que vous nous soutiendrez, Votre Sainteté, ajouta-t-elle. Mais, comme vous le savez, les attitudes de vos prédécesseurs ont engendré certaines habitudes qui frisent la criminalité pure et simple. Ainsi, après les incroyables efforts que nous avons déployés pour parvenir, enfin, à obtenir quelques informations intéressantes sur la gestion douteuse du Saint-Siège, que nous est-il arrivé ? Nous avons été cambriolés ! Les voleurs sont entrés ici, au Vatican, et ils ont emporté les documents compromettants que nous avions découverts ! Comment peut-on travailler dans un tel climat ?

Un lourd silence s'installa dans la bibliothèque. Le souverain pontife et le secrétaire d'État savaient que la chef de la COSEA venait de mettre le doigt sur un point délicat. Le pape se tourna vers Tomás et posa sur lui un regard plein d'espoir.

— Le professeur Noronha va nous sauver, proclama-t-il. C'est la divine Providence qui vous a envoyé pour nous aider à résoudre cet imbroglio. Nous avons besoin de vous et des talents dont vous avez fait preuve par le passé pour mener, avec toute la discrétion voulue, une enquête parallèle. Vous serez notre agent invisible, l'arme secrète dans laquelle nous pouvons mettre toute notre confiance.

Le Portugais sembla préoccupé par l'énorme responsabilité qui venait de s'abattre sur ses épaules.

— Votre Sainteté m'attribue des pouvoirs que manifestement je n'ai pas, souligna-t-il, alarmé. Je ne suis qu'un simple historien spécialisé en langues anciennes et en cryptanalyse. Je ne connais rien à la gestion, aux questions administratives et comptables, cela me dépasse complètement et...

— Mais ce n'est pas pour un audit que nous avons besoin de vous, professeur, précisa promptement le pape sur un ton plein de douceur. Pour cela nous avons Mme Rauch et toute l'équipe de la COSEA.

— Mais alors, qu'attendez-vous de moi ?

Le chef de l'Église le dévisagea avec l'air de celui qui considère que la réponse est tellement évidente qu'il ne comprend pas pourquoi il doit la formuler.

— Eh bien, que vous éclaircissiez le mystère du cambriolage du Vatican, bien sûr.

Puis il se leva, mettant un terme à la réunion.

XVII

La vue était à couper le souffle. Après la réunion avec le pape, Catherine Rauch avait conduit Tomás au quatrième étage d'un bâtiment situé au-delà des murailles léonines. L'historien s'était installé sur la terrasse, face au bureau de la COSEA, et contemplait l'obélisque qui se dressait au centre de la place Saint-Pierre ; on aurait dit une aiguille géante, témoin d'époques révolues, celles de l'Égypte des pharaons et de la Rome de Caligula et de Néron. Le Portugais leva les yeux vers la grande coupole de la basilique sous le ciel de plomb, puis il les ramena à nouveau vers la place où les touristes déambulaient ou faisaient la queue sous la colonnade du Bernin pour entrer dans Saint-Pierre. Vigilants, des policiers armés faisaient les cent pas, des pistolets-mitrailleurs en bandoulière.

— Ces individus savaient parfaitement ce qu'ils faisaient, dit Catherine. De véritables professionnels.

L'historien se retourna pour regarder la responsable de l'équipe d'auditeurs.

— D'après ce que j'ai compris, les cambrioleurs

ne sont pas seulement entrés dans votre bureau. Ils ont forcé d'autres coffres dans le bâtiment, n'est-ce pas ?

— Oui, ils ont très méthodiquement vidé les bureaux où il y avait des coffres. Ils ont commencé par le premier étage puis sont montés jusqu'ici, au quatrième.

— Qu'ont-ils emporté ?

— De l'argent. Ils ont ouvert les coffres l'un après l'autre et dérobé l'argent qui s'y trouvait.

Tomás fit un geste vague de la main, comme s'il ne comprenait pas la cause d'une telle inquiétude.

— La motivation des voleurs semble évidente, vous ne trouvez pas ? Ils ont cambriolé le bâtiment pour voler de l'argent. Quel est le mystère ?

La Française secoua la tête et indiqua d'un geste le bâtiment aux briques dorées où ils se trouvaient.

— Vous savez où nous sommes, professeur ?

— Dans le palais des Congrégations.

— C'est exact. Dans les étages inférieurs se trouvent la Congrégation pour le clergé, la Congrégation pour l'éducation catholique et la Congrégation pour les instituts de vie consacrée. Toutes ces institutions sont liées au Saint-Siège. Vous savez combien d'argent elles conservent dans leurs coffres ?

— Je n'en ai pas la moindre idée.

— Quelques centaines d'euros par coffre, soit au total deux ou trois mille euros, tout au plus. Les différentes congrégations ne gardent ici que l'argent nécessaire au paiement de menus services.

— Et alors ? Qui sait si les cambrioleurs n'étaient pas de simples drogués à la recherche d'un peu de liquide pour s'acheter quelques joints ?

Tous deux quittèrent la terrasse et, une fois dans le

bureau, la chef des auditeurs s'approcha des six coffres encastrés dans le mur.

— Les drogués ne sont pas des cambrioleurs professionnels.

— Et comment savez-vous que ceux-ci l'étaient ?

— En raison du niveau de sophistication de l'opération, répondit-elle. Ils sont entrés dans le palais des Congrégations et ils ont utilisé un chalumeau pour faire fondre les serrures.

— Ce n'est pas une technique particulièrement sophistiquée...

— La sophistication tient à la dissimulation et à la qualité des informations qu'ils possédaient, professeur. D'abord, ils ne sont entrés que dans les bureaux avec des coffres, comme s'ils savaient à l'avance où ceux-ci se trouvaient. En outre, ils ont réussi à ouvrir les coffres, ce qui signifie soit qu'ils disposaient d'un matériel très perfectionné, soit qu'ils connaissaient les combinaisons. On peut en conclure qu'ils disposaient déjà des données nécessaires pour mener à bien leur mission, vous me suivez ? De simples drogués ne seraient pas capables d'un tel niveau de planification. Ils ne disposent pas non plus d'informations confidentielles, ni d'un matériel aussi sophistiqué leur permettant d'avoir accès aux coffres en quelques minutes.

— Oui, en effet, vu sous cet angle...

Catherine Rauch indiqua la batterie de coffres encastrés dans le mur.

— Et puis, il faut considérer ce qu'ils ont fait dans ce bureau, ajouta-t-elle. Tout le quatrième étage du palais des Congrégations est occupé par la Préfecture pour les affaires économiques du Saint-Siège, l'organisme d'audit où la COSEA conserve les informations confidentielles qu'elle recueille au cours de ses travaux. Eh bien, les cambrioleurs ont emprunté l'escalier D, le seul qui mène au quatrième étage, ils sont entrés dans le bureau et sont allés directement aux six coffres qui étaient cachés derrière le grand portrait de Sa Sainteté.

Tous deux regardèrent la grande photographie du pape qui se trouvait par terre, face contre terre.

— Ce cadre était accroché au mur ?

— Oui. Ils l'ont déplacé pour pouvoir accéder au coffre.

— Cela ne prouve pas qu'ils savaient à l'avance que les coffres se trouvaient là. Dissimuler des coffres derrière des tableaux est un vieux truc que les cambrioleurs connaissaient sans aucun doute.

L'auditrice indiqua le deuxième coffre à partir de la droite.

— En effet, acquiesça-t-elle. Le problème, c'est qu'ils ont ouvert ce coffre en particulier, et uniquement celui-ci.

— Et alors ?

— Eh bien, il s'agit précisément de celui où étaient conservés les documents confidentiels obtenus par la COSEA, révéla-t-elle. Ils n'ont même pas essayé d'ouvrir l'un des cinq autres coffres. Cela prouve qu'ils sont venus spécifiquement chercher ces documents, et qu'ils savaient exactement où ils se trouvaient.

— Il n'y avait pas d'argent ?

— Non.

— Mais alors, pourquoi ont-ils dévalisé les coffres qui se trouvaient aux autres étages et volé l'argent qui s'y trouvait ?

— Eh bien, c'est là l'aspect le plus subtil de l'opération, indiqua Catherine. Le cambriolage des autres coffres n'était qu'une dissimulation. (Elle tapa sur le deuxième coffre à partir de la droite.) Le véritable objectif, c'étaient les documents qui étaient conservés ici.

Tomás garda le silence un long moment, réfléchissant à ce qu'il venait d'entendre. Il envisagea différentes options, y compris la possibilité que tout cela ne fût qu'une simple coïncidence. Même perturbante, une telle possibilité n'était pas à exclure. Mais pour quelle raison des voleurs disposant de moyens aussi sophistiqués se donneraient-ils la peine de dévaliser autant de coffres pour voler deux ou trois mille euros seulement ? Cela n'avait pas de sens.

— Vous avez raison, reconnut-il. Les cambriolages aux étages inférieurs sont probablement de fausses pistes destinées à nous induire en erreur.

S'approchant du cadre toujours posé par terre, la chef des auditeurs s'agenouilla.

— J'ai volontairement gardé pour la fin la piste la plus importante que nos petits amis nous ont laissée, dit-elle en tournant le cadre vers Tomás. Regardez.

Tomás découvrit des caractères tracés à l'encre noire sur le portrait du pape souriant. Il ouvrit la bouche, stupéfait.

— Qu'est-ce que c'est que ça ?

— C'est le message des cambrioleurs. Vous comprenez ce qui est écrit ?

Ayant passé un été quelques années auparavant à l'université Al-Azhar, au Caire, l'historien connaissait l'arabe et ces caractères n'avaient pour lui aucun mystère.

— *Allahu akbar !* traduisit-il. Dieu est grand !

XVIII

Ils gardaient les yeux fixés sur les caractères arabes, comme hypnotisés. Tomás était tellement choqué que durant quelques secondes il fut incapable de dire quoi que ce soit. *Allahu akbar !* Comment ces mots étaient-ils arrivés là ?

— Je constate que votre arabe est au point, observa Catherine. Vous êtes conscient de ce que cette inscription signifie dans un lieu comme celui-ci ?

Comment pourrait-il ne pas l'être ?

— Ça signifie que les cambrioleurs étaient arabes, et selon toute vraisemblance des fondamentalistes islamiques, répondit-il, réfléchissant aux implications profondes de ce message. Je comprends mieux à présent les préoccupations dont le pape m'a fait part quant à la menace que font peser les extrémistes islamiques, et plus particulièrement l'État islamique, sur le Vatican.

— Précisément. Immédiatement informé que les cambrioleurs avaient laissé ce message sur son portrait, il a bien évidemment fait le lien avec les menaces proférées par l'État islamique et d'autres radicaux. Vous voyez, le danger est bien réel.

Tomás se passa la main dans les cheveux, comme pour essayer de mettre de l'ordre dans ses pensées. Cette nouvelle donnée engageait l'enquête dans une direction complètement différente de ce qu'il avait envisagé jusqu'à présent. Il comprenait enfin pleinement les craintes du pape ainsi que ses obsessions quant aux menaces des islamistes et aux prophéties concernant la destruction de Rome, la mort du chef de l'Église et la fin de la papauté. Le souverain pontife avait raison, le danger était réel et il ne devait pas être pris à la légère.

Comment devait-il procéder ? Il fit une pause pour réfléchir.

— Écoutez, je pense que nous devrions reconstituer les événements depuis le début, décida-t-il une fois sa stratégie arrêtée. Vous savez par où sont entrés les cambrioleurs ?

— Franchement, nous n'en sommes pas sûrs.

— Il n'y a aucun signe d'effraction ? Aucune porte ou fenêtre défoncée par où ils seraient passés pour entrer dans le bâtiment ?

— Non.

Pour Tomás, cela semblait absurde.

— Mais qui s'occupe de la sécurité du palais des Congrégations ?

Catherine fit une expression embarrassée.

— Eh bien... il y a bien un gardien qui passe toute la nuit ici.

— Il n'a rien vu ?

L'économiste secoua la tête.

— Rien, indiqua-t-elle. Il jure qu'il a fait deux rondes pendant la nuit et qu'il n'a remarqué aucune anomalie.

— Hum... c'est suspect. Vous devez savoir que les agents de sécurité sont bien souvent impliqués dans les cambriolages des lieux qu'ils sont censés surveiller. Cela expliquerait pourquoi il n'y a aucun signe d'effraction et comment les voleurs savaient où se trouvaient tous les coffres. C'est sans aucun doute le gardien de nuit qui leur a ouvert la porte et leur a indiqué les endroits qu'ils devaient cambrioler. Vous l'avez déjà interrogé ?

— Les enquêtes de la police judiciaire et de la brigade antiterroriste sont toujours en cours, mais pour l'instant cela n'a rien donné. Le gardien travaille depuis de nombreuses années pour le Saint-Siège et il est digne de confiance. Il n'a pas de casier judiciaire, c'est un catholique pratiquant, il n'a pas de dettes ni d'amitiés suspectes, si ce n'est... enfin, un penchant pour les jeunes femmes aux mœurs faciles.

— Des jeunes femmes ?

— La police judiciaire a vérifié ses appels sur son portable la nuit du cambriolage. Vers 4 heures du matin, il a téléphoné à un bordel où il s'est rendu après son service. Lorsqu'on lui en a parlé, il s'est montré très embarrassé et a confessé que c'était son unique vice. Les enquêteurs procèdent aux vérifications d'usage et les jeunes femmes du bordel ont été interrogées, mais pour l'instant ils n'ont rien remarqué d'étrange ni de particulièrement suspect. La brigade antiterroriste l'a d'ailleurs soumis au polygraphe, une machine pour détecter les mensonges, et il a passé le test sans problème. C'est pourquoi il semblerait qu'il n'ait rien à voir avec le cambriolage.

— Hum, murmura l'historien en envisageant les différentes possibilités. Personne d'autre dans le bâtiment n'aurait pu être de connivence avec les cambrioleurs ? Le personnel d'entretien, une personne qui aurait travaillé toute la nuit, d'autres agents de l'entreprise de sécurité ?

— Non. Il n'y avait que ce gardien.

— Bien, si l'on est certain qu'il n'est pas impliqué, ça signifie que les intrus ont agi seuls.

— Nous supposons que tel est le cas, en effet.

Songeur, Tomás se frottait le menton tout en considérant d'autres hypothèses.

— S'ils n'avaient pas de complices dans le bâtiment, comment sont-ils entrés ?

— Nous n'en sommes pas sûrs, mais la police judiciaire a découvert l'existence d'un réseau de tunnels sous le Vatican. Les enquêteurs pensent que les intrus ont utilisé ces galeries souterraines pour pénétrer dans le bâtiment, car l'un des embranchements du réseau de tunnels aboutit ici, au palais des Congrégations.

— Ces installations sont reliées à un réseau souterrain, madame Rauch ?

La chef de l'équipe d'auditeurs allait répondre, mais elle fit une pause et lui lança un regard difficile à définir.

— Écoutez, vous n'allez pas continuer à m'appeler madame, d'accord ? Si nous devons travailler ensemble sur cette affaire, je crois qu'il vaut mieux qu'on oublie ces formalités.

— Oui, vous avez parfaitement raison, reconnut Tomás, en lui tendant la main comme s'ils venaient de faire connaissance. Je m'appelle Tomás.

— Et moi, c'est Catherine.

Ils se serrèrent la main en souriant et leurs regards se croisèrent un instant ; la lueur troublante qui se dégageait de ses yeux bleu clair lui donnait un charme fou, capable de le désarçonner. Tomás comprit à ce moment-là qu'il avait affaire à une séductrice habituée à faire ce qu'elle voulait des hommes, et il n'était pas certain d'y être indifférent. Il se savait faible face au sexe opposé, et se demanda ce qu'il ferait si Catherine avançait encore d'un pas. Il pensa à Maria Flor, elle qui, quelques heures plus tôt, l'avait rageusement abandonné et qu'il faudrait encore apaiser ; il se demanda s'il serait capable de résister aux charmes de la Française.

— Eh bien... euh..., balbutia-t-il, s'efforçant de se concentrer sur l'essentiel. Madame... pardon, Catherine, vous disiez qu'il existait un réseau souterrain ?

La responsable de la COSEA acquiesça, consciente d'avoir éveillé l'intérêt de son interlocuteur, et, lui faisant signe de la suivre, elle se dirigea vers la porte d'un pas assuré.

— Suivez-moi.

XIX

Les portes de l'ascenseur s'ouvrirent et Tomás sentit une étouffante bouffée d'air chaud lui fouetter le visage ; une odeur d'humidité planait dans l'atmosphère. Il sortit de l'ascenseur après Catherine et se rendit compte qu'il se trouvait au sous-sol ; cela ressemblait à un bunker mais il ne s'agissait que d'une cave. La lueur jaune des lampes projetait des ombres dans tous les sens, et les murs paraissaient usés, signe que l'édifice était plus ancien qu'il ne paraissait.

— Où sont les fameux tunnels ?

— Par ici.

Au-delà de l'ascenseur, la cave comportait trois portes. La Française le conduisit vers l'une d'elles, qu'elle ouvrit. De l'autre côté, une antichambre donnait sur ce qui semblait être un couloir souterrain.

— Où cela mène-t-il ?

— À plusieurs endroits, lui indiqua la chef de la COSEA. Ici commence un labyrinthe de tunnels, de passages cachés, de couloirs dissimulés, d'escaliers et d'ascenseurs. La première sortie mène au bâtiment jumeau de celui-ci, tout proche, où plusieurs congrégations ont leur siège. Une autre sortie conduit au Palais apostolique.

— La résidence officielle du pape ?

— Oui, mais pour d'évidentes raisons de sécurité, le passage vers le Palais apostolique est interdit, s'empressa-t-elle de souligner. En réalité, ça n'a pas grande importance car, comme vous le savez, le pape n'y vit pas.

— Non, mais il y travaille, comme l'atteste la réunion de ce matin dans la bibliothèque privée. Cela fait du Palais apostolique une cible potentielle.

— Oui c'est vrai. (Elle désigna le fond du couloir souterrain où ils se trouvaient et poursuivit son explication.) Il y a une autre sortie qui permet de se rendre à l'IOR.

— La banque du Vatican ?

— Appelez-la ainsi si vous voulez, mais vous avez remarqué que cette appellation ne plaît pas beaucoup au pape, ni à la curie. (Elle garda les yeux fixés sur le fond du tunnel.) En fait, ce réseau souterrain relie plusieurs édifices du Vatican.

— Comment se fait-il que les tunnels aboutissent ici ? Le bâtiment où nous nous trouvons ne se situe-t-il pas au-delà des murailles léonines, qui marquent les limites du Vatican ?

— En effet, mais sachez que le palais des Congrégations fait partie de la Cité du Vatican : il est inclus dans la liste des propriétés extraterritoriales prévues par le traité du Latran, qui a reconnu la souveraineté totale du Saint-Siège sur ce territoire. D'ailleurs, le réseau de tunnels aboutit au château Saint-Ange, qui se situe également au-delà des murailles léonines.

Tomás acquiesça.

— Je comprends. Mais pourquoi a-t-on construit tous ces tunnels si l'on considère qu'ils constituent un risque ?

— Le réseau souterrain remonte à l'époque des grandes guerres de la première moitié du XXᵉ siècle. Vous ne le savez peut-être pas, mais les nazis ont envisagé la possibilité d'enlever le Saint-Père pendant la Seconde Guerre mondiale et il a été informé de ce plan. En outre, à cette époque le Saint-Siège a protégé des juifs que les nazis voulaient déporter. Tout cela a rendu nécessaire la création d'un système de communications souterrain, destiné à une évacuation rapide et dans la plus grande discrétion.

— Si je comprends bien, les tunnels qui servaient à faire sortir le pape et des juifs poursuivis par les nazis servent à présent à faire entrer des extrémistes islamiques au palais des Congrégations...

La conversation était revenue au cambriolage.

— En effet, c'est ce que pense la police judiciaire. Quand on connaît ces tunnels, on peut se déplacer librement sans être vu, et c'est sans doute de cette manière que les cambrioleurs ont pénétré dans nos installations.

— Je sais que ce bâtiment abrite les bureaux des congrégations et de la Préfecture pour les affaires économiques du Saint-Siège. Mais qu'y a-t-il d'autre dans la cave, outre les tunnels ?

Ils firent demi-tour et revinrent à l'endroit où se trouvaient l'ascenseur et les trois portes. Catherine ouvrit la deuxième porte et conduisit Tomás vers un grand parking rempli de voitures, des limousines pour la plupart.

— Ici se trouve le garage.

Le Portugais regarda les plaques d'immatriculation et constata que la plupart d'entre elles étaient italiennes, mais qu'il y en avait aussi des rouges, sur lesquelles figuraient les lettres CD.

— Des véhicules diplomatiques ?

— Oui. Le garage est également utilisé par les corps diplomatiques accrédités auprès du Saint-Siège.

— Et les autres limousines ?

Il eut l'impression qu'elle rougissait.

— Elles... elles appartiennent à d'autres personnes.

Tomás constata qu'elle semblait perturbée, mais il ne l'interrogea pas. En revanche, il inspecta le garage. À côté de l'entrée, tout près de l'interrupteur électrique, se trouvait une armoire en bois. Il l'ouvrit et constata qu'elle contenait toute une série d'outils de mécanicien et des pièces de rechange, des crics, des clés à molette, des tournevis, des pompes à air, des écrous, des lubrifiants, une bouteille d'huile, et même des chalumeaux, une corde et deux torches.

— Qu'est-ce que c'est que ça ?

— C'est l'atelier de mécanique, répondit-elle. C'est ici que nous gardons le matériel utilisé pour réparer les voitures qui tomberaient en panne.

Ils revinrent dans le hall de la cave. Ils avaient inspecté ce qui se trouvait au-delà des deux portes, le réseau souterrain et le garage. Il restait à découvrir où menait la troisième, une porte en métal, d'aspect massif.

— Qu'y a-t-il derrière cette porte ?

— On y garde des archives, répondit-elle. Elles ne sont pas à nous, elles appartiennent à l'IOR.

L'information surprit Tomás ; l'endroit était une véritable caverne aux trésors.

— La banque du Vatican conserve des documents ici ?

— Oui. Peu de gens le savent, mais l'IOR entrepose au palais des Congrégations, plus précisément dans cette cave, des documents hautement confidentiels.

— Et... les cambrioleurs ont-ils volé quelque chose ici ?

— Rien, répondit-elle. Ils ne sont entrés que dans les bureaux des étages supérieurs pour prendre l'argent des congrégations et les documents secrets que la COSEA conservait dans le coffre de la Préfecture pour les affaires économiques du Saint-Siège.

Ils revinrent vers la cave, et l'historien jeta un coup d'œil autour de lui. Son attention fut attirée par de petites caméras fixées au plafond.

— Ce sont des caméras de vidéosurveillance ?

— Oui. La police judiciaire a déjà visionné les enregistrements de cette nuit. Personne n'est passé par ici.

— Mais alors comment peut-elle en conclure que les voleurs sont entrés dans le bâtiment par ces couloirs souterrains ?

La Française parut embarrassée.

— C'est là le point faible de la théorie, reconnut-elle. Les enquêteurs considèrent que c'est probablement par ici que sont passés les cambrioleurs, mais ils ne parviennent pas à expliquer pourquoi les caméras n'ont enregistré aucun passage cette nuit-là, ni pourquoi les cambrioleurs n'ont pas tenté de consulter les archives confidentielles de l'IOR.

— Quelqu'un aurait-il pu trafiquer les images des caméras de surveillance ?

— Je ne vois pas comment cela aurait été possible. Le serveur où les images sont conservées est hébergé dans le bureau central de la gendarmerie, à l'intérieur des murailles léonines. Il aurait fallu qu'un autre groupe de cambrioleurs pénètre dans la gendarmerie pour faire disparaître les images.

— Ils pourraient avoir un complice parmi les gendarmes du Vatican...

Catherine considéra cette possibilité.

— Oui, en effet, ce n'est pas impossible. Comme l'a dit le pape, ici au Saint-Siège, tout est infiltré.

Tomás écarta les bras comme s'il exposait une évidence.

— Je ne vois pas un commando d'extrémistes islamiques se donner autant de mal uniquement pour effacer des images sur lesquelles on les verrait entrer par les tunnels. Je pense donc que nous pouvons affirmer qu'ils ne sont pas entrés par ici.

— Vous croyez vraiment, Tomás ? Vous savez que c'est la principale théorie de la police judiciaire.

— La police judiciaire se trompe. (Il regarda autour de lui.) Il n'y a pas d'autre entrée secrète dans le bâtiment ?

— Non.

— Et y a-t-il une entrée que le gardien ne surveillait pas cette nuit-là ?

— Si incroyable que cela puisse paraître, l'une des portes principales, celle qui conduit à la place Pie-XII, n'est pas surveillée. Ni par le gardien de nuit, ni par des caméras de surveillance.

— Ah bon !

— Oui, mais cette porte a déjà été vérifiée et il n'y a aucun signe d'effraction.

— Il y a différentes manières de forcer une serrure sans laisser de traces extérieures...

— Les enquêteurs le savent, ils ont démonté la serrure. Elle est absolument intacte. La porte n'a pas été forcée.

— Diantre ! Mais alors comment sont-ils entrés ?

Catherine haussa les épaules.

— Je n'en ai pas la moindre idée.

Toutes les possibilités étaient bancales, constata Tomás, intrigué. Si l'on ne parvenait même pas à déterminer avec certitude la façon dont les intrus avaient pénétré dans le palais des Congrégations, comment pouvait-on espérer éclaircir cette affaire ?

Il se mordit la lèvre inférieure et réfléchit. Pour les raisons qu'ils avaient déjà exposées, et à moins qu'un élément nouveau n'apparaisse, il fallait écarter la théorie de la police judiciaire selon laquelle les intrus avaient utilisé les tunnels. Compte tenu des conclusions des enquêteurs, il fallait également exclure la complicité du gardien de nuit. Quant à la porte qui donnait sur la place Pie-XII, la serrure n'avait pas été forcée et cela tendait à montrer que les cambrioleurs n'étaient pas entrés par là. Cependant, le commando islamique avait nécessairement emprunté l'une de ces trois voies. Mais laquelle ?

L'historien pondéra les indices et envisagea les trois hypothèses. Pouvait-on vraiment faire confiance au gardien ? Si le réseau souterrain avait été conçu pour être utilisé avec discrétion, n'était-il pas possible de s'en servir sans être vu ? Bien qu'elle semblât intacte, la porte de la place Pie-XII était-elle effectivement restée fermée ?

En examinant les trois scénarios, et en les confrontant avec ce qu'il savait déjà, la solution lui apparut tout à coup.

— Je sais.

— Vous savez quoi ?

Il la regarda avec une lueur dans les yeux, comme s'il avait pensé « Eurêka » et qu'une flamme eût jailli dans son esprit ; la réponse était tellement simple que c'en était presque embarrassant.

— Ils ont utilisé la clé.

Catherine le regarda avec l'air interrogateur de celle qui ne comprenait pas ce qu'elle venait d'entendre, comme si les paroles de son interlocuteur n'avaient aucun sens.

— Ils ont utilisé la clé ? demanda-t-elle. Mais quelle clé ?

— Celle de la porte qui donne sur la place Pie-XII, bien sûr.

Une expression de perplexité s'afficha sur le visage de la responsable de la COSEA.

— Mais... mais... comment ont-ils pu avoir cette clé ?

— Quelqu'un la leur a donnée.

— Mais qui ?

L'historien croisa les bras et la dévisagea, se souvenant des mots du pape prononcés à peine une heure plus tôt. N'était-ce pas le souverain pontife lui-même qui lui avait confié qu'au Saint-Siège rien ni personne n'était ce qu'il semblait être ? Au Vatican, le terrain était encore plus miné qu'il ne l'avait supposé, et les éléments qu'il rassemblait peu à peu formaient un tableau plein de contradictions et d'incohérences.

— Quelqu'un du sérail, bien sûr.

XX

La Française faillit s'étouffer. L'idée que quelqu'un à l'intérieur même du Vatican avait aidé des fondamentalistes islamiques à cambrioler le palais des Congrégations la choquait profondément.

— Pardon ?

Tomás désigna la voûte au-dessus d'eux, indiquant l'entrée qui se trouvait au rez-de-chaussée.

— Nous avons compris, par déduction logique, que les cambrioleurs n'ont pu entrer que par la place Pie XII, rappela-t-il. Comme la serrure est intacte, cela signifie qu'ils ont utilisé la clé. Comment se la sont-ils procurée ? C'est forcément quelqu'un qui la leur a donnée. Je ne vois pas d'autre solution.

— Vous pensez donc que les cambrioleurs avaient des complices au Vatican ?

— Très certainement. D'ailleurs, Catherine, vous-même avez dit qu'ils savaient où se trouvaient les coffres des étages inférieurs contenant l'argent et quel était celui où la COSEA conservait les documents sensibles. Cela prouve que quelqu'un leur a donné l'information.

— Mais qui ?

— Quelqu'un au Saint-Siège, de toute évidence. La curie ne s'inquiète-t-elle pas de l'audit que vous menez ?

La chef de la COSEA souffla.

— Oui, c'est vrai, reconnut-elle. Mais ce que vous insinuez n'a aucun sens, voyons. Comment un membre de la curie pourrait-il fournir des informations à un commando islamiste, c'est impensable !

Tomás se gratta la tête.

— Eh bien, voyez-vous, il n'y a qu'une manière de tirer tout ça au clair, dit-il. Quels documents les cambrioleurs ont-ils dérobés dans le deuxième coffre du bureau de la Préfecture pour les affaires économiques du Saint-Siège ?

La Française se bloqua.

— Je ne peux pas vous le dire.

Le Portugais écarquilla les yeux.

— Pourquoi ?

— Parce que c'est confidentiel.

Tomás secoua la tête, comme quelqu'un qui refuse de lâcher le morceau.

— Si le Vatican veut que je perce ce mystère, je crains que vous n'ayez pas le choix, vous devez me donner cette information.

— C'est hors de question.

— Mais pourquoi ?

— Parce que.

Le ton était si catégorique que la réponse semblait définitive. L'historien comprit qu'il allait devoir user de douceur et de fermeté s'il voulait arriver à quelque chose.

— Écoutez, Catherine, dit-il avec une infinie patience, nous avons déjà compris deux choses au sujet de cette affaire. La première, c'est que le cambriolage a été effectué par un commando d'extrémistes islamiques. Ce qui n'est pas une très bonne nouvelle. La seconde, c'est que les cambrioleurs se sont donné beaucoup de mal pour voler quelque trois mille malheureux euros, ce qui prouve que le véritable objectif de leur vol n'était pas l'argent. Comme vous l'avez sans doute déjà remarqué, les hommes qui sont entrés ici sont venus avec un but précis, à savoir emporter les documents qui se trouvaient dans le second coffre du bureau de la Préfecture pour les affaires économiques du Saint-Siège et signer leur méfait en laissant un graffiti sur le portrait du pape. Tout cela soulève plusieurs questions importantes. De quels documents s'agit-il ? Quel usage pourront en faire les cambrioleurs ? L'intérêt qu'ils ont montré pour ces documents prouve que ceux-ci sont la clé du problème. Il est donc impératif que je sache ce qu'ils contenaient. C'est très certainement la clé de tout ce mystère, vous saisissez ?

Sous pression, la chef des auditeurs comprit qu'elle devait se justifier.

— Il s'agit de choses... enfin, compromettantes pour l'Église. Je suis désolée, mais il m'est impossible de vous en dire davantage. Je suis tenue par contrat à une obligation de réserve et à la confidentialité sur toutes ces questions.

Tomás soupira, comme s'il épuisait ses dernières réserves de patience, et après une pause quelque peu théâtrale, il dévisagea son interlocutrice avec une expression absolument déterminée.

— Je vais être extrêmement clair avec vous, dit-il, une tension soudaine dans la voix. Comme vous devez le comprendre, je ne vous pose pas cette question pour satisfaire ma curiosité personnelle. Si ça ne tenait qu'à moi, je retournerais immédiatement au travail que l'on m'a demandé de faire dans la nécropole du Vatican. D'ailleurs, ce matin, j'y ai fait une découverte historique de la plus haute importance qui appelle d'urgence des vérifications supplémentaires. Je pourrais aussi visiter Rome plutôt que de me trouver mêlé à une histoire qui ne me concerne absolument pas. Ce que je veux vous dire, c'est que je ne suis pas ici par plaisir, mais par sens du devoir.

Catherine ébaucha une expression d'indifférence.

— Chacun sa croix...

— Certes. Mais la mienne a été bénie par quelqu'un de très spécial. Permettez-moi de vous rappeler que c'est le pape en personne qui m'a demandé de mener une enquête parallèle sur cette affaire et qu'il m'a donné les pleins pouvoirs pour m'acquitter de cette mission. Vous en êtes consciente, n'est-ce pas ?

La référence au chef de l'Église sembla ébranler la Française, jusqu'à présent très ferme.

— Oui. Et... alors ?

— Et alors, c'est très simple. Si vous ne m'expliquez pas ce que ces documents contiennent, je ne pourrai pas mener à bien ma mission et par conséquent je devrai dire au pape que je suis contraint, à regret, d'abandonner cette affaire parce que Catherine a décidé de boycotter mes efforts. La sécurité du Vatican étant en cause face à une menace extrêmement claire, j'imagine qu'il ne sera pas très content. Maintenant, c'est à vous de décider, car je n'ai aucune envie de continuer à perdre mon temps, et à vous implorer de faire votre devoir qui est de m'aider dans cette enquête.

— Je...

Acculée, la Française se tut et lança des regards désespérés sur les côtés, comme si elle cherchait une échappatoire. Elle savait que si elle parlait, elle violerait, sur un plan technique, son contrat et qu'elle devrait en outre faire des révélations très embarrassantes, susceptibles de mettre en cause la réputation de l'Église. D'un autre côté, si elle se taisait, elle serait responsable du retrait de l'historien en qui le pape avait entière confiance, ce qui pouvait également avoir des conséquences pour elle. Que faire ?

Parvenu à la conclusion que le moment était venu de lui forcer la main, Tomás prit l'initiative de la lui serrer, comme s'il prenait congé.

— Bien, puisqu'il en est ainsi, je me retire de l'affaire, dit-il avec légèreté. Je vous souhaite une bonne journée.

Il tourna les talons et appuya sur le bouton de l'ascenseur. Son geste laissa Catherine abasourdie. Le détachement de cet homme, qui avait l'outrecuidance de lui tourner le dos, la heurtait. Elle serra les dents. Le Portugais semblait indifférent et elle n'avait plus que quelques secondes pour prendre une décision.

L'ascenseur descendit dans un vrombissement. On entendit le claquement du mécanisme qui stabilisa la cabine dans la cave, les portes s'ouvrirent, Tomás entra et appuya sur le bouton du rez-de-chaussée.

Catherine devait réagir.

L'historien sourit et la salua de la main droite. Les portes commençaient à se fermer lorsque la chef des auditeurs se décida enfin.

— Attendez !

Elle tendit le bras pour empêcher que les portes ne

se referment complètement. Elles se rouvrirent automatiquement et la Française fit un pas en avant pour entrer dans la cabine.

— Alors ?

Les portes de l'ascenseur se fermèrent enfin et la responsable de la COSEA appuya sur le bouton du quatrième étage, où se trouvaient les bureaux de la Préfecture pour les affaires économiques du Saint-Siège, avant de dévisager l'historien avec l'expression résignée de celle qui se savait vaincue.

— C'est bon, je vais tout vous raconter.

XXI

Lorsqu'on connaissait le code par cœur, il suffisait de quelques secondes pour ouvrir le coffre. Plus pour illustrer ce qu'elle venait de dire que pour le prouver, Catherine lui montra l'intérieur vide.

— Comme vous pouvez le voir, le coffre est relativement grand, précisa-t-elle. Il nous a fallu un tel espace parce que nous devions conserver de nombreux documents.

— Oui mais quel type de documents ? insista Tomás. Que diable avez-vous découvert qui puisse autant embarrasser le Saint-Siège et intéresser des extrémistes islamiques ?

La Française se tourna vers son interlocuteur avec une expression de gravité.

— Tout ce que je vais vous révéler est strictement confidentiel, souligna-t-elle sur le ton d'un avocat qui énonce les articles d'un contrat. Cela signifie que vous êtes tenu de respecter cette confidentialité. Cette condition n'est pas négociable.

— Soyez rassurée.

— Pour que vous compreniez à quel point la confidentialité est importante pour nous, sachez que toutes les réunions de la COSEA sont secrètes. Ce n'est pas par hasard que le nom de code de notre bureau à la résidence Sainte-Marthe, au Vatican, est « salle Saint-Michel ».

— Saint Michel, l'archange ?

— Précisément. Et vous savez pourquoi ?

L'histoire des mythes et des symboles était l'un des sujets que Tomás connaissait sur le bout des doigts.

— Saint Michel est l'archange des missions délicates. Vêtu d'une armure, une épée à la main, il se définit comme le défenseur de la foi en Dieu contre les hordes de Lucifer.

— Une bonne description de la COSEA, fit observer Catherine. Notre mission, extrêmement délicate, exige une confidentialité absolue. Le secret est tellement vital que les auditeurs de la COSEA sont équipés de smartphones avec des numéros maltais. Une manière de compliquer d'éventuelles interceptions. En outre, nos ordinateurs sont reliés à un compte spécial auquel nous devons envoyer tous les mots de passe pour accéder aux documents cryptés. Comme si cela ne suffisait pas, nous payons cent mille euros pour avoir un serveur exclusif, auquel seuls les membres de la COSEA peuvent avoir accès. Enfin, pour déjouer toute velléité de fouiner, nous avons décidé de garder les documents les plus importants ici, dans l'un des coffres secrets de la Préfecture pour les affaires économiques du Saint-Siège, et non dans la salle Saint-Michel. (Elle leva l'index pour souligner ce point.) C'est pour que vous saisissiez bien l'importance que nous accordons à la confidentialité de notre mission.

— Oui, j'ai bien compris. Étant donné, cependant, que l'on a fini par vous voler des documents, je dirais que toutes ces merveilleuses mesures de sécurité n'ont pas été d'une grande utilité...

Cette évidence sembla abattre la Française, dont les épaules s'affaissèrent.

— Oui, vous avez raison.

Tomás désigna le second coffre, dont la porte métallique était restée ouverte.

— J'ai besoin de savoir ce que contenaient les documents gardés dans ce coffre, répéta-t-il. Si les cambrioleurs sont venus ici spécialement pour les voler, c'est qu'ils devaient être très importants. Ils peuvent être la clé. Voulez-vous me le dire à présent ?

Consciente qu'elle ne pouvait pas retarder plus longtemps l'explication, la chef de la COSEA sortit un paquet de cigarettes de son petit sac noir.

— Vous fumez ?

— Non, merci.

— Et pour quelle raison ?

Tomás haussa un sourcil, surpris par sa question qu'il jugeait hors de propos.

— Parce que je n'aime pas ça et que c'est mauvais pour la santé, rétorqua-t-il avec un zeste d'impatience. Pardonnez-moi, mais il est inutile que nous perdions notre temps avec des questions sans intérêt qui...

— Rassurez-vous, je n'essaie pas de m'éloigner du sujet, affirma Catherine avec tranquillité. Je suppose que vous connaissez la position de l'Église sur le tabac ?

Cette question semblait encore plus dérisoire et superflue que la précédente, mais Tomás décida de faire confiance à la chef des auditeurs et d'entrer, momentanément, dans son jeu pour voir où cela le conduirait.

— Elle ne peut que désapprouver son usage.

— Effectivement, assura Catherine. Selon l'Organisation mondiale de la santé, le tabac est la deuxième cause de décès dans le monde entier et la première cause de mortalité évitable. L'Église considère que la vie est sacrée et sa politique est de protéger les personnes de tout ce qui les menace, y compris le tabac.

— Cela me paraît naturel. (Il fit une grimace.) Où voulez-vous en venir ?

La chef des auditeurs remit le paquet dans son petit sac noir griffé, tout en gardant les yeux fixés sur son interlocuteur, comme si elle ne voulait pas rater l'expression qu'il aurait lorsqu'il entendrait ce qu'elle allait dire.

— Vous savez que le Vatican vend du tabac ?

La question fut posée à voix basse et Tomás écarquilla les yeux, pensant avoir mal entendu.

— Pardon ?

Catherine se tourna vers le mur et se mit à composer la combinaison du premier coffre à gauche.

— Comme mesure de sécurité supplémentaire, j'ai décidé de photocopier les documents les plus importants et je les ai cachés dans ce coffre sans en informer personne, dit-elle. C'était une bonne idée.

— Vous avez des copies des documents qui ont été volés ?

La petite porte métallique du coffre s'ouvrit à ce moment-là. À l'intérieur, il y avait un gros classeur que la Française attrapa. Puis elle l'ouvrit et commença à le feuilleter.

— Bien sûr, confirma-t-elle en fixant son attention sur une feuille en particulier. Vous saviez que les résidants de la Cité du Vatican peuvent acheter des produits dans les boutiques qui s'y trouvent sans acquitter de TVA ?

— On ne paie pas de TVA au Vatican ?

— Bien sûr que non. C'est un avantage fiscal prévu par les accords conclus avec l'État italien, extrêmement apprécié par les titulaires de la carte qui donne accès à ces exonérations, c'est-à-dire les huit cents habitants du Vatican et les cinq mille personnes qui y travaillent. Vous savez combien a rapporté la vente de tabac dans les boutiques du Vatican en une seule année ? Les auditeurs d'Ernst & Young ont fait les comptes et ils nous ont envoyé ce rapport. (Elle tendit le document à son interlocuteur.) Plus de onze mille personnes ont acheté du tabac au Vatican, et ce produit mortel a rapporté trois millions cinq cent mille euros à l'Église ! La vente de tabac est la deuxième source de recettes la plus importante du département des Services économiques du Saint-Siège.

Onze mille personnes ont acheté du tabac au Vatican ? s'étonna Tomás. Mais comment est-ce possible si l'on ne recense que huit cents habitants et cinq mille employés ?

Catherine le dévisagea avec l'expression docte des auditeurs qui ont affaire à des gestionnaires incapables.

— C'est évident, dit-elle. Certains paquets étaient destinés à la consommation, et d'autres à... enfin, à... autre chose.

— À autre chose ?

La chef de la COSEA se tut un instant et ébaucha un sourire embarrassé avant de répondre.

— À la contrebande.

XXII

Une fois de plus, Tomás resta sans voix. Comment les prélats qui vivaient et travaillaient au Saint-Siège pouvaient-ils être des contrebandiers ? Il pensa avoir mal entendu, elle n'avait certainement pas pu dire une chose pareille, mais l'expression embarrassée de la Française laissait clairement entendre qu'il n'y avait aucune erreur possible.

— Vous êtes certaine que le Vatican est impliqué dans des affaires de contrebande ?

— Absolument ! Comment peut-on arriver à onze mille personnes en additionnant huit cents habitants à cinq mille employés ?

— Oui, effectivement...

— En fait, c'est même plus grave que cela. Figurez-vous que j'ai découvert qu'il y a plus de quarante mille cartes en circulation au Vatican permettant de faire des achats sans payer la TVA, ce qui signifie que le nombre de personnes disposant de ces cartes est sept fois plus élevé que celui des personnes qui y ont effectivement droit. En d'autres termes, beaucoup de gens profitent de l'exonération de TVA pour revendre du tabac à l'extérieur en empochant la différence.

— Le pape est au courant ?

La chef des auditeurs sourit.

— Pourquoi pensez-vous qu'il a créé la COSEA ? demanda-t-elle de façon purement rhétorique. Mais il y a plus fort. (Elle lui tendit un autre document.) Voyez cet e-mail envoyé au gouvernement du Vatican, le Gouvernorat, par Paolucci & C. International, qui représente les cigarettes Winston et Dannemann.

Tomás prit le document et le lut.

Monsieur,

Suite à notre conversation téléphonique, je vous confirme par la présente ce qui suit :

1. Objectif avec bonus
- Volume de ventes annuelles de 1,7 million – 12 000 €
- Volume de ventes annuelles de 1,8 million – 14 000 €

2. Contribution aux fins d'introduction

Nous prenons note de votre accord pour l'introduction des deux Winston (Winston One et Winston Silver) et nous confirmons notre contribution spéciale de 4 000 € (2 000 € à titre de référence).

3. Cigarettes Dannemann

Nous ne disposons pas de devis, mais comme nous pensons que ce produit est susceptible de vous intéresser, nous sommes disposés à vous offrir une contribution de 1 000 € en vue de son introduction.

Nous sommes à votre disposition pour vous apporter toute précision nécessaire.

Paolucci & C. International, SpA

— Mon Dieu ! s'exclama Tomás, choqué. Les fabricants de tabac vont même jusqu'à offrir au Saint-Siège des primes en liquide pour contribuer à empoisonner les gens avec des cigarettes !

— Incroyable, non ?

— Et quelle a été la réponse du Gouvernorat ?

— Un responsable du département des Services économiques du Gouvernorat s'est limité à rejeter la proposition concernant les cigarettes Dannemann, en précisant qu'il ne l'accepterait qu'aux mêmes conditions que les autres.

Le Portugais secoua la tête, incrédule.

— Vous voulez dire que le Vatican a accepté le reste ?

Estimant que la question n'appelait pas de réponse, la responsable de la COSEA reporta son attention sur le rapport d'Ernst & Young par lequel elle avait commencé.

Et il n'y a pas que le tabac qui soit en cause, dit-elle en montrant une ligne sur le document. Regardez ici. Vingt-sept mille clients du Vatican ont acheté de l'essence en bénéficiant de l'exonération fiscale accordée par l'État italien au Saint-Siège et plus de seize mille ont acquis des vêtements et des produits électroniques. Tout cela, je le souligne encore, pour une population de... huit cents habitants et cinq mille employés !

— Bon sang !

— Un seul et même habitant du Vatican a acheté d'un seul coup vingt ordinateurs détaxés. Vous pensez que quelqu'un au Saint-Siège a vraiment besoin de vingt ordinateurs ? La personne qui a fait ça a revendu les ordinateurs et a empoché les vingt pour cent de TVA. Ça s'appelle de la fraude ! C'est de la contrebande ! En réalité, beaucoup de monde au Vatican se livre activement à l'évasion fiscale.

— Mais c'est... c'est tout simplement incroyable.

Catherine continua à fouiller dans le classeur afin d'y trouver un troisième document.

— Revenons au tabac, proposa-t-elle. Comme nous l'avons déjà vu, l'un des principes fondamentaux de l'Église est de protéger les êtres humains contre ce qui peut constituer un danger, y compris le tabac. Il est absolument impensable qu'elle encourage activement les gens à fumer, n'est-ce pas ?

En temps ordinaire, Tomás aurait répondu oui sans hésiter. Cependant, compte tenu de ce qu'il venait d'entendre, il ne savait plus trop quoi dire.

— C'est-à-dire que... j'espère qu'il en est ainsi.

La Française lui montra une feuille.

— Eh bien, jetez un coup d'œil sur cette lettre, adressée au Gouvernorat du Vatican par le fabricant de tabac le plus connu au monde, Philip Morris.

Le Gouvernorat accepte de mener des activités de *merchandising* en faveur du cigarettier Philip Morris International (PMI). Pour l'exécution de ces activités, la succursale de Philip Morris International Services Ltd Rome (PMIS-Rome) versera au Gouvernorat une somme convenue, conformément aux clauses et dispositions du présent accord. Le Gouvernorat fournira tous les mois les informations suivantes :

• Volume des ventes de chaque marque dans la boutique hors taxes de l'État du Vatican.

• Campagnes promotionnelles en cours et/ou déjà réalisées, lancement de produits et initiatives concernant le prix de vente au détail.

• Les informations reçues du Gouvernorat sont confidentielles et réservées à un usage interne, hormis lorsque PMIS-Rome jugera opportun d'en faire un usage différent.

En rémunération de ces services, PMIS-Rome versera au Gouvernorat une somme de 12 500 €.

Tomás ne cessait de secouer la tête, non par incrédulité, cela faisait un moment qu'il avait compris la nature de l'entente entre les cigarettiers et le Vatican, mais parce qu'il n'en revenait pas.

— En effet, je vois, murmura-t-il. Philip Morris paie l'Église pour qu'elle réalise des campagnes de promotion du tabac. (Il ébaucha un geste de découragement.) Un de ces jours, on va montrer des images de Jésus sur la Croix avec une cigarette au bec et on dira aux fidèles à la messe que les fumeurs iront au paradis ! C'est du joli !

— Il convient de préciser que cette lettre n'est pas signée, c'est pourquoi nous pensons qu'il s'agit d'un projet de contrat qui aurait été établi entre Philip Morris et le Vatican, mais sur lequel nous n'avons pas encore pu mettre la main.

L'historien garda les yeux fixés sur le document qu'il venait de lire tout en se mordillant la lèvre inférieure et tentait d'évaluer le sens de tout cela.

— En effet, c'est très embarrassant pour l'Église, acquiesça-t-il. Mais quel avantage un groupe d'islamistes radicaux pourrait-il tirer de ce genre d'informations ? Est-il vraiment utile de cambrioler le Saint-Siège pour prouver que le Vatican, de mèche avec des fabricants de cigarettes, intoxique les fidèles ? Je veux dire... ce n'est certes pas très joli, mais est-ce suffisant pour justifier les risques qu'ils ont pris ?

— Mais, Tomás, tout ça n'est que la partie émergée de l'iceberg. Les documents embarrassants ne se limitent pas aux affaires avec les cigarettiers. Vous auriez déjà dû le comprendre...

— Quoi, il y a plus ?

La chef des auditeurs fouilla à nouveau dans le classeur, feuilletant les photocopies des documents qui avaient été volés. Après avoir trouvé le papier qu'elle cherchait, elle leva ses yeux bleu clair sur Tomás. À la manière dont elle le dévisagea, le Portugais comprit qu'elle avait autre chose de pas très joli à lui annoncer.

— Vous saviez qu'il fallait payer pour être canonisé ?

XXIII

La question, posée sur un ton provocant par Catherine, surprit Tomás au point qu'il lui fallut quelques instants pour trouver ses mots.

— Payer ? dit-il interloqué. Si je ne m'abuse, quand une personne est canonisée, c'est pour ses mérites, pas pour l'argent.

L'observation suscita chez la Française l'ombre d'un sourire.

— Vous est-il déjà arrivé de prier un saint ?

La question étonna l'historien.

— Moi ? Bien sûr que non. Enfin... vous voyez bien que je ne suis pas quelqu'un de religieux.

— Mais vous savez certainement que de nombreux catholiques prient les saints et leur demandent d'intercéder en leur faveur...

— Oui, bien sûr. Ma mère, par exemple. Chaque fois qu'elle quittait Coimbra, elle priait saint Christophe, le saint patron des voyageurs. Et lorsqu'elle arrivait à Lisbonne, elle allait mettre un cierge à saint Antoine, le saint patron de la ville. En portugais, nous avons même une expression : lorsque nous sommes particulièrement angoissés, nous disons qu'il faut « prier tous les saints ».

— Vous savez comment est décidée une béatification ?

— Je suppose que tout dépend de la personne dont il s'agit, de son comportement durant sa vie, si elle a été honnête et altruiste, ainsi que des miracles qui ont pu lui être attribués après sa mort et qui ont été confirmés, c'est-à-dire pour lesquels on n'a pas trouvé d'explication scientifique. Je me souviens que lorsque mère Teresa de Calcutta a été béatifiée, il a fallu confirmer un miracle qui lui avait été attribué. Si, après cela, un second miracle est confirmé, le bienheureux est canonisé.

— Et qui s'occupe de tout ce processus ?

Tomás haussa les épaules.

— Je n'en sais rien, dit-il. Le Vatican, très certainement. Sans doute des évêques et d'autres prélats.

— C'est la Congrégation pour la cause des saints.

Le jeune homme se gratta la tête.

— Ah bon, murmura-t-il. Et... et alors ?

Catherine gardait le visage fermé, comme une joueuse de poker qui cache sa main.

— Savez-vous combien coûte une procédure de béatification ?

Tomás la regarda, déconcerté.

— Eh bien... Je n'en ai pas la moindre idée. L'Église n'est pas une entité à but lucratif et les béatifications ne devraient pas être motivées par l'argent, mais par le mérite intrinsèque des personnes concernées. Lorsqu'elle proclame un saint, l'Église reconnaît qu'il s'agit de quelqu'un de très spécial. Il n'est donc pas question d'argent.

— Ça ne devrait pas, en effet, mais c'est pourtant le cas, répondit abruptement la consultante. Pour commencer, la procédure a un certain coût. Il faut effectuer une enquête, étudier la vie du candidat, vérifier les miracles qui lui sont attribués... Tout cela engendre des frais.

— Oui, certainement.

— Alors, selon vous, combien coûte une béatification ?

L'universitaire n'en avait aucune idée ; son domaine de compétence n'était pas les finances, mais l'histoire, la cryptanalyse et les langues anciennes.

— Je ne sais pas, deux mille ou trois mille euros, peut-être.

La Française porta son attention sur le document qu'elle avait sorti de la chemise.

— J'ai ici le procès en béatification d'Antonio Rosmini, qui s'est achevé en 2007. Regardez combien il a coûté. (Elle lui montra une ligne en bas de la feuille.) Sept cent cinquante mille euros.

Les yeux rivés sur le chiffre imprimé à la fin du document, l'historien ouvrit la bouche puis la referma, incapable de croire ce qu'il voyait.

— Comment ?

— La simple ouverture d'un procès en béatification coûte cinquante mille euros. À cela, il faut ajouter les frais opérationnels, soit quinze mille euros. Et quand on arrive au paiement des postulateurs, les chiffres explosent. Le coût moyen est de cinq cent mille euros environ, mais ça peut monter bien au-delà.

— Bigre ! s'exclama Tomás, abasourdi par les chiffres qu'il venait d'entendre. Tant que ça ?

— Vous n'avez pas idée du marché ! dit Catherine.

Il y a tellement d'argent en jeu que Jean-Paul II a béatifié plus de mille personnes et en a sanctifié presque cinq cents. Le business des saints est devenu extrêmement lucratif.

— Et tout cet argent va dans les caisses de l'Église ?

La chef de la COSEA chercha un autre document dans la chemise.

— L'Église ne garde pas tout, répondit-elle. En fait, la part du lion revient aux postulateurs. Le Vatican en compte environ cinq cents et chacun traite en moyenne quatre ou cinq affaires. Les postulateurs reçoivent l'argent et ils doivent ensuite en reverser vingt pour cent au Fonds pour la cause des pauvres, une entité créée pour financer les procès en béatification présentés par les diocèses les plus pauvres.

— Ça me paraît juste.

Catherine gardait les yeux fixés sur le document.

— Il se trouve que les sommes versées sur ce fonds sont extrêmement faibles.

Elle lui montra une autre feuille.

— Tenez, regardez.

Le Portugais vérifia et constata que les sommes déposées sur le Fonds pour la cause des pauvres étaient effectivement dérisoires.

— Mais où va le reste de l'argent ?

— C'est exactement la question que je me suis posée lorsque j'ai pris connaissance de ces chiffres. Cela m'a semblé tellement suspect que j'ai décidé d'enquêter. J'ai fini par découvrir que les postulateurs ne tiennent pas de comptabilité pour leurs affaires. Nombreux sont ceux qui ne rendent pas l'argent qu'ils doivent et apparemment personne ne songe à le leur demander. J'ai également compris que cette activité constitue une chasse gardée à laquelle peu de personnes ont accès. Un postulateur suit en moyenne cinq affaires comme je vous l'ai dit. Or, j'ai découvert que deux d'entre eux géraient conjointement cent quatre-vingts procès.

— Bon sang !

— Ces deux énergumènes sont de véritables caisses enregistreuses. J'ai demandé des éclaircissements à la Congrégation pour la cause des saints, ainsi que les déclarations financières de chaque postulateur pour les cinq dernières années, et je n'ai toujours rien reçu.

Tomás se frotta le menton, réfléchissant à ce qu'il venait d'entendre.

— Où voulez-vous en venir ?

— À une conclusion particulièrement choquante, déclara la Française sur un ton sentencieux. Le Saint-Siège a créé une véritable usine à fabriquer des saints pour amasser une fortune ; en vérité, l'argent va dans les poches d'un petit nombre de personnes. Au Vatican, la gabegie est totale, tout comme le vol, et personne ne fait rien ni ne demande de comptes à qui que ce soit. Les voleurs sont entrés dans le temple et ils pillent la maison de Dieu.

L'attention de l'historien demeura fixée sur le document que la chef de la COSEA lui avait montré.

— Tout ça est compliqué...

— Et ce n'est pas tout.

Tomás faillit éclater de rire.

— Comment ça ?

Lorsqu'elle recommença à fouiller dans la chemise qu'elle tenait à la main, Catherine lui jeta un regard qui en disait long.

— Attendez de connaître le sort réservé aux offrandes des fidèles.

XXIV

Après tout ce qu'il venait d'apprendre, Tomás s'attendait au pire. C'est pourquoi, lorsque Catherine évoqua la question des offrandes, il resta sur la défensive.

— Ne me dites pas que le Vatican trafique aussi avec l'argent des offrandes !

La Française demeurait impassible.

— L'une des offrandes les plus importantes de l'Église catholique est ce qu'on appelle le « denier de saint Pierre », dit-elle. Il s'agit des offrandes des fidèles au Saint-Père pour toutes les œuvres de charité en faveur des plus nécessiteux ainsi que pour aider les membres de l'Église à se concentrer exclusivement sur leur mission.

— Je sais très bien ce qu'est le denier de saint Pierre et je connais le système des offrandes de l'Église, ajouta Tomás. Ma mère a toujours donné lors de la quête à la messe et elle a même organisé des collectes.

— La question est donc : où va tout cet argent ?

— Eh bien... il arrive ici, au Vatican, je suppose. (Il leva un sourcil, méfiant.) Ne me dites pas que ce n'est pas le cas.

— L'argent arrive bien ici. Mais à quoi sert-il, exactement ?

Le Portugais fit un geste vague de la main.

— À des œuvres de charité. Et à aider l'Église à accomplir sa mission, bien sûr. Je me souviens même que Jean-Paul II avait dit que le denier de saint Pierre servait surtout à répondre aux besoins de populations, d'individus et de familles qui vivaient dans des conditions précaires et ne pouvaient obtenir aucune aide autrement.

— S'il en est ainsi, pour quelle raison les responsables chargés de gérer les offrandes refusent-ils de nous dire à quoi ont été spécifiquement consacrées les sommes collectées ?

— Ils ont refusé de vous donner cette information ?

— Nous avons insisté à plusieurs reprises. Nous leur avons demandé les déclarations financières ainsi que les bilans concernant l'usage des offrandes des fidèles. La somme totale collectée grâce au denier de saint Pierre est publiée tous les ans, mais l'emploi qui en est fait reste l'objet du plus grand secret. Nous savons combien d'argent l'Église a reçu des fidèles, mais nous ignorons à quoi il a été consacré. Chaque fois que nous avons posé la question, nous avons obtenu des réponses évasives. La vérité, c'est qu'on a refusé de nous communiquer cette information. Pourquoi ?

— Vous avez demandé au pape ?

— Nous n'avons pas eu d'autre choix, tant le secret qui entourait l'argent des offrandes devenait suspect. Nous lui avons demandé d'intervenir afin que nous soient communiqués les bilans et les informations relatives aux comptes bancaires sur lesquels l'argent est déposé, à l'usage qui a été fait de ces sommes, aux œuvres de charité auxquelles elles ont été consacrées. Combien, quand, où... nous voulions tout savoir.

— Et ?

— Après avoir longuement insisté, nous avons fini par obtenir une réponse vague du Saint-Siège. La curie ne nous a pas dit où se trouvait l'argent, quelles sommes avaient été dépensées, ni où ni quand, mais nous avons tout de même réussi à lever un bout du voile sur ce mystère.

— Et qu'avez-vous trouvé ?

Catherine fouilla encore une fois dans sa chemise jusqu'à ce qu'elle trouve ce qu'elle cherchait, un document qu'elle regarda comme s'il s'agissait d'un trésor.

— Ceci, indiqua-t-elle. Un dossier du secrétariat d'État intitulé « Le vénéré rapport financier ». Ce document de vingt-neuf pages stipule que toute information concernant l'affaire en question est confidentielle. En somme, et si incroyable que cela puisse paraître, le sort que réserve le Vatican à l'argent destiné aux pauvres est encore plus mystérieux que la troisième partie du secret de Fátima. Vous vous rendez compte !

— Mais ne m'avez-vous pas dit que le dossier vous éclairait un peu ?

La chef de la COSEA identifia un passage du document et le montra à Tomás.

— Le seul paragraphe qui révèle vraiment quelque chose dans tout le rapport est celui-ci : « L'argent collecté est utilisé pour des œuvres charitables et/ou des projets spécifiques indiqués par le Saint-Père (14,1 millions), pour réaliser des activités particulières (6,9 millions) et pour l'entretien de la curie romaine (28,9 millions). Par ailleurs, 6,3 millions sont affectés au fonds du denier de Pierre. »

L'historien lut le passage deux fois pour être sûr que rien ne lui avait échappé. Il finit par dévisager son interlocutrice avec une expression d'incertitude : avait-il vraiment bien compris ?

— Vous êtes sûre qu'il n'y a aucune erreur ? demanda-t-il, en montrant le troisième chiffre indiqué entre parenthèses. Presque trente millions d'euros d'offrandes sont affectés à la curie ? Est-ce vraiment le cas ?

Catherine acquiesça.

— Je crains bien que oui.

— Mais... mais c'est plus de la moitié du montant total !

— Cela représente cinquante-huit pour cent pour être tout à fait exact. Plus de la moitié des offrandes des fidèles pour le denier de Pierre n'est pas distribuée aux pauvres et aux nécessiteux, comme on le dit aux fidèles et comme ceux-ci le croient naïvement, mais va aux membres du clergé qui vivent au Vatican. Telle est la réalité.

Tomás, bouche bée, avait envie de jurer, mais cela n'aurait pas été correct au Vatican, et encore moins devant une jeune femme. Il secoua la tête pour tenter de remettre de l'ordre dans ses pensées et de trouver une explication plausible à tout ce qu'il venait d'entendre.

— Il doit y avoir une raison à tout cela, dit-il. Après tout, le Vatican doit verser des salaires, payer les factures d'électricité et d'eau, faire face aux dépenses courantes d'entretien...

— Il est évident que les dépenses du Vatican doivent être réglées, admit la consultante. Mais encore faut-il savoir quelles sont ces dépenses ! L'APSA, l'organisme qui gère les propriétés du Vatican, a enregistré un déficit de plus de soixante millions d'euros. Le déficit de Radio Vatican est de vingt-cinq millions, tout comme celui des opérations des nonciatures pontificales. La curie a consacré des millions au secrétariat d'État, à des fondations, des travaux d'imprimerie... que sais-je.

— Mais tout cela est nécessaire au fonctionnement du Vatican, non ?

— La question n'est pas de savoir si c'est nécessaire ou non, mais combien ça coûte. Nous sommes face à une absence absolue de contrôle des dépenses, bon nombre desquelles n'ont d'ailleurs aucun sens pour une institution qui a vocation à aider les pauvres. Les cardinaux de la curie, par exemple, vivent confortablement dans des logements luxueux de quatre cents à six cents mètres carrés, dans les quartiers les plus chers de Rome. Leurs appartements ont des salles d'attente, des antichambres, des salles de réception, des salons de thé, des salles de prière, des bureaux, des bibliothèques... Le cardinal Tarcisio Bertone vit dans un appartement quatre fois plus grand que celui du pape lui-même, qui est en réalité une combinaison de deux appartements au dernier étage du très chic Palazzo San Carlo, et dispose d'une terrasse. À votre avis, qui paie tout cela ?

C'était une bonne question, à laquelle Tomás n'avait pas de réponse. Que savait-il du train de vie du secrétaire d'État du pape Benoît XVI ?

— Eh bien...

— Nous avons découvert que les travaux de rénovation de l'appartement du cardinal Bertone, qui ont coûté plus de quatre cent mille euros et à l'occasion desquels il s'est fait installer un système audio haute fidélité, des équipements en marbre de Carrare et du parquet en chêne, ont été payés par l'hôpital pédiatrique Bambino Gesù.

— Ils ont pris de l'argent destiné à des enfants malades pour financer les goûts de luxe du cardinal ?

La Française montra le plancher du bureau.

— Vous vous souvenez des limousines garées en dessous, lorsque nous avons visité le garage ?

— Oui.

— Vous savez à qui elles appartiennent ?

— Si je me souviens bien, quelques-unes avaient une plaque d'immatriculation rouge, avec les lettres CD qui signifient corps diplomatique. Je suppose donc qu'elles appartiennent à des ambassades accréditées auprès du Saint-Siège.

— Et les autres ? Qui sont leurs propriétaires ?

Tomás haussa les épaules.

— Comment puis-je le savoir, vous n'avez pas voulu me le dire.

— Parce que j'avais honte.

— Honte ?

Catherine respira profondément, résignée à dévoiler le mystère qui entourait ces fameuses voitures de luxe.

— Elles appartiennent aux cardinaux.

— Pardon ?

— Vous avez bien entendu. Ces limousines appartiennent aux cardinaux.

— Mais... mais...

— Vous commencez à comprendre ce qui se passe au Vatican ? Les cardinaux de la curie vivent dans des appartements immenses et disposent d'automobiles extrêmement chères. C'est au financement de tout cela qu'est consacrée plus de la moitié des offrandes du denier de Pierre. Vous comprenez pourquoi ils ne veulent pas dire où va tout cet argent ! Seule une petite partie est destinée aux pauvres. La part du lion sert directement à alimenter les vices de la curie.

— Mais l'Église dispose d'autres fonds pour les pauvres.

— Oui, c'est vrai, reconnut-elle. À lui seul, l'IOR administre quatre fonds de charité, mais en croisant les données, on s'est aperçu que seule une infime partie des sommes parvenait aux nécessiteux. Le fonds mis à la disposition de la Commission cardinalice dispose de plus de quatre cent mille euros et, en deux ans, il n'a jamais donné le moindre centime à personne. Le Fonds pour les œuvres missionnaires dispose de cent quarante mille euros mais, en deux ans, il n'a augmenté les crédits destinés aux œuvres missionnaires que de dix-sept mille euros. Quant au Fonds pour la sainte messe, dont le solde est supérieur à deux millions d'euros, en un an, il n'a envoyé aux prêtres du monde entier que trente cinq mille euros. De plus, nous avons découvert qu'en Italie, seulement vingt-trois pour cent de l'argent qui est donné à l'Église va aux nécessiteux.

Tomás dévisagea Catherine, abasourdi par ce qu'il venait d'entendre.

— Mon Dieu ! s'exclama-t-il. L'argent que ma mère pensait donner aux pauvres a fini par atterrir dans les poches des... des...

Il eut du mal à finir sa phrase, car il ne trouvait pas l'expression la plus adaptée pour décrire les membres de la curie. Ce fut la chef de l'équipe des auditeurs qui finit par prononcer le mot parfait :

— Des parasites.

XXV

Après avoir composé le numéro de Maria Flor, Tomás entendit une sonnerie et aussitôt une voix féminine annonçant sur un ton neutre : « Le numéro que vous avez demandé n'est pas disponible actuellement, veuillez laisser un mess... »

Il raccrocha d'un geste brusque.

— Bon sang ! grommela-t-il entre ses dents. Son téléphone est toujours éteint.

Il venait de quitter le palais des Congrégations avec Catherine et tous deux se dirigeaient vers la place Saint-Pierre. En voyant son agacement, la Française le questionna :

— Il y a un problème ?

— Non. Rien d'important.

Rien d'important pour l'enquête, ajouta-t-il pour lui-même, mais vital pour sa tranquillité d'esprit. Après tout, sa fiancée s'était fâchée ce matin et, visiblement, elle avait coupé son portable pour ne pas être joignable. Elle faisait sans doute du shopping dans Rome, à moins que, sous le coup de la colère, elle ne soit allée à l'aéroport pour rentrer à Lisbonne. Tomás savait que Maria Flor en était parfaitement capable. Elle était très susceptible et avait déjà démontré qu'elle n'avait pas peur des ruptures.

— Je meurs de faim, déclara Catherine. Que diriez-vous d'aller déjeuner au restaurant des...

Un concert de sirènes l'interrompit. De tels hurlements étaient assez fréquents à Rome, mais autant de sirènes à la fois, ça paraissait exagéré. Elles venaient de toutes parts, comme si la ville avait pris feu en plusieurs endroits, et le bruit ne faisait que croître.

— Que se passe-t-il ?

— Je ne sais pas, répondit-elle. Peut-être un incendie...

La place Saint-Pierre grouillait de monde, comme souvent pendant la journée, et de longues files de touristes attendant pour visiter la basilique s'étaient formées sous les colonnades. Parmi eux, Tomás et Catherine remarquèrent des mouvements et des cris inhabituels. Des policiers se frayaient un chemin dans la foule et ordonnaient aux visiteurs de s'écarter.

— La gendarmerie du Vatican, constata la Française. Que diable s'est-il passé ?

— L'incendie se serait-il produit ici ?

Les sirènes s'intensifiaient et ils virent plusieurs voitures de police et deux fourgonnettes déboucher à toute vitesse de la via della Conciliazione pour s'immobiliser en trombe près de la grande place. Des policiers italiens sortirent des véhicules et plusieurs hommes avec des armes automatiques, vêtus d'un uniforme sombre, s'éjectèrent des fourgonnettes puis commencèrent à prendre position sur la place.

— Ça alors ! s'exclama Catherine stupéfaite. Des carabiniers !

Presque au même moment, deux hélicoptères bleu et blanc, portant les insignes de la police, apparurent dans le ciel. Les appareils volaient à basse altitude au-dessus de la place Saint-Pierre, provoquant un vent qui fit s'envoler les chapeaux, les sacs en plastique et les papiers. En quelques instants, un énorme dispositif policier avait été mis en place au cœur du Vatican.

— Il a dû se passer quelque chose de grave, dit Tomás. Ce n'est pas normal. Allons voir !

Il saisit Catherine par le bras et ils se faufilèrent parmi la foule.

— Où allons-nous ?

Le Portugais ne répondit pas, mais il l'entraîna en direction des agents les plus proches. Les gendarmes étaient tous armés et hurlaient des ordres aux touristes, tout en regardant dans toutes les directions.

— *Scusi, signore*, dit Tomás, interpellant un homme en uniforme qui lui sembla être le chef. Que se passe-t-il ?

— La place doit être évacuée ! répondit l'homme sans le regarder. Vite ! Vite !

Comprenant que Tomás n'avait pas l'autorité nécessaire pour interroger le gendarme, Catherine sortit de son sac le badge du Saint-Siège qui lui permettait d'accéder librement au Vatican, et le montra au policier.

— Je suis conseillère de Sa Sainteté, dit-elle en s'identifiant. Que s'est-il passé ?

Le gendarme jeta un regard rapide sur le badge pour vérifier l'identité de son interlocutrice, et baissa la voix.

— Je ne sais pas, *signora*. Nous avons reçu l'ordre de faire évacuer la place et c'est ce que nous sommes en train de faire. S'il vous plaît, veuillez quitter les lieux le plus vite possible.

— Mais nous devons passer.

— Non. C'est impossible, *signora*. La basilique est aussi en cours d'évacuation et elle va être fermée au public.

— Nous n'allons pas à la basilique, mais au restaurant des Musées du Vatican.

— C'est la même chose. Vous ne pouvez aller nulle part à l'intérieur des murailles léonines.

La Française ne s'avoua pas vaincue. Elle plaça son badge sous les yeux du gendarme et insista.

— Ce document me donne accès à tout le périmètre du Saint-Siège, comme vous pouvez le constater. (Elle désigna l'homme qui était à côté d'elle.) Le professeur Noronha et moi-même enquêtons sur un crime et nous devons entrer au Vatican pour poursuivre notre travail. S'il vous plaît, laissez-nous passer.

Le gendarme hésita. Les deux personnes qui l'avaient interpellé le dévisageaient d'un air déterminé et, de fait, le badge que la femme lui présentait lui donnait accès à l'ensemble du Vatican. En outre, les ordres qu'il avait reçus quelques instants plus tôt étaient de faire évacuer tous les touristes de la place. Or, ces deux-là n'étaient manifestement pas des touristes. Par ailleurs, elle avait indiqué qu'ils enquêtaient sur un crime. Cette enquête était-elle en rapport avec l'ordre de faire évacuer la place ?

Il fit un signe à Catherine et Tomás et se retourna.

— Venez avec moi.

XXVI

Tomás et Catherine durent s'arrêter devant un cordon de policiers installé porte Saint-Pierre, derrière les colonnades, et constitué de gardes suisses et de carabiniers italiens. Ils saluèrent le gendarme qui les avait accompagnés, puis présentèrent leurs pièces d'identité au responsable des gardes suisses chargé du cordon de sécurité. Le passeport de Tomás ne l'impressionna guère, mais le badge de Catherine se révéla extrêmement utile.

Après avoir vérifié quelques détails, l'officier leur rendit leurs papiers et leur fit signe d'avancer. La Française saisit cette occasion pour l'interroger sur le dispositif mis en place.

— Que se passe-t-il ? demanda-t-elle en indiquant les hommes armés qui occupaient le check-point. Il est arrivé quelque chose ?

— Il faudra poser la question aux autorités compétentes, *Fräulein*.

Visiblement, l'officier était un suisse allemand.

— Et vous n'êtes pas une autorité compétente ?

— Je le suis en matière de sécurité, mais pas pour

fournir des informations, *Fräulein*. Vous voudrez bien vous adresser à qui de droit.

— Mais quels ordres avez-vous reçus ?

— Les ordres consistent à faire évacuer le Vatican et à assurer la sécurité du périmètre, en particulier du Palais apostolique.

— Et que s'est-il passé qui exige des mesures aussi radicales ?

— Pour obtenir cette information, *Fräulein*, adressez-vous aux autorités compétentes.

Catherine soupira. Elle était alsacienne et connaissait bien la mentalité germanique, y compris celle des Suisses allemands. Tout devait scrupuleusement obéir à des règles et il n'y avait pas la moindre possibilité de les contourner. Elle aurait beau essayer tout ce qu'elle voudrait, elle n'arriverait jamais à convaincre le garde suisse de lui dire ce qu'il n'était pas autorisé à lui dire. Elle ne pouvait cependant pas s'en plaindre car c'était bien à cela que servaient les règles.

— Très bien, acquiesça-t-elle, en se retournant pour faire signe à son compagnon. Allons-y Tomás.

Le Portugais regardait son portable, l'air désolé.

— Toujours sur répondeur.

— Qui est sur répondeur ?

L'historien ne répondit pas. Il leva les yeux au ciel et remarqua les deux hélicoptères de la police qui survolaient toujours la place Saint-Pierre. Que Maria Flor reste injoignable le perturbait. Jusqu'à présent, il avait envisagé des explications rationnelles à ce silence. Mais il commençait à se demander s'il n'y avait pas un lien entre le mutisme de sa fiancée et tout le déploiement de policiers au Vatican. Maria Flor était-elle en sécurité ?

— Toute cette agitation me rend nerveux, finit-il par déclarer. (Il indiqua d'un geste les hélicoptères qui bourdonnaient au-dessus d'eux et le cordon de sécurité.) Ça commence à me préoccuper sérieusement.

— Le garde suisse a dit que les mesures de sécurité étaient concentrées sur le Palais apostolique, déclara la Française. Essayons de voir ce qui se passe.

Ils passèrent la porte Saint-Pierre et traversèrent l'étroit patio des gardes suisses. Puis, ils tournèrent à gauche et empruntèrent la rue qui menait au Palais apostolique, en passant entre l'Imprimerie vaticane et la tour Nicolas-V, siège de l'IOR. Tomás était très perturbé. Catherine pensait sans doute comme lui.

— D'après vous, que se passe-t-il ?

— Probablement une nouvelle menace.

Tomás se dit qu'ils allaient devoir obtenir des informations concrètes plutôt que de jouer aux devinettes, et n'ajouta rien. Il était inutile d'énoncer ce qui était évident. Ils continuèrent à marcher et s'aperçurent un peu plus loin, exactement en face de l'entrée du bâtiment qui était habituellement la résidence du pape, un autre cordon de sécurité.

Lorsqu'ils arrivèrent au check-point, ils présentèrent à nouveau leurs papiers.

— Est-ce que vous pouvez nous expliquer ce qui se passe ? demanda Catherine à l'officier chargé de ce deuxième cordon, s'efforçant d'obtenir quelques informations. Pourquoi tout ce dispositif ?

— Désolé, mademoiselle, répondit l'officier, un Suisse francophone cette fois, tandis qu'il vérifiait les passeports et le badge de la chef de la COSEA. Il faudra que vous demandiez à l'intérieur.

— Mon Dieu ! s'exclama-t-elle, exaspérée. Ces gens ont la manie du secret !

Après avoir vérifié les documents, l'officier les leur rendit et indiqua du pouce l'entrée du palais résidentiel, leur ouvrant la voie.

— Allez-y, dit-il. Vous pouvez passer.

Tous deux entrèrent dans le Palais apostolique, où ils s'étaient entretenus le matin même avec le pape. Ils commencèrent à monter l'escalier lorsqu'ils s'aperçurent que la voie était barrée, au deuxième étage, par un homme de petite taille, moustachu, mal rasé, vêtu d'une gabardine froissée, qui leur fit signe de s'arrêter.

— Qui êtes-vous ? demanda-t-il sur un ton particulièrement autoritaire. Que faites-vous ici ?

— Je m'appelle Tomás Noronha, et voici Mme Catherine Rauch, indiqua l'historien. J'ai été chargé par le pape d'enquêter sur un crime qui s'est produit ici, au Vatican.

— À quel crime faites-vous allusion ?

— Au cambriolage qui a eu lieu la semaine dernière au palais des Congrégations.

L'homme à la gabardine froissée le regarda avec méfiance.

— *Intro culo di mammata !* jura-t-il. Cette enquête, c'est moi qui en suis chargé !

La vulgarité du petit homme, qui ne mesurait pas plus d'un mètre soixante, choqua le Portugais.

— Eh bien ! (Il haussa les sourcils.) Et qui êtes-vous, monsieur ?

— Francesco Trodela, inspecteur de la police judiciaire, chargé du Vatican. (Il dévisagea Tomás avec

214

une expression de méfiance.) Qui vous a donné l'autorisation d'enquêter sur le cambriolage au palais des Congrégations ?

— Le pape en personne. Ce matin.

L'inspecteur plissa les paupières, de plus en plus méfiant.

— *Dio cane !* s'exclama-t-il avec incrédulité. Vous avez rencontré Sa Sainteté ce matin ?

— Oui, pourquoi ?

— *Ma vattene a fanculo !* jura-t-il à nouveau. Vous vous foutez de moi !

De toute évidence, l'Italien appréciait les expressions italiennes les plus vulgaires ; cela devait être son tempérament, pensa Tomás, se résignant à son langage ordurier.

— Je vous assure que j'ai eu une réunion avec le pape.

— Et sur quoi a-t-elle porté ?

— Eh bien... à vrai dire, cela concerne exclusivement le pape et moi-même. Comme vous le comprendrez, je ne suis absolument pas tenu de vous informer des propos que nous avons échangés ni de...

— Après ce qui s'est passé aujourd'hui, tout le monde a l'obligation de m'informer de tout ce qui concerne Sa Sainteté, rétorqua le policier avec assurance. Quel a été le sujet de la réunion que vous avez eue avec le Saint-Père ?

Tomás cligna des yeux, surpris par le ton autoritaire de l'inspecteur de la police judiciaire, mais surtout intrigué par la première partie de ce qu'il venait d'entendre.

— Que s'est-il passé de spécial aujourd'hui ?

L'inspecteur Trodela pencha la tête sur le côté et lui lança un regard inquisiteur, comme s'il le disséquait.

— Allons, allons, *vai a farti fottere* ! grommela-t-il. Ne me faites pas croire que vous ne savez pas...

Les obscénités successives et l'incrédulité de l'inspecteur finirent par énerver l'universitaire. Pour quelle raison personne n'était capable de répondre à une question aussi simple et directe ? Était-ce si difficile ? Faisant un effort pour ne pas exploser, il échangea un regard avec Catherine, comme s'il lui demandait de l'aide au cas où il perdrait son calme, avant de regarder à nouveau le policier.

— Eh bien non, je ne sais pas. Que se passe-t-il ?

— Ce qui se passe, c'est qu'on ne peut pas se promener par ici tant que les investigations n'auront pas été achevées et que l'affaire n'aura pas été résolue.

— Des investigations ? Une affaire ? Mais de quoi parlez-vous ?

— Du crime, bien entendu.

Tomás et Catherine écarquillèrent les yeux, surpris, et réagirent presque en chœur.

— Un crime ?

Leur étonnement était si spontané que le policier comprit qu'à moins d'avoir affaire à de très grands acteurs, il ne pouvait qu'être authentique.

— Oui, un crime, confirma-t-il. *Porca troia !* Vous ne voyez pas les mesures de sécurité qui sont prises ? Vous ne voyez pas que la police judiciaire contrôle le Palais apostolique ? Pourquoi pensez-vous qu'on fait tout cela ?

— Dites-le-nous, inspecteur !

Le petit Italien se caressa la moustache avant de répondre et d'expliquer enfin tout ce dispositif policier mis en place à l'intérieur des murailles léonines.

— Sa Sainteté a été enlevée.

XXVII

Le cardinal Angelo Barboni laissa tomber son corps massif sur un fauteuil et baissa la tête ; il donnait l'image d'un homme angoissé, ployant sous le poids des événements. À côté de lui, la fenêtre s'ouvrait sur la place Saint-Pierre, vidée de ses occupants ; on ne voyait plus que les policiers armés, certains avec des chiens, et les hélicoptères qui survolaient la zone.

— Ah, mes enfants ! s'exclama le secrétaire d'État en larmes, les lèvres tremblantes et les mains levées vers le ciel en signe de désespoir. *Dio mio !* Un grand malheur s'est abattu sur la sainte Église catholique ! Quelle catastrophe ! On a enlevé notre pape bien-aimé !

Tomás observa les personnes qui se trouvaient dans le bureau. Catherine semblait sonnée par la nouvelle et deux hommes que Tomás n'avait jamais vus, probablement des personnes qui travaillaient au Palais apostolique, se tenaient dans un coin, tête basse, les yeux fixés rivés sur le parquet, avec une expression de profond abattement.

— Je ne peux pas y croire, murmura la Française, secouant la tête, la main sur la bouche, c'est... c'est irréel.

Le Portugais constata que l'inspecteur Trodela et lui-même étaient les seuls à garder la tête froide ; le policier se concentrait d'ailleurs à ce moment-là sur une tâche captivante, qui consistait à épousseter sa gabardine froissée. Étant donné la charge émotionnelle que présentait l'affaire, l'attitude détachée de Trodela attira l'attention de Tomás. Il est vrai qu'en tant qu'inspecteur dans l'exercice de ses fonctions, l'Italien était tenu de conserver une certaine sérénité, mais son apparente froideur était-elle uniquement due à son professionnalisme ?

Lorsqu'ils étaient entrés dans le bureau quelques minutes auparavant et que le cardinal Barboni avait confirmé que Tomás et Catherine étaient effectivement ceux qu'ils prétendaient être, Trodela avait affiché une certaine tension et n'avait pas caché son dépit. Attentif au comportement du policier, le Portugais n'avait pas oublié les mots que le pape avait prononcés le matin même, et il ne put s'empêcher de s'interroger sur cet homme. « Ici, rien ni personne n'est ce qu'il paraît être », avait dit le souverain pontife. Qui sait si cette phrase ne s'appliquait pas également à l'inspecteur ?

— Une telle nouvelle est un choc, relança l'historien, observant la place qui s'étendait par-delà la fenêtre. J'imagine la réaction du public lorsqu'il apprendra cette nouvelle, ce qui se produira lorsque...

À ces mots, le cardinal Barboni se tourna vers lui, les yeux grands ouverts, et fit presque un bond de son fauteuil.

— Non ! s'exclama-t-il. Ne dites rien à personne ! *Per favore*, ne dites rien !

Tomás fit un geste vers la place Saint-Pierre désertée par les touristes et occupée uniquement par les forces de sécurité.

— C'est trop tard, Votre Éminence. La police est déjà là et...

— *Sti cazzi !* jura l'inspecteur Trodela, toujours occupé à frotter sa gabardine. Personne ne sait encore quoi que ce soit !

— Surveillez votre langage, inspecteur, le reprit le cardinal. Nous sommes au Vatican, pas dans un bouge napolitain !

Le policier lissa la barbe clairsemée qui lui donnait un air de clochard.

— Je vous prie de m'excuser, Votre Éminence. Ma propre femme, qui est une véritable sainte, m'a déjà reproché mon langage un nombre incalculable de fois.

— Personne ne sait encore quoi que ce soit ? Que voulez-vous dire, inspecteur ? interrogea Tomás.

L'inspecteur Trodela posa l'index sur sa bouche.

— L'enlèvement de Sa Sainteté est un secret absolu.

L'affirmation surprit l'universitaire.

— Un secret ? (D'un geste, il désigna la place Saint-Pierre.) Et tout ce dispositif, là, sur la place ? Vous pensez que personne ne va s'en apercevoir et que personne ne va poser de questions ?

— Nous avons dit à la presse qu'il s'agissait d'un exercice de sécurité. À l'heure actuelle, par décision de Son Éminence et du Premier ministre italien, l'information relative à l'enlèvement doit être maintenue secrète.

— Pourquoi ?

— En Italie et dans le monde chrétien, cela provoquerait une très grande inquiétude. Les conséquences politiques sont inimaginables, comme vous pouvez le comprendre.

— Quelles conséquences politiques ?

— *Cazzo* ! jura l'homme de la police judiciaire, avant de mettre aussitôt la main sur sa bouche et de regarder le cardinal avec un air repenti. Pardon, Votre Éminence révérendissime. Cela m'a échappé.

Le secrétaire d'État leva les yeux au ciel.

— Que le Seigneur ait pitié de vous.

— Vous n'avez pas répondu à ma question, insista Tomás. À quelles « conséquences politiques » faites-vous allusion ?

— Bon sang ! s'exclama le policier, remplaçant ses obscénités habituelles par une expression acceptable. Cela ne vous paraît pas évident ?

Tomás ne pensait pas que les « conséquences politiques » justifiaient de tromper le public de la sorte, mais il préféra ne rien dire, la question étant en réalité hors de son domaine de compétences. Tout ce qu'il pouvait faire, c'était formuler d'autres évidences.

— Écoutez, inspecteur, cela finira inévitablement par se savoir. Une information d'une telle importance est tout simplement explosive. Aucun secret de ce genre ne peut être gardé dans la société dans laquelle nous vivons. Les policiers connaissent des journalistes, les hommes politiques aussi... Tôt ou tard, quelqu'un contactera quelqu'un d'autre, la presse se mettra à poser des questions, les réseaux sociaux commenceront à s'agiter et, lorsque nous nous en apercevrons, la nouvelle aura déjà été diffusée.

— C'est vrai, mais je suis convaincu que nous

avons quelques heures devant nous avant que cela ne se produise. Le Vatican est encerclé, on ne peut ni y entrer ni en sortir, et mes hommes passent le périmètre au peigne fin. Je pense qu'en une heure ou deux, il est possible de retrouver Sa Sainteté.

Le cardinal secoua la tête.

— Et moi qui devais rentrer chercher des vêtements propres...

— Rien ne vous en empêche, répondit le policier. Votre appartement se trouve juste au-dessous, dans le Palais apostolique.

— En effet, théoriquement. Mais, depuis que Sa Sainteté ne vit plus dans les appartements pontificaux, je n'occupe plus non plus l'appartement du secrétariat d'État.

— S'il faut aller à la résidence Sainte-Marthe, il n'y a aucun problème, on peut circuler à l'intérieur du Vatican. Et même si ce n'était pas le cas, Votre Éminence étant actuellement l'autorité suprême du Saint-Siège, personne ne pourrait vous empêcher d'aller où vous le souhaitez, cela va de soi.

— En réalité, je n'habite pas au Saint-Siège, mais dans un appartement privé à Rome. (Il fit un geste en indiquant ses habits pourpres.) Mes vêtements sont restés imprégnés de cette odeur infecte des toilettes de la bibliothèque privée. J'aurais besoin de prendre un bain et de me changer, mais je n'ai de vêtements propres que chez moi.

— Il n'y a aucun problème, Votre Éminence. Je peux envoyer mes hommes chez vous chercher de quoi vous changer. Quelle est l'adresse ?

— C'est au numéro deux, via Carducci. Si vous pouviez me rendre ce service, inspecteur, je vous en serais reconnaissant. Je vais téléphoner au père Mateo, qui est chez moi, afin qu'il remette des vêtements au policier qui viendra les chercher.

Tomás s'impatientait. L'affaire était peut-être importante pour le cardinal, mais elle n'était absolument pas prioritaire compte tenu des circonstances.

— Il ne suffit pas de surveiller le Vatican, inspecteur. Qui vous dit que le pape n'a pas déjà été emmené vers un lieu secret à Rome, voire ailleurs en Italie ?

— C'est le plus probable, en effet, acquiesça l'inspecteur Trodela. C'est pour cela que nous fouillons la ville de fond en comble. Aéroports, gares, routes et ports... tout est actuellement contrôlé. De nombreuses personnes sont en ce moment interrogées, nos hommes visionnent les enregistrements des caméras de surveillance, une opération à grande échelle d'écoutes téléphoniques et de contrôle de courriels a été lancée... Nous remuons ciel et terre. Vu les moyens que nous avons déployés sur le terrain, il est encore tout à fait possible que l'on retrouve Sa Sainteté dans les plus brefs délais.

L'ampleur de l'opération et la confiance du commissaire semblèrent tranquilliser tout le monde. Seul Tomás demeurait sceptique.

— Et si vous ne le retrouvez pas ?

— Nous le retrouverons, je vous l'assure.

— Oui, d'accord... mais si vous ne le retrouvez pas ?

Son insistance provoqua une certaine gêne. Personne ne voulait imaginer une telle possibilité, et certains le fusillèrent du regard comme si le simple fait d'envisager une telle hypothèse pouvait porter malheur. L'inspecteur le dévisagea, mais la fermeté de l'historien indiquait clairement qu'il attendait une réponse.

Le policier détourna les yeux, regarda vers la fenêtre et, conscient qu'il devait surveiller son langage, soupira.

— Ce serait la fin du monde.

XXVIII

Le lourd silence qui s'installa dans le bureau du secrétaire d'État dura quelques longues secondes. Chacun tentait d'envisager le scénario selon lequel le chef de l'Église ne serait pas retrouvé immédiatement et la nouvelle de son enlèvement commencerait à être diffusée par la presse. Comment réagirait-on, en Italic et dans tout le monde chrétien ? Y aurait-il des manifestations ? Des troubles se produiraient-ils ?

— Comment cela a-t-il été possible ? voulut savoir Tomás. Expliquez-moi, s'il vous plaît.

L'inspecteur Trodela fit un geste avec les mains, comme s'il demandait le calme.

— Il faut rester sereins.

Voyant qu'il avait été mal compris, le Portugais secoua la tête.

— Ma question n'était pas purement rhétorique inspecteur, précisa-t-il, fidèle à l'idée selon laquelle on ne pouvait percer un mystère qu'en reconstituant le fil des événements. J'aimerais vraiment savoir comment des intrus ont pu entrer ici et enlever le pape.

Avant que l'inspecteur de la police judiciaire ne réponde, le cardinal Barboni ouvrit les bras en signe d'impuissance.

— Seul le Seigneur le sait.

L'affirmation surprit l'historien.

— Excusez-moi, Éminence, vous insinuez que vous ne le savez pas ?

— Nous sommes dans les mains de Dieu, mon fils.

— Certes, mais dans la vie, certaines choses ne peuvent pas relever uniquement du divin, observa Tomás. Que s'est-il passé exactement ?

— Eh bien, il s'est passé que, après la...

— *Scusi*, interrompit l'inspecteur Trodela, agacé par le fait que le Portugais ait pris la direction des débats sans que nul y trouve à redire. Avec tout le respect que je vous dois, Votre Éminence, vous n'avez pas à répondre à un civil. Que je sache, le professeur Noronha n'est pas un policier et il n'est pas chargé de l'enquête.

Le secrétaire d'État échangea un regard avec Catherine, comme s'il la consultait, avant de dévisager l'homme de la police judiciaire avec une expression affable, quoique ferme.

— Je vous ai déjà expliqué, inspecteur, que Sa Sainteté tenait le professeur Noronha en très haute estime.

— Absolument, ajouta la Française. Je n'ai aucun doute sur le fait que Sa Sainteté aurait souhaité que Tomás soit associé à l'affaire.

La volonté implicite du pape, ainsi exprimée par son bras droit et par l'auditrice qui avait toute sa confiance, obligea le policier à faire marche arrière, mais à contrecœur.

— *Va bene*.

Se tournant à nouveau vers Tomás, le cardinal fit un geste pour indiquer l'étage supérieur, où se trouvaient les appartements officiels du pape.

— Comme j'allais vous le dire, mon fils, après la réunion que nous avons eue ce matin, je suis resté dans la bibliothèque pour discuter encore un peu. Sa Sainteté souhaitait réfléchir aux menaces qui pèsent sur son pontificat, sur l'Église et sur l'humanité. Nous avons prié et imploré le Seigneur de nous guider en ces heures d'incertitude, puis Sa Sainteté a voulu confesser ses péchés. La situation est devenue extrêmement émouvante, Sa Sainteté a commencé à pleurer, tout comme moi, et... enfin, je me suis senti tellement ému que je suis allé aux toilettes pour me rincer le visage. Mais l'odeur qui y régnait était affreusement désagréable. (Il toucha ses habits du bout des doigts.) Cette horrible odeur a même fini par imprégner mes vêtements, et c'est pour ça que j'ai besoin de me changer. Tenez, respirez !

L'historien s'approcha et constata que les vêtements du cardinal dégageaient une odeur d'excréments particulièrement forte.

— Effectivement...

— Je suis revenu à la bibliothèque, mais j'étais si incommodé qu'en m'asseyant j'ai failli m'évanouir. Sa Sainteté a dû appeler Ettore pour qu'il vienne m'aider. (Il se tourna vers l'un des deux inconnus qui se trouvaient dans la salle.) N'est-ce pas Ettore ?

L'homme sortit de son mutisme.

— En effet Votre Éminence, acquiesça-t-il. Lorsque Sa Sainteté m'a appelé, je me suis rendu immédiatement à la bibliothèque et je vous ai aidé.

— Racontez donc ce qui s'est passé, Ettore.

— Eh bien, je vous ai trouvé assis sur une chaise, vous aviez du mal à respirer. J'ai déboutonné le col de votre habit et vous vous êtes senti mieux. J'ai voulu vous conduire au dispensaire, mais vous avez refusé, disant que tout cela était simplement dû aux mauvaises odeurs. (Il se retourna vers le cardinal.) Si vous vous souvenez bien, Votre Éminence, vous avez dit que vous aviez juste besoin de prendre un peu l'air. C'est pour cela que je vous ai emmené marcher dehors.

Continuant de diriger la conversation, Tomás s'adressa à Ettore.

— Pardonnez-moi, mais quelle est votre fonction ?

— Moi ? s'étonna l'homme, surpris de constater que quelqu'un ne le connaissait pas. Je suis le secrétaire particulier de Sa Sainteté.

— Lorsque vous avez quitté la bibliothèque avec le cardinal pour l'emmener marcher, le pape est resté tout seul ?

— Oui. Sa Sainteté m'a dit de m'occuper de Son Éminence et m'a demandé qu'on ne la dérange pas. Elle souhaitait rester seule afin de lire un rapport de la COSEA. Comme je devais m'occuper de Son Éminence, je suis passé par les appartements de Giuseppe en sortant et je lui ai passé le message.

— Giuseppe ?

Le second inconnu s'éclaircit la voix.

— C'est moi, dit-il. Je suis le majordome de Sa Sainteté.

— Lorsque Ettore est sorti avec le cardinal, c'est vous, Giuseppe, qui êtes resté pour vous occuper du pape ?

— Oui, d'une certaine manière, c'est moi, répondit le majordome. Puisque Sa Sainteté ne voulait pas être dérangée, je suis allé dans l'antichambre située à côté de la bibliothèque et j'ai attendu que le Saint-Père m'appelle s'il avait besoin de moi.

— Vous n'avez vu personne entrer ou sortir ?

— De la bibliothèque ? Non. Personne.

Tomás se gratta le menton et réfléchit un instant.

— Et quand vous êtes-vous aperçu que le pape avait disparu ?

— Eh bien, à l'heure du déjeuner, le garçon de la cantine est arrivé avec son repas. Il m'a remis le plateau, que j'ai déposé à la porte de la bibliothèque, comme j'ai coutume de le faire lorsque Sa Sainteté s'y recueille, en frappant légèrement afin de lui annoncer que son déjeuner était prêt. Puis je me suis assis sur la chaise en lisant le journal pour passer le temps. Au bout d'une demi-heure environ, voyant que le plateau se trouvait toujours au même endroit, j'ai à nouveau frappé à la porte. Comme personne ne répondait, même après avoir insisté, je me suis inquiété et je suis entré, sans attendre l'autorisation de Sa Sainteté. C'est alors que... que...

Sa voix s'étranglait. Incapable de poursuivre son récit, le majordome se tut.

— Que... quoi ?

— Que j'ai trouvé la bibliothèque vide.

— Le pape n'y était plus ?

Giuseppe secoua la tête.

— Il n'y avait personne.

— Vous ne l'avez pas vu sortir ?

— Non.

— Il n'aurait pas pu s'absenter pendant que vous lisiez le journal ? Plongé dans votre lecture, vous auriez pu ne pas vous en apercevoir.

Le majordome hésita et ce fut l'inspecteur Trodela qui finit par répondre.

— Sa Sainteté a été enlevée.

Tomás se gratta la tête ; quelque chose avait certainement dû lui échapper.

— Comment pouvez-vous en être si sûr ?

— Ni Giuseppe ni personne d'autre ne l'a vu quitter la bibliothèque.

— Le pape a très bien pu sortir de la bibliothèque pendant que Giuseppe lisait son journal, répéta-t-il. De plus, comment peut-on conclure, à partir d'une simple disparition, que le pape a été enlevé ? Ne nous précipitons-nous pas un peu ?

— Sa Sainteté n'a pas pour habitude de quitter le Palais apostolique, où elle travaille tous les matins, ni la résidence Sainte-Marthe, où elle vit, sans en informer le majordome, le secrétaire particulier et d'autres personnes de confiance. Cela n'est jamais arrivé.

— Bon, très bien, acquiesça Tomás. Admettons que le pape ait eu un comportement inhabituel. Cela ne prouve pas pour autant qu'il ait été enlevé, n'est-ce pas ? Constater que quelqu'un a momentanément disparu pour en conclure aussitôt qu'il a été enlevé est... comment dirais-je ? pour le moins précipité. Vous ne trouvez pas qu'il faut d'abord mieux vérifier les faits ?

Le visage enflammé, l'inspecteur Trodela se raidit comme si son professionnalisme venait d'être pris en défaut.

— *Cazzo !* Vous m'accusez d'imprudence ?

— En aucune façon. Je constate seulement que la disparition du pape ne prouve pas nécessairement qu'il a été enlevé. Il faut d'autres éléments pour avancer cela.

— Mais nous en avons ! Pour qui me prenez-vous ?

Le Portugais écarquilla les yeux.

— Ne me dites pas que vous avez déjà reçu une demande de rançon ou quelque chose comme ça ?

— Non, mais nous avons la certitude qu'il s'agit effectivement d'un enlèvement pour la simple raison que les ravisseurs se sont identifiés.

— Ah ?

Comme s'il voulait prouver ce qu'il venait de dire, le policier se tourna brusquement vers l'historien et lui fit signe avec impétuosité.

— Allons, venez avec moi !

— Où m'emmenez-vous ?

L'inspecteur Trodela se dirigea vers la sortie puis vers l'escalier, qu'il commença à monter pour rejoindre l'étage des appartements du pape.

— Je vais vous montrer qui a enlevé Sa Sainteté.

XXIX

En arrivant au troisième étage du Palais apostolique, où se situaient traditionnellement les appartements officiels du souverain pontife, Tomás reconnut la porte vers laquelle se dirigeait le responsable de la police judiciaire : celle de la bibliothèque privée du pape, le lieu où il s'était entretenu avec le chef de l'Église le matin même. La police avait posé des rubans en plastique pour en interdire l'accès et deux agents de la gendarmerie montaient la garde. Tout semblait indiquer que la zone était considérée comme une scène de crime, mais l'inspecteur Trodela leur fit signe de le suivre.

— *Per favore*, dit-il. Entrons.

L'historien ainsi que tous ceux qui se trouvaient auparavant dans le bureau du secrétaire d'État pénétrèrent dans la bibliothèque privée. Divisé par des rubans marqués « Police », l'espace était occupé par quatre enquêteurs de la police scientifique en blouses blanches. Tout semblait identique à ce qu'ils avaient vu quelques heures plus tôt, hormis que le pape n'était pas là et que la pièce avait été transformée en scène d'enquête policière. En réalité, tout avait changé.

— Où se trouve la preuve d'un enlèvement ?

Le policier italien sortit plusieurs paires de gants d'un sac plastique et les distribua à ceux qui l'accompagnaient.

— Veuillez les enfiler, ordonna-t-il. N'oubliez pas que dans une scène de crime tout contact laisse des traces. Ne vous déplacez que dans les zones qui ne sont pas interdites par les rubans en plastique, et évitez de déranger les techniciens de la police scientifique. Même avec des gants, ne touchez à rien afin de ne pas contaminer le lieu. Vous avez compris ?

Ils répondirent en chœur.

— Oui.

Lorsqu'ils furent prêts, l'inspecteur Trodela fit traverser à Tomás le périmètre délimité par les rubans de la police jusqu'à la bibliothèque, et il désigna le tableau attribué au Pérugin qui était accroché au mur entre deux étagères de livres.

— La voilà.

Le Portugais s'approcha du tableau et s'immobilisa.

— Nom d'un chien !

Sur la fresque du XVe siècle qui représentait Jésus sortant du tombeau, on avait tracé au pinceau plusieurs caractères arabes.

— Vous savez ce que ça veut dire ?

L'universitaire portugais ferma les yeux, comprenant les implications du message.

— *Allahu akbar !* lut-il. Dieu est grand.

— C'est exactement ce que les cambrioleurs du palais des Congrégations ont inscrit sur le portrait de Sa Sainteté, observa Catherine. Vous avez remarqué ?

Tomás acquiesça.

— Comment ne pas le remarquer ? Celui qui a enlevé le pape est visiblement aussi l'auteur du cambriolage de la semaine dernière, au cours duquel ont été dérobés les documents compromettants pour le Saint-Siège. Les deux affaires sont évidemment liées.

Une expression de défi dans les yeux, l'inspecteur Trodela croisa les bras, attendant des excuses de la part du Portugais.

— Vous doutez encore de l'enlèvement de Sa Sainteté ?

— Avec cette preuve, non, admit l'historien. Ceci est un message. Et un message signé.

— Vous comprenez à présent pourquoi je vous ai dit que les conséquences politiques de l'affaire étaient immenses ?

— Tout à fait.

— Ce sont les prophéties ! intervint à ce moment-là le cardinal Barboni. Vous souvenez-vous, mon fils, de ce que Sa Sainteté vous a dit ce matin même ? Les prophéties de saint Malachie, de Pie X et de Fátima annonçaient une grande catastrophe pour Sa Sainteté et pour toute la chrétienté ! Eh bien l'heure est arrivée ! L'évêque vêtu de blanc, évoqué par Lúcia dans sa vision de 1917, a été immolé sur l'autel de notre malheur ! (Il se signa.) Que la Vierge nous protège des épreuves qui commencent à présent et qu'elle nous guide sur la voie du salut.

— Calmez-vous, Votre Éminence.

Le secrétaire d'État semblait réellement ébranlé par les événements.

— Tout a été prophétisé, dit-il, en tremblant. Les augures s'accomplissent et *Petrus Romanus* n'est plus parmi nous ! N'oubliez pas les prophéties ! (Il désigna les caractères dessinés sur le tableau.) L'État islamique qui a menacé publiquement Sa Sainteté et le Saint-Siège, les islamistes radicaux qui répandent la haine sur toute la terre, ces impies qui provoquent le malheur et la destruction sont la main qui exécute les ordres de Satan. Loué soit le Seigneur, qui nous protégera du mal !

Tomás s'éloigna. Prenant soin de ne pas gêner le travail de la police scientifique, il revint vers le major-dome et le secrétaire particulier du pape, qui se trouvaient près de la porte, visiblement mal à l'aise, presque comme s'ils vénéraient la bibliothèque privée et considéraient que le fait de s'y trouver sans l'autorisation du souverain pontife revenait à profaner le lieu.

— Giuseppe, est-ce ainsi que se trouvait la bibliothèque lorsque vous y êtes entré après le déjeuner ?

Le majordome acquiesça.

— Exactement comme ça, professeur.

— Et vous avez vu les caractères sur le tableau ?

— Pas tout de suite, professeur. Comme j'étais très intrigué, j'ai appelé Ettore, qui entre-temps était revenu de la promenade avec Son Éminence. Je voulais savoir où était allée Sa Sainteté. Ettore se montra très surpris lorsque je lui ai annoncé que la bibliothèque était vide et il m'a accompagné. C'est alors que nous avons vu ces caractères peints sur le tableau et que nous avons compris que quelque chose de grave s'était passé.

— Vous avez remarqué autre chose d'anormal ?

Ettore et Giuseppe secouèrent la tête en même temps.

— Non, professeur. Nous avons aussitôt appelé les gendarmes et, lorsque l'officier a vu les caractères arabes, il en a informé Son Éminence et a immédiatement donné l'alerte. En dix minutes, le Vatican a été évacué et tout le périmètre a été contrôlé.

Tomás se tourna vers l'homme de la police judiciaire et désigna les agents de la police scientifique.

— Les experts ont trouvé quelque chose ?

L'inspecteur posa la question au chef de l'équipe de la police scientifique et technique (PST), un certain Sandro, un homme aux cheveux clairsemés et portant une moustache qui avait l'air d'un commis de bureau en blouse.

— On a déjà trouvé des cheveux ainsi que de nombreuses empreintes digitales, inspecteur, mais je crains qu'il ne s'agisse de traces laissées par Sa Sainteté et par ses invités. On va tout faire porter au laboratoire pour examen ; on pourra toujours analyser l'ADN des cheveux.

— Ah, *benissimo.*

Sandro leur montra un petit sachet plastique scellé avec des fils blancs à l'intérieur.

— Cela étant, nous avons trouvé ces fibres, qui pourraient être en rapport avec l'enlèvement de Sa Sainteté.

— Qu'est-ce que c'est ?

— Ce sont des fils de coton. J'ai déjà effectué une analyse préliminaire et d'après les résultats, ils seraient imbibés d'une solution chimique.

— Une solution chimique ? Laquelle ?

Le chef de l'équipe de la PST hésita, il se demandait s'il devait vraiment dire ce qu'il pensait. L'expérience lui conseillait d'être prudent, car il n'avait pas oublié que son prédécesseur avait eu des problèmes parce qu'il avait formulé trop tôt un diagnostic qui s'était révélé erroné. Non qu'il doutât de la valeur des tests préliminaires qu'il venait d'effectuer ; il y avait de très fortes probabilités qu'ils soient exacts, mais le manque de certitude absolue l'incitait à la prudence.

— Vous savez, inspecteur, je dois d'abord porter les échantillons au laboratoire de la police et achever les analyses en respectant le protocole adéquat. Ce n'est qu'après avoir réalisé tous ces tests que je pourrai dire ce que...

— *Cazzo*, épargnez-moi tout ça ! grogna l'inspecteur Trodela, impatient. Je ne peux pas passer trois jours à attendre les résultats du laboratoire. Je ne sais pas si vous avez saisi, mais nous sommes engagés dans une course contre la montre et si vous savez quelque chose qui peut faire avancer l'enquête, dites-le-moi tout de suite, même s'il faut ensuite la confirmation du laboratoire ! Cessez de tourner autour du pot et dites-moi plutôt quelle solution chimique vous avez trouvée sur ces fils.

Sandro comprit qu'il allait devoir parler. Après avoir regardé une dernière fois les fils de coton conservés dans le sac en plastique scellé, il révéla le résultat des tests préliminaires :

— Du chloroforme.

XXX

Après avoir remercié le chef de l'équipe de la PST, qui retourna à son travail, l'inspecteur Trodela échangea avec Tomás un regard complice, comme si l'information qu'on venait de leur communiquer expliquait tout ; en fin de compte, qui ignorait ce que signifiait l'emploi du chloroforme ?

— Vous avez entendu ?

— Bien sûr, confirma le Portugais, en se grattant pensivement le menton. La présence de chloroforme, si elle se confirme, nous donne des indications sur la méthode utilisée pour l'enlèvement.

— Voilà pourquoi Sa Sainteté n'a pas pu demander de l'aide. Elle était inconsciente.

L'historien examina à nouveau la pièce et il récapitula les données dont il disposait afin de reconstituer la scène. Apparemment, quelqu'un avait attaqué le pape avec du chloroforme. Mais comment le ravisseur était-il entré dans la bibliothèque et comment en était-il sorti sans être vu, qui plus est en transportant le chef de l'Église inconscient ? C'était là le premier mystère à résoudre.

En examinant attentivement la pièce, il vit une autre porte qu'il n'avait pas remarquée jusqu'à présent.

Piqué par la curiosité, il zigzagua entre les rubans de la police et se dirigea vers la porte.

— Qu'est-ce que c'est que ça ?

— Ce sont les toilettes, expliqua l'inspecteur Trodela, qui était resté en arrière.

Tomás ouvrit la porte et découvrit un espace exigu où régnait une vague odeur d'excréments. Il ne put retenir une grimace de dégoût.

— Vous avez déjà analysé cet endroit ?

— Bien sûr.

— Vous avez trouvé d'autres empreintes digitales ? J'imagine que seul le pape utilisait ces toilettes...

L'homme de la police judiciaire leva les yeux au ciel, visiblement agacé de devoir expliquer une évidence à un amateur.

— Nos experts n'en sont pas encore arrivés là, comme vous pouvez le voir, indiqua-t-il. Pour l'instant, ils se concentrent sur le cœur de la scène de crime, la bibliothèque.

Bien qu'elle ne fût pas très forte, l'odeur était désagréable et Tomás ne put s'empêcher de penser que les enquêteurs voulaient sans doute attendre qu'elle s'atténue pour s'attaquer à cet endroit.

Une petite fenêtre se trouvait sur le mur situé derrière la cuvette. Il s'en approcha et vit que, tout comme celles de la bibliothèque privée, elle donnait sur la place Saint-Pierre. Il l'ouvrit pour faire entrer de l'air frais et retourna vers la porte.

De légers craquements sous ses chaussures attirèrent son attention. Il regarda par terre et constata que de la poussière et de petits éclats de pierre étaient répandus sur le sol. Intrigué, il se baissa et examina les éclats.

— Inspecteur ?

— Oui ?

— Pouvez-vous venir ici, s'il vous plaît ?

L'inspecteur Trodela apparut et fit lui aussi une grimace de dégoût.

— Pfff ! souffla-t-il. Encore cette puanteur ?

Du bout des doigts, Tomás saisit un échantillon de poussière et de petits éclats de pierre qu'il montra au policier.

— Vous voyez ça ?

Le policier chaussa ses lunettes pour examiner l'échantillon. L'expression sur son visage montrait clairement qu'il était lui aussi très intrigué. Il se baissa et passa la main sur le sol, recueillant ainsi d'autres échantillons qu'il examina également.

— Sandro ? appela-t-il sans quitter le sol des yeux. Viens voir.

Le chef de l'équipe de la PST regarda par la porte. Trodela lui montra la poussière et les éclats de pierre.

— Que pensez-vous de ça ?

Il suffit à Sandro de jeter un rapide coup d'œil sur l'échantillon pour l'identifier.

— C'est de la poussière de brique, dit-il. On en trouve beaucoup sur les chantiers.

En entendant la réponse, l'homme de la police judiciaire échangea un regard perplexe avec Tomás. Qu'est-ce que ça pouvait bien vouloir dire ? L'historien passa la tête par la porte et examina la pièce à côté.

— Ettore ! appela-t-il. Des travaux ont-ils été effectués récemment dans les toilettes ?

— Des travaux ? s'étonna le secrétaire particulier du pape, qui se tenait toujours timidement près de l'entrée de la bibliothèque privée. Oui, professeur. Sa Sainteté s'est plainte de problèmes avec les canalisations et nous avons effectivement dû appeler quelqu'un.

— Quel genre de problème ?

— Ah, cela je l'ignore.

— Il y a longtemps ?

— La semaine dernière, professeur.

L'historien se gratta la tête, tentant d'établir un lien entre les réponses et ce qu'il voyait.

— Et durant la semaine, aucune âme charitable n'est venue nettoyer les toilettes ?

Le secrétaire particulier jeta un regard surpris au majordome, comme s'il ne comprenait pas où voulait en venir le Portugais.

— Les toilettes de la bibliothèque sont nettoyées deux fois par jour, professeur. Pourquoi cette question ?

Tomás ne répondit pas tant il était concentré ; il se massa à nouveau les tempes. Si cette pièce minuscule était nettoyée deux fois par jour, comment expliquer que les débris laissés par les plombiers la semaine précédente soient encore là ?

Il examina encore le sol et tenta d'identifier où la poussière de brique était la plus concentrée. Il constata que les éclats étaient plus denses autour de la cuvette. Il réfléchit un instant et, sans doute par association d'idées, il se rappela un détail qui le perturbait depuis le début, mais qu'il avait fini par négliger.

— Comme c'est étrange...

L'inspecteur Trodela s'approcha de lui.

— Que se passe-t-il, professeur ?

Tomás se tourna vers le policier, décidé à tirer la chose au clair.

— Il y a quelque chose qui ne colle pas avec cette odeur, observa-t-il. Son Éminence le cardinal l'a déjà évoquée tout à l'heure. Il a même précisé qu'elle avait provoqué son malaise et imprégné ses vêtements. Et lorsque je vous ai appelé, vous aussi avez semblé étonné. Si je me souviens bien, vous avez même dit : «Encore cette puanteur ?» Cet « encore » signifie-t-il que vous étiez déjà entré ici ?

— Absolument. Dès que je suis arrivé sur les lieux, il y a environ une demi-heure, j'ai inspecté la biblio-thèque privée et, bien entendu, j'ai aussi regardé dans les toilettes. Ça sentait déjà très mauvais.

— Vous ne trouvez pas étrange qu'au bout de tant de temps l'odeur ne se soit pas encore dissipée ? En somme, ces toilettes sentent mauvais depuis que le cardinal s'est senti indisposé...

L'inspecteur Trodela se redressa, déconcerté par l'ob-servation, affecté de ne pas l'avoir remarqué plus tôt.

— Oui... c'est vraiment étrange.

Les deux policiers debout près de lui, Tomás exa-mina plus attentivement la cuvette des W.-C. et surtout l'endroit où elle était fixée au sol. Il s'agenouilla pour mieux voir et s'aperçut qu'une fissure contournait la base de la cuvette. Ce qui expliquait la puanteur. En fin de compte, l'odeur d'égout nauséabonde se répan-dait dans l'air simplement parce que le joint autour de la cuvette n'était pas hermétique. Apparemment, les plombiers qui étaient venus la semaine précédente avaient bâclé le travail.

Le plus étonnant restait la présence de ces quelques débris, alors que les toilettes étaient nettoyées deux fois par jour. Les employés de ménage du Saint-Siège étaient-ils si négligents ? À moins que... à moins que...

Il ne pouvait y avoir qu'une explication.

— Ces débris sont récents !

L'inspecteur Trodela crut avoir mal entendu.

— Pardon ?

Tomás saisit la cuvette avec les mains et essaya de la secouer. À leur grande surprise, elle bougea avec une surprenante facilité. Le cœur battant, le Portugais réalisa qu'il avait vu juste et que la cuvette n'était pas scellée.

L'historien se tourna et fit un signe.

— Reculez !

L'inspecteur et l'expert de la PST firent un pas en arrière. Tomás se leva et poussa avec force vers sa gauche. Avec la même facilité, il déplaça la cuvette jusqu'au mur, dégageant ainsi la partie du plancher où se trouvait la fissure.

Il y avait un grand trou de plus d'un mètre de large à l'emplacement de la base de la cuvette. Cet espace aurait dû être occupé par les conduits menant aux égouts, mais les canalisations avaient disparu et, à leur place, il y avait ce qui semblait être un tunnel.

Les trois hommes demeurèrent un long moment bouche bée, immobiles devant le trou. Ils finirent par se regarder et l'inspecteur fut le premier à dire ce qu'ils avaient tous déjà compris :

— *Porca madonna !* C'est par ici qu'ils l'ont emmené !

XXXI

L'odeur était tellement insoutenable que Tomás faisait un énorme effort pour dépasser son dégoût. Il comprit qu'il aurait dû se couvrir le visage avec un mouchoir, mais il était trop tard à présent. Il tenta de se convaincre qu'il finirait par s'y habituer.

— Ça va professeur ?

La question que Trodela lui lança d'en haut obligea l'historien à lever la tête et à contempler le cercle de lumière sur lequel se découpait, en ombre chinoise, le profil de l'inspecteur de la police judiciaire.

— Jusqu'ici ça peut aller, dit-il, évitant d'évoquer la puanteur pour ne pas formuler une évidence. J'espère que la corde tiendra...

— Oh, soyez tranquille, mes hommes savent ce qu'ils font, le rassura l'Italien. Dès que vous serez arrivé en bas, je commencerai à descendre.

La corde le long de laquelle Tomás descendait avait été installée dans les toilettes jouxtant la bibliothèque privée des appartements du pape, au troisième étage du Palais apostolique, et s'enfonçait dans le trou qu'ils avaient découvert. Un carabinier agile était descendu le premier et l'universitaire avait tenu à être le suivant. Logiquement, il aurait dû être parmi les derniers puisqu'il n'appartenait à aucune force de police, mais la confiance que le Vatican plaçait en lui alliée à son esprit volontaire, et aussi, voire surtout, le fait que les policiers n'étaient guère pressés de plonger dans ce cloaque, avaient incité les autres agents à accéder à sa demande sans hésiter. Si le Portugais tenait tant à s'engager dans un trou puant l'excrément, se dirent-ils, il ne fallait surtout pas l'en empêcher.

En glissant le long de la paroi rugueuse, Tomás se fit mal au dos.

— Aïe !

Le cri inquiéta l'inspecteur Trodela, dont la voix résonna immédiatement dans le tunnel.

— *Cazzo*, que s'est-il passé ?

Serrant la corde avec la main gauche, l'historien inspecta sa blessure de la droite ; il y avait eu plus de peur que de mal. Il s'était simplement écorché.

— Non, rien, répondit-il. Les parois de ce maudit puits sont rocailleuses !

Pour éviter de s'y frotter une nouvelle fois, il ralentit le rythme de sa descente. Celle-ci devenait de plus en plus aisée car le tunnel, étroit au début, s'élargissait très rapidement, ce qui avait dû faciliter le travail des ravisseurs.

— Attention, fit soudainement une voix sous lui. Préparez-vous à l'impact.

Presque aussitôt, Tomás sentit ses pieds toucher le sol et il roula pour amortir le choc. Il était arrivé. Encore par terre, il leva les yeux et fut aveuglé par une intense lumière.

— Éloignez ça, s'il vous plaît !

La lueur s'écarta rapidement.

— Excusez-moi professeur, dit l'homme qui avait dirigé la torche vers lui. Je voulais simplement m'assurer que tout allait bien.

C'était le jeune policier qui était descendu le premier. Tomás se leva et secoua ses vêtements.

— Alors ? Vous avez découvert quelque chose ?

— Non, professeur. J'avais ordre de m'assurer que vous étiez en sécurité, je n'ai donc pas eu le temps d'explorer le souterrain. (Il éclaira l'historien avec sa torche.) Ça va, professeur ?

Tomás respira ses vêtements ; ils étaient imprégnés de cette affreuse odeur.

— Ne vous en faites pas pour moi.

Sans perdre davantage de temps, le carabinier retourna vers la corde par laquelle ils étaient descendus, il mit ses mains en porte-voix et cria :

— Inspecteur, vous pouvez descendre !

Comprenant que le carabinier allait s'occuper de réceptionner les autres membres de la police judiciaire, l'historien décida de commencer l'exploration du souterrain où ils avaient abouti. Il savait qu'il ne pouvait toucher à rien, car il s'agissait encore d'une scène de crime réservée aux spécialistes de la PST, à ne pas contaminer, mais rien ne l'empêchait de jeter un œil pour voir s'il découvrait quelque chose. Il alluma une petite torche et se tourna vers le carabinier.

— Je vais un peu explorer ce trou.

Le policier lui jeta un regard inquiet.

— Ne vaut-il pas mieux attendre les autres, professeur ?

Tomás lui fit un signe de la main.

— Je reviens tout de suite.

— Soyez prudent.

Ignorant l'avertissement, il éclaira les parois du souterrain autour de lui. À sa grande surprise, leur surface était lisse : de toute évidence, le passage n'avait pas été creusé par les ravisseurs, mais il existait déjà. Les ravisseurs du pape avaient tout simplement exploité une structure construite par d'autres.

Il approcha sa main de la paroi pour en sentir la texture : c'était du ciment. Il savait que le ciment était déjà utilisé dans la Rome antique, mais celui qui recouvrait ces parois lui sembla plus récent. Il devait sans doute s'agir du réseau de tunnels creusés pendant la Seconde Guerre mondiale pour permettre la fuite éventuelle du pape et celle des juifs que le Vatican avait recueillis.

Il dirigea la lumière sur les côtés, cherchant une sortie. Comme on pouvait s'y attendre, il y avait effectivement un passage.

— Hum, murmura-t-il. C'est donc par ici qu'ils sont partis...

Il s'engagea dans un tunnel semblable à celui qu'il avait vu le matin même dans la cave du palais des Congrégations. Tout semblait indiquer que le lieu n'avait pas été utilisé depuis fort longtemps, ou alors très occasionnellement. L'air était chaud et même un peu lourd. S'il demeurait là trop longtemps, pensa Tomás, il finirait par avoir mal à la tête. La lueur de la torche tremblait devant lui. Au bout d'une centaine de mètres, il se retrouva face à une structure métallique grillagée.

Un portail.

C'était certainement la clôture dont Catherine lui avait parlé lorsqu'elle lui avait montré les couloirs souterrains du Vatican. Elle affirmait que le passage vers le Palais apostolique avait été fermé, et il en avait la preuve. Mais il pouvait aussi constater que cela n'avait pas arrêté les ravisseurs.

Il s'immobilisa devant le portail et, s'efforçant de ne pas le toucher, il l'examina attentivement. À sa grande surprise, il ne vit ni trous ni traces de fracture, alors qu'il s'attendait à déceler des brèches ou des ouvertures par lesquelles le commando aurait pu passer. Il s'approcha de la serrure et l'éclaira. Le mécanisme semblait intact lui aussi. De plus en plus perplexe, il se mit à penser à voix haute.

— Comment diable ces types ont-ils pu passer par ici ?

Il chercha de chaque côté du portail mais ne trouva rien. Il n'y avait aucun passage possible. La question dépassait sa capacité de compréhension, il allait devoir la laisser aux techniciens de la police judiciaire et aux experts médico-légaux.

Frustré, il rebroussa chemin et refit le parcours en sens inverse. Il marchait, plongé dans ses pensées, ne trouvant aucune solution mais sachant pertinemment qu'il y en avait forcément une. Son intuition lui disait que la façon dont les ravisseurs avaient mené à bien leur enlèvement pouvait lui révéler beaucoup de choses. Cela le conduirait peut-être jusqu'au pape lui-même, qui sait ? Quelque chose lui échappait, mais quoi ?

Il fallait remettre en perspective tout ce qu'il avait appris, tant ce matin au palais des Congrégations que cet après-midi au Palais apostolique. La solution se trouvait quelque part parmi toutes ces informations.

Une lueur au fond du tunnel, venue de la zone où se trouvait le carabinier, l'arracha à ses pensées.

— *Cazzo di merda !* jura une voix familière que le tunnel rendait caverneuse. Professeur ? C'est vous ?

C'était l'inspecteur Trodela, qui était déjà descendu et qui le cherchait.

— Oui, c'est moi.

— Vous avez découvert quelque chose ?

D'un geste, Tomás indiqua le tunnel où ils se trouvaient.

— Apparemment, nous sommes dans les passages souterrains construits durant la guerre pour échapper aux nazis. Les ravisseurs les ont utilisés pour entrer et sortir sans être vus.

— *Che cazzo !* pesta l'enquêteur de la police judiciaire. Ces types sont forts ! Avoir utilisé ce réseau est un coup de maître ! Mais par où ces *brutti figli di puttana bastardi* se sont-ils échappés ?

— Ma foi, je n'en sais rien. Le passage est barré par un portail qui semble intact.

— Ils ont dû forcer la serrure...

— C'est bien ce que je pense, mais il n'y a aucune trace d'effraction. L'analyse des experts nous en dira sans doute plus.

Guidés par la lumière de leurs torches, les deux hommes se retrouvèrent au milieu du chemin. L'inspecteur semblait encore plus déguenillé dans ce tunnel ; non seulement sa gabardine était toute froissée et plus sale encore qu'avant, mais en plus elle empestait.

— Je vais demander à mes techniciens de vérifier le mécanisme, dit-il, indifférent à son allure et à son odeur. Nous verrons si la serrure a été forcée ou non.

250

— Oui, il faudrait le vérifier.

L'inspecteur Trodela dirigea sa lampe vers les murs puis vers l'endroit d'où venait l'historien.

— Le problème c'est que ces tunnels conduisent à divers endroits dans Rome. Comme ces *figli di troia* sont passés par ici et que l'enlèvement a eu lieu il y a plusieurs heures déjà, Sa Sainteté est sûrement loin à présent, probablement hors de la ville.

— Ça ne fait pas de doute, acquiesça Tomás. Vous avez fait vérifier l'entreprise qui est venue réparer les canalisations des toilettes ?

— Mes hommes s'en occupent et nous aurons bientôt une réponse. (Il secoua la tête.) *Nessuno mi unfungulo*, grommela-t-il, signifiant dans son langage peu châtié qu'on ne le bernait pas, lui. Mon flair me dit que nous sommes sur la bonne voie.

— Et le mien, que ça sent mauvais.

Tomás fit demi-tour, plantant là l'inspecteur Trodela, qui ne savait s'il devait le suivre ou s'il valait mieux vérifier d'abord le portail qui barrait le passage du tunnel.

— Où allez-vous ?

Le Portugais était à nouveau plongé dans ses pensées, envisageant l'un après l'autre chacun des scénarios qui se construisaient dans sa tête. Il était absolument convaincu que les deux opérations, celle du palais des Congrégations la semaine précédente et celle du Palais apostolique une heure plus tôt, étaient intimement liées. Le commando islamique qui avait mené la première était évidemment responsable de la seconde, et toutes deux obéissaient très probablement aux mêmes motivations.

Il se rappela une fois de plus les paroles du pape qui, à ce moment-là, lui parurent de mauvais augure. « Rien ni personne n'est ce qu'il paraît être. » Jusqu'à quel point était-ce vrai dans cette affaire ?

— Professeur ! insista Trodela, exaspéré. Où allez-vous ?

En pleine cogitation, Tomás entendit une espèce d'écho lointain, comme si les paroles du policier lui étaient parvenues avec un temps de retard. Prenant enfin conscience qu'il avait été interpellé, il s'arrêta et se retourna.

— Je vais prendre un bain, répondit-il. J'empeste les égouts. Et vous devriez en faire autant, vous n'êtes pas très présentable.

L'inspecteur de la police judiciaire éclata de rire.

— C'est ce que ma femme me dit tous les jours.

Le Portugais avait l'intention de reprendre le chemin du retour, mais il hésita. Dans son cerveau en ébullition, les idées grouillaient ; il se sentait comme un joueur devant une infinité de pièces d'un puzzle, qui tentait d'en avoir une vision d'ensemble afin de les emboîter dans le gigantesque tableau final. Il se gratta le menton, envisageant une possibilité qui venait de lui apparaître. Et si... ?

Il jeta à l'inspecteur Trodela un regard décidé avant de faire demi-tour et de sortir.

— Et ensuite, réunion dans le bureau du cardinal.

XXXII

Après que le majordome du pape lui eut servi son thé, Tomás prit la tasse chaude et, pour ne pas se brûler, se contenta d'y tremper timidement les lèvres. Il se sentait bien mieux depuis qu'il avait pris un bain revigorant et qu'il s'était débarrassé de cette puanteur qui imprégnait ses vêtements.

Il se redressa et examina avec attention les individus qui s'installaient dans le bureau du secrétaire d'État. Les membres de ce groupe si hétérogène s'asseyaient là où ils trouvaient des places, l'énorme cardinal Barboni sur son fauteuil derrière le bureau, la ravissante Catherine à droite de l'historien, l'inspecteur Trodela à sa gauche en compagnie de Sandro, le chef de l'équipe des experts médico-légaux, tandis qu'Ettore s'installait un peu plus à l'écart et que Giuseppe restait debout, tenant un plateau, au cas où quelqu'un voudrait encore du thé. Les uns toussaient, les autres s'éclaircissaient la voix, tous étaient visiblement préoccupés par la tournure que prenaient les événements. Si l'on ne retrouvait pas rapidement le chef de l'Église, on allait à la catastrophe.

Voyant que tout était enfin prêt, l'universitaire portugais s'éclaircit la voix pour signaler que la réunion commençait ; l'ayant provoquée, il lui revenait de l'animer.

— Notre enquête progresse, mais peut-être pas aussi vite qu'il le faudrait, commença-t-il par dire. Je pense que le moment est venu de rassembler les dernières informations et de faire le point sur la situation.

Le secrétaire d'État acquiesça.

— Je suis d'accord.

— Comme vous le savez, on a découvert un tunnel qui se trouvait sous la base des toilettes attenantes à la bibliothèque privée du pape. (Il se tourna vers le responsable de la police judiciaire.) Inspecteur, pouvez-vous nous dire qui s'est occupé des réparations dans ces toilettes, la semaine dernière ?

L'inspecteur Trodela consulta son bloc-notes.

— L'entreprise de plomberie engagée par le Saint-Siège est la société Gianni & Ambrosino, répondit-il lentement, pesant ses mots afin d'éviter qu'aucune obscénité ne lui échappe devant le cardinal. Mes hommes ont interrogé le patron et ils viennent de me communiquer ce qu'ils ont appris. Mardi dernier, dans la matinée, l'entreprise aurait été contactée par les services techniques du Saint-Siège pour effectuer des réparations dans les toilettes. Il a été convenu qu'ils enverraient des plombiers dès le lendemain au Palais apostolique, en profitant de l'absence de Sa Sainteté.

Tomás s'inclina sur son siège.

— Où le pape devait-il aller ?

— À Castel Gandolfo.

— Et les plombiers qui sont venus, qui étaient-ils ? demanda l'historien. On connaît leur identité ?

Le policier italien leva la main pour l'arrêter.

— Du calme, professeur. Il se trouve que dans l'après-midi du mardi en question, la société Gianni & Ambrosino a reçu un nouveau coup de fil du Saint-Siège, pour annuler la réparation.

L'information troubla le cardinal Barboni.

— Annuler la réparation ? s'étonna-t-il. Mais qui leur a téléphoné ?

— Quelqu'un qui s'est présenté comme un représentant du Gouvernorat.

— Oui, mais comment s'appelle cette personne ?

L'inspecteur Trodela ferma son bloc-notes. Il n'avait aucun nom à fournir.

— Nous interrogeons actuellement les services du Gouvernorat afin d'identifier l'auteur du coup de fil, Votre Éminence. Je crains cependant que nous n'arrivions pas à le trouver, le coup de fil en question étant très probablement un coup monté.

— Que voulez-vous dire par là ?

— Eh bien, de toute évidence un intrus s'est fait passer pour quelqu'un du Saint-Siège pour annuler l'intervention des techniciens de Gianni & Ambrosino, Votre Éminence.

Le secrétaire d'État secoua la tête avec incrédulité.

— *Dio mio*, dans quel monde vivons-nous ! déclara-t-il, en se penchant en avant, l'air découragé. On dirait que le diable a été libéré !

Tomás garda les yeux fixés sur le responsable de la police judiciaire.

— Et le portail qui ferme le passage souterrain vers

le Palais apostolique, voulut-il savoir. Vos techniciens l'ont examiné en détail ?

Sandro, le chef de l'équipe de la PST, répondit à la question.

— Nous avons tout examiné, confirma-t-il. Il n'y a pas d'empreintes digitales sur la grille du portail, ni de cheveux ou de fibres de tissu par terre. En outre, la structure du portail ne présente aucune faiblesse par où les suspects auraient pu passer.

— Et la serrure ?

— Elle est intacte. Nous avons ouvert le mécanisme et vérifié à l'intérieur. Rien n'a été forcé.

— Vous en êtes sûrs ?

— Absolument.

Le silence se fit brièvement dans le bureau, le temps d'assimiler l'information que les deux hommes de la police judiciaire venaient de livrer. Tous se rendaient compte que le coup avait été méticuleusement préparé et ils en vinrent presque à admirer l'habileté des ravisseurs. Y avait-il encore le moindre espoir de retrouver le pape ?

Tomás s'éclaircit la voix avant de reprendre la parole.

— Faisons le point sur la situation. En l'état actuel des choses, que savons-nous sur l'enlèvement du pape ? Nous supposons qu'une organisation extrémiste islamique est impliquée dans cette affaire. Compte tenu de ce que vient de nous dire l'inspecteur, nous savons que cette organisation a appris qu'une entreprise de plomberie avait été appelée pour faire des travaux dans les toilettes attenantes à la bibliothèque privée des appartements du pape. Elle a immédiatement agi et a réussi à faire passer de faux techniciens pour pouvoir entrer ici.

— Puis ils sont passés à l'action.

— Disons que ce fut le premier acte, corrigea Tomás. Le deuxième commence aussitôt après. En même temps qu'ils pénétraient dans le palais des Congrégations pour voler des documents compromettants pour le Saint-Siège, les terroristes sont entrés dans le Palais apostolique afin de préparer l'enlèvement. En se faisant passer pour des techniciens de Gianni & Ambrosino, ils ont discrètement creusé un tunnel sous la cuvette des W.-C., et ont ainsi préparé le troisième acte.

— C'est-à-dire l'enlèvement.

— Précisément. Aujourd'hui, un commando de cette organisation est entré dans le réseau de passages souterrains du Vatican, a emprunté le tunnel du Palais apostolique et est monté jusqu'au troisième étage, où il est resté en embuscade en attendant que le pape apparaisse.

— Sauf que ce n'est pas Sa Sainteté qui est apparue, observa le cardinal Barboni. C'est moi.

— Exactement. L'apparition de Votre Éminence a été le grain de sable qui n'était pas prévu dans l'opération. Pensant que la personne qui était entrée dans les toilettes était le pape, le commando a libéré un gaz soporifique par les fissures situées sous la cuvette.

Le secrétaire d'État tapa de la paume de la main sur le bureau.

— Je comprends ! s'exclama-t-il. C'est ça qui a provoqué mon malaise !

Tomás sourit.

— Vous voyez, tout concorde.

Le cardinal Barboni regarda le Portugais avec une expression émerveillée, comme s'il était Jésus-Christ en personne.

— *Madonna !* Sa Sainteté avait raison ! Le professeur Noronha est un génie ! Un génie !

L'historien afficha un sourire embarrassé.

— Eh bien... n'exagérons pas, dit-il, se hâtant de poursuivre. Convaincus que le pape était à leur merci, les terroristes ont attendu qu'il revienne à la bibliothèque privée, déjà étourdi par les effets du gaz, puis ils ont écarté la cuvette, répandant par inadvertance de petits éclats de brique sur le plancher. Ils sont alors sortis de leur trou et ont regardé dans la bibliothèque par la porte entrebâillée. C'est à ce moment-là qu'ils se sont aperçus de leur erreur. Mais ça ne les a pas perturbés. Au lieu de fuir, ils ont attendu et malheureusement, les événements leur ont été favorables. Encore indisposé par le gaz qu'il avait inhalé peu auparavant, le cardinal s'est senti mal, le pape a alors appelé son secrétaire particulier pour qu'il s'occupe de lui, et Son Éminence a été emmenée hors de la bibliothèque privée, le pape restant seul.

— C'était l'occasion inespérée ! constata l'inspecteur Trodela. Et ils en ont profité !

— Parfaitement. Voyant que le pape était seul, ils se sont jetés sur lui pour l'endormir avec du chloroforme. Puis ils l'ont traîné dans les toilettes, l'ont fait passer par le trou, qu'ils ont refermé derrière eux, et sont descendus jusqu'au réseau souterrain par où ils sont sortis du Vatican. Ainsi s'est achevé le troisième acte de la tragédie que nous vivons actuellement.

Le groupe était impressionné par la rapidité avec laquelle Tomás avait reconstitué le fil des événements.

— Simple et efficace, observa l'inspecteur Trodela, en clignant des yeux comme s'il sortait d'un rêve.

Tout a été préparé au millimètre près. *Ah, porca troia !* Ils sont diaboliques !

— Sans aucun doute, acquiesça l'historien. Reste quand même un détail, une petite chose presque insignifiante, qui me perturbe.

Les regards se fixèrent à nouveau sur Tomás.

— Quoi donc ?

— Le portail du passage souterrain qui ferme l'accès au Palais apostolique. (Il fit un geste de la main en désignant Sandro.) Le responsable de l'équipe de la PST nous a dit tout à l'heure qu'il n'y avait aucun signe montrant qu'il avait été forcé.

— Et alors ?

— Alors, ça pose problème.

— Problème ? Pourquoi ?

— Parce qu'un élément essentiel ne colle pas dans toute cette histoire, expliqua-t-il. Comment les terroristes sont-ils passés par ce portail, aussi bien pour entrer que pour sortir du Palais apostolique ? D'ailleurs, si on y réfléchit bien, le problème se pose aussi si on veut comprendre la manière dont, la semaine dernière, ils sont entrés dans le palais des Congrégations. Tant que ce mystère n'aura pas été résolu, la reconstitution que je viens de faire ne collera pas. Il faut trouver cette pièce manquante pour compléter le puzzle.

— Il y a certainement une explication à tout cela, avança le cardinal Barboni. Les hommes ont peut-être utilisé une technique particulière, avec du fil de fer, par exemple. J'ai déjà vu ça dans des films américains. Ils introduisent un fil de fer par le trou de la serrure, le remuent un peu et d'un petit geste... hop, le tour est joué !

Tomás se tourna vers Sandro.

— Est-ce possible ?

Le chef de l'équipe scientifique fit une moue.

— Bien sûr, mais cela aurait laissé des traces. Comme je vous le disait, nous avons ouvert la serrure pour examiner le mécanisme de l'intérieur et tout était intact. Il n'y a pas le moindre signe d'effraction.

— Vous pensez que l'on peut forcer une serrure sans laisser de traces ?

Nouvelle moue sceptique.

— En théorie oui, mais en pratique non. S'ils l'avaient fait, vous pouvez être sûrs que nous l'aurions remarqué.

Les membres du groupe se dévisagèrent, cherchant une explication plausible aux problèmes soulevés par Tomás. Comment cette petite difficulté pouvait-elle se révéler aussi complexe ?

— Si j'ai bien compris, dit le cardinal Barboni, résumant ce qu'il venait d'entendre, soit nous arrivons à régler le problème du portail et les faits s'emboîtent les uns dans les autres, soit nous n'y parvenons pas et il est impossible de reconstituer les événements.

Tomás acquiesça.

— C'est exactement ça.

Désireux de s'accrocher à une solution qui semblait lui glisser entre les doigts, le secrétaire d'État regarda vers la fenêtre du bureau et réfléchit au problème. Quoi qu'il advienne, il refusait de s'avouer vaincu.

— Il doit y avoir une explication à la question du portail, murmura-t-il, comme s'il se parlait à lui-même. Il doit y en avoir une.

— Bien sûr qu'il y en a une.

— Ah oui, laquelle ?

Le visage de Tomás se ferma, comme s'il gardait jalousement un secret.

— Disons que j'ai des soupçons...

Plus que ses paroles, ce fut la manière dont il les prononça qui portait à croire que le Portugais en savait bien plus que ce qu'il voulait dire. Ce fut le cardinal Barboni qui exprima la curiosité générale.

— Et ces soupçons, mon fils, à quoi vous ont-ils conduit exactement ?

L'historien secoua la tête.

— Oh je crains qu'il ne soit trop tôt pour en parler, Votre Éminence, répondit-il en esquivant la question. Vous savez, dans cette histoire il reste encore certains éléments qui ne collent pas parfaitement. Je pense que je dois d'abord rassembler davantage d'informations, trouver des réponses à deux ou trois questions que je me pose. Lorsque j'y serai arrivé, croyez-moi, le puzzle sera en ordre.

Pour l'inspecteur Trodela, ces mots étaient un camouflet. Si lui-même n'entrevoyait pas encore la moitié des pièces du puzzle, comment un amateur comme Tomás pouvait-il affirmer qu'il était sur le point de le terminer ?

— Vous voulez dire, professeur, que si vous trouvez ces réponses vous saurez où se trouve Sa Sainteté ?

— Je veux dire que j'en saurai plus que ça. Beaucoup plus.

— Beaucoup plus que ça ? s'étonna le policier italien, que la confiance presque provocante de Tomás laissait perplexe. Mais en fin de compte, qu'y a-t-il de plus à savoir ?

— Qui a laissé entrer les ravisseurs.

— Pardon ?

— Les serrures du portail souterrain et de la porte du palais des Congrégations sont intactes, alors même que les agresseurs sont passés par là. Comment est-ce possible ? Il n'y a qu'une explication.

— Laquelle ?

L'historien fixa l'inspecteur Trodela, étonné que l'homme de la police judiciaire n'ait pas encore compris où il voulait en venir.

— Quelqu'un leur a donné la clé.

Tous dans le bureau entrouvrirent la bouche de stupeur. Le sous-entendu était on ne peut plus clair.

— Quoi ? s'étonna le policier italien. Qu'êtes-vous en train d'insinuer, professeur ?

Tomás se leva brusquement, mettant un terme à la réunion. Il fit un signe de la main pour saluer le groupe et se dirigea vers la porte mais, avant de la franchir, il s'arrêta et posa un regard insolent sur le responsable de la police judiciaire ; on aurait dit qu'il le défiait, comme un joueur de poker qui inciterait son adversaire à surenchérir ou à abandonner.

— Il y a un Judas au Saint-Siège.

XXXIII

Lorsqu'il eut fini de manger les spaghettis *allo scoglio* dans la trattoria où il s'était réfugié pour un déjeuner tardif, Tomás se demanda ce qui allait arriver. La police parviendrait-elle à localiser le pape et à le délivrer avant que le public n'apprenne ce qui se passait ? Vu la manière dont l'enlèvement avait été planifié, l'universitaire avait beaucoup de doutes. Selon lui, il était impossible de résoudre une affaire comme celle-là en quelques heures. D'ailleurs, on ne pouvait écarter le risque qu'elle ne soit jamais résolue, hormis par la mort du souverain pontife.

Après avoir réglé l'addition, Tomás se dirigea à nouveau vers le Vatican. Il traversa le fleuve et la via della Conciliazione plongé dans ses pensées et, grâce au laissez-passer que l'inspecteur Trodela lui avait remis lorsqu'ils s'étaient quittés, il franchit sans problème les points de contrôle et de sécurité successifs installés par les carabiniers et les gendarmes sur la place Saint-Pierre.

Une fois à l'intérieur des murailles léonines, il hésita. Que faire maintenant ? En principe, il devrait s'attacher avant tout à régler le mystère du cambriolage de la semaine passée au palais des Congrégations. C'était la mission que le pape lui avait personnellement confiée, mais l'évolution des événements modifiait la liste de ses priorités.

Il se sentit un peu frustré de ne pas s'atteler à la tâche pour laquelle le Vatican l'avait initialement engagé. En fin de compte, il était historien, pas détective, et ce qu'il aimait par-dessus tout, c'étaient les manuscrits anciens et les vieilles pierres. Pourquoi diable le poussait-on toujours à mener des enquêtes ? Il eut envie de se promener à l'intérieur de la basilique Saint-Pierre, pensant que cela lui ferait du bien. Et puis, changer de décor lui donnait souvent de nouvelles idées.

Il longea les colonnades, passa sous l'horloge et entra par la grande porte du Bien et du Mal. La basilique était déserte, le Vatican ayant été évacué, et, dans l'important dispositif policier, personne n'avait jugé nécessaire de contrôler l'intérieur du sanctuaire. Dans la première chapelle de l'aile nord, il contempla la *Pietà*, magnifique statue de Michel-Ange en marbre blanc de Carrare qui représentait Marie désespérée tenant le cadavre de Jésus dans ses bras. Quelle œuvre d'art extraordinaire ! Puis il admira les représentations qui garnissaient les murs du grand sanctuaire, étonné de constater qu'aucun des tableaux n'était peint ; ils étaient tous en mosaïque.

Entendant du bruit dans son dos, il se retourna.

— Il y a quelqu'un ?

Personne ne répondit. Dans la basilique déserte,

le silence était absolu. Cependant, il aurait juré avoir entendu un bruit. Il revint à la nef centrale, regarda de tous les côtés sans voir personne. Aurait-il rêvé ? Étaient-ce des rats ? Qui avait bien pu faire ce bruit ? Un prélat ? Un gendarme ? Sans trop savoir quoi penser, il traversa la nef en direction du chœur de la grande basilique, toujours attentif au moindre bruit, mais tout ce qu'il entendait, c'étaient ses propres pas qui résonnaient sur le marbre poli.

Il s'immobilisa devant le baldaquin du Bernin, majestueuse structure en bronze noir et doré dont les colonnes torses, ornées de cannelures en spirale, s'élèvent au-dessus de l'autel papal, et il se sentit écrasé tant l'ensemble était imposant et chargé d'histoire. Le trophée de Gaius, où Pierre avait été enterré et autour duquel il travaillait encore le matin même, se trouvait quelques mètres sous ce maître-autel.

Une étrange sensation le démangeait dans la nuque. On l'observait. Il se tourna et scruta les nombreuses ouvertures qu'on devinait derrière les parois richement ornées de la nef centrale. Rien. Cependant, les petites chapelles faisaient de parfaites cachettes, et il supposait que quelqu'un se terrait dans l'ombre.

— Qui est là ?

Une fois de plus, personne ne répondit. La sensation qu'on l'observait était pourtant plus forte que jamais. Il secoua la tête, s'efforçant de se défaire de cette impression. Le drame qui se déroulait au Vatican depuis l'enlèvement du pape avait tendance à le rendre paranoïaque, conclut-il. Il voyait des menaces partout et il devait contrôler son imagination s'il voulait rester clairvoyant.

— Sois raisonnable, Tomás, murmura-t-il. Sois raisonnable...

Pour se changer les idées, il posa les yeux sur la fosse en demi-cercle qui s'ouvrait devant le baldaquin. Un panneau de danger, un autre d'interdiction et plusieurs bandes rouges barraient la descente qui conduisait à la Confession de saint Pierre, la petite chapelle située juste au-dessus du trophée de Gaius. C'étaient sans aucun doute les ingénieurs du Vatican qui en avaient interdit l'accès, craignant que les passages dans la zone des fondations fragilisent l'ensemble de la structure de la basilique.

L'historien respira profondément. Il était toujours frustré. Ce qu'il désirait le plus, c'était que la crise déclenchée par l'enlèvement du pape soit réglée rapidement, et que les ingénieurs lèvent l'interdiction le plus vite possible. Il pourrait ainsi retourner à la tâche pour laquelle il avait été réellement engagé et à laquelle il avait envie de se consacrer : faire l'inventaire des catacombes. En outre, il fallait vérifier en laboratoire que les ossements étaient bien ceux de saint Pierre. Si les tests le confirmaient, cette découverte ferait de lui un historien immensément célèbre.

La sensation qu'on l'observait n'avait pas disparu, mais il se répéta qu'il ne pouvait se laisser emporter par son imagination et il s'efforça de se contrôler. Il fit demi-tour ; il devait retourner à son travail. Il emprunta l'aile sud tout en se demandant quelle serait la prochaine étape de l'enquête ; le mieux serait sans doute...

Il entendit un bruit sourd et répété derrière lui et se retourna.

— Qui est...

Il n'eut que le temps d'entrevoir les deux silhouettes menaçantes qui émergèrent soudainement d'une chapelle sombre et qui, furtives et silencieuses, lui tombèrent dessus comme des félins affamés.

XXXIV

Tomás s'effondra ; il roula sur le sol froid, les corps de ses agresseurs accrochés au sien en une étreinte féroce. Il tenta de se libérer, mais les attaquants l'entouraient comme des araignées, paralysant ses mouvements avec leurs bras et leurs jambes.

— *Askat, kafir !*

L'homme qui avait parlé en arabe lui avait ordonné de ne pas bouger et l'avait appelé *kafir*, c'est-à-dire « infidèle ».

— Stop ! répondit Tomás en anglais. Arrêtez !

Ils n'arrêtèrent pas. Le Portugais se contorsionna pour essayer de bouger mais les assaillants, adversaires habiles rompus au corps à corps, l'en empêchaient. Il envisagea de leur parler en arabe, mais il se ravisa ; il doutait de pouvoir les convaincre, et moins ils en sauraient sur lui, notamment qu'il parlait leur langue, mieux ça vaudrait.

— *Ibn Taymiyyah, al-klurufurm !*

Tomás écarquilla les yeux, comprenant ce que les attaquants prévoyaient de faire. Ils allaient le neutraliser avec du chloroforme, tout comme ils l'avaient fait avec le pape. Il se débattit avec une vigueur redoublée, profitant de ce que celui qui s'appelait Ibn Taymiyyah, sans doute un nom de guerre inspiré du célèbre théologien radical islamique du Moyen Âge, s'était momentanément éloigné pour aller chercher le chloroforme. Alors qu'il était sur le point de se débarrasser de l'homme qui le maintenait, le second agresseur l'agrippa à nouveau et tout espoir disparut.

Tomá sentit une vague odeur chimique entrer par ses narines et il comprit qu'il ne lui restait plus que quelques secondes. Il remplit ses poumons d'air juste avant qu'un morceau de coton imbibé soit plaqué sur son nez et sa bouche. Il se débattit encore un peu – mais sans trop en faire afin de ne pas gaspiller son énergie et s'essouffler – puis devint de plus en plus faible, jusqu'à s'immobiliser complètement, comme évanoui. Les agresseurs gardèrent le morceau de coton contre son visage pendant encore une vingtaine de secondes. Alors que Tomás commençait à s'asphyxier et s'apprêtait à inspirer la bouffée d'air dont il avait besoin, la pression se relâcha.

— *Hu yanam*, murmura l'un d'eux, sûr de lui. Il dort.

Tomás eut du mal à ne pas inhaler avec avidité dès qu'il en eut la possibilité. L'air lui manquait et ses poumons lui brûlaient le thorax, mais il parvint à se dominer et à simuler une respiration normale, comme s'il dormait vraiment. Malgré son cœur qui cognait avec violence, il arriva à contrôler le mouvement de sa poitrine. Il y eut ensuite un court silence pendant lequel il lui sembla que les hommes l'observaient pour s'assurer qu'ils l'avaient effectivement neutralisé.

Enfin, l'un des deux attaquants se leva.

— *Yallah, yallah !* dit-il à son compagnon. Allons-y !

Tomás sentit ses assaillants l'attrapper, l'un par les pieds, l'autre par les épaules, pour le déplacer. Il comprit qu'ils le transportaient sur un brancard. Il aurait aimé ouvrir les yeux pour voir où ils l'emmenaient, mais il n'osa pas ; il était essentiel qu'ils le croient endormi, sinon ils lui infligeraient une nouvelle dose de chloroforme, et cette fois s'en serait fait de lui.

— *Illa alyasar !* ordonna celui qui tenait le brancard à l'arrière. À gauche !

L'historien se laissa emporter, se demandant ce qu'il pouvait faire. Il devait être patient et attendre qu'une occasion se présente. S'ils ne l'avaient pas tué, c'est qu'ils attendaient quelque chose de lui. Cela le rassura un peu. Que lui voulaient-ils ? Des informations, sans aucun doute. Et pour les obtenir, se dit-il, ils n'hésiteraient pas à recourir à des méthodes violentes. Au besoin, ils seraient capables de l'amputer des doigts de la main, ou de le couper en morceaux pour l'obliger à parler. Il devait absolument rester tranquille, feindre l'évanouissement et attendre l'occasion propice.

Il sentit alors l'air frais et le soleil sur son visage et comprit qu'ils étaient sortis de la basilique. Ils s'arrêtèrent, probablement pour vérifier que la voie était libre.

— *Yallah, yallah !*

Ils recommencèrent à marcher. Comment des extrémistes islamiques pouvaient-ils le transporter inanimé, à l'air libre, au Vatican, sans que personne les interpelle, alors que tant de carabiniers et de gendarmes étaient en état d'alerte maximale ? Tout cela lui semblait irréel. Incapable de retenir sa curiosité, il entrouvrit les yeux.

Il aperçut le dos d'un infirmier devant lui. C'était donc ça leur plan : deux infirmiers transportant un patient. Simple et efficace.

Tomás vit qu'ils s'approchaient d'un petit bâtiment jaune surmonté d'une croix : l'église Saint-Étienne-des-Abyssins, un sanctuaire minuscule, érigé initialement au Ve siècle derrière la basilique, et qui était affecté à l'Église catholique éthiopienne. Le lieu idéal pour quelqu'un qui recherchait la discrétion.

Étrangement, deux ambulances étaient garées devant l'église et un drapeau blanc avec une croix rouge était fixé sur la porte. L'opération montée par les djihadistes lui sembla particulièrement sophistiquée. Ils avaient réussi à mettre sur pied une antenne médicale à l'intérieur du Vatican ! Comment était-ce possible ? Qui les avait autorisés à entrer ?

L'homme qui marchait devant se retourna et Tomás ferma aussitôt les yeux.

Il sentit que le brancard était secoué et comprit qu'ils entraient dans un espace clos ; il supposa qu'ils étaient dans l'église. Les hommes le posèrent par terre et l'un d'eux donna un ordre à son compagnon.

— *Mukabbil alyadin yadayh.*

« Les mains ? » se demanda Tomás, qui avait perçu une partie de la phrase et sentait la peur monter en lui. Que voulaient-ils faire à ses mains ? Il sentit qu'on lui levait les bras et reconnut le tintement du métal. Quelque chose de dur et de froid lui entourait les poignets ; il entendit un clic et comprit qu'on l'avait menotté, les mains devant.

— *Wahu mukbil alyadin*, dit l'un d'eux. Voilà, il est menotté.

Puis ils le couvrirent d'un tissu léger, probablement un drap. Il était ainsi un parfait patient. Il distingua alors des sons qui s'éloignaient et quelqu'un prononça quelques mots à voix basse. Ils allaient probablement attendre qu'il se réveille pour l'interroger. Quelqu'un composa un numéro sur un téléphone portable et, après une pause, la voix de l'un des attaquants se fit entendre à l'intérieur de l'église.

— *Abu Bakr, here*, dit-il en anglais. *We got him.*

Abu Bakr était le nom du premier calife. Les deux hommes n'utilisaient pas leurs vrais noms, mais des noms de guerre inspirés de personnages saints de l'islam, une pratique habituelle chez les djihadistes. Plus important encore, le dénommé Abu Bakr venait d'informer quelqu'un qu'ils l'avaient attrapé. Et non en arabe, comme on aurait pu s'y attendre, mais en anglais. Que signifiait tout cela ?

— Non, personne ne nous a vus, assura Abu Bakr, toujours en anglais. Il n'y a pas eu de problème, ne vous en faites pas. (Le ton de la voix changea.) Et maintenant que faisons-nous ?

Il y eut un silence ; l'homme écoutait la réponse.

— Comment ? demanda le ravisseur. Ce qu'il sait sur... sur quoi ? Omissis ? C'est ce que je dois lui demander ? S'il sait qui est Omissis ?

« Omissis ? » s'interrogea Tomás. Son agresseur avait reçu l'ordre de l'interroger sur Omissis, mais que diable pouvait bien signifier Omissis ? Il connaissait la signification juridique de ce terme d'origine latine ; cela voulait dire « omission » ou « partie omise ». Le contexte faisait plutôt croire à une référence à quelqu'un. Mais qui ? Il avait sans doute mal entendu, c'était peut-être une allusion à Osiris, le dieu égyptien. Mais non, se dit-il aussitôt. Il avait bien entendu.

L'homme avait vraiment parlé d'Omissis comme d'une personne.

— Et après ? Qu'est-ce qu'on fait ?

Comprenant que sa vie était en jeu, Tomás tendit l'oreille. En vain. Il parvenait à peine à distinguer un bourdonnement lointain.

— Très bien. *See ya.*

Abu Bakr coupa la communication.

— Alors ? voulut savoir son compagnon, s'exprimant en arabe. Nous devons vraiment l'interroger ?

— Oui.

— Et après ?

Tomás entendit des bruits de pas et de mouvements : un objet lourd était transporté puis posé par terre et préparé, des pièces emboîtées les unes dans les autres, des fils électriques insérés dans des prises et des interrupteurs branchés. Puis ce fut le grincement aigu et prolongé d'un métal qu'on limait. Frémissant d'horreur, Tomás identifia immédiatement ce dernier son. Il s'agissait d'une lame, très probablement un couteau qu'on affûtait.

— On le tue.

XXXV

Le grincement de la lame se prolongea encore quelques instants dans l'église Saint-Étienne-des-Abyssins, jusqu'à ce que la machine soit enfin débranchée et que le silence s'installe à nouveau. Les ravisseurs s'assirent. Pendant de longues minutes, on n'entendit plus rien, hormis la respiration des trois hommes. Tous attendaient.

La voix d'Abu Bakr, celui qui semblait commander, finit par rompre le silence.

— Combien de temps encore avant qu'il se réveille ?

— Une demi-heure, lui répondit son compagnon, le dénommé Ibn Taymiyyah. Plus ou moins. Pourquoi ?

N'osant pas ouvrir les yeux, Tomás entendit des pas s'approcher et s'arrêter tout près de lui. Ce devait être le chef qui venait observer le prisonnier pour s'assurer qu'il dormait vraiment. Le Portugais demeura immobile, respirant calmement et lentement, comme plongé dans un profond sommeil.

Au bout de quelques instants, les pas s'éloignèrent et il entendit à nouveau la voix d'Abu Bakr.

— Je vais envoyer les images, annonça-t-il. Je reviens tout de suite.

La porte s'ouvrit, un courant d'air envahit l'intérieur de l'église ; il cessa dès que la porte se referma. Le sanctuaire plongea à nouveau dans le silence qui n'était rompu que par la respiration posée de Tomás sur le brancard et celle d'Ibn Taymiyyah à côté de lui, qui le surveillait.

Il restait donc une demi-heure à Tomás pour feindre l'inconscience. Après cela, ils le réveilleraient, bon gré, mal gré, et l'interrogatoire commencerait, probablement avec la lame qui venait d'être affûtée. C'était donc là l'occasion. Le chef s'était absenté pour envoyer « des images », ce qui signifiait que pendant quelques minutes à peine son compagnon restait seul pour le surveiller.

C'était maintenant ou jamais.

Tomás savait qu'il n'avait pas beaucoup de temps pour agir, mais surtout qu'il ne pourrait rien faire sans un plan. Quel plan ? Se lever et fuir ? Les menottes l'empêchaient de bouger les mains. De plus, l'homme qui le surveillait devait être armé. En réalité, il n'avait ni le temps ni les informations nécessaires pour élaborer un plan d'action parfait. Ses seules armes à lui étaient le courage, le désespoir et l'effet de surprise. S'il voulait s'échapper, il faudrait improviser, se lancer tête baissée, comme un fou, et vendre chèrement sa peau. S'il voulait profiter de l'absence de l'autre homme, il n'y avait pas un instant à perdre. Ça devait être...

Maintenant !

Il se leva d'un bond et, ouvrant enfin les yeux, il vit Ibn Taymiyyah assis à côté de lui, toujours vêtu de sa blouse d'infirmier, les jambes croisées, surpris par la manière subite dont le prisonnier était passé de l'immobilité totale à un réveil vigoureux.

— Fils de chien ! réagit le ravisseur.

Avant que son gardien n'ait le temps de se lever, Tomás jeta le drap sur lui. Comme les menottes l'empêchaient d'assommer son ennemi à coups de poing, il lui saisit la tête des deux mains et lui asséna de toutes ses forces un coup de genou au visage. Le drap amortit à peine le choc, et Tomás répéta son geste deux fois jusqu'à ce qu'il sente que son ennemi s'affaiblissait. Surpris par la violence de l'attaque, l'homme avait perdu connaissance avant de pouvoir réagir.

Tomás le jeta au sol et constata qu'une tache de sang frais maculait le drap au niveau du visage.

— Tu dois être beau à voir, tiens...

Alors qu'il se retournait pour s'enfuir, il entendit un bruit métallique dans le pantalon de son ravisseur. Serait-ce les clés des menottes ? Il se baissa et, les mains toujours entravées, il sortit le trousseau de sa poche. Il compara la serrure des menottes et chacune des clés jusqu'à trouver celle dont le format semblait correspondre. Il la saisit, l'inséra dans le trou. Il tourna la clef et entendit un clic métallique lorsque les menottes s'ouvrirent.

— Hum...

Son gardien reprenait déjà ses esprits ; il n'avait pas de temps à perdre, d'ailleurs l'autre pouvait revenir à tout moment. Il se leva et lui asséna un coup de pied à la tête.

— Dors !

Si Ibn Taymiyyah ne s'évanouit pas totalement, il ne put réagir, ce qui donna à l'otage le temps dont il avait besoin pour s'échapper. Tomás courut vers la porte et l'ouvrit. Il regarda à l'extérieur : le bâtiment le plus proche était la basilique Saint-Pierre et, par chance, l'autre homme n'était pas dans les parages. La voie était libre.

Il courut vers la liberté.

XXXVI

L'air bouleversé de Tomás, et surtout l'histoire rocambolesque qu'il se mit à raconter sur un ton exalté, suscitèrent la méfiance des nouveaux gendarmes qui venaient d'arriver pour leur tour de garde au poste de sécurité du Palais apostolique ; tout cela leur semblait trop compliqué, et le lieutenant chargé de l'unité finit même par se convaincre qu'il avait affaire à un déséquilibré.

Cependant, l'insistance du Portugais, ajoutée à son laissez-passer signé par l'inspecteur Trodela, qui l'autorisait à circuler librement au Vatican, finirent par convaincre le chef du groupe, qui prit son talkie-walkie et demanda à parler au responsable de l'enquête.

— Ici Trodela, dit une voix lasse. Que se passe-t-il ?

— Ici le lieutenant Rocco, au check-point du Palais apostolique, répondit l'officier des gendarmes. Inspecteur, j'ai devant moi un individu suspect, qui prétend vous connaître et qui a besoin de parler avec vous de toute urgence. (Il vérifia le laissez-passer.) Il s'appelle Tomaso... euh... Tomás Noronha.

— *Che cazzo !* jura l'inspecteur. Le professeur Noronha n'est-il pas muni d'un laissez-passer signé par moi, qui l'autorise à circuler librement à l'intérieur du Vatican ?

— Oui, en effet mais...

— Alors, s'il a le laissez-passer, pourquoi demandez-vous mon autorisation, *stronzo* ? Laissez-le passer !

Le lieutenant Rocco encaissa les reproches et l'insulte qui lui avaient été adressés.

— C'est que... enfin, il dit que... qu'il a été enlevé.

Pendant quelques instants, on n'entendit qu'un grésillement.

— Écoutez-moi bien, espèce de triple imbécile, *pezzo di merda* ! N'avez-vous pas reçu de votre commandant l'ordre formel de n'évoquer en aucune circonstance, sur une fréquence ouverte, la situation de Sa Sainteté ?

— Je ne parle pas de Sa Sainteté, inspecteur. Il s'agit de l'individu qui se trouve ici avec moi, le dénommé... Tomás Noronha. Il dit qu'il a été enlevé.

Nouveau grésillement, comme si l'homme de la police judiciaire doutait de ce qu'il venait d'entendre.

— Vous êtes sérieux ?

— Oui, inspecteur. M. Noronha soutient qu'il a été enlevé dans la basilique et retenu à l'église Saint-Étienne-des-Abyssins. Voulez-vous lui parler ?

Encore quelques secondes de silence ; le responsable de l'enquête semblait digérer l'information.

— J'arrive.

Toutes ces suspicions et ces vérifications commençaient à agacer sérieusement Tomás. Il venait de passer un très mauvais quart d'heure aux mains du commando islamique, et la dernière chose dont il avait besoin maintenant était qu'on doute de lui et qu'on érige de nouveaux obstacles, perdant ainsi un temps précieux qui permettrait aux ravisseurs de s'échapper.

Il fallut moins d'une minute au responsable de l'enquête pour sortir du Palais apostolique et arriver au check-point où se trouvait le Portugais.

— Professeur Noronha, l'interpella-t-il alors qu'il approchait de la barrière de sécurité. *Cazzo !* Qu'est-ce que c'est que cette histoire, on vous a enlevé ?

La présence familière de l'homme de la police judiciaire apaisa Tomás. Le temps pressait et, maintenant qu'il était plus calme, le Portugais raconta brièvement ce qui s'était passé dans la basilique et dans l'église, et comment il avait réussi à s'échapper.

— L'important, inspecteur, c'est que les ravisseurs, ou du moins certains d'entre eux, sont encore ici, au Vatican. Je les ai entendus parler au téléphone avec leur chef, qui se trouve probablement là où le pape est retenu en otage. Si nous agissons rapidement, nous pouvons les attraper !

Comprenant ce qui était en jeu, l'inspecteur Trodela porta son talkie-walkie à la bouche et le brancha.

— Stefano, tu m'entends ?

— Oui, inspecteur.

— Avec tes hommes, tu vas immédiatement à la basilique et tu arrêtes tous les suspects qui s'y trouvent.

L'homme qui était à l'autre bout de l'appareil fut surpris par cet ordre.

— Il se passe quelque chose, inspecteur ?

— Tais-toi et magne-toi !

À peine l'inspecteur Trodela eut-il coupé le talkie-walkie que Tomás le tira par le bras.

— Allons tout de suite à l'église, inspecteur, dit l'historien sur un ton d'urgence. Ces types opèrent sous notre nez ! Vous allez voir, c'est incroyable !

Trodela se tourna vers le lieutenant Rocco.

— Toi et tes trois hommes, venez avec moi.

— Mais, inspecteur, nous avons l'ordre de ne pas quitter le check-point et de...

— *Baciami il culo !* vociféra l'Italien, intimidant le gendarme avec ses obscénités habituelles. Tais-toi ! (Il désigna les hommes qui se trouvaient à la barrière de sécurité.) Appelle-les et viens avec moi, je ne le répéterai pas !

Le lieutenant se mit au garde-à-vous.

— Oui, inspecteur.

Une fois constitué, le groupe se mit en marche, dépassa rapidement le Cortile del Belvedere, contourna la fontaine du Sacrement et passa par la basilique pour arriver enfin à l'église Saint-Étienne-des-Abyssins.

Les deux ambulances étaient toujours devant le sanctuaire, tout comme le drapeau blanc avec la croix rouge, fixé sur la porte. Apparemment, rien n'avait changé.

— Ils sont là-dedans, dit le Portugais, en montrant le bâtiment. Comme vous le voyez, ils utilisent ce prétendu poste médical comme camouflage. Ingénieux, non ?

Arme au poing, les policiers s'approchèrent prudemment de la porte de l'église. Prêts à entrer en action, ils vérifièrent leurs armes automatiques. On entendit le cliquetis des gâchettes qu'on débloquait et des munitions qu'on vérifiait.

— Prêts ?

L'inspecteur Trodela, qui tenait des deux mains son petit Beretta, regarda le lieutenant Rocco comme s'il lui demandait s'il pouvait avancer.

— Prêts, souffla un gendarme.

— Prêts, confirmèrent les autres presque en même temps.

Après avoir jeté un regard sur les membres de son unité et s'être assuré qu'ils étaient réellement prêts, le lieutenant fit un signe de la tête et, le doigt sur la détente, il posa la main sur la poignée.

— Un... deux ...

À trois, le lieutenant Rocco ouvrit la porte en grand et, suivis de l'inspecteur Trodela et de Tomás, les gendarmes envahirent la petite église.

— Tout le monde à terre !

XXXVII

Les hommes et les femmes en blouse blanche qui se trouvaient à l'intérieur de l'église s'arrêtèrent net, pétrifiés, et dévisagèrent, incrédules, les hommes en uniforme qui venaient d'entrer dans le sanctuaire avec des pistolets et des armes automatiques pointés sur eux. À leur air abasourdi, entre la surprise et l'horreur, on voyait que personne ne semblait comprendre ce qui se passait.

Le premier à s'exprimer fut un homme d'une quarantaine d'années, l'air distingué, qui portait un stéthoscope autour du cou.

— Que se passe-t-il ? demanda-t-il. Qui êtes-vous ?

L'inspecteur pointa son Beretta vers lui, l'air menaçant, et répéta son ordre.

— Police ! dit-il. Tout le monde à terre, j'ai dit. Immédiatement !

Voyant que la sommation était réelle, les personnes qui se trouvaient dans l'église sortirent de leur torpeur et obéirent. Quelques femmes gémissaient d'effroi, l'une d'elles sanglotait ; tous s'étendirent sur la pierre froide, les mains tremblantes levées pour montrer qu'ils n'étaient pas armés et ne présentaient aucune menace.

— Ne tirez pas, s'il vous plaît !

— *Madonna !* Ne nous tuez pas !

L'homme qui avait parlé le premier, également couché, semblait le seul à avoir gardé son sang-froid.

— Nous sommes du service médical d'urgence, expliqua-t-il. Pourquoi nous obligez-vous à faire ça ?

Le responsable de la police judiciaire s'approcha de celui qui paraissait être le chef du groupe.

— Écoute, *cazzo di merda !* Qui es-tu ?

— Je suis le docteur Giovanni Ferro, sous-directeur du service d'urgence de l'hôpital Santo Spirito, annonça-t-il, contenant mal son irritation. Nous avons été déployés à titre préventif, depuis le début de l'après-midi, à la demande du Saint-Siège.

Le dévisageant d'un air méfiant, l'inspecteur Trodela tendit la main vers lui.

— Papiers !

Le docteur Ferro sortit son portefeuille et le tendit à l'enquêteur.

— Voici ma carte d'identité, ma carte de membre de l'ordre des médecins, ainsi que mon badge de l'hôpital.

L'inspecteur Trodela prit les documents et les vérifia un par un. Ils paraissaient authentiques et les photographies correspondaient effectivement à l'homme qui se trouvait à ses pieds. Assailli par le doute, il prit à nouveau son talkie-walkie.

— Giulio, tu m'entends ?

Une voix lui répondit aussitôt.

— Qui m'appelle ?

— Ici Trodela. Dis-moi, est-ce qu'on a déployé un

service médical d'urgence au Vatican à cause de...
de... enfin, de la situation ?

— Affirmatif inspecteur. J'ai demandé à l'hôpital
Santo Spirito de nous envoyer une unité à titre préventif, comme le prévoit le protocole dans ce type de
situation. L'unité a été installée dans une petite église,
derrière la basilique. Pourquoi cette question inspecteur ? Quelqu'un a besoin d'assistance médicale ?

— C'est simplement pour vérifier. Est-ce que tu
connais, par hasard, le nom du chef de l'unité ?

— Je crois que c'est le docteur Ferro, inspecteur.
Vous voulez que je l'appelle ?

Comprenant qu'il avait commis une erreur, une
grave erreur, l'inspecteur Trodela soupira lourdement ;
il avait pointé son arme sur le responsable de l'équipe
d'urgence de l'un des plus prestigieux hôpitaux de
Rome et l'avait traité de *cazzo di merda*.

— Ce n'est pas nécessaire.

Puis il se retourna et de la main fit signe à ses
hommes que tout était en ordre. Les gendarmes baissèrent leurs armes tandis que l'inspecteur de la police
judiciaire rendait ses documents au docteur Ferro, qui
demeurait allongé par terre.

— Mes excuses, docteur, dit-il sur un ton hésitant
et embarrassé. Nous avions... enfin, on nous a dit
que... que...

Le responsable de l'équipe d'urgences médicales se
leva, visiblement contrarié et, d'un geste brusque, il
prit les documents de la main du policier.

— Les choses ne vont pas en rester là, je vous le
garantis, affirma-t-il d'un ton froid. Jamais de ma vie
je n'ai été traité de la sorte. (Il leva l'index pour insister.) Jamais, vous entendez ? Vos supérieurs seront

informés de votre comportement indigne. J'en parlerai au ministre s'il le faut !

L'inspecteur Trodela lança à Tomás un regard plein de ressentiment. Le Portugais était resté planté près de la porte, constatant, interloqué, qu'ils avaient affaire à d'authentiques médecins et infirmiers. Comment était-ce possible ?

— Ces documents sont peut-être des faux, inspecteur.

Le policier écarquilla les yeux, irrité.

— La seule chose fausse ici, c'est votre histoire d'enlèvement, professeur...

Inquiet de voir que l'inspecteur Trodela commençait à douter de lui, Tomás se dirigea d'un pas rapide vers le docteur Ferro. Cette affaire devait être tirée au clair à tout prix.

— Docteur, vous n'auriez pas vu passer deux Arabes portant un brancard ?

Le médecin le regarda, étonné.

— Des Arabes ? De qui parlez-vous ?

Comprenant que le docteur Ferro n'avait rien vu, l'historien se tourna vers les autres membres de l'équipe médicale.

— Personne n'a vu deux hommes en blouse blanche, dehors, qui ne faisaient pas partie de votre équipe ?

Les médecins et les infirmiers se regardèrent, sans même prendre la peine de lui répondre ; on comprenait, à leur expression, qu'ils jugeaient que l'homme qui les interrogeait devrait être pris en charge par un psychiatre de l'hôpital.

L'inspecteur Trodela posa la main sur le bras de Tomás.

— Professeur...

— Ils m'ont attaqué dans la basilique et m'ont amené ici !

— Dans cette église ?

— Oui, mais... nous sommes entrés par une autre porte et ils m'ont emmené dans une espèce de débarras.

— Quelle autre porte ?

Ce n'est qu'à ce moment que le Portugais comprit qu'ils n'étaient pas entrés par la bonne porte. C'était bien cette église, il n'y avait pas le moindre doute là-dessus, mais le lieu où on l'avait conduit se situait plus à l'arrière. Ils venaient de perdre plusieurs minutes précieuses. Arriveraient-ils à temps ?

— Venez.

— Où ?

Il tira l'inspecteur Trodela par le coude, conscient qu'il serait sans doute trop tard.

— Vite !

XXXVIII

Le Portugais sortit de l'église Saint-Étienne-des-Abyssins, suivi du responsable de la police judiciaire et des gendarmes. Contournant le sanctuaire d'un pas rapide, ils parvinrent à la porte latérale que Tomás reconnut aussitôt ; il s'agissait bien de l'endroit d'où il s'était échappé quinze minutes plus tôt.

— C'est cette porte !

Les policiers répétèrent l'opération qu'ils avaient menée devant la porte principale.

Après avoir vérifié que ses hommes étaient prêts, le lieutenant Rocco compta jusqu'à trois et ouvrit la porte latérale, laissant les gendarmes envahir l'arrière de l'église avec leurs armes.

— Police ! cria l'inspecteur Trodela. Tout le monde à terre !

Ils furent accueillis par un silence absolu. Comme il faisait sombre, un gendarme alluma une torche. La lueur éclaira l'intérieur, mais les nouveaux venus ne détectèrent rien. Le lieutenant Rocco finit par trouver l'interrupteur électrique et alluma la lumière. La pièce était complètement déserte.

— Il n'y a personne ici.

Les policiers inspectèrent les lieux sans découvrir le moindre suspect. Tomás lui-même s'agenouilla pour essayer de déceler des traces ; il espérait trouver au moins quelques gouttes de sang par terre, à cause des coups de genou qu'il avait assénés à Ibn Taymiyyah, mais il ne trouva rien.

— Ils se sont enfuis.

L'inspecteur Trodela allait ajouter quelque chose quand son talkie-walkie se mit à grésiller.

— Inspecteur, ici Stefano. Vous m'entendez ?

Stefano était l'adjoint de Trodela qu'il avait envoyé quelques minutes plus tôt à la basilique avec l'ordre d'arrêter toute personne qu'il rencontrerait.

— Ici Trodela. J'écoute.

— Nous avons fini d'inspecter la basilique et nous n'avons rien trouvé de suspect. Tout est désert.

— *Cazzo !* Tu en es sûr ?

— Absolument. Nous sommes en train de sortir.

L'inspecteur Trodela débrancha son talkie-walkie et dévisagea Tomás avec méfiance. Le Portugais comprit qu'il avait épuisé son crédit auprès de la police judiciaire.

— Écoutez, je n'ai rien inventé, se sentit-il obligé de dire. J'ai été attaqué à l'intérieur de la basilique et transporté sur un brancard par deux hommes déguisés en médecins. (Il réalisa que son histoire sonnait faux ; il disait la vérité mais celle-ci était si rocambolesque qu'elle paraissait incroyable.) Ça m'est vraiment arrivé, je n'invente rien, ce n'est pas ma faute si...

— Professeur...

— ... personne n'a rien vu. Ils m'ont amené ici et ils se préparaient à m'interro...

— Professeur !

Cette fois il ne s'agissait pas d'une interpellation, mais d'une injonction sur un ton accusateur. La manière dont le policier l'avait regardé en lui coupant la parole ne laissait aucun doute : cette fois, la conversation était terminée.

— Je vous dis la vérité.

L'inspecteur Trodela le dévisagea pendant un long moment avant de lancer :

— Professeur Noronha, je vous arrête.

Tomás ouvrit la bouche, incrédule. Il comprenait que le responsable de la police judiciaire n'ait plus confiance en lui, après les invraisemblances de son histoire et, surtout, l'humiliation qu'il avait subie devant l'équipe médicale. Mais de là à l'arrêter, la réaction semblait excessive, voire tout à fait disproportionnée.

— Vous m'arrêtez ? Vous êtes devenu fou ?

— Le fou ici ce n'est pas moi, professeur. À partir de maintenant, vous êtes en état d'arrestation.

— Mais... pourquoi ? De quoi suis-je accusé ?

Jusqu'à présent, l'inspecteur Trodela avait contrôlé sa fougue, mais à ce moment-là il pointa le doigt vers l'historien, comme un procureur dans un procès, et, rouge comme une tomate, il explosa :

— Tu n'es qu'un *caga cazzo*, un *stronzo*, un *testa di minchia* ! *Vai a farti fottere, pompinaro di merda* !

Bien qu'il parlât couramment l'italien, les insultes étaient si nombreuses, prononcées avec une telle rapidité, et d'une telle vulgarité, que Tomás ne les comprit pas toutes.

— De quoi m'accusez-vous ?

— Je t'accuse d'outrage à l'autorité et d'ingérence dans une enquête en cours, espèce de *faccia culo* ! Je vais te mettre hors d'état de nuire pendant le reste de l'enquête, tu m'entends ? *Che ti morisse la mamma !*

Les épaules basses, Tomás se résigna. Si on se méfiait de lui au point de vouloir l'écarter de l'affaire, pourquoi devrait-il s'en faire ?

— Comme vous voudrez, inspecteur. Permettez-moi de vous rappeler que je n'ai pas demandé à être mêlé à tout ça, dit-il calmement. Il me paraît inutile, cependant, de...

— Tu ne crois tout de même pas que je vais en rester là, *segaiolo* ! rugit le policier italien. Tu m'as fait perdre mon temps avec tes balivernes en plein milieu d'une crise comme celle-là ! *Vai a farti fottere !* Sache que, le moment venu, tu devras répondre devant la justice d'outrage à la police et d'entrave à l'enquête !

— Mais... mais...

Trodela lui tourna le dos avec mépris et se dirigea vers la porte par laquelle Tomás était passé en courant quelque temps auparavant, pour échapper à ses ravisseurs. Avant de sortir, il fit un signe au lieutenant Rocco en montrant le Portugais du pouce.

— Emmenez-le.

XXXIX

Le lieutenant Rocco lui-même procéda à l'arrestation de Tomás. L'historien ne fut pas menotté, le crime dont on l'accusait n'étant pas suffisamment grave pour ça.

— Où m'emmenez-vous ?

— À la prison du Vatican, répondit Rocco. C'est à la gendarmerie.

Tomás écarquilla les yeux, étonné.

— Il y a une prison au Vatican ?

— Bien sûr, avec quatre cellules.

— Et d'habitude, qui y enfermez-vous ? demanda-t-il sur un ton ironique. Des pécheurs ?

Le gendarme le regarda de travers.

— Très drôle...

— Non, je suis sérieux. Qui occupe ces cellules ?

— En général, nous y enfermons les pickpockets qui détroussent les touristes avant de les remettre à la justice italienne.

Ils contournèrent la basilique et se dirigèrent vers le Palais apostolique ; la gendarmerie se situait à quelques centaines de mètres au nord des appartements du pape. Ils n'étaient pas très loin. Du reste, la Cité du Vatican était tellement petite que rien, sur son périmètre, n'était vraiment éloigné.

— Vous savez que vous commettez une grave erreur ? dit Tomás. Les ravisseurs du pape sont revenus ici, au Vatican, et il est possible qu'ils y soient encore. Même s'ils se sont enfuis, ils ne doivent pas être très loin. Il faudrait reprendre les recherches immédiatement et tout passer au peigne fin.

— Ça n'est pas de mon ressort, précisa le lieutenant Rocco. L'inspecteur m'a donné l'ordre de vous enfermer, je me contente de l'exécuter.

— Que je sache, l'inspecteur Trodela est inspecteur de la police judiciaire italienne, tandis que vous, lieutenant, vous appartenez au corps de gendarmerie du Vatican, lui rappela le Portugais. Il n'est pas votre supérieur hiérarchique, par conséquent vous n'êtes pas tenu de lui obéir.

— Les ordres de Son Éminence, qui en l'absence de Sa Sainteté assume les fonctions de camerlingue et exerce l'autorité suprême au Saint-Siège, sont de collaborer pleinement avec la police judiciaire dans cette affaire, répliqua le gendarme. Si l'inspecteur Trodela dit que vous devez être détenu, alors vous serez détenu. Point final.

Le Portugais comprit qu'il n'y avait rien à faire.

Après avoir traversé le Cortile del Belvedere, les deux hommes passèrent devant le siège de l'IOR et le Palais apostolique. Près de l'église Sainte-Anne, ils tournèrent à gauche et remontèrent la via del Pellegrino. La gendarmerie se trouvait un peu plus loin, derrière l'église San Pellegrino et les locaux de *L'Osservatore Romano*.

Devant la gendarmerie, l'entrée principale était déserte, ce qui ne manqua pas de surprendre le lieutenant Rocco.

— Quelle négligence, dit-il. Où diable est la sentinelle ?

Ils entrèrent dans le hall du bâtiment, mais ne virent personne. Tout semblait suspendu, comme si les lieux avaient été abandonnés à la hâte. L'officier regarda autour de lui, déconcerté, ne sachant que faire ni comment expliquer cette situation.

— C'est ici que vous envisagez de me détenir ? ironisa Tomás. Et qui va me garder ? Moi-même ?

Le lieutenant Rocco parcourait toutes les pièces, s'efforçant de découvrir ce qui avait pu se passer.

— Je ne comprends pas, je ne comprends pas...

Ils entendirent alors une voix qui parlait sans interruption. Le son venait de l'intérieur de la gendarmerie, plus précisément d'un local situé au fond du couloir. Soudain plein d'espoir, l'officier fit signe à Tomás de le suivre. Plus ils s'approchaient, plus la voix devenait audible.

« ... *nion d'urgence du président du Conseil avec le ministre de l'Intérieur pour déci...* »

Ils entrèrent dans la pièce d'où provenait la voix et découvrirent qu'elle était remplie de gendarmes plantés devant le poste de télévision.

— Que se passe-t-il ? demanda le lieutenant Rocco, incrédule.

Un chœur de protestations le fit taire.

— Chut !

Les nouveaux venus se concentrèrent donc sur le petit écran, où un journaliste de la RAI présentait ce qui semblait être une émission spéciale.

« ... *menace du groupe qui revendique des liens avec l'État islamique contre la vie de Sa Sainteté*, dit le journaliste. *Je rappelle que cette réunion entre le chef du gouvernement et le ministre de l'Intérieur a été convoquée après la diffusion sur Internet d'un communiqué dans lequel le groupe annonçait avoir enlevé le pape et menaçait de le décapiter à minuit, heure de Rome, à moins que tous les gouvernements occidentaux ne versent aujourd'hui même au califat de l'État islamique un tribut payé par les non-musulmans. Les...* »

— *Dio mio !* s'exclama le lieutenant Rocco, choqué. On a commencé à diffuser l'information !

Tomás se tourna vers lui et esquissa une expression condescendante.

— Vous vous attendiez à quoi ? C'est même étonnant que ça ait pris autant de temps.

Un chœur de protestations parcourut de nouveau la salle et ils se turent. À l'écran, le présentateur italien continuait de parler :

« ... *face à ce communiqué des extrémistes isla-miques, le Saint-Siège n'a fait aucun commentaire mais, et c'est significatif, il a refusé de confirmer que*

Sa Sainteté était saine et sauve et en sécurité. Un porte-parole de... de la... (Le journaliste hésita, comme s'il recevait de nouvelles informations dans son oreillette.) *Eh bien... euh... on m'informe que le groupe islamique vient de diffuser une vidéo sur Internet... sur laquelle on pourrait voir le Saint-Père en détention. Nous avons encore le temps de...* »

— Une vidéo ! s'exclama le lieutenant Rocco en faisant une grimace d'horreur. Ils ont une vidéo ?

« *... nir confirmation de l'authenticité de cette vidéo. Quoi qu'il en soit, nous allons la diffuser, car la réunion de crise entre le président du Conseil et le ministre de l'Intérieur, prévue à peu près au moment où a été diffusé le communiqué, semble indiquer que quelque chose d'extrêmement grave est en train de se passer. Nous mettons en garde les téléspectateurs les plus sensibles quant au caractère choquant des images qu'ils vont voir. Nous allons donc diffuser la vidéo...* »

Tomás regardait, sidéré, le petit écran. Un de ses agresseurs, le dénommé Abu Bakr, n'avait-il pas quitté l'église Saint-Étienne-des-Abyssins pour, comme il l'avait dit alors, « envoyer des images » ? Il sentit un frisson le parcourir. Faisait-il référence à cette vidéo ?

Sur l'écran, le présentateur de la RAI se tut et apparut alors une image en noir et blanc, portant une phrase en anglais sur toute la largeur.

A message to the crusaders
(« Message aux croisés »)

L'image disparut et on vit un homme avec un masque noir sur le visage, debout, un couteau à la main, devant un autre homme, agenouillé et soumis, portant ses vêtements blancs traditionnels. Dans la salle, tous les gendarmes, choqués, le reconnurent.

C'était le pape.

XL

Un murmure d'émotion emplit la salle de la gendarmerie où étaient rassemblés les agents. L'image choquante du pape, à la merci d'un terroriste tenant un couteau, rappelait fortement des vidéos d'exécutions réalisées par l'État islamique. Aucun de ceux qui se trouvaient là n'ignorait l'enlèvement du souverain pontife ni que les islamistes en étaient les principaux suspects. Mais il y avait un monde entre le caractère abstrait de cette information et le fait de la voir concrétisée dans une telle image.

C'était pire encore lorsque l'on savait comment s'achevaient de telles vidéos.

— *Porca miseria !* murmura un gendarme debout devant Tomás, angoissé. Vous pensez qu'ils vont... qu'ils vont...

Il ne finit pas sa phrase, car il en était incapable. Une telle perspective semblait trop horrible pour pouvoir être envisagée, mais ce que l'agent avait tenté de dire était déjà dans l'esprit de tous et probablement aussi dans celui des téléspectateurs qui regardaient ces images, certainement diffusées par les télévisions du monde entier. Nul n'ignorait que les vidéos de l'État islamique et d'autres groupes extrémistes musulmans s'achevaient invariablement par la décapitation de leur victime. Serait-ce également le cas cette fois-ci ?

Le pape allait-il être décapité ?

Tous retinrent leur respiration lorsque l'homme en noir, dont on ne voyait que les yeux, commença à parler, en anglais. Un silence de mort s'abattit sur la salle où les gendarmes étaient rassemblés.

« *Au nom d'Allah, le Juste, le Miséricordieux, et de son messager, que la paix soit avec lui, je viens proclamer devant l'*umma, *la communauté des croyants, que le guide spirituel des croisés, celui qui répand des fausses vérités, le pape des infidèles, est à la merci des soldats de Dieu. Les pays infidèles ont jusqu'à ce soir minuit pour se convertir à l'islam ou commencer à payer la* jiziah *au califat de l'État islamique, le véritable successeur du Prophète, que la paix soit avec lui, comme cela a été exigé des* dhimmis *par Allah dans le saint Coran et par le Prophète, que la paix soit avec lui, dans la* sunna, *le bel exemple. Si... »*

À ces mots, Tomás vacilla, abasourdi. Ces extrémistes exigeaient, ni plus ni moins, que les pays non musulmans paient immédiatement à l'État islamique le tribut religieux, une espèce d'impôt discriminatoire que Mahomet avait imposé aux non-croyants au VIIᵉ siècle. Une telle demande, pensa l'historien, revenait à exiger l'impossible. Aucun gouvernement de la planète, si désireux fût-il de parvenir à un compromis, et malgré toute la sympathie qu'il pouvait porter au chef de l'Église, n'accepterait jamais de payer le tribut religieux réclamé par les djihadistes. Soit les ravisseurs du pape étaient des fanatiques totalement déconnectés de la réalité, soit leur but n'était pas de trouver un accord.

Ou bien les deux à la fois.

« ... *ne l'ont pas fait, à minuit, heure de Rome, nous diffuserons en direct sur Internet l'exécution du propagateur de fausses vérités par l'un de nos frères, comme le Prophète, que la paix soit avec lui, nous a enseigné à le faire, par décapitation. Une grande...* »

Une clameur horrifiée emplit la salle.

« ... *calamité s'abattra alors sur les* kafirun, *les infidèles. Convertissez-vous à la véritable foi, ou payez la* jiziah *et soumettez-vous à la loi de Dieu et à la domination de l'islam, comme l'ont ordonné Allah dans le saint Coran et son messager, que la paix soit avec lui, dans la* sunna, *si vous ne voulez pas être combattus. Allah proclame, au verset 29 de la sourate 9 du saint Coran que...* »

Le ravisseur se lança alors dans une diatribe théologico-religieuse et Tomás cessa de lui prêter attention, préférant analyser ce qu'il voyait à l'écran. Où pouvait bien se trouver le pape ? L'image ne permettait pas de distinguer grand-chose, on voyait les deux silhouettes noyées par la lumière tandis que le reste était plongé dans la pénombre.

On devinait, cependant, qu'il s'agissait d'un espace intérieur, car on ne voyait pas de lumière solaire, le plus étrange étant la surface sur laquelle était agenouillé le chef de l'Église. Le sol était grossier et recouvert de cailloux, comme s'ils étaient à la campagne. En fait, se corrigea Tomás, ils *étaient* à la campagne. Ainsi pouvait s'expliquer l'aspect rustique du décor qui entourait les deux personnages. Il était évident que le commando islamique avait conduit le pape dans un lieu éloigné, peut-être une zone rurale hors de Rome, et c'était là, très probablement, que les images avaient été tournées. Dans ces conditions, il serait extrêmement difficile de localiser l'endroit où se trouvait le souverain pontife sans disposer d'informations complémentaires.

L'homme en noir se tut enfin et posa la paume de la main sur l'épaule du pape qui demeurait agenouillé, tête basse, devant lui ; il lui ordonna de parler. Le chef de l'Église leva la tête et regarda fixement la caméra :

« *Pierre a été le premier pape, que je ne sois pas le dernier*, dit-il sur un ton posé, avec sérénité, comme s'il se trouvait près du maître-autel de la basilique Saint-Pierre pour réciter un verset de la Bible. *Que monseigneur Dardozzi et vous tous priiez pour moi et pour l'humanité. L'amour du Christ sera toujours notre trophée.* »

L'image disparut et céda la place à un écran noir, puis le visage éprouvé du journaliste de la RAI réapparut :

« *Selon des informations que l'on vient de recueillir auprès de sources policières, cette vidéo a été diffusée il y a cinq minutes à partir d'un ordinateur situé en Syrie*, précisa-t-il. *À l'heure actuelle, les images sont analysées par une équipe de la...* »

Un murmure confus se répandit dans la salle où les gendarmes étaient rassemblés ; ils parlaient tous en même temps, personne ne s'écoutait, comme si l'essentiel n'était pas ce qu'ils disaient mais le fait de parler, de libérer ainsi l'angoisse qui à ce moment-là les étouffait et la tension qui s'était emparée d'eux.

— L'armée ! s'exclama quelqu'un. Il faut appeler l'armée !

— Il n'y a qu'une manière de sauver Sa Sainteté, argumenta un autre. Il faut fouiller toutes les maisons d'Italie. Toutes !

— C'est la guerre !

— Nous devons mobiliser les Italiens, les catholiques du monde entier, la chrétienté tout entière ! Il faut...

Tomás comprit que le mauvais génie était sorti de la lampe. L'important, maintenant, serait de gérer les réactions des gens lorsqu'ils apprendraient la terrible nouvelle qui avait commencé à circuler dans le monde entier avec la force d'un cyclone. Les premières réactions seraient sans aucun doute, comme pour ces gendarmes, de la stupéfaction, de l'étourdissement, de la confusion.

Le problème était ce qui viendrait ensuite. Des millions de personnes allaient rapidement converger vers la place Saint-Pierre et des veillées seraient certainement organisées dans tout le monde occidental. Tomás était persuadé que nul n'accepterait de payer la *jiziah* discriminatoire à l'État islamique : le souverain pontife serait exécuté et c'est alors que surgirait l'ultime danger. Des foules du monde entier se révolteraient et, dans le déchaînement de furie aveugle qui s'ensuivrait, de violentes représailles seraient menées contre les communautés musulmanes concentrées dans les banlieues des grandes villes européennes.

Profitant du désordre et de la révolte qui inévitablement s'installerait en Europe, les extrémistes se livreraient à des provocations et feraient tout pour jeter de l'huile sur le feu. Des affrontements se produiraient alors dans les banlieues, voire dans le centre des villes, et une guerre civile généralisée éclaterait. La loi martiale serait décrétée, le couvre-feu obligatoire imposé et des chars et des soldats patrouilleraient dans les villes européennes.

« Réfléchis, Tomás. »

L'historien fit un effort pour s'abstraire de l'émotion générale. Il devait garder la tête froide et raisonner avec clarté. Comment freiner la spirale ? Aucun gouvernement sensé ne pouvait accepter le chantage et payer la *jiziah* au califat de l'État islamique. Même si c'était le cas, cela ne garantirait en rien qu'une vidéo de la décapitation du pape ne commencerait pas à circuler sur Internet. La seule manière de régler le problème était de localiser le chef de l'Église avant la fin du délai fixé. Mais comment découvrir l'endroit où il se trouvait ?

« Réfléchis, Tomás. »

L'historien récapitula les informations qui venaient d'être diffusées à la télévision et se repassa mentalement les images de la vidéo transmise par le commando islamique. Un détail, alors, l'avait perturbé. Qu'est-ce que c'était déjà ? Il sentait là une piste, une référence subtile qui semblait receler une information cachée.

Il se remémora les mots du ravisseur, puis ceux du pape.

— Je sais ! s'exclama-t-il. Dardozzi !

Se rendant compte qu'il avait parlé tout haut, il regarda autour de lui, craignant d'avoir attiré l'attention des gendarmes. Mais l'effervescence qui régnait dans la salle était telle que personne n'entendait personne. Le lieutenant Rocco s'était éloigné, consterné, consultant un ordinateur à la recherche de nouvelles informations. Personne ne prêtait plus la moindre attention à Tomás.

Comprenant qu'il était la dernière des préoccupations des autorités du Vatican, et gardant à l'esprit la piste qui pouvait peut-être le conduire jusqu'au pape, le Portugais fit demi-tour et, avec l'air le plus naturel du monde, il quitta la salle, traversa le couloir et sortit des locaux de la gendarmerie comme l'homme libre qu'il n'avait jamais cessé d'être.

XLI

Un groupe de carabiniers armés de fusils automatiques contrôlait l'accès à la place Saint-Pierre, mais
Tomás, adossé à un pilier de la colonnade du Bernin,
ne se laissa pas perturber ; en fin de compte, il avait
réussi à sortir du Vatican sans être importuné.
Présenter le laissez-passer que l'inspecteur Trodela lui
avait remis en début d'après-midi avait suffi pour que
les gardes au poste de contrôle lui ouvre le barrage
sans le moindre problème. Il était clair que tout le
monde avait d'autres préoccupations en tête.

Cela faisait à peine une quinzaine de minutes que la
nouvelle de l'enlèvement du pape et la vidéo avaient
été diffusées, mais déjà une foule convergeait vers
la grande place, en pleurs, les visages graves, les yeux
plein d'angoisse. Si les terroristes mettaient leur
menace à exécution et assassinaient le chef de l'Église,
qu'adviendrait-il de tous ses fidèles ? Quelques instants auparavant, l'armée italienne avait positionné des
véhicules blindés autour des murailles léonines et
des policiers à cheval quadrillaient le périmètre, tandis

que les grandes chaînes de télévision arrivées avec leurs véhicules satellites montaient rapidement leur équipement afin de commencer à diffuser en direct du Vatican. Le cirque médiatique s'installait, et à partir de maintenant, pensa le Portugais, cela ne pouvait qu'empirer.

Une femme aux cheveux blonds et aux yeux clairs apparut sous les colonnades et traversa la place Saint-Pierre d'un pas rapide en direction du palais des Congrégations. Apercevant les équipes de télévision, elle fit un détour pour les éviter et disparaître dans la masse des croyants qui avaient accouru sur les lieux.

Lorsqu'elle arriva devant le bâtiment et sortit la clé de son sac pour l'introduire dans la serrure, l'historien quitta la colonne et vint se placer aussitôt derrière elle.

— Qui est monseigneur Dardozzi ?

Au son de la voix dans son dos, Catherine Rauch sursauta. Elle se retourna et dévisagea Tomás, les yeux écarquillés et l'air terrorisé.

— Mon Dieu ! s'exclama-t-elle en posant la main sur sa poitrine comme si elle pouvait ainsi contrôler les battements désordonnés de son cœur. Vous m'avez fait peur !

Le Portugais gardait les bras croisés et la dévisageait tranquillement.

— Qui est monseigneur Dardozzi ?

Remise de sa frayeur, la Française fixa Tomás avec un air incrédule et, comme si elle avait enfin recommencé à réfléchir, elle regarda frénétiquement autour d'elle pour s'assurer que personne ne les observait avant de le dévisager à nouveau, cette fois-ci comme si elle le disséquait.

— Tomás, que faites-vous ici ? demanda-t-elle, la

voix tremblante. Vous ne savez pas qu'ils veulent vous arrêter ? L'inspecteur Trodela m'a même dit qu'il avait donné l'ordre de vous incarcérer.

— Je dirais qu'à présent l'inspecteur Trodela doit avoir des sujets de préoccupation bien plus importants, vous ne pensez pas ?

C'était évident, Catherine ne se donna même pas la peine de répondre. Au lieu de cela, elle le dévisagea de la tête aux pieds.

— Vous avez besoin d'aide ?

— J'ai besoin que vous répondiez à ma question, dit l'historien. Qui est monseigneur Dardozzi ?

Elle prit un air dubitatif.

— Monseigneur Dardozzi ? Pourquoi me demandez-vous cela, à un moment aussi tragique ? Vous êtes devenu fou ?

— Vous n'avez pas vu la vidéo du pape ?

La question fit trembler la Française, qui respira profondément et secoua la tête avec tristesse.

— Quelle horreur, quelle horreur ! murmura-t-elle, le cœur lourd, comme si elle revoyait les images sur le petit écran. Je me trouvais avec Son Éminence dans les appartements du pape lorsque nous avons vu cette vidéo monstrueuse à la télévision. Vous ne pouvez pas imaginer ce que j'ai ressenti ! Vous ne pouvez pas imaginer ! Son Éminence est complètement atterrée, totalement anéantie. Elle a éclaté en sanglots lorsqu'on a commencé à diffuser la vidéo et moi aussi, je me suis mise à pleurer et... et...

Tomás la serra dans ses bras.

— Allons, allons, calmez-vous, murmura-t-il, en tentant de la réconforter. Calmez-vous.

Catherine posa sa tête sur son épaule et, en sanglots, elle laissa les larmes glisser sur ses joues. Puis elle se détacha et, recouvrant ses esprits, elle le dévisagea de nouveau avec un regard effrayé.

— Mon Dieu, Tomás, qu'allons-nous devenir ? Qu'allons-nous devenir dans ce monde où des hommes sont capables d'égorger le pape devant les caméras de télévision ?

Tomás ne partageait pas son sentiment, non qu'il fût insensible, mais parce qu'il ne pouvait s'offrir le luxe de céder aux émotions. Il fallait absolument que quelqu'un garde les idées claires, et il était fermement résolu à être celui-là. Le monde pouvait s'effondrer, il garderait sa lucidité et son sang-froid.

— C'est terrible, je sais, acquiesça-t-il, d'une voix basse et apaisante. Nous devons tous affronter cette situation avec courage et faire de notre mieux pour en sortir. C'est pour ça qu'il faut que vous répondiez à ma question. Qui est monseigneur Dardozzi ?

Une expression de perplexité se dessina de nouveau sur le visage de Catherine.

— Pourquoi voulez-vous le savoir ?

Il baissa la tête vers elle, comme s'il voulait partager un secret.

— À cause de la vidéo.

— La vidéo ?

— Vous n'avez pas remarqué que le pape a demandé que monseigneur Dardozzi prie pour lui ? Mais qui est-il, qui est ce monseigneur Dardozzi ?

La responsable de la COSEA réalisa que la question était bien plus pertinente qu'elle ne l'avait d'abord pensé.

— C'est... c'était un prélat, ici, au Saint-Siège.

— C'était ?

— Il est mort.

— Et le pape le sait ?

— Bien sûr !

Tomás se tut un moment, s'efforçant d'évaluer la portée de ces informations.

— Mais alors, s'il le sait, pourquoi a-t-il utilisé le peu de temps de parole que lui ont accordé les terroristes pour demander à ce monseigneur Dardozzi de prier pour lui ? Comment un mort peut-il prier pour le pape ? Cela n'a aucun sens.

Excellente question, se dit Catherine, qui ne prenait conscience qu'à ce moment-là de l'incongruité de la demande du souverain pontife. En effet, pourquoi demander à un prélat mort de prier pour lui à un moment aussi grave ?

La Française se retourna vers l'entrée du palais des Congrégations, introduisit la clé dans la serrure et ouvrit la porte. Elle fit deux pas à l'intérieur du bâtiment et regarda Tomás, qui était resté planté dehors, attendant une réponse.

— Venez, je vais vous raconter ce que je sais.

XLII

De la terrasse du bureau attribué à Catherine par la Préfecture pour les affaires économiques du Saint-Siège afin que la COSEA effectue son audit, situé au quatrième étage du palais des Congrégations, on pouvait voir la foule rassemblée sur la place Saint-Pierre. La soirée était avancée, bientôt viendrait le crépuscule, le début d'une nuit qui s'annonçait longue et troublée. Tous ceux qui convergeaient vers la place n'avaient qu'une chose en tête, l'ultimatum de minuit.

Revenant au bureau, Tomás s'assit sur le siège que Catherine lui avait indiqué. Il regarda la télévision qu'elle venait d'allumer pour entendre les dernières nouvelles de l'enlèvement du pape.

« ... *terrogés au sujet des événements de Rome, tant les présidents américain et français que les chefs de gouvernement du Royaume-Uni, d'Allemagne et de Belgique ont exprimé leur profonde inquiétude et leur consternation, condamnant fermement l'enlèvement de Sa Sainteté. Ils ont affirmé leur solidarité et se sont déclarés prêts à aider l'Italie et le Vatican. Plusieurs gouvernements occidentaux ont adopté la même position. Des déclarations sont faites dans les différentes capitales européennes et américaine, dans lesquelles les gouvernements indiquent clairement qu'il est hors de question de céder au chantage des terroristes et de payer quelque impôt que ce soit au califat de l'État islamique. Informé des événements alors qu'il visitait une école primaire de Newark, le président des États-Unis a invité les... »*

Quoique prévisibles, les nouvelles n'étaient guère encourageantes. Si les Occidentaux ne cédaient pas, comme c'était probable – voire inévitable – vu l'exigence absolument déraisonnable des terroristes, nul ne doutait qu'à minuit, heure de Rome, le pape serait effectivement décapité et que les images de son exécution seraient rapidement diffusées sur Internet.

Profondément perturbée, Catherine saisit la télécommande et coupa le son.

— Excusez-moi, mais je ne peux pas entendre ça...

Tandis que des images silencieuses défilaient à l'écran, la Française se leva et se dirigea vers le distributeur qui se trouvait dans le couloir. De son siège, Tomás entendit le bruit de la machine et le sifflement annonçant qu'un café était prêt. Catherine revint peu après et lui remit une tasse fumante, avant de s'asseoir à sa place et de souffler sur son propre café.

Le Portugais consulta sa montre, impatient ; le temps était compté et il avait besoin de réponses.

— Vous ne m'avez toujours pas dit qui était monseigneur Dardozzi.

Comprenant l'urgence de la situation, mais sans savoir comment les informations dont elle disposait pouvaient éventuellement contribuer à régler cette crise, Catherine posa sa tasse sur le bureau et dévisagea Tomás.

— Renato Dardozzi était un ingénieur qui travaillait à la compagnie italienne de télécommunications, expliqua-t-elle. Sa vocation religieuse lui vint sur le tard. Je crois que ce n'est qu'à 51 ans qu'il a décidé de devenir prêtre. Il a été ordonné en 1973. Il était ami avec le cardinal Agostino Casaroli et...

— Quel Casaroli ? Celui qui a été nommé secrétaire d'État par le pape Jean-Paul II ?

— Lui-même.

Tomás siffla, impressionné.

— Ce Dardozzi avait des relations, à ce que je vois ! J'imagine que la promotion du cardinal Casaroli au deuxième poste le plus important de la hiérarchie du Saint-Siège lui a ouvert des portes ?

— Et comment ! acquiesça la Française. En fait, monseigneur Dardozzi est devenu le conseiller du cardinal Casaroli. Peu après a éclaté le scandale de la banque Ambrosiano. Vous vous en souvenez ?

— Comment pourrais-je oublier ? Ce scandale est bien connu et il a gravement nuit à la banque du Vatican, dirigée à l'époque par une fripouille dénommée Marcinkus. Pourquoi ?

C'était une excellente question, à laquelle Catherine ne répondit pas immédiatement. Elle prit sa tasse et avala une gorgée de café. Après l'avoir posée sur la table, elle ébaucha un sourire et le regarda à nouveau.

— Parce que monseigneur Dardozzi est impliqué dans cette affaire.

Tomás écarquilla les yeux.

— Vous êtes sérieuse ? Il était mêlé aux trafics de Marcinkus ?

La chef de la COSEA se redressa sur sa chaise et s'inclina vers lui.

— Pas du tout, précisa-t-elle. Je ne connais pas cette affaire dans le détail, mais je sais que la bombe de la banque Ambrosiano a explosé entre les mains du pape Jean-Paul II et de son secrétaire d'État, le cardinal Casaroli. Et devinez qui Casaroli a chargé de faire le ménage ?

— Monseigneur Dardozzi ?

Catherine sourit.

— Voilà.

— Nous n'avons donc pas affaire à un escroc ?

Elle secoua la tête.

— Non.

— Mais alors, quelles furent exactement les responsabilités confiées à monseigneur Dardozzi ?

— Il a été désigné pour participer à une commission conjointe italo-vaticane, constituée de six membres, qui avait pour mandat d'établir les responsabilités dans le désastre financier provoqué par l'effondrement de la banque Ambrosiano. C'est monseigneur Dardozzi, avec deux autres membres du Vatican, qui a autorisé le versement des énormes indemnisations aux créanciers de la banque qui avait fait faillite. Dans un mémorandum adressé au cardinal Casaroli, monseigneur Dardozzi a attiré son attention sur le fait que l'IOR risquait sérieusement de se faire confisquer les avoirs qu'il détenait dans des banques italiennes et étrangères, ce qui entraînerait la perte des dépôts que les diverses organisations religieuses catholiques détenaient à l'IOR.

Comprenant les conséquences d'une telle situation, Tomás secoua la main comme s'il s'était brûlé.

— Juste ciel...

— Et ce n'est pas tout, ajouta la Française. Monseigneur Dardozzi a fait observer qu'en poussant le raisonnement un peu plus loin, l'IOR pouvait même être tenu responsable de toutes les opérations illégales qui avaient été effectuées, tandis que le président de la banque Ambrosiano pouvait être considéré comme un simple exécutant de ses ordres.

— Vraiment ?

— C'est la vérité. J'ai découvert que les choses étaient encore pires que ce qu'on pouvait imaginer.

— Je suppose que ces conclusions ont fait l'effet d'une bombe au Vatican.

— C'est la raison pour laquelle le Saint-Siège a payé sans rien dire. C'était la seule manière d'éviter le scandale. En outre, il était devenu indispensable de combler l'immense trou creusé dans le système financier, qui menaçait de conduire le Vatican à la ruine.

Les détails du scandale étaient bien connus de Tomás, dont le regard se porta sur l'écran de télévision ; le son était très bas et les images continuaient à défiler sur l'écran. Le présentateur passait en revue divers communiqués des responsables mondiaux ; on entendit un extrait de la déclaration que le président des États-Unis venait de faire à l'école primaire de Newark, à laquelle succédèrent celles du président français, dans son bureau de l'Élysée, du secrétaire général de l'Organisation des Nations unies au cours d'une visite à Budapest, celle d'un imam de la Mosquée bleue à Istanbul, du Premier Ministre britannique devant le 10 Downing Street...

Le Portugais dévisagea Catherine.

— Et quoi d'autre ?

Elle haussa les épaules.

— Au sujet de monseigneur Dardozzi ? C'est tout ce que je sais.

— Mais cela n'explique pas pour quelle raison, dans la vidéo, le pape a demandé que monseigneur Dardozzi prie pour lui...

— En effet, reconnut l'auditrice française. C'est pourtant tout ce que je sais sur cet homme.

Le menton posé sur la paume de sa main, Tomás réfléchissait. Quelle relation pouvait-il y avoir entre ce que Catherine venait de lui expliquer sur le rôle de Dardozzi dans le dénouement du scandale de la banque Ambrosiano et les motifs qui avaient conduit le pape à faire référence au défunt ecclésiastique ? À première vue, aucune. Il devait pourtant bien y avoir quelque chose d'autre que son hôtesse ignorait... ou que, peut-être, elle ne lui avait pas dit.

— Où pourrais-je trouver plus d'informations sur monseigneur Dardozzi ?

— Je n'en ai pas la moindre idée.

— L'audit des comptes du Vatican effectué par la COSEA n'a rien permis de trouver sur lui ?

En guise de réponse, la Française désigna une armoire avec des tiroirs à côté de la télévision.

— Vous voulez parcourir nos dossiers ?

Elle n'eut pas à le proposer deux fois. Conscient que l'enquête se trouvait dans une impasse, Tomás se leva aussitôt et se dirigea vers l'armoire, jetant à peine un regard distrait sur la télévision. On pouvait voir, en direct, des images de la place Saint-Pierre noire de monde : des fidèles agenouillés, des gens qui montraient des photographies du pape, des bras levés qui tenaient des croix, des yeux pleins de larmes, des pancartes improvisées demandant que l'on sauve le souverain pontife, des religieuses et des anonymes qui priaient les yeux clos et la tête basse, des policiers qui formaient des cordons de sécurité, des journalistes qui déambulaient parmi la foule en recueillant des témoignages ; l'immense masse humaine ne cessait de croître.

Sur des bandeaux qui occupaient toute la largeur inférieure de l'écran on pouvait lire « Le pape a été enlevé » en lettres géantes, tandis que dans le coin, les chiffres d'une horloge numérique défilaient.

Le compte à rebours avant minuit.

XLIII

Les dossiers du premier tiroir ne contenaient rien d'intéressant. Il s'agissait de chemises avec des factures d'électricité, d'eau, de gaz, d'essence et d'autres dépenses courantes du Saint-Siège. En jetant un coup d'œil sur les documents, Tomás n'envia guère la tâche des auditeurs, obligés d'étudier en détail cet interminable charabia. À vrai dire, il sentit même une certaine admiration pour Catherine, qui était capable de lire tout cela sans s'endormir.

Reposant les chemises dans le premier tiroir, il passa au deuxième et il faillit défaillir en lisant les titres des dossiers. La première chemise portait l'intitulé « *Inventaire* ». Sentant le découragement l'envahir, l'historien emplit ses poumons pour retrouver un peu d'énergie et le courage de l'ouvrir. S'agissait-il d'un énième dossier soporifique semblable à ceux qu'il venait de consulter ?

— Que se passe-t-il ?

La question de Catherine l'obligea à lever les yeux.

— Hein ?

Il vit la Française prendre la télécommande de la télévision et augmenter le son. Presque aussitôt, la voix du journaliste se fit entendre très clairement.

« ... *mages de l'attentat qui vient de se produire à Disneyland. Elles ont été enregistrées par un touriste américain avec son téléphone portable, et on peut voir le moment où a eu lieu l'explosion.* »

Tomás posa le dossier qu'il avait en main et vint se placer devant le poste.

— Un attentat à Disneyland ?

Les images n'étaient pas très nettes, mais on distinguait une petite fille d'environ 6 ans qui mangeait du pop-corn devant un manège où tournaient des enfants juchés sur des petits chevaux. On entendait une musique continue et répétitive, probablement celle du manège, et une voix masculine qui demandait à l'enfant de regarder le portable et de sourire. « *Look at daddy*, disait le père. *Daisy, smile to me. Come on, honey. Smile. Daddy is gonna...* » C'est alors qu'une tache grise emplit l'écran et qu'on entendit un vacarme qui satura les capteurs sonores du téléphone portable. L'image commença à trembloter, et l'on entendait en même temps des cris affolés d'enfants et de femmes, le père de Daisy qui criait « *Oh my God ! Oh my God !* ». L'image se stabilisa pendant quelques secondes et l'on vit un nuage de poussière qui entourait le manège et des enfants qui en sortaient en chancelant, « *Honey, you're alright ?* », un grand nombre d'entre eux avaient les vêtements déchirés et le visage ensanglanté, « *Where's mummy ? Where's mummy ?* ». Les cris d'horreur et de panique se multipliaient en une cacophonie infernale, plusieurs personnes criaient en différentes langues, l'urgence dans la voix. On voyait des enfants qui pleuraient, désorientés, ne comprenant pas ce qui se passait, « *Mamãe !* » appelait une petite fille. Et encore des cris, des pleurs, le chaos.

Le visage du présentateur réapparut sur l'écran.

« *L'attentat vient d'être revendiqué par téléphone par une personne qui prétend appartenir à Jaish al-Sahabah, un mouvement affilié à l'État islamique,* indiqua le journaliste. *Des coups de feu auraient également été tirés à Stonehenge, au Royaume-Uni. Des hommes cagoulés, portant des drapeaux noirs de l'État islamique, ont ouvert le feu sur des touristes qui visitaient le monument du néolithique, en criant* "Allahu akbar !" *et* "Mort aux infidèles et aux idolâtres". *On déplore au moins un mort, deux blessés légers et...* »

Abasourdie, Catherine avait tout suivi, horrifiée, la main sur la bouche.

— Mon Dieu ! s'exclama-t-elle. Les attentats se multiplient partout !

— Ça fait partie du plan, observa Tomás, lugubre. Tout le même jour. Ils enlèvent le pape, font exploser une bombe au milieu des enfants qui jouent à Disneyland, tirent sur des touristes dans un lieu historique... ça n'est pas une coïncidence.

À l'écran, de nouvelles images se succédaient.

— Chut, écoutez.

« *... a explosé à proximité du sanctuaire catholique de Medjugorje, en Bosnie-Herzégovine,* ajouta le journaliste. *Cinq pèlerins croates sont morts et douze ont été blessés. Un groupe affilié à l'État islamique a revendiqué l'attentat, affirmant que l'Islam allait récupérer des terres qui lui appartenaient autrefois, à commencer par les Balkans, et que...* »

Tomás secoua la tête.
— C'est du joli...
— Medjugorje, c'est bien cet endroit en Bosnie où la Vierge serait apparue à des enfants ?
— Exactement.
Catherine gardait les yeux rivés sur le téléviseur, essayant de comprendre la signification de tout ce qui se passait.

« ... *Vierge de Medjugorje aurait fait une dizaine de prophéties lors des apparitions de 1981*, disait un reporter commentant des images d'archives et expliquant l'importance du sanctuaire attaqué. *Seuls trois des six enfants ont donné des indices au sujet du message de la Vierge, révélant que les trois dernières prophéties étaient les choses les plus terribles qu'ils aient jamais vues et que, si le monde ne se convertissait pas, le troisième secret marquerait le début d'une des périodes les plus noires de l'histoire de l'humanité. Bien que l'Église n'ait pas reconnu Medjugorje comme un site de pèlerinage catholique, plus de vingt millions de personnes s'y sont déjà rendues et...* »

— Oh, non ! gémit-elle. Ne me dites pas que la Vierge de Medjugorje a aussi prophétisé la mort du pape et tous ces événements...

— On l'ignore. Les enfants n'ont pas dit grand-chose sur ce que la Vierge leur aurait montré.

Catherine eut un tremblement.

— Ces gens attaquent un lieu de pèlerinage, tirent sur les visiteurs d'un site historique, font exploser une bombe dans un parc d'attractions plein d'enfants... mon Dieu ! que cherchent-ils en répandant la violence et la mort dans des lieux qui sont si sacrés pour tellement de monde ?

— N'est-ce pas évident ? Ils veulent provoquer l'Occident. Ils font exploser une bombe ici, abattent des gens là, commettent un massacre ailleurs, tout ça en même temps. Le dernier acte de toute cette horreur, le point d'orgue de cette journée sera l'exécution du pape en direct sur Internet. Le but est d'exciter les Occidentaux pour qu'ils se déchaînent et s'en prennent à la communauté musulmane dans leur pays.

— Mais cela signifie la guerre...

— À coup sûr. Les groupes affiliés à l'État islamique veulent mettre l'Europe à feu et à sang afin de provoquer un grand djihad qui étendra l'islam à toute la planète. Ni plus ni moins.

La Française ferma les yeux et baissa la tête, accablée.

— C'est un cauchemar, murmura-t-elle. Un véritable cauchemar.

Comment est-ce possible ?

L'historien soupira, impuissant. Le plan des djihadistes semblait se dérouler comme le scénario d'un mauvais film hollywoodien, et personne ne pouvait rien faire si ce n'est observer les événements en spectateur passif. Il se redressa, remettant en cause cette conclusion, la réfutant même. Personne ne pouvait rien faire ? Faux ! Lui ferait quelque chose. Ou du moins il essayerait. Sans perdre plus de temps, il revint au dossier qu'il avait posé quelques instants plus tôt, celui intitulé « *Inventaire* », et recommença à le feuilleter. Qui sait si au milieu des factures, des devis et des comptes en tout genre, il ne finirait pas par trouver un indice, quelque chose qui lui ouvrirait une piste. Mais quelle piste ? Comment le registre de la bureaucratie du Saint-Siège pouvait-il le conduire jusqu'au pape ? Ne courait-il pas après un mirage ?

Il faillit abandonner. Mais il se rappela qu'il cherchait des informations sur monseigneur Dardozzi parce que le souverain pontife y avait fait allusion et qu'une telle référence ne pouvait être innocente. Si le pape avait demandé à un mort de prier pour lui, c'était sans aucun doute parce qu'il tentait discrètement de faire passer un message. Mais quel message ? Qu'avait monseigneur Dardozzi de si particulier ? Quel lien pouvait exister entre l'enlèvement du pape et le scandale de la banque Ambrosiano ? Était-ce vraiment à cela que le souverain pontife faisait allusion ? Ou s'agissait-il d'autre chose qui lui échappait ?

L'historien se posait ces questions tout en feuilletant la chemise « *Inventaire* ». La mention que le pape avait faite de Dardozzi devait certainement avoir une signification et il passait totalement à côté. Il valait peut-être mieux arrêter, prendre un peu de recul et revoir tout cela calmement depuis le début afin d'essayer de comprendre s'il y avait une autre...

Un logo en tête des pages qu'il consultait interrompit ses pensées.

— Tiens, tiens...

Catherine l'entendit.

— Qu'y a-t-il ?

Tomás désigna le dossier qu'il consultait.

— Cette chemise contient un inventaire des biens de la banque du Vatican.

Comprenant de quoi il s'agissait, la Française n'y accorda pas plus d'importance et retourna aux images diffusées sur le petit écran.

L'apparition, au milieu de ces documents, d'une série de feuilles concernant l'Institut pour les œuvres de religion, l'IOR, éveilla la curiosité de Tomás. Catherine ne lui avait-elle pas dit que monseigneur Dardozzi avait exercé des fonctions au sein de l'IOR suite au scandale de la banque Ambrosiano ? Il venait de tomber sur une série de cahiers contenant l'inventaire des biens de l'IOR en question.

La curiosité en éveil, il les examina les uns après les autres. Ils portaient sur des domaines très variés : biens immobiliers, mobiliers et matériels de bureau, anciens gestionnaires et fonctionnaires, œuvres d'art exposées dans les installations de l'IOR, automobiles appartenant à l'institution.

Il revint en arrière, souhaitant analyser plus méticuleusement le troisième cahier.

— Je vois ici des documents qui concernent les anciens gestionnaires et fonctionnaires, dit-il. De quoi s'agit-il ?

Catherine s'éloigna de la télévision et s'approcha de lui.

— Montrez-moi.

Le Portugais lui remit la chemise et elle consulta les papiers. La chef de la COSEA garda le silence quelques instants pendant qu'elle les examinait. Elle finit par expliquer :

— C'est l'inventaire des biens qui appartenaient à d'anciens membres de l'IOR qui, pour une raison ou pour une autre, les ont laissées ici lorsqu'ils ont quitté l'institution. Plutôt que de jeter ces documents, on a préféré les conserver. Cet inventaire en rend compte.

Catherine lui rendit aussitôt la chemise avec une expression d'indifférence, comme si son contenu n'avait aucune importance. C'était également l'avis de Tomás, qui referma le dossier et s'apprêta à le replacer dans le tiroir. Il hésita cependant. Pourquoi ne pas tout examiner vraiment ?

Il ouvrit à nouveau la chemise et reconsidéra le troisième cahier. Avec minutie, il l'analysa rapidement, sans rater une ligne. « Le diable se cache dans les détails », disaient les Anglais, et il était d'accord. Qui sait si...

Il s'arrêta au milieu de la cinquième page, avec un coup au cœur en voyant écrit le nom qu'il cherchait ; c'était à la fois prévisible et, si étrange que cela puisse paraître, inattendu.

— Renato Dardozzi !

XLIV

Le nom du prélat qui avait fait le ménage à l'IOR à la suite du scandale de la banque Ambrosiano appela l'attention de Catherine. La Française détourna une fois de plus les yeux de l'écran et regarda Tomás avec l'air interrogateur de celle qui ne comprenait pas où il voulait en venir.

— Dardozzi ? Oui, et alors ?

Le Portugais montra une page du dossier qu'il consultait.

— C'est ici ! Vous voyez ? Renato Dardozzi !

La chef de l'équipe des auditeurs s'approcha à nouveau et considéra la ligne qui portait le nom de Dardozzi.

— Tout à fait. Lorsque monseigneur Dardozzi est mort, il a fallu vider ses armoires à l'IOR. Le problème, c'est qu'il n'y avait personne à qui remettre les biens qui s'y trouvaient et on ne pouvait pas les jeter. Alors, ils ont été rassemblés et conservés. C'est pour cela que ses affaires apparaissent dans l'inventaire. C'est tout à fait normal.

Une fois de plus, elle n'accorda aucune significa-tion particulière à cette découverte, tandis que Tomás n'était guère disposé à classer le dossier. La moindre piste, si insignifiante fût-elle, devait être considérée.

— Et où sont gardées les affaires de monseigneur Dardozzi ?

La chef de la COSEA prit la chemise et consulta le cahier de l'IOR contenant l'inventaire des documents des anciens gestionnaires et fonctionnaires. Une expres-sion de surprise se dessina sur son visage.

— Oh !

— Quoi ? s'étonna le Portugais en la voyant tout à coup intriguée. Qu'avez-vous trouvé ?

Catherine désigna un symbole imprimé à droite du nom de monseigneur Dardozzi.

— Vous voyez ça ? C'est le sceau du pape.

— Ah bon ? s'étonna Tomás. Et qu'est-ce qu'il vient faire là ?

— Vous savez ce qu'est un sceau papal n'est-ce pas ?

— Dans mon activité d'historien, il m'est souvent arrivé de travailler sur des sceaux papaux, ma chère. Une fois, j'en ai même examiné un extrêmement important, décoré avec des cordons de soie, vous voyez de quoi je parle ?

— Oui, mais vous savez à quoi servent les sceaux papaux ?

— Ils sont utilisés dans des documents auxquels le pape attribue une très grande valeur, et auxquels il veut donner son approbation, par exemple les bulles. Tout historien sait ça.

Elle le regarda avec un air sibyllin, comme si la

présence du sceau papal dans un inventaire représentait un mystère.

— Certes, mais en l'occurence, cela signifie que Sa Sainteté a ordonné de mettre ces documents sous scellés. (Elle fit une moue.) Ça n'a pas de sens.

— Pourquoi ? Ce n'est pas habituel ?

— Bien sûr que non.

— Les sceaux papaux ont-ils une autre fonction que je ne connais pas ?

— Eh bien... ils sont effectivement utilisés dans les cas que vous avez évoqués, notamment pour conférer une portée particulière à un document ou signifier que Sa Sainteté l'approuve, mais dans le cas présent, il n'a pu être utilisé que parce qu'il s'agit de...

Elle se tut, comme si elle venait de saisir le sens de sa découverte.

— De quoi ?

La Française rougit, comprenant qu'elle avait involontairement aiguisé sa curiosité. Elle sentait qu'elle devait terminer sa phrase mais, en réalité, elle ne pouvait le faire sous peine d'accroître ses soupçons.

— C'est... c'est... enfin, ce n'est rien.

— Dites-moi, insista-t-il. C'est quoi ?

— Rien, rien...

Tomás la dévisagea d'un air particulièrement sévère, montrant qu'il n'avait aucune intention de céder.

— Écoutez, Catherine, la vie du pape est en grand danger. (D'un geste, il désigna le téléviseur qui se trouvait dans le bureau.) Dans la vidéo où il est apparu, il a décidé de faire une allusion à monseigneur Dardozzi. L'intéressé étant mort, il s'agit évidemment d'une piste qu'il veut nous indiquer. Nous devons donc la suivre, vous comprenez ? Or, cette piste nous a conduits à ces documents. Ils peuvent être très importants, ou ne rien valoir du tout, je l'ignore. Mais nous devons le vérifier et le temps presse, car les choses les plus insignifiantes peuvent se révéler capitales. (Il adoucit sa voix, tout en conservant un ton de fermeté.) S'il vous plaît, expliquez-moi ce que vous savez et ne me racontez pas d'histoires. La vie du chef de l'Église et de bien d'autres personnes en dépend !

— Je...

Tomás la dévisagea intensément, comme un juge qui accorde une dernière chance à un accusé.

— Étant donné que nous avons affaire à des archives, que signifie la décision du pape d'apposer son sceau sur ce document ?

Catherine soupira. En effet, compte tenu des circonstances dans lesquelles a été tournée la vidéo, il pouvait s'agir d'un élément crucial pour comprendre l'allusion du pape à monseigneur Dardozzi. Elle montra le signe imprimé sur la feuille.

— Comme je vous l'ai dit, le pape utilise son sceau dans différentes circonstances. Dans le cas présent, je dirais que Sa Sainteté l'a apposé parce qu'elle a estimé que le document en question ne... enfin, ne doit être vu par personne.

Tomás posa un regard vitreux sur Catherine, se demandant si elle s'était correctement exprimée ou s'il avait mal compris.

— Ça signifie que le pape a vu les documents de monseigneur Dardozzi qui se trouvaient dans les tiroirs ?

— Oui, il les a vus.

Le ton sur lequel Catherine avait répondu indiquait

que la remarque de Tomás était correcte, mais incomplète.

— Et après les avoir vus, il a conclu qu'ils devaient rester secrets ? C'est ça ?

Elle confirma d'un léger mouvement de la tête.

— C'est exactement ça.

L'historien eut alors la certitude qu'il était sur la bonne piste. Tout concordait. Pour une raison ou pour une autre, le pape avait attiré leur attention sur monseigneur Dardozzi. Pourquoi ? Qu'y avait-il dans la vie de Renato Dardozzi qui était susceptible de les éclairer ? Était-ce vers ces dossiers sur lesquels il avait fait apposer son sceau que le chef de l'Église voulait les conduire ?

— Où sont conservés les documents ?

— Eh bien... à l'IOR je suppose.

— Alors nous devons y aller.

Elle l'interrogea du regard, comme si sa proposition était absurde.

— Maintenant ?

— Oui, maintenant. Il y a un problème ?

— L'IOR est fermé.

— Et on ne peut pas l'ouvrir ?

— C'est-à-dire que... vous semblez oublier que vous êtes sous le coup d'un mandat d'arrestation. Nous devrons donc aller voir Son Éminence et tout lui expliquer. Ensuite, Son Éminence contactera le président de l'IOR, qui, si je ne m'abuse, n'est pas à Rome, et lui demandera...

— En procédant ainsi, on y sera encore demain, coupa Tomás qui s'impatientait. Pourquoi ne forçons-nous pas l'entrée de la banque du Vatican ?

— Forcer l'entrée ?

L'historien lui indiqua sa montre.

— Vous avez vu l'heure ? Vous savez qu'il sera bientôt minuit ? Le temps presse et nous avons encore beaucoup à faire. Nous devons entrer dans la banque du Vatican, trouver les documents laissés par monseigneur Dardozzi et les lire. C'est beaucoup pour qui n'a pas de temps à perdre. Nous devons brûler les étapes. S'il est plus rapide de cambrioler la banque, eh bien cambriolons-la !

Elle secoua la tête.

— Ce n'est pas si simple, répondit-elle, déterminée à ne pas commettre de folies. Le système de sécurité de l'IOR est très perfectionné. Il ne suffit pas d'y aller, de défoncer la porte, et hop ! Non, ça ne se passe pas comme ça.

— Alors, comment ?

Catherine s'approcha du mur où était accrochée une carte de la Cité du Vatican.

— Comme vous le savez, l'IOR se trouve ici, dit-elle, en indiquant un point à proximité du Palais apostolique. On ne peut y accéder que par la cour Sixte-V. L'entrée est surveillée vingt-quatre heures sur vingt-quatre par les gendarmes. À l'intérieur, il y a plusieurs coffres. À supposer que l'on parvienne à tromper les gardes, et nous n'y parviendrons pas, il nous faudrait connaître la combinaison des coffres. Rien que l'on puisse faire en quelques heures, vous pouvez l'imaginer.

Tomás se frotta le menton. Le cambriolage aurait été un acte désespéré, mais il devait se rendre à l'évidence, c'était tout simplement irréaliste. Une telle opération aurait exigé des mois de préparation. Toute improvisation était vouée à l'échec.

— Bon, alors il faudra s'adresser à Son Éminence, accepta-t-il. (Il fit un signe en direction de la chemise.) Regardez s'il y a une indication plus précise de l'endroit où pourraient se trouver les documents.

La Française passa rapidement en revue le dossier contenant l'inventaire de l'IOR. Elle feuilleta plusieurs pages, sans rien trouver de pertinent. Cependant, elle ne renonça pas. Après quelques secondes de réflexion, elle ouvrit un nouveau tiroir d'où elle sortit une nouvelle chemise. Elle l'ouvrit et commença à farfouiller dedans.

— Qu'est-ce que c'est ?

— C'est le dossier avec le compte rendu des archives de l'IOR, répondit-elle, tout en consultant les documents. J'essaye de comprendre dans quelle salle de l'IOR les biens de monseigneur Dardozzi ont été placés afin que nous pu... (Soudain, elle écarquilla les yeux.) Oh !

— Qu'y a-t-il ?

Elle indiqua une ligne.

— Regardez ça ! Les documents de monseigneur Dardozzi revêtus du sceau papal sont... sont ici !

— Ici où ?

— Dans les archives de l'IOR, dans le palais des Congrégations.

— Où ?

Catherine le dévisagea avec une expression mêlée de surprise, d'incrédulité, voire d'amusement, et pointa le doigt vers le sol.

— Ici.

XLV

Dans la cour de la cave du palais des Congrégations, à côté de l'accès au garage où tous deux s'étaient retrouvés en fin de matinée, la porte avait un aspect particulièrement massif. On aurait dit le coffre-fort d'une banque. Tomás s'en approcha et posa la paume de la main sur la surface, lisse et froide comme du métal.

— Elle est blindée.

Catherine se mordit la lèvre inférieure.

— Ce n'est pas étonnant, dit-elle. Après tout, ce sont les archives confidentielles de l'IOR. Nous pouvions nous douter qu'ils n'allaient pas garder ici tous leurs secrets sans les protéger.

— Et alors, comment allons-nous faire pour entrer ?

Il entendit le tintement du métal et il se retourna. La Française avait sorti un trousseau de clés de son sac.

— Pourquoi ne pas l'ouvrir ?

L'historien ouvrit la bouche, ébahi.

— Vous avez la clé de cette porte ?

La chef de la COSEA commença à vérifier les clés l'une après l'autre.

— N'oubliez pas que je suis la responsable de l'équipe d'auditeurs du Vatican, rappela-t-elle. Sa Sainteté m'a donné accès à la totalité des archives du Saint-Siège, y compris celles-ci.

— Et vous êtes déjà venue ici ?

Ayant trouvé la bonne clé, Catherine l'introduisit dans la serrure.

— Sa Sainteté m'a dit qu'il y avait d'autres priorités, se justifia-t-elle en tournant la clé. C'est donc la première fois que j'entre ici. (La porte s'ouvrit et la Française fit un pas en avant, se tournant vers Tomás pour l'inviter à la suivre.) Vous venez ?

Ils entrèrent dans une salle à l'aspect vétuste, dont les murs étaient dissimulés par des armoires grises, avec des tiroirs du sol au plafond. Il y avait de la poussière partout et dans l'air planait une odeur de renfermé ; cela devait faire très longtemps que personne n'était entré. Le style des armoires semblait plutôt ancien, sans doute des années cinquante, et sous la poignée de chaque tiroir, une étiquette dactylographiée, en papier, identifiait les dossiers.

— Pour quelle raison la banque du Vatican conserve-t-elle ici ses archives confidentielles, plutôt qu'en son siège ?

— Bonne question, observa la chef de la COSEA. J'avoue que je l'ignore. Je suppose que ce lieu n'étant pas associé à l'IOR, il est considéré comme plus sûr.

Ils se séparèrent. L'un alla contrôler les armoires du mur de gauche, tandis que l'autre se chargea de celles de droite ; il devait y avoir près de quatre-vingts tiroirs. Somme toute, ce n'était pas insurmontable et les étiquettes apposées sous les poignées allaient beaucoup les aider. L'une indiquait « *Radio Vatican* », l'autre « *L'Osservatore Romano* », une autre encore « *Musée chrétien* » et ainsi de suite.

Le premier tiroir qui attira vraiment l'attention de l'historien se trouvait en haut de la deuxième armoire qu'il inspecta. Comme sur toutes les autres, il comportait une indication en lettres rouges, probablement dactylographiées avec une vieille machine à écrire.

« *Leurs Saintetés* »

— Un tiroir consacré aux papes ? s'étonna Tomás.

À l'intérieur étaient rangées toute une série de chemises. Il en prit une et vérifia le nom.

« *Benedictus XVI* ». Il l'ouvrit et examina ce qui s'y trouvait ; il s'agissait des coordonnées du compte bancaire de Joseph Ratzinger.

— Le pape Benoît XVI a un compte à la banque du Vatican ?

— Bien sûr, répondit Catherine machinalement, concentrée sur ses tiroirs. Les papes sont des êtres humains, vous ne savez pas ? Ils ont comme tout le monde leurs revenus et leurs dépenses.

— C'est le compte n° 39887, ouvert au nom de Joseph Ratzinger. (Il vérifia les opérations.) Eh bien, il a gagné beaucoup d'argent ! Vous savez combien il a reçu, en un seul versement, en mars 2010 ? Près de deux millions et demi d'euros !

Incrédule, la Française écarquilla les yeux, scandalisée, et se retourna.

— Où avez-vous vu ça ?

Tomás se tourna vers elle et lui montra l'extrait de compte.

— Ici. C'est le dossier relatif au compte de Benoît XVI à la banque du Vatican.

La chef de la COSEA s'approcha de lui et consulta le document. Tout en bas de la page figurait le montant mentionné, en chiffres : 2 400 000 euros.

— Mince ! C'est une sacrée somme ! (Elle examina les références de l'opération.) Apparemment, elle provient d'un fonds au nom du pape.

— Mais il y a encore des opérations, indiqua le Portugais, en montrant d'autres extraits. Regardez ici, un autre virement. Et ici, encore trois. Benoît XVI recevait pas mal d'argent, dites-moi. (Le doigt glissa vers la gauche, où se trouvaient indiquées les références du donneur d'ordre, le Fonds Benoît XVI.) Vous avez remarqué, l'auteur des virements est presque toujours le même.

L'auditrice vérifia le nom.

— Ce sont ses livres ! constata-t-elle. Vous ne savez pas que le pape Benoît XVI a publié plus de cent trente ouvrages ? Cette somme représente les droits d'auteur qu'il a perçus. Durant son pontificat, les ventes ont explosé partout dans le monde et... et apparemment Ratzinger est devenu riche.

Pendant que Catherine vérifiait le compte de Benoît XVI, Tomás farfouillait dans les autres chemises qui se trouvaient dans le tiroir intitulé « *Leurs Saintetés* ». Il en sortit une autre et lut le nom. « *Paulus VI* ».

Il l'ouvrit et consulta les extraits successifs. Il constata avec surprise que les numéros de compte associés au titulaire variaient d'une feuille à l'autre. L'un était le 26400-042, décrit comme le compte personnel de Paul VI, l'autre le 26400-035.

— Ça alors ! s'étonna-t-il. Le pape Paul VI a plusieurs comptes.

Toujours plongée dans le dossier de Benoît XVI, la Française jeta un coup d'œil sur la chemise que l'historien avait ouverte.

— Avait, corrigea-t-elle. Que je sache, le pape Paul VI est mort.

— Ah ! lança Tomás, en posant l'index sur une ligne. Les comptes sont toujours ouverts.

Nouvelle surprise. Catherine contrôla les dates imprimées sur le dossier dont le titulaire était Giovanni Battista Montini, le nom de Paul VI, et confirma que c'était bien le cas.

— Mon Dieu, vous avez raison. (Elle était perplexe.) Comment est-ce possible ?

— En quoi cela pose-t-il un problème que ces comptes soient toujours ouverts ?

— Lorsque le titulaire d'un compte décède, celui-ci doit être clôturé, tout simplement. Le fait qu'il reste ouvert soulève plusieurs questions inquiétantes. Comment se fait-il qu'il soit toujours actif alors que son titulaire est décédé ? Quelqu'un l'utiliserait-il pour effectuer des opérations ? Si oui, qui ?

— Peut-être un héritier.

— À l'IOR ? Les seules personnes ou entités qui peuvent ouvrir un compte à l'IOR appartiennent à l'Église catholique. Les laïcs n'ont pas accès à l'IOR.

Tomás acquiesça.

— Dans ce cas, nous avons du pain sur la planche.

— On dirait, en effet.

Le Portugais désigna les différents numéros de compte mentionnés dans les extraits.

— Notez que le pape Paul VI disposait de plusieurs comptes, insista-t-il. Le solde du compte 26400-042 s'élève encore à 125 031 euros. Le compte avec le même numéro, mais se finissant par 035, affiche un solde de 298 051 euros. Le compte...

— Ce n'est pas nécessairement anormal, précisa la chef des auditeurs. Le pape Paul VI a vécu à une époque de grande instabilité des changes et il était fréquent que les gens disposent de plusieurs comptes en différentes monnaies. Si la lire baissait, ils se rattrapaient avec le dollar. Si le dollar venait à faiblir, alors ils compensaient avec le mark. Il est clair qu'avec la création de l'euro, tout cela avait moins de sens.

Tandis qu'elle parlait, Tomás remit la chemise consacrée à Paul VI dans le tiroir et en sortit une autre, appartenant à « *Johannis Paulus I* ». Il l'ouvrit et regarda à l'intérieur.

— Le solde du compte du pape Jean-Paul Ier est de 110 000 euros, constata-t-il. Et, bien qu'Albino Luciani soit mort en 1978 dans des circonstances peu claires, le compte est toujours ouvert.

Catherine secoua la tête avec une expression d'incrédulité.

— Comment est-ce possible ? se demanda-t-elle, perplexe. Qui peut bien gérer ces comptes ?

Les questions étaient pertinentes, mais le Portugais se lassa rapidement de consulter les comptes bancaires des papes, et il replaça les chemises dans le tiroir ; rien de tout cela ne semblait présenter le moindre intérêt pour la question qui les préoccupait.

— Assez de comptabilité, dit-il sur un ton sentencieux, en passant à l'armoire suivante. Nous devons nous dépêcher car nous n'avons pas beaucoup de temps pour trouver ce que nous cherchons.

La chef de la COSEA avait bien envie de continuer à examiner le contenu de ce tiroir, mais Tomás avait raison. Elle rangea également la chemise consacrée à Benoît XVI, ferma le tiroir « *Leurs Saintetés* » et revint à sa rangée d'armoires.

« À vrai dire, se demanda Tomás, que cherchons-nous exactement ? » Les tiroirs étaient consacrés à des thèmes variés ; l'un indiquait « *Nonciatures pontificales* », un autre « *Suisse* », un autre encore « *Corps de la gendarmerie* », et ainsi de suite. Où trouver une piste au milieu de tout cela ? Le tiroir intitulé « *Suisse* » était certainement très intéressant, car elle devait concerner les relations entre l'IOR et les banques suisses, dans lesquelles, grâce au secret bancaire, il était possible de cacher des sommes importantes d'origine douteuse, mais cela valait-il la peine de perdre un temps précieux avec ça ? Non, certainement pas.

— J'ai trouvé !

Il se retourna. La Française était plantée devant une armoire de l'autre côté de la salle et examinait un tiroir.

— Vous avez dit quelque chose ?

Elle était absorbée par ce qu'elle venait de découvrir et ne répondit pas immédiatement. Tomás s'approcha d'elle, intrigué par son exclamation et par le tiroir qu'elle regardait sans l'avoir encore ouvert. Catherine se tourna vers lui et lui montra l'étiquette.

— Regardez ça.

Dactylographiés à l'encre rouge près de la poignée, deux mots magiques.

« *Monsignor Dardozzi* »

C'était le dossier qu'ils cherchaient.

XLVI

Rien de surprenant à cela, mais Tomás et Catherine s'étonnèrent de voir un sceau sur le tiroir intitulé « *Monsignor Dardozzi* ». Il est vrai que cette information figurait déjà dans l'inventaire de l'IOR découvert une demi-heure plus tôt dans le bureau de la chef de la COSEA, mais le fait de constater que seul ce tiroir était scellé ne manqua pas de les surprendre.

— Pourquoi le sceau papal ? se demanda la Française sans comprendre. Ni les tiroirs ni les chemises contenant les documents des comptes bancaires de Leurs Saintetés, dont on pourrait pourtant penser qu'ils sont extrêmement confidentiels, ne sont autant protégés. Que peut-il bien y avoir de si secret dans ces documents ?

L'historien toucha le sceau papal pour en sentir la surface rugueuse et l'analysa avec soin. Il était en cuivre et présentait sur une face les effigies de saint Pierre et de saint Paul, séparées par une croix, et les lettres SPA et SPE gravées au-dessus, en référence aux deux plus grands apôtres de la chrétienté.

Catherine s'approcha et examina aussi le dessin du sceau papal.

— C'est étrange, je pensais que les sceaux papaux faisaient référence à un pontife en particulier.

Tomás prit le sceau et le retourna, afin d'examiner l'autre face.

— En effet, c'est le cas.

Sur le revers figurait simplement le nom du pape actuel.

— Bien. Cela prouve au moins que c'est bien Sa Sainteté qui a ordonné de placer les documents de monseigneur Dardozzi sous scellés.

— À présent, la question est de savoir ce que contient ce tiroir.

Tous deux regardèrent de nouveau le sceau papal qui empêchait de l'ouvrir.

— Comment allons-nous faire ? se demanda la responsable de l'équipe d'auditeurs du Saint-Siège.

L'historien glissa de nouveau les doigts sous le sceau papal, comme s'il le caressait et l'éprouvait en même temps, en vue de commettre un acte audacieux. Tomás hésita. Oserait-il ?

— Nous devons briser le sceau.

Catherine s'interposa aussitôt entre lui et l'armoire.

— Vous êtes fou ? dit-elle, scandalisée. C'est le sceau papal ! On ne brise pas un sceau papal comme ça !

— Et pourquoi pas ?

— Parce que... parce que, non. Sa Sainteté a scellé ce tiroir, elle seule peut l'ouvrir. Le sceau papal est sacré.

Le Portugais se pencha légèrement en avant et plissa les yeux, comme pour partager une confidence.

— Même lorsque la vie du pape est en jeu ?

La chef de la COSEA hésita. Les circonstances étaient effectivement exceptionnelles. Justifiaient-elles de briser le sceau papal ? Fallait-il avant tout tenir compte du fait que la vie du pape était en grand danger et qu'ils espéraient trouver dans ce tiroir quelque indice susceptible de les mettre sur la piste du souverain pontife ? En réalité, elle savait qu'ils n'avaient pas vraiment de choix.

Avec un soupir résigné, Catherine fit un pas de côté et s'écarta, laissant libre l'accès au tiroir ; elle semblait ainsi rendre Tomás responsable du sacrilège qui, elle le savait, était inévitable.

— Très bien, concéda-t-elle sur un ton soumis. Faites comme vous l'entendez.

L'historien saisit le sceau du bout des doigts et le secoua. Rien ne se passa. Il était habitué à voir des manuscrits historiques dont le sceau avait été brisé, mais c'était la première fois qu'il devait le rompre lui-même. Comment devait-il procéder ? Y avait-il une technique particulière ? Peut-être, mais il ne la connaissait pas. Il allait devoir improviser.

Il regarda autour de lui, cherchant un objet coupant, mais ne trouva rien. Il mit la main dans sa poche et en sortit un trousseau de clés. Avec la pointe de l'une d'elles il commença à gratter le sceau.

La cire céda et se détacha.

— Ça y est.

Le tiroir était enfin accessible. Il échangea un regard avec Catherine comme pour lui demander l'autorisation de poursuivre.

— Allez-y, dit-elle. Continuez.

L'historien tira le tiroir et l'ouvrit. Il était rempli de chemises qui avaient toutes l'air très épaisses.

— Bon sang ! s'exclama-t-il, surpris par l'immensité de la tâche qui les attendait. Il y a des... des tonnes de papiers !

La Française semblait également perdue.

— Par où commencer ?

La question était purement rhétorique. Tomás prit la première chemise et l'ouvrit. Elle était pleine de documents bancaires imprimés sur ce qui semblait être du papier carbone.

Il parut surpris.

— Mais, ce ne sont pas des originaux, constata-t-il. Ce sont... je ne sais pas, on dirait de vieilles photocopies.

— Montrez-moi.

La chef de la COSEA examina les documents, en apprécia la surface molle, allant même jusqu'à les renifler. Les papiers dégageaient une vague odeur de produits chimiques.

— Ce sont de vieilles photocopies, n'est-ce pas ?

Elle acquiesça.

— Oui.

Elle prit une chemise, Tomás une autre. Lorsqu'ils eurent fini de les examiner, ils en prirent une nouvelle, puis encore une, chacun plongeant dans un dossier comme s'ils s'enfonçaient dans un monde parallèle. Ils demeurèrent silencieux pendant toute l'heure qui suivit, hormis quelques interjections occasionnelles ou lorsque Tomás demandait une précision technique à l'auditrice – beaucoup plus à l'aise que lui dans l'analyse des documents administratifs.

— Regardez ça, dit l'historien. Qu'est-ce que c'est ?

Catherine jeta un œil sur le document.

— Ça ? C'est le procès-verbal d'une réunion du conseil d'administration de l'IOR.

Le Portugais posa la chemise et se massa les tempes pour essayer de se détendre.

— Vous avez vu la quantité de papiers qui sont conservés ici !

Elle regarda les innombrables et très épais dossiers qui garnissaient le tiroir.

— À la louche, je dirais qu'il y a environ quatre mille documents concernant monseigneur Dardozzi. J'ai déjà vérifié les dates. Je ne sais pas si vous avez remarqué, mais l'ensemble couvre vingt-quatre ans d'activité de l'IOR. C'est une période très longue, et je doute que nous parvenions à trouver ce que nous cherchons avant minuit.

— Le plus important n'est pas la quantité de documents, mais leur qualité, remarqua Tomás. (Il feuilleta rapidement la chemise qu'il avait entre les mains.) Regardez ce qu'il y a ici, des lettres, des reçus, des avis de transfert, des extraits de compte, des factures, des certificats d'actions et d'obligations, des rapports confidentiels, des procès-verbaux de conseils d'administration, des listes de comptes chiffrés... Que sais-je encore ! Essentiellement des documents financiers ou strictement bancaires et de gestion de la banque du Vatican.

— Oui, c'est vrai, murmura Catherine avec lassitude. Mais que signifie tout cela ?

Tomás ne trouva pas de réponse à cette question. Quel intérêt présentaient tous ces documents ? Étaient-ils vraiment pertinents ? Il inspira profondément pour se donner du courage et plongea de nouveau dans son dossier. Il feuilleta encore quelques extraits de compte, des avis de virement, ainsi que des rapports. Tout se répétait ; seuls les chiffres et les dates changeaient.

La question de Catherine lui apparaissait de plus en plus pertinente. Qu'avait voulu révéler monseigneur Dardozzi en conservant toute cette paperasse, et pour quelle raison le pape avait-il fait placer ces documents sous scellés ? En outre, l'allusion à Dardozzi dans la vidéo visait-elle vraiment ces dossiers confidentiels ? Comment s'assurer qu'ils ne faisaient pas fausse route ?

Au bout d'une demi-heure, et après avoir replacé dans l'armoire une énième chemise avec la conviction grandissante qu'il perdait son temps et qu'il ferait mieux d'abandonner cette recherche, l'historien sortit du tiroir une nouvelle chemise.

— Tiens, tiens ! dit-il en voyant le nom du nouveau dossier. Lui aussi avait un compte à la banque du Vatican...

— Qui ?

Tomás lui montra le dossier afin qu'elle puisse voir le nom indiqué sur la couverture : « *Cardinal Francis Spellman* ».

— L'Américain.

Elle fronça les sourcils.

— Qui ?

— Une histoire que m'a racontée le pape... Ce cardinal américain avait navigué sur le Tibre avec un troupeau, simplement pour faire croire au conclave que c'était lui, le *pastor et nauta* prophétisé par Malachie.

La Française éclata de rire.

— Ne me dites pas que c'est le cardinal Spellman...

— Lui-même, dit Tomás en riant. Mais ça ne lui a pas servi à grand-chose, le pauvre. Le conclave ne l'a pas élu.

Il balaya distraitement les documents contenus dans la chemise du cardinal américain, se demandant, amusé, s'il y trouverait la facture du fameux épisode de la location du bateau et du troupeau, qui faisait désormais partie de la légende des conclaves. Comment Spellman avait-il pu imaginer que les autres cardinaux se laisseraient convaincre par un stratagème aussi...

Son sourire narquois disparut d'un coup, Tomás sentit son cœur faire un bond et son sang se glacer dans ses veines. Il resta paralysé, les yeux rivés sur une ligne de la quatrième page du dossier.

— Mon Dieu !

La Française, toujours plongée dans sa lecture des documents d'une autre chemise, tressaillit comme si elle revenait d'une région lointaine.

— Que se passe-t-il ?

Beaucoup trop excité pour rester assis, Tomás fit un bond et se leva, la chemise à la main.

— Qui est Omissis ?

La Française le regarda sans comprendre.

— Hein ?

— Omissis ! répéta-t-il avec gravité, comme s'il s'agissait de la chose la plus importante au monde. Qui est Omissis ?

Elle secoua la tête, s'efforçant de comprendre la raison d'une telle excitation.

— Je ne comprends pas. De quoi parlez-vous ?

Le Portugais se pencha vers Catherine et lui montra le mot écrit sur le papier qu'il consultait.

— Ici, dit-il. Vous ne voyez pas ? Il est écrit Omissis. Qui est cet Omissis ?

La chef de la COSEA afficha un air ignorant. Elle ne comprenait pas pourquoi Tomás accordait une importance disproportionnée à ce nom étrange.

— Eh bien... pour autant que je sache, *omissis* est une expression juridique, expliqua-t-elle. Cela signifie « omission » ou un « passage qui... »

— Omissis est une personne, coupa Tomás, avec impatience. Qui est-ce ?

— Si c'est quelqu'un, je ne sais pas qui c'est. Franchement, je ne connais personne qui porte ce nom. J'ignorais même qu'on pouvait s'appeler comme ça.

L'historien tapota sur le document avec la pointe du doigt.

— Vous ne voyez pas que c'est essentiel ? demanda-t-il, exaspéré que la Française ne comprenne pas ce qui pour lui n'était que trop évident. Voilà la preuve que nous sommes sur la bonne piste, vous saisissez ? Le pape se référait à ces documents ! (Il désigna le tiroir sur lequel était inscrit « Dardozzi ».) La solution du mystère est là !

Catherine le regardait sans comprendre. Comment pouvait-il tirer de telles conclusions ?

— Excusez-moi, Tomás, mais de quoi parlez-vous exactement ?

— D'Omissis ! Vous ne voyez donc pas ?

Elle regarda le nom écrit sur le document puis le dévisagea avec une expression étrange.

— Mais en quoi est-ce si spécial ?

Ce n'est qu'à ce moment-là que Tomás comprit. La découverte de ce nom l'avait tellement excité qu'il n'avait pas réalisé que la chef de la COSEA ignorait le principal.

— Vous vous rappelez, je vous ai raconté que j'ai été attaqué par deux hommes cet après-midi, et qu'ils m'ont emmené dans une église qui se trouve derrière la basilique.

— Oui. Et alors ?

— Lorsque j'étais dans l'église, feignant d'être inconscient, l'un des deux a téléphoné à quelqu'un pour demander des instructions.

— Vraiment ? Vous ne m'aviez pas dit ça.

— Oui, vous avez raison. Avec toute cette pression, je ne vous ai raconté que l'essentiel de ce qui m'est arrivé. Mais c'est la vérité, le type a téléphoné pour savoir ce qu'il devait faire de moi.

— Et quelle a été la réponse ?

— Je n'ai pas entendu, bien sûr, je n'avais pas l'oreille collée à l'écouteur. Mais d'après ce que l'homme a dit, j'ai compris qu'ils voulaient m'interroger pour savoir ce que je savais sur une certaine personne.

— Sur qui ?

Tomás lui montra le document et, avec une étincelle dans le regard, il désigna le nom qui y était inscrit ; il était convaincu d'avoir trouvé la clé du secret qui allait lui permettre d'accéder au cœur du mystère.

— Omissis.

XLVII

Dans les minutes qui suivirent, Catherine et Tomás concentrèrent exclusivement leur attention sur les documents qui se trouvaient dans le dossier du cardinal Francis Spellman. Ils se rendirent très vite compte que le dossier ne concernait pas le compte du prélat américain, mais plutôt celui d'une fondation qui portait son nom. La référence à Omissis, la même personne que celle à laquelle le terroriste avait fait allusion au téléphone dans l'église Saint-Étienne-des-Abyssins, leur montrait qu'il y avait bien un lien entre les documents de Dardozzi et l'enlèvement du pape.

— Si nous parvenons à comprendre qui est Omissis, nous comprendrons tout, affirma Tomás sur un ton sentencieux, en fouillant dans le dossier. C'est la clé.

— Vous pensez ?

— J'en suis certain.

Catherine regarda les extraits de compte, l'air pensif.

— Selon vous, qui est Omissis ? Serait-ce le Judas qui a aidé les ravisseurs de l'État islamique ?

— Pourquoi pas ?

Enfin convaincue de l'importance de la question, l'auditrice examina les extraits de compte et les virements avec une attention redoublée. Au bout de quelques instants, elle fut attirée par une référence numérotée en haut des feuilles.

— Jetez un coup d'œil sur les mouvements de ce compte.

L'historien regarda le numéro indiqué ; il s'agissait du compte 001-3-14774-C, au nom de la Fondazione Cardinale Francis Spellman. Il examina le premier document.

— Que vient donc faire ici Donato De Bonis ?

En entendant ce nom, l'auditrice sembla se figer.

— Qui ?

Tomás répéta le nom mentionné sur le document.

— Il s'agit de la personne qui a ouvert le compte de la Fondazione Cardinale Francis Spellman. De Bonis. Que vient-il faire ici ?

Catherine s'efforça de cacher son embarras.

— C'est... ou plutôt, c'était le successeur du cardinal Marcinkus comme homme fort de l'IOR.

L'historien ouvrit grands les yeux.

— De Bonis a succédé à Marcinkus ? Après le scandale de la banque Ambrosiano ?

— Oui.

— Mais je croyais que c'était Angelo Caloia le successeur de Marcinkus comme président de la banque du Vatican ?

La chef de la COSEA respira profondément.

— Vous savez, le Saint-Siège est une institution complexe, expliqua-t-elle. C'est vrai qu'après le départ de Marcinkus, Angelo Caloia a assumé la présidence de l'IOR. Mais Caloia était un économiste, laïque donc, pas un prélat. Monseigneur De Bonis était le prélat qui avait le plus de pouvoir au sein de l'IOR. En réalité, dans la pratique, c'était lui qui commandait.

— C'est le prélat qui commandait ? s'étonna Tomás. Cependant, pour autant je sache, dans toute institution c'est le président qui dirige. Or le président de la banque du Vatican c'était Angelo Caloia.

— En effet, mais au Saint-Siège, une règle non écrite veut que les laïcs se soumettent aux prélats. Ce qui signifie que, bien que président de l'IOR, Caloia, en tant que laïc, était subordonné à monseigneur Donato De Bonis.

L'historien se frotta le menton.

— Je commence à comprendre, dit-il. Si je vous ai bien suivie, lorsque Marcinkus est parti, De Bonis est resté et il est devenu plus puissant que le président de la banque lui-même ?

— Tout à fait.

— Comment est-il possible que De Bonis soit resté après tout ce qui s'est passé avec la banque Ambrosiano ?

La Française saisit le document qu'il lui montrait et, avec un tic nerveux, vérifia le nom du prélat qui avait ouvert le compte de la Fondazione Cardinale Francis Spellman.

— Monseigneur Donato De Bonis est entré à l'IOR en 1954. Il a été secrétaire particulier de l'ancien président de l'institution, le cardinal Di Jorio, et, en 1970, il est devenu secrétaire général.

— C'est-à-dire numéro deux de la banque du Vatican.

Catherine rougit, embarrassée.

— C'est cela. Il a occupé cette fonction à l'époque de monseigneur Marcinkus et... et après.

L'historien marqua une pause avant de pouvoir exprimer le sentiment de stupéfaction qui l'avait envahi.

— De Bonis a été maintenu en fonction lorsque Marcinkus est parti, répéta-t-il. Vous êtes en train de me dire que cette fripouille de Marcinkus, après avoir éclaboussé le Saint-Siège avec le scandale de la banque Ambrosiano, a laissé son bras droit tirer les ficelles de la banque du Vatican ?

La Française respira profondément, gênée.

— Oui...

— Et qui a été le brillant esprit qui a autorisé une telle chose ?

Catherine répondit d'une voix presque inaudible.

— Ce fut... ce fut Sa Sainteté le pape Jean-Paul II.

Tomás cligna des yeux ; elle venait de mettre en cause Karol Wojtyla.

— Mais c'est exactement comme si on renvoyait Al Capone et qu'on laisse Don Corleone diriger le gang à Chicago ! argumenta-t-il. Cela n'a ni queue ni tête !

L'auditrice esquissa un geste d'impuissance.

— Je ne sais pas quoi vous dire. Au Saint-Siège, il y a beaucoup de choses qui, du point de vue de la gestion, n'ont ni queue ni tête, mais... enfin, que peut-on y faire ?

L'universitaire portugais se redressa, s'efforçant de rester calme, et regarda les documents qui se trouvaient dans la chemise, convaincu qu'il manipulait un tas d'ordures. Quelles ignominies pouvaient bien se cacher dans ces dossiers ?

— D'après le document d'ouverture du compte de la Fondazione Cardinale Francis Spellman, De Bonis et le dénommé Omissis sont autorisés à effectuer des opérations sur le compte.

— Et quelles opérations ont été effectuées sur ce compte ?

Tomás tourna deux pages et il trouva immédiatement ce qu'il cherchait.

— Le premier virement est indiqué ici, dit-il. (Il regarda le montant et écarquilla les yeux, scandalisé.) Mazette !

— Qu'y a-t-il ?

Il lui montra la somme indiquée sur le papier.

— Le virement effectué lors de l'ouverture du compte était de près de cinq cents millions de lires !

— Eh bien ! Et qui est le bénéficiaire ?

— La Fondazione Cardinale Francis Spellman, à laquelle ce compte semble appartenir.

L'expression de la Française s'adoucit.

— Il s'agit donc d'une institution de l'Église, constata-t-elle, rassurée. Bien que le montant soit élevé, je crois que tout est régulier. En outre, n'est-ce pas ce cardinal Spellman qui avait accès à d'énormes sommes d'argent ?

— Oui, il était l'évêque de New York et c'est lui qui, à la fin de la Seconde Guerre mondiale, a transféré des millions et des millions depuis les États-Unis pour financer le Parti de la démocratie chrétienne en Italie et assurer sa victoire aux élections de 1948, empêchant ainsi que le pays ne devienne communiste.

— Cela explique donc l'origine de cet argent.

— Mais ça, c'était en 1948, Catherine ! (Il désigna le document qu'il consultait.) Cet argent-ci est récent.

Elle sembla déconcertée.

— Il y a eu d'autres virements ?

L'historien fouilla dans la chemise à la recherche d'autres papiers. D'après les extraits, de multiples opérations avaient été effectuées sur le compte de la Fondazione Cardinale Francis Spellman. Il vérifia les dates, les sommes et le type d'avoirs qui avaient été transférés et tenta de dégager une quelconque explication.

— Les virements concernent du liquide et des titres d'État, observa-t-il. À mesure que le temps passe, les sommes créditées augmentent. Il y a chaque fois toujours plus d'argent. Tenez, regardez. Des sommes sont créditées tous les quatre jours, et d'autres sont débitées tous les trois jours. Une véritable autoroute de l'argent.

— Des fonds continuent d'entrer ?

Tomás consulta d'autres documents.

— Non. Au bout d'un certain nombre d'années, les virements ont cessé.

— Il est précisé pourquoi ?

— Non.

— D'où venait cet argent ?

Bonne question. Tomás examina les ordres de virement.

— Une grande partie des fonds provenait de dépôts en espèces, sans indication d'origine. (Il se tourna vers elle.) C'est comme si quelqu'un arrivait à la banque du Vatican avec de l'argent dans une valise et l'y déposait, vous voyez ce que je veux dire ?

Catherine fit une moue.

— Étrange... Qui signait les dépôts ?

Le Portugais chercha la signature.

— De Bonis.

362

La chef de la COSEA était toujours plus étonnée.

— Monseigneur De Bonis a déposé des millions et des millions en liquide ? Mais d'où pouvait venir tout cet argent ?

— On le lui a remis, c'est évident.

— Oui, ça ne peut être que ça. Le déposant a sans doute voulu rester anonyme. (Elle regarda le dossier.) Et les virements bancaires, d'où proviennent-ils ?

Tomás contrôla les registres.

— Eh bien, deux cents millions ont été virés par la société Fasco, observa-t-il. (Il prit un air songeur.) C'est drôle, le nom de cette société me dit quelque chose...

— Quel nom ?

— Fasco. (Il fit un effort pour se souvenir, mais en vain. Il continua de feuilleter les documents jusqu'à ce que son attention soit attirée par l'un d'eux.) Regardez, une feuille avec un emblème est annexée à ce virement. (Il tenta de reconnaître le symbole imprimé sur le papier.) C'est curieux, ça ressemble à l'emblème de... du...

Il se tut, stupéfait. Catherine bouillait d'impatience.

— De quoi ?

— Bon sang !

La réaction inattendue de l'universitaire ne fit qu'accroître la curiosité de la Française. Que pouvait bien avoir de si particulier le symbole imprimé sur cette feuille de papier ?

— C'est l'emblème de quoi ?

Tomás passa encore un moment à regarder la feuille et l'emblème, comme s'il n'en croyait pas ses yeux. Il voulait s'assurer qu'il n'y avait aucune erreur et qu'il s'agissait vraiment de ce qu'il pensait. Il finit par se rendre à l'évidence : il ne se trompait pas.

— Du Parlement.

— Comment ?

Tomás examina à nouveau la feuille avant de regarder Catherine, cette fois avec une expression d'inquiétude. À cet instant précis, il comprit qu'ils avançaient en terrain miné, et que, malgré l'urgence, il leur faudrait faire preuve d'une extrême prudence. S'il était des gens dangereux en ce monde, c'était bien ceux qui se trouvaient derrière cette institution.

— Des politiciens sont mêlés à tout ça !

XLVIII

Catherine examina le papier découvert par Tomás dans le compte de la Fondazione Cardinale Francis Spellman à l'IOR. Elle constata qu'il s'agissait d'une page d'un bloc-notes comportant l'emblème de la Chambre des députés. Sur la feuille, une somme était écrite en chiffres : quarante millions, accompagnée d'une courte note griffonnée à la main.

Transfert pour Spellman

Elle montra à l'historien la feuille avec le symbole du Parlement, en espérant qu'il aurait une réponse.

— De qui est cette note ?

Sa question était absurde, Tomás évidemment l'ignorait. Ils tentèrent de trouver un nom au recto ou au verso de la feuille, qui permettrait d'identifier l'auteur de l'ordre, sans succès.

— Elle n'est pas signée, constata le Portugais. Mais il s'agit d'une feuille d'un bloc-notes de la chambre basse du Parlement italien. Quelqu'un de la Chambre des députés a fait déposer de l'argent sur le compte de la Fondazione Cardinale Francis Spellman à la banque du Vatican.

Catherine desserra le col de son chemisier. Elle sentait qu'elle manquait d'air et avait besoin de respirer.

— Du calme, du calme ! dit-elle, en se parlant à elle-même. Pas de panique. Cet ordre de virement inscrit sur une feuille avec l'emblème du Parlement ne prouve absolument rien.

— Ça prouve simplement que des politiciens sont impliqués dans cette histoire...

— N'exagérons rien. L'ordre peut avoir été donné par un fonctionnaire quelconque de la Chambre des députés, par exemple.

Tomás éclata de rire, sarcastique.

— Vous plaisantez ? Vous pensez vraiment que les fonctionnaires italiens donnent des ordres de virement s'élevant à quarante millions ?

La chef de la COSEA rougit ; en effet, l'ordre de virer une telle somme ne pouvait avoir été donné que par quelqu'un d'important. Plus que quiconque, elle ne pouvait l'ignorer.

Elle indiqua le reste du dossier.

— Regardez si vous trouvez autre chose.

Avec des gestes rapides, Tomás examina les documents suivants, jusqu'à ce que l'un d'eux attire son attention.

— Tiens, tiens...

— Quoi donc ?

— Il est question d'un sénateur.

— Un sénateur ?

Tomás se tourna vers elle.

— Le nom de Lavezzari vous dit-il quelque chose ?

Catherine examina aussitôt le document.

— Mon Dieu ! s'exclama-t-elle. Vous parlez de...
de Carlo Lavezzari ?

L'universitaire lui montra la ligne en question afin
qu'elle lise elle-même le nom.

— Je ne sais pas. C'est tout ce qui est écrit.

On pouvait lire « sénateur Lavezzari ».

— C'est Carlo Lavezzari.

— Vous le connaissez ?

— Voyons, qui ne le connaît pas en Italie ? C'est
un sénateur démocrate-chrétien, originaire de Lombardie,
qui a fait fortune dans la sidérurgie. Il a été membre de
la commission du Sénat pour l'industrie, et je crois
qu'il a été dirigeant d'un club sportif très réputé en
Italie. Le... l'Inter de Milan, il me semble.

— Un requin, en somme, conclut Tomás, en montrant les chiffres inscrits sur l'une des dernières lignes.
Regardez ça. Ce fameux sénateur Lavezzari a déposé
près de six cents millions sur le compte de la Fondazione
Cardinale Francis Spellman. Il a l'air plein aux as.

La chef de la COSEA se redressa pour mieux réfléchir. Elle s'efforçait de comprendre la signification de
ce qu'ils étaient en train de découvrir dans le tiroir que
le pape avait fait sceller.

— Il n'y a pas de doute, vous avez raison, acquiesça-
t-elle. Des hommes politiques sont effectivement
impliqués dans cette affaire. (Elle jeta un regard inquisiteur sur son compagnon.) Est-ce que l'argent reste
intégralement sur le compte ou est-ce qu'il en sort ?

— Je vous ai déjà répondu, il y a des crédits et des
débits.

— Mais où va-t-il ?

Le Portugais fouilla à nouveau dans la chemise, examinant un document après l'autre, à la recherche d'indices sur la destination de l'argent.

— L'argent sort du compte de différentes manières. Il y a des retraits en espèces, des virements bancaires, des chèques au porteur et même des achats de titres.

— Lorsque le bénéficiaire est indiqué, de qui s'agit-il ?

Tomás étudia chaque document.

— Sur ce relevé figure un débit en faveur des Sœurs hospitalières de la miséricorde. Sur celui-ci, c'est pour les Adoratrices de l'eucharistie. Un virement est destiné aux Bénédictines de Priscilla, un autre aux Carmélites de Renzo. Sur cette page apparaît un transfert en faveur du monastère bénédictin de Cesena, sur celle-là c'est pour le Centre de solidarité don Mario Picchi, et sur celle-ci pour la Communauté de Santo Egidio. Je continue ?

— Non, ça suffit ! soupira Catherine, en levant la main pour l'arrêter. Ouf ! Pour être sincère, je suis rassurée. Si l'argent est destiné à des institutions religieuses ou à des œuvres caritatives, je ne vois là rien d'anormal. Certes, l'origine des fonds n'est pas très claire, mais l'emploi qui en est fait n'a rien de sinistre ou de condamnable.

Tomás resta silencieux un moment, examinant toujours les innombrables ordres de virement. Au bout de quelques minutes, il s'arrêta et la dévisagea comme s'il avait peur de lui dire ce qu'il venait de découvrir.

— Je crains que les sommes virées depuis ce compte en faveur d'œuvres caritatives ne soient marginales.

Elle écarquilla les yeux, surprise.

— Mais vous venez de dire que l'argent a été envoyé à je ne sais quelles religieuses et je ne sais quels monastères qui...

— Cela ne représente qu'une infime partie, répéta-t-il. L'essentiel des fonds semble avoir eu d'autres destinataires.

— Lesquels ?

— Des banques suisses, par exemple.

Catherine prit un air incrédule.

— Vous parlez sérieusement ?

— La banque de Lugano apparaît souvent, constata Tomás. (Il contracta le visage, comme pour exprimer un doute.) C'est un peu étrange tous ces virements vers des banques suisses, vous ne trouvez pas ? Pour autant que je sache, les banques suisses perçoivent des taxes extrêmement élevées sur les dépôts, ce qui ne les rend guère attrayantes pour qui souhaite déposer de l'argent propre. Le grand avantage de ces banques c'est, comme chacun sait, le secret bancaire. C'est pour ça qu'on y a surtout recours lorsqu'on veut dissimuler de l'argent d'origine douteuse. Évasion fiscale, drogue, extorsion, trafic d'armes... enfin, toutes sortes d'activités illégales. Ce sont les criminels qui utilisent les banques suisses. Les gens normaux déposent leur argent à la banque pour percevoir des intérêts, pas pour verser des commissions leur garantissant l'anonymat.

— Oui, vous avez raison. (Elle le regarda l'air intrigué.) Pourquoi diable la Fondazione Cardinale Francis Spellman plaçait-elle de l'argent en Suisse si son objectif était caritatif ? Pour quelle raison payait-elle pour bénéficier du secret bancaire ? Que voulait-elle ainsi cacher ?

Espérant trouver une réponse, l'universitaire se remit à examiner les documents. Il considéra deux feuilles et s'arrêta sur un rectangle de papier : la copie d'un chèque, de toute évidence.

— Des sommes faramineuses ont aussi été virées du compte de la Fondazione Cardinale Francis Spellman sur des comptes individuels. Les bénéficiaires sont indiqués.

— Où ?

Le Portugais montra le petit rectangle qu'il avait trouvé dans la chemise.

— Sur ce chèque, par exemple.

— Qui sont les bénéficiaires ?

Tomás examina le chèque.

— Eh bien, par exemple, la fondation a versé soixante millions à un certain Severino Citaristi.

La Française pâlit.

— Citaristi ?

— Oui. Vous le connaissez ?

Une expression d'anxiété dans les yeux, tremblante, Catherine vérifia le nom. Il était écrit noir sur blanc. Severino Citaristi.

— Mince !

— Qui est ce type ?

Les yeux de la chef des auditeurs restaient rivés sur le chèque, comme pour s'assurer qu'elle ne s'était pas trompée.

— C'est... c'est le trésorier du PDC.

— Le PDC ? Qu'est-ce que c'est que ça ?

Après avoir lu et relu le nom plusieurs fois, Catherine leva la tête et le dévisagea, angoissée. Elle cligna des yeux, et marqua une pause avant de répondre.

— Le Parti de la démocratie chrétienne.

XLIX

À l'évocation du nom du principal parti politique italien de l'après-guerre, Tomás comprit qu'ils venaient de toucher un point très sensible. Il fit une grimace, devinant qu'ils étaient sur une pente très glissante.

— Aïc, aïe ! gémit-il. Vous êtes sûre que ce Severino Citaristi était vraiment le trésorier du Parti de la démocratie chrétienne ?

— Et comment ! Tout le monde en Italie connaît le *dottor* Citaristi. C'est lui qui tenait les cordons de la bourse du PDC.

Il relut le nom du bénéficiaire indiqué sur le chèque, tout en méditant sur la signification profonde de ce qu'il venait de découvrir.

— Encore un politique, n'est-ce pas ?

L'auditrice française posa ses yeux bleus sur l'épais dossier de la Fondazione Cardinale Francis Spellman.

— Mon Dieu, ce compte est une véritable bombe à retardement ! lâcha-t-elle en secouant la tête. Pas étonnant que Sa Sainteté ait fait sceller le dossier que monseigneur Dardozzi avait gardé. C'est explosif !

Bouillant de curiosité, l'historien consultait déjà d'autres feuilles et examinait de nouveaux extraits de compte et avis de virement. Quelles surprises réservaient encore les documents de l'IOR ?

— Regardez ça, quatre cents millions adressés à un certain Ascari.

La chef de la COSEA sursauta encore une fois. Elle était dans des montagnes russes et chaque nouveau document marquait le début d'une descente vertigineuse.

— Quel Ascari ? demanda-t-elle. Ne me dites pas que c'est... que c'est Odoardo Ascari !

— C'est en effet le nom qui est mentionné. Vous le connaissez ?

Catherine inspira profondément, comme si elle s'efforçait de retrouver son souffle après avoir reçu un coup de poing dans le ventre.

— C'est un pénaliste, dit-elle. L'avocat d'Edgardo Sogno, un autre politicien, du Parti libéral celui-là.

Le Portugais faillit éclater de rire.

— Les libéraux recevaient également de l'argent provenant du compte de la Fondazione Cardinale Francis Spellman ? Bon sang, mais ça va de mal en pis...

D'un geste brusque et impulsif, la chef de la COSEA saisit le dossier et tenta de le lui reprendre.

— Écoutez, ça devient dangereux ! dit-elle, les mains tremblantes et le regard inquiet. Il vaut mieux arrêter !

Pris au dépourvu, Tomás s'accrocha au dossier. D'un geste, il l'éloigna de l'auditrice.

— Calmez-vous. Nous devons savoir ce qu'il contient.

— Mais vous ne voyez pas que tout ça, c'est de la dynamite ? On parle de comptes en Suisse et d'hommes politiques liés au Parti de la démocratie chrétienne et au Parti libéral ! Dieu seul sait ce que nous pouvons encore trouver !

— Ça m'est bien égal !

— Si Sa Sainteté a fait placer ces documents sous scellés, c'est qu'elle avait ses raisons, insista-t-elle. Ce n'est pas seulement pour les cacher qu'ils ont été archivés ici, dans cette cave. Le pape voulait aussi qu'ils soient oubliés !

— Vous avez peut-être raison, rétorqua le Portugais. Le problème c'est qu'il a été enlevé et que les circonstances ont changé. N'oubliez pas que c'est le pape lui-même qui nous a menés à monseigneur Dardozzi et à ces documents. En outre, comme vous le savez, l'un de mes ravisseurs a mentionné le nom d'Omissis au téléphone. Le fait que cet Omissis ait été l'une des personnes autorisées à effectuer des opérations sur le compte de la Fondazione Cardinale Francis Spellman prouve que nous sommes sur la bonne piste. Si nous voulons sauver le pape, nous devons continuer, vous comprenez ? C'est tout ce que nous avons, c'est notre unique espoir. L'ignorer c'est condamner le pape à mort ! C'est ce que vous voulez ?

Catherine finit par maîtriser ses nerfs et parut recouvrer son courage.

— Excusez-moi, vous avez raison, bien sûr.

— Le plus urgent à présent est d'identifier le titulaire du compte, dit Tomás, s'efforçant d'établir des priorités. Qui est cet Omissis ? C'est la première chose que nous devons découvrir.

L'auditrice porta à nouveau son attention sur le dossier.

— Vous avez vérifié les documents de ce compte ?

— Oui. Les noms d'Omissis et de De Bonis y figuraient. Il est clair qu'Omissis est un nom de code : la question est de savoir qui se cache derrière. Vous avez une idée sur la manière dont on pourrait découvrir sa véritable identité ?

Catherine se mordit la lèvre inférieure, l'air songeur. Une auditrice du Vatican était tenue de connaître les règles de fonctionnement des banques, et de l'IOR en particulier.

— Omissis est le titulaire de ce compte, n'est-ce pas ? Eh bien, dans ce cas, son véritable nom doit nécessairement figurer sur le document d'ouverture du compte.

Le regard de Tomás s'illumina et il faillit l'embrasser.

— Vous avez raison !

— Examinez attentivement les premières pages.

Redoublant d'énergie, l'universitaire se plongea à nouveau dans le dossier de la Fondazione Cardinale Francis Spellman afin d'y retrouver le document d'ouverture du compte.

— Le voici !

Il n'avait pas mis longtemps. Il l'examina avec attention et en vérifia tous les éléments. Y figuraient le numéro de compte, 001-3-14774-C, ainsi que la date à laquelle il avait été ouvert, à savoir le 15 juillet 1987, à la demande de Donato De Bonis. En haut de la page, les lettres OtBkCeN étaient écrites au crayon à papier et, entre parenthèses, la lettre G, probablement une référence à un code du compte, avec l'emblème de l'Institut pour les œuvres de religion. La signature de Donato De Bonis se trouvait tout en bas de la page. Comme on pouvait s'y attendre, était également mentionné le second titulaire, identifié comme étant Omissis. Cependant, on ne voyait aucune autre signature sur le document ; simplement une sorte de tache.

— Alors ? s'impatienta la Française. Vous avez le vrai nom de cet Omissis ?

L'historien éplucha le document de haut en bas, au recto et au verso. Rien. Était-il possible que le second titulaire n'ait pas signé le document d'ouverture du compte ? Il revint au nom « Omissis », à côté de la signature de Donato De Bonis, et examina mieux la tache qui apparaissait sous le nom du second titulaire. Il l'étudia attentivement jusqu'à ce qu'il comprenne enfin, avec un mélange d'incrédulité et de frustration, qu'il ne s'agissait pas vraiment d'une tache.

— C'est une rature.

— Pardon ?

Tomás regarda Catherine puis à nouveau le document, perplexe, comme s'il cherchait des réponses qui n'existaient pas, ou qui existaient mais n'avaient aucun sens. Voulant s'assurer que ses yeux ne le trompaient pas, il passa le doigt sur la rature pour en sentir la texture.

— La signature d'Omissis, expliqua-t-il. Elle a été raturée.

L

Catherine accusait le coup. Elle s'empara du dossier et examina de ses propres yeux le document d'ouverture du compte de la Fondazione Cardinale Francis Spellman à l'IOR.

— Ce n'est pas possible ! dit-elle. Qui a fait ça ? On n'a pas le droit de rayer les signatures des titulaires de compte bancaire ! C'est interdit !

Tomás montra la tache.

— C'est pourtant ce qui s'est passé, insista-t-il. Regardez bien.

La chef de la COSEA passa également son doigt sur la rature.

— En effet, vous avez raison, reconnut-elle, déconcertée. (Elle approcha le papier de ses yeux afin de l'étudier de plus près.) Mince ! C'est très bien fait, la signature d'Omissis est totalement illisible.

— À votre avis, qui aurait pu faire ça ?

La Française écarquilla les yeux, songeant aux implications de leur découverte.

— Qui que ce soit, une chose est sûre : celui qui a fait ça avait l'accord d'un haut responsable de l'IOR.

(Elle fronça les sourcils d'un air entendu.) Quelqu'un au sommet, si vous voyez ce que je veux dire.

— De Bonis ?

— Je ne veux accuser personne, mais qui pouvait être mieux placé ?

Tomás acquiesça.

— Il est évident que monseigneur De Bonis est derrière tout ça, déclara-t-il. Est-ce bien normal, dans une banque, que le titulaire d'un compte puisse utiliser un nom de code, et même qu'il soit autorisé à rayer sa signature pour ne pas être identifié ?

— Absolument pas, garantit-elle. De toute ma carrière d'auditrice, c'est la première fois que je vois ça. Et je dois avouer que je suis atterrée de constater de telles irrégularités dans une institution comme l'IOR. Comment le Saint-Siège a-t-il pu permettre de telles choses ?

— Si cela a été autorisé, ma chère, c'est qu'il devait certainement y avoir de bonnes, voire de très bonnes raisons. Quelles pouvaient-elles bien être, vous n'avez pas une petite idée ?

Catherine secoua la tête.

— Non, je ne vois pas, je ne vois vraiment pas...

L'historien passa une fois de plus le doigt sur la rature.

— Qui que soit cet Omissis, nous savons déjà au moins une chose sur lui.

— Laquelle ?

Il continua à effleurer distraitement le papier, plongé dans ses réflexions. Il avait encore du mal à croire que la banque du Vatican ait accepté qu'une signature d'ouverture de compte soit rayée. Cela ne pouvait signifier qu'une chose.

— C'est un gros bonnet.

La Française acquiesça de la tête.

— Là-dessus, il n'y a aucun doute.

Tomás détourna son regard pour le poser sur les autres chemises qui étaient dans le tiroir.

— Nous devons contrôler les autres comptes, indiqua-t-il. Il se peut que l'un d'eux nous permette d'identifier Omissis.

Chacun prit un dossier et commença à l'étudier. L'historien lut l'intitulé de celui qu'il tenait dans les mains. « *Fonds Mamma Roma pour la lutte contre la leucémie* ». Il l'ouvrit et vérifia le numéro de compte sur le premier extrait qu'il trouva. C'était le compte numéro 001-3-15924. Son regard glissa jusqu'au solde, en bas de la page.

— Bigre ! s'exclama-t-il. Ce fonds contre la leucémie est très bien doté. Six cents millions.

— Au moins cet argent est bien utilisé, observa Cathcrine. La lutte contre la leucémie est une très bonne cause et elle a besoin de financement. C'est déjà ça.

Cette fois, Tomás ne voyait pas de raison de la contredire. Il continua son examen pour trouver le nom du titulaire. Ce ne fut guère difficile.

— Tiens, tiens... C'était également De Bonis qui avait accès au compte du Fonds Mamma Roma pour la lutte contre la leucémie...

La Française était elle aussi plongée dans son dossier.

— Monseigneur De Bonis apparaît aussi dans ce troisième compte, constata-t-elle. Zut ! Ce diable d'homme est partout !

— Comment s'appelle celui-ci ?

Catherine lui montra le dossier afin qu'il lise le nom écrit sur la couverture. « *Fondation Louis Augustus Jonas d'aide aux enfants pauvres* ».

— Vous voyez, monseigneur De Bonis n'était pas si mauvais que ça, fit observer l'auditrice. Il aidait de nombreuses causes. Lui, ainsi que le président d'Alitalia.

Tomás la regarda comme s'il ne comprenait pas.

— Alitalia ? Qu'est-ce que le président de la compagnie aérienne italienne a à voir avec ça ?

— Il est mentionné ici, dit-elle, en indiquant une signature sur le document d'ouverture du compte. Bisignani, vous ne voyez pas ? Tout le monde sait que Bisignani est le président d'Alitalia. Eh bien, d'après ce document, il est le titulaire du compte de la Fondation Louis Augustus Jonas d'aide aux enfants pauvres. (Elle examina les mouvements figurant sur un relevé.) Tenez, vous voyez, là ? Des fortunes ont été versées sur ce compte. Rien que ce virement s'est élevé à plus de trois milliards !

— Diantre ! Quelle âme charitable a donné autant d'argent pour aider les enfants pauvres ?

Elle chercha sur le relevé le nom du donneur d'ordre.

— Monseigneur De Bonis, précisa-t-elle. Il a effectué le virement par le biais d'une banque luxembourgeoise.

— De Bonis est partout, on dirait.

— Oui, mais cette fois encore pour de nobles causes. Ni lui ni le président d'Alitalia n'épargnent leurs efforts et leur argent pour aider les enfants défavorisés. Vous voyez, tout n'est pas si mal.

Tel semblait être le cas, en effet, se dit le Portugais en jetant un coup d'œil sur le document concernant le titulaire du compte de la Fondation Louis Augustus Jonas d'aide aux enfants pauvres.

— Ce Luigi Bisignani est vraiment très généreux...

— Giovanni.

— Pardon ?

— Le président d'Alitalia ne s'appelle pas Luigi, corrigea-t-elle. Mais Giovanni Bisignani.

Tomás lui montra le nom mentionné sur le document.

— Mais ici, il est écrit Luigi, insista-t-il. Luigi Bisignani.

L'auditrice vérifia.

— Ah, mais alors ce n'est pas le président d'Alitalia, reprit-elle, tout à coup perturbée. C'est son frère, Luigi.

— Qui est-ce ?

— Luigi Bisignani ? Il a travaillé pour le gouvernement italien et son nom est apparu sur une liste de membres de la loge maçonnique P2. Ensuite, il est devenu grand maître de la P4, une autre loge maçonnique découverte au sein du gouvernement, qui a été accusée de contrôler l'Italie à partir du palais du Gouvernement, en espionnant et en faisant chanter des hommes politiques, des journalistes, des entrepreneurs et des magistrats. On a découvert qu'il y avait des liens entre lui et Gianni Letta, l'ancien numéro deux de Berlusconi. Bisignani a fini par être arrêté et condamné au cours du grand procès Enimont.

— Enimont ?

L'auditrice respira profondément, presque déprimée d'avoir évoqué ce nom maudit.

— Il s'agit d'un immense scandale de corruption, dit-elle en insistant sur le mot « immense ».

LI

L'intérêt de Tomás pour cette affaire grandissait. L'apparition d'un nom associé à un immense scandale de corruption appelait une explication plus approfondie. En tant qu'auditrice, Catherine n'aimait guère parler de ces histoires, mais elle comprit que le Portugais voulait tout savoir pour déterminer si la collaboration d'un homme politique comme Luigi Bisignani avec l'IOR présentait une utilité.

La chef de la COSEA s'adossa au mur.

— Tout a commencé lorsque Mario Chiesa a été arrêté en 1992 pour avoir accepté un pot-de-vin d'une entreprise de nettoyage de Milan, commença-t-elle. Le problème c'est que Chiesa était membre du PSI. Embarrassé, le...

— Le PSI ?

— Le Parti socialiste italien, précisa-t-elle. Embarrassé par l'arrestation d'un dirigeant du parti aussi important, le leader du PSI et ancien Premier ministre Bettino Craxi traita Chiesa de *mariuolo*.

— Ce qui signifie mouton noir, n'est-ce pas ?

— Oui, Craxi l'a présenté comme le seul homme

sans scrupule parmi les autres membres du PSI, tous honnêtes et incorruptibles. Le vilain petit canard. Mais Chiesa n'a pas du tout apprécié d'être ainsi lâché par son propre parti et de se faire lyncher par la justice, la presse et l'ensemble de la population. Pour se venger, il a décidé de parler et a commencé à déballer tout ce qu'il savait des nombreux cas de corruption dans lesquels étaient impliqués ses petits camarades du monde politique, ceux-là mêmes qui à ce moment-là s'efforçaient de paraître blancs comme neige.

Tomás hésita, il se souvenait des faits.

— Attendez, attendez. Vous parlez de l'opération « Mains propres », n'est-ce pas ?

— En effet. Ce fut le plus grand scandale de corruption jamais révélé en Europe. Un an après l'arrestation de Chiesa, on a commencé à arrêter dans tout le pays des hommes d'affaires et des membres du gouvernement ou de l'opposition, tous accusés de corruption. Tous les partis politiques étaient suspectés, y compris les communistes. Une fois derrière les barreaux, un grand nombre de politiciens ont craché le morceau et avoué leurs crimes, révélant de plus en plus d'affaires. Ce fut une véritable avalanche. Il y a même eu ce cas étonnant d'un homme politique socialiste qui, lorsque des carabiniers ont débarqué chez lui, a immédiatement confessé une série d'actes de corruption. Lorsqu'il eut fini, les carabiniers lui expliquèrent qu'ils étaient simplement venus lui remettre une amende pour excès de vitesse.

Tous deux éclatèrent de rire.

— Il s'en est sorti ?

— Non, il a été arrêté. Ayant confessé des crimes

bien plus graves qu'un excès de vitesse, il ne pouvait pas se rétracter...

— Bien évidemment.

— L'affaire a fini par atteindre des proportions incroyables. On a découvert qu'un système nommé *lottizzazione* avait été mis en place en Italie ; cela consistait à distribuer de façon illicite des sommes d'argent à tous les partis, une espèce de mafia politique généralisée. Environ cinq mille personnalités publiques ont été accusées, plus de quatre cents conseils municipaux ont été dissous en raison de leur implication dans des faits de corruption et, tenez-vous bien, plus de la moitié des députés du Parlement italien ont été accusés d'avoir accepté des pots-de-vin. Ce fut l'effondrement total du système politique. Même le leader du PSI a fini par être condamné à plusieurs années de prison.

— Oui, je me rappelle que Bettino Craxi s'était enfui en Tunisie pour échapper à la prison, dit Tomás. Je me souviens très bien de l'opération « Mains propres », mais ce qui nous intéresse à présent c'est l'autre procès dont vous m'avez parlé, et dans lequel était impliqué le dénommé Bisignani.

— Si je vous raconte tout ça, c'est parce que l'affaire Enimont a été révélée à l'occasion de l'opération « Mains propres », expliqua-t-elle. L'affaire a éclaté lorsque les deux géants de l'industrie chimique italienne, ENI et Montedison, ont décidé de s'associer afin de créer un géant appelé Enimont, une entreprise suffisamment grande pour devenir un acteur mondial. Le problème c'est que les deux partenaires ont fini par se brouiller et, ENI étant en partie publique, les politiciens sont intervenus. ENI a dû racheter la part de Montedison, ce qu'elle a fait, mais à une valeur bien supérieure à celle du marché. En d'autres termes, ENI a payé beaucoup plus qu'elle n'aurait dû.

— Et pour quelle raison ?

Catherine sourit.

— C'est toute la question, observa-t-elle. On a fini par découvrir que, pour que les hommes politiques se mettent d'accord et ne s'opposent pas au règlement de l'affaire, il a fallu créer une *lottizzazione* gigantesque pour distribuer de l'argent à tous les partis ou presque. Pour payer tous ces pots-de-vin, il a fallu débourser beaucoup plus que ce qui était nécessaire, vous comprenez ? C'est pour ça qu'Enimont a été appelée « la mère de tous les pots-de-vin », la plus grande affaire de corruption dans laquelle ont trempé tous ceux qui ont été mis en examen dans l'opération « Mains propres ».

L'historien désigna le dossier du compte de la Fondation Louis Augustus Jonas d'aide aux enfants pauvres.

— Quel a été le rôle du type dont le nom apparaît sur ce compte ?

— Vous voulez parler de Luigi Bisignani ? Le grand maître de la loge P4 était impliqué dans le scandale Enimont consistant à arroser les partis politiques. Il a fini par être arrêté et condamné à deux ans de prison.

— Et le voilà maintenant impliqué dans une fondation d'aide aux enfants pauvres ?

Catherine se concentra sur le dossier qu'ils examinaient. En effet, que ferait cet homme dans une fondation caritative comme la Fondation Louis Augustus Jonas ?

— Il voulait peut-être se racheter une conduite...

LII

Reposant la chemise du compte de la Fondation Louis Augustus Jonas d'aide aux enfants pauvres, Tomás prit un nouveau dossier parmi les documents de monseigneur Dardozzi. Sur la couverture, écrit au stylo à bille rouge, on pouvait lire « *Fonds caritatif Roma* ».

Il en feuilleta le contenu. Les extraits mentionnaient des virements provenant à la fois du compte du Fonds Mamma Roma pour la lutte contre la leucémie et de la Fondation Louis Augustus Jonas d'aide aux enfants pauvres en faveur d'institutions comme les Sœurs de sainte Brigitte et les Œuvres de don Picchi. Cependant, comme rien ne concernait Omissis, il se demanda si cela valait la peine de continuer.

Il consulta sa montre et sursauta. Il se faisait tard, le délai avant l'exécution du pape se réduisait.

— Nous perdons notre temps, décida-t-il enfin tout en refermant brusquement la chemise du Fonds caritatif Roma. Il faut tenter d'identifier Omissis d'une autre manière.

— Facile à dire, répliqua Catherine, plongée elle aussi dans un dossier. Mais comment ?

Tomás se frottait le menton, l'air songeur. Ils ne pouvaient passer plus de temps enfermés ici, à lire les documents laissés par monseigneur Dardozzi ; le tiroir contenait des milliers de papiers, plusieurs jours auraient été nécessaires pour tout examiner. Or, le temps était un luxe qu'ils ne pouvaient s'offrir.

— Nous devons trouver un raccourci.

— Oui, mais lequel ?

Il réfléchit à la question.

— Qui pourrait connaître l'identité d'Omissis ?

— Monseigneur De Bonis, bien sûr, répondit-elle. Mais il est mort.

— Le pape doit également le savoir. S'il a ordonné de placer les documents de Dardozzi sous scellés, c'est parce qu'il avait compris qu'il s'agissait d'une véritable bombe.

— Je crains malheureusement que Sa Sainteté ne soit pas en mesure de répondre à nos questions.

— Mais la personne en qui elle a le plus confiance l'est peut-être, ajouta Tomás, une lueur dans les yeux. Le pape a certainement dû lui faire quelques confidences.

— Vous faites allusion à Ettore, son secrétaire particulier ?

L'historien secoua la tête.

— Non. Je pense au numéro deux : le secrétaire d'État.

— Son Éminence ?

— Si le pape a évoqué cette question avec quelqu'un, c'est certainement avec lui, rétorqua Tomás. Il faut en parler au cardinal Barboni.

Tout à fait d'accord avec Tomás, Catherine saisit aussitôt son portable, composa le numéro du Saint-Siège et attendit quelques secondes.

— Flûte ! Ça ne passe pas !

Elle essaya encore à deux reprises puis tenta d'autres numéros, mais rien ne passait. Tomás se leva précipitamment.

— Les lignes doivent être saturées, dit-il. Il vaut mieux y aller. Le Vatican est à deux pas...

Catherine acquiesça et rangea les dossiers dans le tiroir. Puis elle fit signe à son compagnon et se dirigea vers la porte.

— Allons-y.

L'historien resta planté, sur place.

— Non, *nous* n'y allons pas, la corrigea-t-il. *J'y* vais.

La chef de la COSEA se tourna vers lui avec une expression de surprise.

— Vous y allez ? Et moi alors ?

— Je ne suis pas certain que le pape ait révélé l'identité d'Omissis au cardinal Barboni. Le temps presse et nous devons aussi poursuivre les recherches dans une autre direction. Si Omissis était l'un des titulaires du compte de la Fondazione Cardinale Francis Spellman, j'aimerais que vous contactiez la fondation afin de vous renseigner sur l'identité des personnes qui étaient autorisées à utiliser ce compte à la banque du Vatican.

— Bonne idée ! approuva Catherine. Je vais tout de suite à mon bureau pour faire des recherches.

Tous deux quittèrent la salle des archives confidentielles de l'IOR, dans la cave du palais des

Congrégations. L'auditrice ferma la porte à clé pendant que Tomás appelait l'ascenseur.

— Après avoir parlé avec le cardinal Barboni, je reviendrai ici, dit le Portugais. Sur quel bouton du bâtiment devrai-je appuyer pour que vous m'ouvriez la porte ?

Catherine sortit un objet métallique de son sac.

— Parfois la sonnette en bas ne fonctionne pas, dit-elle. J'ai un double de la clé. Prenez-le.

L'universitaire le mit dans sa poche.

— Je vous le rendrai en revenant.

L'ascenseur apparut enfin et, avec un bruit sourd, la cabine s'immobilisa. Ils entrèrent et Tomás appuya sur deux boutons, celui du rez-de-chaussée, où il s'arrêtait, et celui du quatrième étage, où devait aller la chef de la COSEA.

— Vous pensez vraiment que vous arriverez à rejoindre Son Éminence ?

Le Portugais indiqua la poche de son manteau.

— J'ai toujours le laissez-passer que l'inspecteur Trodela m'a donné. Il devrait encore me permettre d'aller partout au Vatican.

— Certes, mais n'oubliez pas qu'il a donné l'ordre de vous arrêter...

— Ne vous en faites pas, répondit l'historien. À l'heure qu'il est, la police judiciaire doit être très occupée.

En quelques secondes, l'ascenseur arriva au rez-de-chaussée puis s'immobilisa. Tomás poussa la porte, mais il sentit quelque chose qui l'en empêchait. Il se retourna ; Catherine lui retenait le bras avec force et le regardait fixement.

— Je vous en prie, soyez prudent.

LIII

La nuit était déjà tombée et, en sortant du palais des Congrégations, Tomás se trouva face à une foule compacte. Une véritable marée humaine envahissait la place Saint-Pierre ; des milliers et des milliers de fidèles formaient une barrière dense et totalement infranchissable. En temps normal, la place pouvait accueillir jusqu'à quatre cent mille personnes, mais il y en avait beaucoup plus. Cinq cent mille, peut-être davantage. Dans les rues limitrophes, à perte de vue, on ne voyait que des têtes ; Rome tout entière avait convergé ici et la foule continuait d'arriver en un flot ininterrompu.

Il commença à se frayer un passage dans la masse.

— *Scusi*, dit-il. Excusez-moi.

Un immense murmure s'élevait ; à l'unisson, les croyants priaient la Vierge Marie pour qu'elle sauve le pape.

— ... *aria, piena di grazia, il Signore è...*

Partout, sur des pancartes et des affiches, on pouvait lire « Dieu, sauve le pape », ou « Miséricorde », ou encore « Priez pour le Saint-Père. » La majorité de ces messages étaient écrits en italien, mais d'autres étaient rédigés dans presque toutes les langues européennes, surtout en anglais, et même parfois en chinois et en arabe.

— *Scusi.*

— *... benedetto è il fruto del tuo...*

Il n'était guère facile d'avancer au milieu de cette foule si dense. Presque tout le monde était agenouillé et priait, les mains jointes, la tête basse, les yeux clos ; on voyait les lèvres qui murmuraient, des croix et des chapelets entrelacés dans les doigts, des cierges allumés un peu partout.

— *Scusi.*

Il s'excusait à mesure qu'il progressait, sautillant ici et là, tentant de déranger le moins possible. Les gens s'efforçaient de le laisser passer, mais plus il avançait, plus la foule devenait compacte. Pire que le métro en heure de pointe. Pour arriver au portail qui lui permettrait d'accéder au périmètre de la Cité du Vatican, Tomás comprit qu'il valait mieux éviter le centre de la place, où la masse humaine était encore plus serrée, et il se dirigea vers la colonnade à droite.

— *... nell'ora della nostra morte, amen.*

La prière s'acheva à ce moment-là et l'on entendit des cantiques chrétiens s'élever au-dessus de la foule. Tomás balaya la place du regard, à la recherche d'une brèche par où passer, mais il ne voyait que des têtes et encore des têtes. En réalité, plus on s'approchait des accès à la basilique ou au portail, plus il y avait de monde. Comment pénétrer dans la Cité du Vatican ?

Il remarqua également de grandes camionnettes et des caméras, des antennes paraboliques et de puissants projecteurs ; de nombreuses équipes de télévision réalisaient des reportages en direct, diffusés dans le monde entier et dans toutes les langues. L'espace réservé à la presse semblait protégé par un cordon de police. En outre, sur toute la place, de nombreux carabiniers et des militaires, ainsi qu'une multitude d'hommes armés et même quelques blindés étaient discrètement positionnés. Dans les airs, on entendait tourner des hélicoptères qui, évitant de survoler directement la grande place devant la basilique, planaient au-dessus des bâtiments voisins comme des guêpes excitées.

— *Scusi*.

Il reprit sa progression, mais cette fois vers la zone protégée où se trouvaient les camionnettes de la télévision. C'était sans doute le meilleur chemin, sinon le seul. Jouant des coudes et des épaules au milieu des fidèles, il parvint jusqu'au cordon d'hommes en uniforme qui protégeaient le secteur réservé à la presse.

— Stop ! fit l'un des policiers lorsqu'il le vit essayer de traverser le cordon. Vous ne pouvez pas passer !

Tomás lui présenta son laissez-passer.

— Je fais partie de l'équipe qui enquête sur l'enlèvement de Sa Sainteté, dit-il. Je dois entrer au plus vite dans la Cité du Vatican.

Le policier inspecta le laissez-passer.

— *Bene*, dit-il, après avoir vérifié l'identité de l'intéressé. Le meilleur moyen d'entrer ce n'est pas par ici. Il y a trop de monde sur la place. D'autant qu'une messe spéciale va être célébrée cette nuit dans la basilique pour implorer la Vierge d'intercéder en faveur de Sa Sainteté. Par ici, l'accès sera interdit.

— Et alors, comment puis-je entrer ?

— Essayez par la porte Sainte-Anne, via di Porta

Angelica, indiqua-t-il. Celle qu'on appelle l'entrée de service du Vatican.

Tomás jeta un regard découragé en direction de la via di Porta Angelica ; la foule y était si dense qu'on aurait dit un mur.

— Bon sang, comment vais-je pouvoir passer par là ?

Compréhensif, le policier demanda à un collègue de le remplacer et fit signe au Portugais de le suivre.

— Venez avec moi.

Suivi de Tomás, l'homme traversa le périmètre des véhicules de la télévision. La circulation y était plus facile. On voyait surtout des équipements de production et des techniciens qui s'activaient. Les deux hommes longèrent une file de reporters alignés devant la foule ; certains, micro à la main, commentaient l'événement en direct :

« ... *moment la foule demeure calme, bien que tendue*, disait en français une journaliste aux cheveux frisés qui tenait un micro au logo de France 2. *Les personnes qui sont ici, place Saint-Pierre, prient pour la vie du pape ; elles n'ont pas encore réagi aux informations faisant état d'affrontements, peut-être parce que...* »

Les deux hommes marchaient vite, ils s'éloignèrent assez rapidement, mais les derniers mots de la journaliste française ne manquèrent pas d'intriguer Tomás.

— Cette journaliste a parlé d'affrontements, demanda-t-il au policier. Quels affrontements ?

— Vous n'êtes pas au courant ? répondit l'Italien. Des troubles ont éclaté dans des banlieues autour de Paris, Lyon, Bruxelles, Rotterdam, Birmingham et Manchester ; des voitures ont été incendiées, des boutiques pillées et des quartiers entièrement bouclés. Le centre de Marseille est à feu et à sang. Des chrétiens contre des musulmans, des troubles très graves. Personne ne sait qui a commencé, si les chrétiens ont agi en représailles à l'enlèvement du pape et aux attentats d'aujourd'hui, ou si les musulmans les ont provoqués, mais le fait est que la violence se déchaîne. Le président français a déjà décrété l'état d'urgence, la Belgique a proclamé l'état de siège et les gouvernements anglais et hollandais sont actuellement réunis pour savoir s'ils vont faire de même.

— Bon sang !

Le policier le conduisit à travers un passage protégé par des carabiniers qui leur permit de passer de l'autre côté des colonnades sans se mêler à la foule.

— Ça bouge également dans les Balkans, ajouta le policier. Des incidents se sont produits à la frontière entre la Croatie catholique et la Bosnie musulmane. Il semblerait que des gardes-frontières croates, exaspérés par l'enlèvement du pape et l'attentat contre le sanctuaire de Medjugorje, aient commencé à insulter Mahomet devant des soldats musulmans en Bosnie. Les Bosniaques n'ont pas apprécié, le ton est monté et ils ont fini par échanger des coups de feu qui ont fait deux blessés croates et un bosniaque. Les armées de chaque camp sont intervenues et des échanges d'artillerie ont eu lieu le long de la frontière. Le gouvernement croate vient de terminer une réunion d'urgence ; il aurait décidé d'entrer en Bosnie pour garantir la sécurité du sanctuaire de Medjugorje et des pèlerins croates. La population croate du sud de la Bosnie le soutient et la confusion est totale.

— Décidément, ça va de mal en pis...

Ils passèrent par la double arcade du Passetto di Borgo et entrèrent dans la via di Porta Angelica qui grouillait de monde. Ils avancèrent, collés contre la muraille ; le passage n'étant plus protégé par les carabiniers, la progression fut bien plus lente.

Avec difficulté, ils finirent par atteindre un large portail en fer verdâtre, encadré par des doubles colonnades au sommet desquelles les statues géantes de deux aigles impériales observaient la foule. Le portail, percé dans la muraille, était contrôlé par des carabiniers côté rue et par des gendarmes et quelques gardes suisses en uniforme bleu du côté intérieur.

— Voici la porte Sainte-Anne, annonça le policier. Bonsoir.

Après avoir remercié son accompagnateur, qui fit demi-tour en direction de la place, Tomás montra son laissez-passer aux carabiniers. Les militaires italiens le firent entrer, puis il eut affaire aux gendarmes du Vatican, à qui il présenta le même document.

— Vous êtes historien ? demanda le gendarme, examinant le laissez-passer avec méfiance. Que venez-vous faire ici ? Vous ne savez pas ce qui se passe ?

— Je participe à l'enquête concernant l'enlèvement du pape, précisa Tomás. Je dois m'entretenir d'urgence avec le cardinal Barboni.

— Son Éminence est actuellement très occupée par les préparatifs de la messe qui aura lieu ce soir dans la basilique.

— Le cardinal se trouve dans la basilique ?

— Non. À ma connaissance, il est dans les appartements du pape et prépare son homélie. La messe devrait commencer à 23 h 30, à Rome et dans toutes les églises catholiques du monde. Elle sera en cours lorsqu'il sera minuit, heure à laquelle... à laquelle...

L'homme se tut, incapable d'achever sa phrase.

— Je comprends.

— Enfin... ça ne va pas être possible de parler avec Son Éminence.

— Écoutez, je suis sur une piste très importante et j'ai besoin de m'adresser au cardinal Barboni, insista le Portugais. Ce laissez-passer m'a été délivré cet après-midi par l'inspecteur Trodela, de la police judiciaire, et il confirme non seulement que je participe à l'enquête, mais que j'ai également accès à tout le périmètre de la Cité du Vatican. Je vous demande donc de bien vouloir me laisser entrer.

Hésitant, le gendarme se tourna vers un officier qui téléphonait.

— Lieutenant, appela-t-il, vous pouvez venir, *per favore* ?

— Qu'est-ce qu'il y a ?

— Ce monsieur dit qu'il doit parler à Son Éminence de toute urgence. Il a un laissez-passer et affirme qu'il participe à l'enquête au sujet de la disparition de Sa Sainteté.

L'officier se tourna vers Tomás et les deux hommes se dévisagèrent. Horrifié, le Portugais reconnut le lieutenant Rocco, celui-là même qui, quelques heures plus tôt, avait reçu l'ordre de l'inspecteur Trodela de l'arrêter.

LIV

Surpris, Tomás mit du temps à réagir et, avant qu'il s'en rende compte, le lieutenant Rocco se tenait déjà près de lui et lui saisit le bras.

— Je vous tiens ! s'exclama-t-il avec une satisfaction évidente. Vous pensiez que vous alliez nous échapper, hein ?

— Ne soyez pas absurde, lieutenant, répondit le Portugais, recouvrant ses esprits. J'ai découvert quelque chose en rapport avec le message du pape sur la vidéo des ravisseurs et j'ai besoin de parler de toute urgence avec le cardinal Barboni. Emmenez-moi immédiatement près de lui, je vous en prie.

Le lieutenant Rocco le poussa.

— Je vous emmène à la cellule qui vous attend dans la gendarmerie ! Vous n'allez pas continuer à vous moquer de moi !

— Arrêtez vos sottises, répliqua Tomás en résistant avec fermeté et autorité. Si vous ne me croyez pas, laissez-moi au moins parler à l'inspecteur Trodela. Lorsque je lui aurai expliqué ce que j'ai découvert, je suis sûr qu'il ne voudra plus me faire arrêter.

L'assurance de l'universitaire déconcerta le gendarme.

— Qu'avez-vous découvert ?

— Ce qu'il faut pour nous mettre sur la piste du pape. Mais je dois d'abord éclaircir certains points avec le cardinal Barboni.

Le jeune officier de gendarmerie hésitait, car le Portugais paraissait très sûr de lui et, s'il se confirmait que l'historien avait dit la vérité, il pourrait en pâtir. Après tout, celui qui avait donné l'ordre d'arrêter l'universitaire était le responsable de la police judiciaire. Qu'avait-il à perdre en consultant l'inspecteur Trodela ? Autant transférer la responsabilité à son supérieur.

Il colla son talkie-walkie à la bouche et parla.

— Ici check-point de la porte Sainte-Anne pour l'inspecteur Trodela, dit-il. J'appelle l'inspecteur Trodela.

On entendit un grésillement dans l'appareil et une voix répondit au loin.

— Ici Trodela. Que se passe-t-il ?

— Je suis avec le professeur Noronha, près de la porte Sainte-Anne. Il dit qu'il a fait des découvertes concernant le message de Sa Sainteté. Il veut parler avec vous et avec Son Éminence. Que dois-je faire ?

La réponse ne se fit pas attendre.

— *Cazzo !* jura l'inspecteur. Ce *stronzo* est avec vous ? Arrêtez-le et ne me cassez plus les pieds avec ce déséquilibré ! J'en ai assez de perdre mon temps avec ces conneries !

L'ordre était clair. Rassuré, le lieutenant Rocco rangea son talkie-walkie et attrapa les menottes qui étaient accrochées à sa ceinture ; il ne commettrait pas une deuxième fois l'erreur de laisser le suspect les mains libres.

— Cette fois, vous allez vraiment finir au violon.

S'il était enfermé dans la cellule de la gendarmerie du Vatican, Tomás perdrait toute possibilité d'éclaircir l'affaire avant minuit. Il secoua brusquement la main du jeune officier.

— Non !

Parvenant à se libérer, il tourna les talons et se mit à courir vers la via di Porta Angelica, passa devant les gendarmes qui gardaient la porte Sainte-Anne et sauta en direction des carabiniers.

— Arrêtez-le ! cria le lieutenant Rocco. Ordre de la police judiciaire !

Les policiers italiens mirent un court moment à réagir, mais ce fut suffisant pour que le Portugais parvienne à sortir dans la rue. L'un des carabiniers réussit cependant à l'attraper par le coude avant qu'il ne se perde parmi la foule.

— Je le tiens !

Tomás disposait d'à peine trois secondes avant que les autres militaires ne viennent prêter main-forte à leur camarade, il plia alors le bras et, en un mouvement inattendu de recul, donna un coup de coude dans le visage de l'Italien.

— Aïe !

Par réflexe, le carabinier le lâcha et le fugitif, commettant la prouesse de lui demander pardon au milieu de toute cette confusion, plongea dans la foule.

— *Scusate !*

— Arrêtez-le !

La marée humaine envahissait la via di Porta Angelica, tout comme les autres voies d'accès à la place Saint-Pierre, ce qui pouvait être un avantage. Tomás pourrait certes se cacher dans cette masse et disparaître dans la foule, mais ces milliers de corps constituaient aussi une barrière qui allait compliquer son évasion.

— *Gesù !* s'exclama une Italienne lorsque Tomás la bouscula dans sa fuite. Que se passe-t-il ?

— *Scusi.*

— Attention ! protesta une autre. Regarde où tu mets les pieds !

— *Scusi.*

— *Madonna !* Ne me poussez pas !

— *Scusi.*

Tous se plaignaient lorsque le Portugais les bousculait dans son effort désespéré pour se frayer un passage et s'échapper ; il n'avait pas d'autre solution. On entendait les sifflets de la police et des ordres qui fusaient au loin.

— Giancarlo et Stefano, rattrapez-le ! criait un officier des carabiniers. Amato, contacte immédiatement le commandement ! Qu'on boucle la via di Porta Angelica et qu'on demande aux hélicoptères de surveiller le suspect. Ne le laissez pas s'échapper !

Tomás comprit avec inquiétude que la confusion s'amplifiait. L'incident à la porte Sainte-Anne avait été mal interprété par les carabiniers, qui croyaient que le fugitif était impliqué dans l'enlèvement du pape. Personne ne savait que tout venait simplement de l'irritation d'un inspecteur de la police judiciaire. Et quand les choses s'éclairciraient, il serait trop tard.

Mais était-ce seulement le fruit de l'irritation de l'inspecteur Trodela ? Le doute assaillit l'historien. Soudain, sorti de nulle part, un homme l'immobilisa.

— Je te tiens, bandit !

Tomás pensa que c'était un policier, mais il s'aperçut avec soulagement que ce n'était pas le cas ; il ne s'agissait que d'un simple citoyen qui, voyant les carabiniers poursuivre un suspect et considérant qu'il devait accomplir son devoir, avait décidé d'intervenir.

Très vite pourtant, le soulagement de Tomás se transforma en inquiétude, puis en effroi, car cette intervention signifiait une seule chose.

La foule était contre lui.

LV

L'intervention de cet inconnu plaça Tomás face à un dilemme ; or il avait très peu de temps. Soit il se laissait faire, et il finirait par être capturé puis remis à la police, soit il s'opposait à la foule, et il s'exposerait à un danger évident. Quelle que fût sa décision, elle devait être prise immédiatement, car indécision était synonyme de reddition.

— Lâchez-moi !

Il avait choisi de réagir. Il commença par se débattre, mais l'homme le serrait fermement, il lui asséna alors un violent coup de tête.

— Aaah, cria l'homme, en se pliant en deux et en portant les mains à son visage qui saignait. *Madonna !* Mon nez !

À nouveau libre, Tomás regarda autour de lui, prêt à se défendre. Les esprits étaient échauffés et, au milieu de cette confusion, il suffisait que l'on pense qu'il avait quelque chose à voir avec l'enlèvement du pape pour qu'il devienne un bouc émissaire et se fasse lyncher. Mais rien ne se passa comme prévu. En voyant l'homme par terre, le visage ensanglanté et se tordant de douleur, les personnes alentour regardèrent Tomás l'air totalement terrorisé.

— Au secours ! cria une femme. Il est armé !

Pris d'une peur irrationnelle, bousculant sans ménagement ceux qui se trouvaient à côté d'eux, hommes et femmes reculèrent aussitôt autour du fugitif. Tomás craignait une scène de panique, une bousculade tragique. Plus vite il serait parti, mieux ce serait.

— Éloignez-vous !

Profitant de l'espace soudain dégagé autour de lui, le Portugais s'enfuit en courant par la via di Porta Angelica en direction de la place Saint-Pierre. Il n'avait pas de plan, mais son instinct le dirigeait vers Catherine, comme si elle pouvait tout régler. C'était naïf, bien sûr, mais il ne pouvait se permettre de s'arrêter pour réfléchir. La seule chose dont il était sûr, c'est qu'il devait fuir.

— Attention, il arrive !

— Il a un couteau ! cria quelqu'un. Il a un couteau !

Il n'eut pas à courir longtemps. La distance était courte et seule la foule le retardait, mais les gens continuaient de s'écarter devant lui et il parcourut ainsi la via di Porta Angelica sans trop de difficultés, zigzaguant entre les visages apeurés. Là où il passait, la voie s'ouvrait presque par enchantement, comme s'il avait été Moïse et la masse humaine la mer Rouge.

Soudain, Tomás se retrouva face à trois blindés.

— Vous êtes cerné ! cria quelqu'un dans un mégaphone, la voix amplifiée résonnant dans la rue. Rendez-vous ou nous ouvrons le feu !

Les blindés de l'armée italienne bloquaient la double arche à l'entrée de la via di Porta Angelica, l'empêchant de continuer vers la place Saint-Pierre. Plusieurs projecteurs étaient braqués sur lui, mais ils n'étaient pas tous de la police ; les télévisions s'étaient mises à transmettre la chasse à l'homme en direct, ce qui signifiait que la planète entière le voyait en ce moment même. Il regarda autour de lui, sidéré. Comment les choses avaient-elles pu dégénérer ainsi ? C'était ridicule. La police italienne croyait-elle vraiment qu'il était l'un des ravisseurs du pape ?

— Allongez-vous par terre, sur le ventre, et levez les mains au-dessus de la tête !

Résigné, Tomás se prépara à se rendre. Il mettrait ainsi fin au danger qu'il courait bêtement et à ce malentendu absurde. Après une nuit en prison, il serait présenté à un juge ; tout s'éclaircirait alors et il finirait par être libéré. C'était sans doute ce qu'il y avait de plus raisonnable à faire.

Mais ce même lendemain, le pape serait mort et le monde se réveillerait différent, irrémédiablement différent. Et sûrement bien pire qu'aujourd'hui, mais que pouvait-il faire ? Il avait tout essayé, jusqu'aux limites du raisonnable et même au-delà.

— Rendez-vous, ou nous ouvrons le feu !

Il allait se rendre.

Il était épuisé et sentait sa tête lourde et trempée. En essuyant son front, il se rendit compte que ce n'était pas de la sueur mais du sang. Apparemment, le coup de tête qu'il avait asséné un peu plus tôt l'avait blessé lui aussi. Il comprit alors que ce qui effrayait les gens c'était son apparence et, surtout, son visage ensanglanté.

Il sentit sa colère monter. Alors qu'il faisait tout ce qu'il pouvait pour sauver le pape, on le pourchassait dans Rome pendant qu'il se vidait de son sang ! Un profond sentiment de révolte brûlait maintenant en lui.

— Non !

Se rendre, jamais. Impossible. Il n'avait pas enduré tout ça pour en arriver là. Même s'il risquait d'être abattu pour avoir refusé de se rendre, que son enquête aboutirait probablement à une impasse et qu'il ne sauvait rien ni personne, il avait le devoir d'essayer.

Il regarda autour de lui, cherchant une issue.

Les blindés et les soldats bloquaient l'accès à la place, la foule effrayée formait sur les flancs des murs épais et impénétrables, et au fond, derrière la marée humaine, venaient d'apparaître les carabiniers qui le poursuivaient depuis la porte Sainte-Anne. Où qu'il regardât, il ne voyait que des obstacles. Aucune possibilité de fuite.

Il était encerclé.

— Dernier avertissement ! cria la voix dans le mégaphone. Vous avez trois secondes pour vous rendre !

Illuminant la nuit, les projecteurs fixés sur lui l'aveuglaient. Il porta la main à son front pour se protéger les yeux et réalisa qu'il n'y avait définitivement aucune issue.

— Un...

Toutefois, en regardant sur sa gauche, il comprit qu'il se trompait. Il n'y avait pas de sortie, certes, mais il y avait une entrée.

— Deux...

De l'autre côté de la rue se dressait le palais des Congrégations.

Et il en avait la clé.

— Trois !

Les carabiniers et les soldats se rapprochaient dangereusement.

Tomás détala alors en direction de l'édifice.

— Halte, ou nous tirons !

Il ignora la menace et continua de courir, pariant qu'ils n'oseraient pas ouvrir le feu au milieu de cette foule et avec toutes les télévisions qui transmettaient la scène en direct. Et s'ils pensaient vraiment qu'il était lié à l'enlèvement du pape, ils auraient besoin de lui vivant pour l'interroger. Le risque en valait la chandelle.

On n'entendit pas un seul coup de feu. Il devinait des mouvements autour de lui, sans doute les forces de sécurité qui se rapprochaient, mais personne ne tirait.

— Rendez-vous !

Il était arrivé à la porte principale du palais des Congrégations et chercha maladroitement dans sa poche la clé que Catherine lui avait prêtée. Il se retourna et vit plusieurs carabiniers derrière lui.

Il sentit les crans métalliques de la clé lui effleurer le bout des doigts, la sortit rapidement et essaya de l'introduire dans la serrure.

— Entre, allez ! s'écria-t-il angoissé. Entre !

Les carabiniers étaient à quelques mètres. Malgré ses gestes brusques, la clé finit par entrer dans la serrure. La porte se débloqua, Tomás la poussa et se retourna aussitôt pour la refermer.

Mais il sentit une résistance ; les premiers policiers tentaient de forcer l'entrée. Avant que des renforts n'arrivent, le Portugais prit appui sur une marche et poussa la porte de toutes ses forces, résistant à la poussée des carabiniers, et parvint enfin à la fermer. Les policiers étaient restés dehors.

Mais pour quelques secondes seulement.

LVI

Adossé à la porte, le cœur battant, épuisé par la peur et l'excitation, les muscles des jambes, du dos et des bras endoloris, Tomás n'eut pas le temps de reprendre ses forces. Des voix s'approchaient, de l'autre côté, et il comprit ce qui allait arriver.

— Prêts ? cria quelqu'un à l'extérieur. *Avanti !*

La porte trembla en un grondement brutal qui fit sursauter le fugitif ; les carabiniers allaient la défoncer sans perdre de temps.

— Reculez, reculez ! ordonna une autre voix masculine. Reprenez vos positions !

— Mon capitaine, lança quelqu'un, le lieutenant-colonel Marchisio vient de nous communiquer que les blindés de l'*Esercito* sont prêts à intervenir. Que faisons-nous ?

— Faites-les venir !

Les blindés ! « Pas étonnant », se dit Tomás. S'ils pensaient vraiment qu'il était lié à l'enlèvement du pape, ils feraient tout pour mettre la main sur lui, quitte à utiliser des blindés.

La voix de l'autre côté de la porte gronda de nouveau.

— Prêts ?

La situation s'aggravait. Était-ce vraiment utile de continuer à fuir ? À quoi bon s'entêter ? Ce qui s'était déjà passé ne lui suffisait-il pas ? Il se répéta que la priorité n'était pas de régler son problème personnel, mais de trouver le pape avant minuit. Compte tenu des enjeux, c'était tout ce qui importait.

— *Avanti !*

La porte trembla de nouveau sous le choc ; elle ne résisterait plus très longtemps. Au bruit assourdissant des moteurs, il réalisa que les carabiniers ouvraient la voie avec des véhicules lourds de l'armée italienne.

— *Attenzione !* Laissez passer le tank !

Interloqué, Tomás regarda derrière lui : les seules issues étaient la porte de l'ascenseur et les escaliers à côté.

— Écartez-vous ! Le tank va avancer !

Il entra dans l'ascenseur et appuya sur le bouton du quatrième étage. Puis il en sortit, se mit à dévaler les escaliers et descendit jusqu'à la cave.

— *Avanti !*

Au-dessus de lui, les voix dans la rue et les bruits étaient devenus plus lointains. Il entendit un nouveau tremblement, plus violent que les précédents. Quelque chose s'était brisé, la porte de l'entrée avait commencé à céder. Elle ne résisterait pas à la quatrième tentative.

Il n'avait que quelques secondes.

Dans le hall de la cave, il passa par la porte du garage, alluma la lumière, ouvrit l'armoire à outils qu'il avait aperçue lorsqu'il était venu avec Catherine et jeta un coup d'œil rapide sur les instruments mécaniques, les pièces détachées et les autres objets qui s'y trouvaient.

Un grondement résonna au loin. Tomás entendit des voix agitées ; les carabiniers avaient fini par pénétrer dans le palais des Congrégations.

— Là-haut ! Il est monté au quatrième étage ! Bloquez les escaliers et appelez l'ascenseur ! Faites évacuer l'édifice !

Le coup de l'ascenseur lui avait permis de gagner un peu de temps, quatre ou cinq minutes peut-être, se dit-il avec un léger sourire de satisfaction.

Il devait agir rapidement.

Il prit la corde qui était enroulée dans l'armoire et la passa autour de son cou, attrapa une petite pioche et un chalumeau portatif de la main droite, tandis que de la gauche il saisit une torche. Il l'alluma pour vérifier le niveau de la batterie ; elle fonctionnait. Il farfouilla hâtivement, mais il n'avait que deux mains et dut se résigner, se contenter de ce qu'il avait.

Il sortit du garage d'un pas rapide sans éteindre la lumière, pour qu'elle attire les carabiniers, et emprunta la deuxième porte, celle située entre le garage et les archives secrètes de l'IOR. Il la verrouilla de l'intérieur. Peut-être parviendrait-il ainsi à retarder encore les policiers, voire à les tromper.

L'obscurité était totale.

Il alluma la torche ; la lumière illumina les murs, révélant le tunnel qui passait par le palais des Congrégations. Voilà où commençait le réseau souterrain que Catherine lui avait montré en début d'après-midi. Il tenta de s'orienter, reconstituant mentalement l'espace par rapport à la porte afin de déterminer la direction à suivre.

— Hum..., murmura-t-il. C'est par là.

Sans perdre une seconde, il plongea dans les entrailles du Vatican. Il se dirigea vers l'ouest, la lueur de sa lampe dansait devant lui, éclairant son chemin. Le tunnel semblait abandonné, ce qui paraissait normal. Peu de gens connaissaient son existence, et il n'était même pas sûr de pouvoir l'emprunter jusqu'au bout.

L'humidité suintait par les parois et des gouttes tombaient depuis la voûte. Dans les coins, quelques silhouettes fugitives se confondaient avec les ombres, sans doute des rats et des cafards. Ses pas résonnaient comme des tambours assourdissants. Effrayé par le vacarme qu'il faisait en marchant, Tomás ralentit, s'efforçant d'être plus silencieux.

La torche effleurait de temps à autre les parois, mais elle éclairait surtout ses pieds. La lumière était son guide. Soudain, devant lui, une structure métallique grillagée lui barra le passage.

Le portail.

LVII

Dans la lumière de la torche qui déchirait l'obscurité profonde, le portail évoquait les grilles ténébreuses d'une geôle médiévale. Tomás s'en approcha et le toucha du bout des doigts, sentant la rouille qui s'y était incrustée. Il reconnut aussitôt ce même portail devant lequel il s'était trouvé quelques heures plus tôt, de l'autre côté.

Il fallait franchir cette barrière. C'était par là que le commando islamique avait fait sortir le pape, et c'était par là qu'il allait devoir passer pour échapper aux carabiniers et poursuivre sa mission.

— Très bien, murmura-t-il, comme pour se donner du courage.

Voyons cela.

Agenouillé devant la serrure, il l'examina. Elle était solide et bien protégée par un caisson métallique rivé aux barreaux. Il pouvait utiliser la petite pioche pour essayer de l'arracher, mais, vu la structure du caisson et la solidité avec laquelle il était encastré dans le portail, cela ne servirait à rien. Il devait trouver une autre solution.

Il se leva et dirigea la lampe vers le sommet puis les angles du portail, espérant trouver une ouverture qu'il pourrait escalader grâce à la corde ou déceler un point faible où il pourrait l'attacher pour arracher les barreaux. Il ne trouva rien. La corde aussi était inutile.

Le temps filait. Il sentait poindre le découragement.

— À moins que...

Il s'agenouilla à nouveau pour examiner la serrure et mit tous ses espoirs dans le chalumeau. Étudiant le caisson métallique, il tenta d'évaluer si une flamme pourrait faire fondre le métal. Il aurait alors une chance de pouvoir accéder au mécanisme de la serrure.

Retrouvant son courage, il vérifia que le chalumeau était bien relié au petit cylindre de propane. Tout paraissait normal, il fallait essayer.

Avec appréhension, il appuya sur le bouton d'allumage et attendit que la flamme apparaisse. Rien ne se produisit.

— Bordel ! jura-t-il à voix basse. Bordel ! Bordel !

Il avait envie de cogner sur quelqu'un, de défoncer le portail à coups de pied, de hurler jusqu'à en perdre la voix. Qu'avait-il fait pour mériter ça ? Il respira profondément et secoua la tête, découragé. Il frotta ses tempes avec les paumes de ses mains pour essayer de reprendre ses esprits.

Il se domina enfin et décida de faire une nouvelle tentative. Il secoua le chalumeau et entendit un bruit à l'intérieur du cylindre. Ça ne pouvait être que le gaz... En vérifiant que le conduit était bien relié au propane, il remarqua le joint de sécurité. Il le dévissa légèrement, attendit un instant pour laisser le gaz passer par le tube et, plein d'espoir, appuya à nouveau sur le bouton d'allumage.

Une flamme violette déchira l'obscurité.

— Ouf !

Reprenant espoir, il approcha la flamme du caisson métallique et des étincelles jaillirent, l'obligeant à se protéger le visage avec sa main libre.

Le bourdonnement aigu du chalumeau le préoccupait. Même au loin, on ne pouvait pas ne pas entendre un tel bruit, certainement amplifié par les parois du réseau souterrain. Il devait pourtant continuer.

Le caisson métallique qui protégeait la serrure rougit et commença à s'assouplir. Toujours avec prudence, Tomás s'attaqua au bord du caisson.

Au bout de deux minutes, il s'arrêta. Le silence revint dans le tunnel. Il regarda en arrière pour s'assurer qu'il était seul ; l'obscurité demeurait totale.

De nouveau concentré sur son travail, il inspecta le caisson métallique, près de céder. Il posa le chalumeau par terre et saisit sa pioche. Avec la pointe effilée, il frappa quelques coups sur la structure ; au quatrième choc, le caisson libéra le mécanisme de la serrure.

Tomás serra le poing en signe de victoire.

— Ça y est !

Il frappa violemment sur le mécanisme avec l'extrémité de la pioche. Deux coups bien portés suffirent pour rompre la serrure, libérant enfin le portail.

Le passage était libre.

Il saisit son matériel et se leva, prêt à poursuivre sa course. C'est à ce moment qu'il entendit du bruit derrière lui.

Il éteignit sa torche.

Dans un silence absolu, il attendait un nouveau bruit. Ce n'était sans doute que les rats, espéra-t-il.

Oui, se dit-il, ça devait être ça, il en avait vu beaucoup. Ça ne pouvait être que les rats. Si Rome grouillait de chats, les rats restaient les maîtres des souterrains. Et ce tunnel ne faisait pas exception.

Un nouveau bruit.

Tomás redoubla d'attention ; il retint sa respiration. Étaient-ce des pas ? Il ne le croyait pas. Il lui sembla même entendre une espèce de miaulement au loin. Il se détendit un peu.

— *Dov'è lui ?*

— *Magari la.*

Les battements de son cœur s'accélérèrent. Les voix étaient encore lointaines, mais elles signifiaient une seule chose.

Les carabiniers approchaient.

LVIII

Tomás courut à perdre haleine vers le bout du tunnel et sentit aussitôt une puanteur dans l'air ; une odeur d'excréments qui lui était familière. Il dirigea la torche vers le plafond et distingua le trou vertical creusé par les terroristes le long des égouts du Palais apostolique.

Par là, il pourrait accéder aux toilettes du troisième étage, où se trouvaient les appartements du pape.

Il examina l'ouverture à la lumière de la torche ; il lui suffisait de grimper pour arriver jusqu'au cardinal Barboni, but ultime de tous ses efforts. Restaient cependant deux obstacles de taille.

L'échelle de corde installée dans l'après-midi par la police judiciaire avait été retirée, ce qui signifiait qu'il n'avait aucun moyen de monter jusqu'au dernier étage du Palais apostolique, où, selon les gendarmes, le cardinal préparait l'homélie qu'il allait prononcer au cours de la nuit.

Les carabiniers se trouvaient déjà dans le réseau souterrain et, tôt ou tard, ils arriveraient jusqu'à lui. Il n'avait pas beaucoup de temps.

Il examina les parois du tunnel et s'aperçut qu'il manquait quelques briques par endroits ou qu'elles étaient disjointes.

— *Cazzo !* Ça grouille de rats !

— Fais attention et regarde où tu mets les pieds.

Bien qu'encore lointaines, les voix approchaient. Tomás disposait d'une dizaine de minutes au maximum, très probablement moins, avant qu'ils ne parviennent jusqu'à lui.

Rapidement, il saisit la corde qu'il avait passée autour de son cou et en noua une extrémité au manche de la pioche. Il tira de toutes ses forces pour tester la solidité du nœud ; il tenait.

Sous le trou, toujours à la lumière de la torche, il évalua la distance à escalader ; près de deux mètres au-dessus de sa tête.

Sans plus attendre, il posa un pied dans une cavité formée par une brique déchaussée et s'éleva tout en projetant la pioche contre la paroi, un mètre au-dessus de sa tête.

Il tira sur la corde. Elle résista. La pioche était bien accrochée et le nœud semblait solide. Il entoura la corde à son poignet et tira dessus pour se hisser. Pour sa première tentative, si la pioche ne résistait pas, il ne tomberait pas de très haut.

La pioche et la corde supportèrent son poids, Tomás se percha sur une brique qui dépassait. Il retira alors la pioche de la première fente et l'enfonça un peu plus haut, tel un alpiniste. Cela faisait bien longtemps qu'il n'avait pas fait d'escalade. La dernière fois, c'était dans la Serra da Estrela, une expédition pour célébrer la soutenance de sa thèse de doctorat. Il en était bien loin, mais il parvenait à grimper le long du mur.

— *Porco dio !* s'exclama une voix. Le portail !

Les carabiniers étaient déjà au portail, à moins de deux cents mètres de lui. Il avait encore moins de temps qu'il ne le pensait.

— *Pecatto !* répondit une autre voix, déçue. Ça veut dire qu'il n'est pas passé par ici. Revenons sur nos pas et cherchons ailleurs.

Le Portugais soupira de soulagement. Ces pics émotionnels l'épuisaient.

Il ne comprenait pas ce que faisaient ses poursuivants. Peut-être que l'obscurité masquait que le portail avait été forcé. Avec un peu de chance, ils s'en iraient.

Tomás prit le temps de souffler, puisque, finalement, il avait un peu de temps. Il pourrait peut-être même se poser quelques secondes et élaborer la suite de son plan sans se presser. D'abord, laisser les carabiniers s'éloigner, puis seulement après il...

— Qu'est-ce que c'est que ça ? fit la première voix. Regarde la serrure !

— Elle est cassée !

Il y eut un court moment de silence.

— *Brutto figlio de puttana !* Il est bien passé par ici !

Les carabiniers arrivaient.

LIX

Tomás se hissa vers la pioche qu'il avait enfoncée dans le mur et, en une succession de mouvements frénétiques, il monta encore d'un mètre. Il posa la pointe des pieds sur les briques en saillie qui formaient une espèce d'escalier vertical, minuscule certes mais suffisant pour trouver un équilibre et avancer.

— Sois prudent, Alfredo ! cria l'un des carabiniers, de plus en plus proche. Le type doit être armé et il peut nous attendre !

Le trou aménagé dans les entrailles du Palais apostolique se trouvait juste au-dessus de la tête de Tomás. Il avait quelques secondes pour y parvenir ; il pourrait s'y cacher et demeurer invisible.

— Il vaudrait mieux appeler le commandant, non ?

— Oui, tu as raison, appelle-le.

Tomás était face à deux nouveaux problèmes. Le premier était de devoir escalader dans l'obscurité.

— Unité Tango appelle Alfa, dit le carabinier, toujours plus proche. Tango appelle Alfa.

Le second problème, c'étaient les parois du trou,

423

qui ne présentaient pas les mêmes aspérités que les murs du souterrain.

Comment escalader dans de telles conditions ?

— Allô Alfa ? insista le même carabinier. Tango appelle Alfa. J'écoute.

Le bruit des pas s'amplifiait. Les militaires approchaient. Et c'était devenu le plus urgent de tous ses problèmes.

— *Porca Madonna*, protesta l'un des carabiniers. Personne ne répond.

— Laisse tomber, répondit l'autre. Regarde, on dirait que le chemin s'élargit là-bas. Restons prudents, il peut être caché par là.

À ce moment-là, tout ce que Tomás voulait, c'était entrer dans le trou, coûte que coûte. Il utilisa le peu de temps qui lui restait à creuser, à l'aide de la pioche, une petite fente dans la paroi, juste au-dessus de l'ouverture, et il y posa le pied droit. Il tâtonna et sentit les bords de l'entrée creusée dans le plafond. Il enfonça profondément la pioche, se pendit à la corde et se hissa jusqu'à ce qu'il parvienne enfin à se glisser dans le trou.

L'odeur y était infecte, presque insupportable, mais il avait réussi à se dissimuler à temps. Pour le reste, il verrait plus tard.

Il regarda en bas et distingua la lueur des torches qui scrutaient le fond du tunnel. Les carabiniers étaient arrivés et inspectaient les lieux.

— Je ne vois personne.

« Bien sûr, en bas il n'y a personne », pensa Tomás. Seulement, s'ils décidaient de diriger leurs torches vers le haut, ils le découvriraient et tout serait perdu.

— Pouah, quelle puanteur ! se plaignit l'un des policiers. Quel est le porc qui est venu se soulager ici ?

— Ça doit être notre fuyard. Il a dû se chier dessus de trouille.

Ils éclatèrent de rire.

— Très drôle, fit remarquer son compagnon. Non, sérieusement, d'où peut venir cette odeur ?

— Ça doit être les rats...

— Quels rats, espèce de naze ! Tu ne vois pas que ça sent la merde ? Quelqu'un est venu faire ça là ! C'est dégoûtant !

Les lueurs des lampes sautillaient d'un endroit à l'autre, explorant tout l'espace alentour.

— Je ne vois rien.

— Ce sont sûrement les égouts, dit le second, en dirigeant la torche vers les murs du tunnel. Il doit y avoir des tuyaux par ici...

La position dans laquelle se tenait Tomás n'était guère confortable et la puanteur des canalisations n'était pas agréable non plus. Mais le plus difficile, c'était de rester silencieux et immobile pendant si longtemps. Le dos appuyé contre un côté du trou et les jambes exerçant une pression sur le côté opposé, il n'allait pas pouvoir tenir bien longtemps. Il commençait déjà à sentir des fourmis dans ses membres inférieurs.

— Non, il n'est pas ici, conclut l'un des carabiniers, mettant ainsi un terme à la ronde. *Andiamo*, Alfredo ! Allons-nous-en.

— Mais alors, et le portail ? demanda l'autre. Tu n'as pas vu la serrure ? Quelqu'un l'a brisée.

— C'est vrai, mais c'était peut-être il y a longtemps.

— Comment peux-tu le savoir ?

— Ces tunnels ont été construits pendant la Seconde Guerre mondiale, Alfredo. Depuis, ils n'ont pas servi. À mon avis, celui qui a cassé la serrure l'a fait il y a très longtemps.

— Et les bruits que nous avons entendus tout à l'heure ? On aurait dit un chalumeau...

— Ça doit être les travaux sous la basilique. Les ingénieurs n'ont-ils pas interdit l'accès aux catacombes, par crainte que la structure ne résiste pas ? C'étaient probablement les ouvriers qui renforçaient les étais. Ça m'étonnerait que notre suspect traîne par ici avec un chalumeau, tu ne crois pas ?

Sur ces mots, les deux policiers commencèrent à rebrousser chemin. Toujours blotti dans le trou du plafond, Tomás vit les lueurs des torches disparaître et il soupira de soulagement. Il allait enfin pouvoir changer de position.

Il dirigea sa lampe vers le haut et l'alluma pour examiner le chemin qui restait à parcourir. Bien qu'il eût été creusé verticalement, le tunnel s'incurvait légèrement pour suivre le tracé des canalisations, et il se dit qu'il pourrait s'y reposer.

Le dos toujours appuyé contre un côté du trou et les pieds exerçant une pression sur l'autre, Tomás reprit son escalade, tantôt se soutenant avec les épaules et hissant les pieds, tantôt poussant avec les pieds et montant le dos ; il avait l'impression d'être une araignée géante.

— Si ça se trouve, il est parti de l'autre côté du souterrain.

— Si c'est ça, Giancarlo va l'attraper, déclara le second policier. Cet imbécile aurait vraiment de la chance ! S'il lui met la main dessus, il sera même décoré, tu vas voir ! Et si, grâce à lui, on arrive à sauver le pape, on finira par le canoniser !

Ils éclatèrent de rire.

— C'est ça. Il y en a qui ont une chance de cocu, que veux-tu !

Tomás entendit les voix qui s'éloignaient. Les policiers étaient toujours dangereusement près, mais de toute évidence ils avaient abandonné leurs recherches. Le Portugais commençait à se détendre, s'il ne faisait pas de bruit, il s'en sortirait. Et dans trois ou quatre minutes, il pourrait même faire tout le bruit qu'il voudrait, car ils seraient suffisamment loin. Le plus important était sans aucun doute...

Soudain, une musique assourdissante se fit entendre.

— Merde, manquait plus que ça...

Son téléphone portable s'était mis à sonner.

LX

Affolé, Tomás mit la main dans la poche de son pantalon. Il devait faire taire son maudit portable ! Il le chercha désespérément, mais ne le trouva pas suffisamment vite.

— Tu entends ça ? demanda une voix au loin.

Le silence se fit à nouveau. Les deux policiers tendaient l'oreille.

— C'est un portable ! C'est un portable qui est en train de sonner !

— Mais...

— C'est lui !

Tomás se maudit en se saisissant de l'appareil qu'il finit par éteindre maladroitement. Il fallait que ça arrive maintenant, alors qu'il pensait s'être débarrassé des carabiniers ! Qui pouvait bien être l'abruti qui avait eu l'excellente idée de l'appeler à ce moment-là ? Il devait absolument escalader le trou le plus vite possible.

Il continua de monter à la manière d'une araignée géante, centimètre après centimètre, mais avec une telle frénésie que la progression fut relativement rapide.

Tous les muscles de son corps lui faisaient mal. Il était conscient qu'il n'arriverait pas à progresser à ce rythme pendant très longtemps. D'autant que ses gestes maladroits détachaient du mur des grains de sable et de pierre.

— On n'entend plus le portable.

— Il l'a éteint. Mais ce type doit être par ici, tu peux en être sûr.

Exténué, Tomás s'arrêta quelques instants pour souffler et baissa les yeux ; il vit de nouveau les lueurs qui dansaient en bas. Les carabiniers étaient déjà revenus et examinaient une fois de plus tout l'espace au fond du tunnel. Ils ne tarderaient pas à diriger les torches vers le plafond et à le découvrir. Il rassembla ses dernières forces pour monter au plus vite.

— Tu vois bien qu'il n'est pas là. Si ça se trouve, c'est un portable qui a sonné dehors et on l'a entendu ici parce que...

— Arrête tes conneries, Alfredo ! coupa l'autre. Le bruit venait de l'intérieur du tunnel. Le type est forcément caché par là.

Son cœur battant à tout rompre, plus de fatigue que de peur, Tomás recommença à grimper. Il aurait voulu allumer sa lampe pour voir s'il était encore loin de la partie incurvée qu'il avait vue un peu auparavant, mais il ne s'y hasarda pas.

Au-dessous, la conversation se poursuivait.

— Mais s'il est ici, où diable peut-il se cacher ?

— Je l'ignore. (Il fit une pause.) Tu sais dans quel secteur du Vatican on se trouve exactement ?

— Dans le réseau souterrain, quelle question !

— *Stronzo*, ça je le sais ! Ce que je veux dire : quel bâtiment se trouve au-dessus de nous ? C'est la chapelle Sixtine ?

Aïe, aïe ! faillit gémir Tomás. S'ils se mettaient à parler de ce qui se trouvait au-dessus d'eux, ils ne tarderaient pas à éclairer le plafond. Il devait se cacher au plus vite.

— Non, la chapelle Sixtine, c'est un peu plus loin.

— Alors où sommes-nous ?

— Eh bien... je dirais que... que...

— Qu'est-ce que c'est que ça ?

Ils se turent et tendirent l'oreille.

— C'est du sable qui est en train de tomber.

— De tomber ? Mais d'où ?

Soudain, Tomás fut ébloui par les lampes torches des carabiniers qui venaient de le localiser.

— Qu'est-ce que c'est que ça ?

— C'est... c'est lui ! Il est là-haut, tu ne vois pas ?

Grâce à la lumière, Tomás put enfin distinguer la courbe qu'il cherchait à atteindre ; elle se trouvait à moins de deux mètres au-dessus de lui. Les muscles de ses jambes, de ses bras et de son dos étaient durs et lourds, mais il leur faudrait faire un dernier effort.

— Stop ! ordonna l'un des policiers, en criant en l'air. Descends de là !

Il ne restait qu'un mètre et demi à Tomás.

— Tu n'entends pas ? insista le carabinier. Descends immédiatement !

— Dis donc, fit observer l'autre, s'il est arabe, le type ne comprend peut-être pas l'italien...

— Stop ! répéta le premier. *Come down ! Now !*

Un mètre.

— *Cazzo !* jura l'autre. Où diable va-t-il ?

— Est-ce que je sais ? Où sommes-nous en fin de compte ? Quel est le bâtiment au-dessus ?

Son compagnon réfléchit durant un court instant.

— C'est... c'est le Palais apostolique.

— Quoi ?

— Le type est en train de monter vers le Palais apostolique.

Cinquante centimètres.

— *Madonna !* On ne peut pas le lâcher !

— Qu'est-ce qu'on fait ?

— On ne peut pas le laisser monter dans la résidence officielle du pape...

— Tu sais bien que le pape ne vit plus ici maintenant.

— Mais il y a Son Éminence, se souvint l'autre, faisant allusion au secrétaire d'État. Il faut l'arrêter !

Tomás y était presque.

On entendit un clic métallique.

— Je tire.

— Tu es fou ?

— C'est un terroriste, Alfredo ! Nous ne pouvons pas le laisser pénétrer dans la résidence officielle du pape ! C'est impensable !

— *Porco dio*, tu as raison ! Abats-le !

Un coup de feu résonna. Tomás, qui avait déjà les deux bras dans le passage coudé et s'apprêtait à se hisser, sentit le projectile se loger dans la paroi, sur sa droite, et des éclats de pierre l'atteignirent au visage. La prochaine fois, il aurait moins de chance.

— Recommence !

Un nouveau coup de feu éclata dans le tunnel, mais Tomás avait déjà atteint la courbe dans laquelle il s'était glissé. Son cœur battait à tout rompre.

LXI

Tomás resta une minute adossé à la paroi du tunnel, haletant et épuisé. Les deux carabiniers avaient encore tiré trois coups de feu dans sa direction, mais la courbe était suffisamment prononcée pour le mettre à l'abri des balles. Tout cela était allé beaucoup trop loin, se dit-il, mais quand le vin est tiré, il faut le boire.

Les policiers scrutaient le tunnel avec leurs torches pour tenter de le localiser, mais ils comprirent rapidement que le fugitif était hors de portée.

— Appelle le capitaine Rizzi, suggéra l'un d'eux. Si le type parvient aux appartements du pape, ça risque d'être terrible.

Toujours haletant, Tomás écoutait la conversation, il devait reprendre son escalade le plus vite possible. Une fois les forces de sécurité alertées, l'ouverture du tunnel serait bloquée et il n'aurait plus aucune issue.

— Unité Tango à Alfa, dit un carabinicr. Tango appelle Alfa.

Le Portugais alluma sa torche et la dirigea vers le haut afin d'évaluer le chemin qui lui restait à parcourir.

Il avait gravi l'équivalent d'un étage et il en restait encore deux. Ça ne serait pas simple. Cependant, le commando ayant creusé le tunnel pour pouvoir l'escalader, une série de petits trous avaient été pratiqués dans les parois qui pouvaient servir d'appuis pour les pieds et les mains.

— Répondez, Alfa. Tango appelle Alfa.

Respirant profondément pour récupérer son souffle et trouver le courage nécessaire, Tomás souleva son corps endolori et, posant un pied dans l'une de ces entailles et les mains dans une autre, il se hissa au-dessus de la courbe du tunnel. Ce faisant, il détacha quelques petites pierres, qui glissèrent jusqu'en bas.

— Tango appelle Alfa, vous m'entendez, Alfa ? Tango appelle...

— Attention, Alfredo, interrompit son camarade. Il continue de monter. Regarde, le type a une torche et il monte vers les appartements du pape. Il faut avertir nos gars.

— Je fais ce que je peux, Fabrizio, rétorqua l'autre. Tu ne vois pas que j'essaie d'appeler le poste du capitaine Rizzi ?

— Mais le talkie-walkie ne fonctionne pas. Nous sommes dans un souterrain !

— Et alors, que veux-tu que je fasse ?

— Utilise ton portable.

— Et tu crois qu'il y a du réseau, *stronzo* ?

— Mais son portable a sonné tout à l'heure...

— Il doit y avoir du réseau là-haut. Mais ici, il n'y en a pas.

Un court silence s'installa pendant que les Italiens envisageaient différentes options. Enfermé dans le tunnel, Tomás avait déjà gravi un mètre.

— Il faut sortir d'ici pour avertir le capitaine Rizzi.

— Et il faut qu'on interroge ce type pour savoir où se trouve le pape.

— Alors tu restes ici et tu le surveilles pendant que moi j'y vais.

— *Va bene*, acquiesça son camarade. Vas-y et reviens vite. Dis-leur d'envoyer des renforts.

Les pas du carabinier qui s'éloignait résonnèrent dans le souterrain et parvinrent jusqu'au fugitif, qui se mit aussitôt à échafauder des plans.

Il n'avait pas beaucoup de temps. L'Italien mettrait tout au plus cinq à dix minutes pour sortir, mais dès qu'il aurait du réseau, il alerterait ses supérieurs. Ceux-ci feraient évacuer le Palais apostolique et tout serait perdu. Il devait les prendre de vitesse.

Ses muscles toujours endoloris, mais ragaillardi par sa courte pause, Tomás montait plus facilement grâce aux fentes creusées dans la paroi ; il avait réussi à accélérer son rythme. Mais il avait l'impression que cette course infernale ne finirait jamais. Un sprint succédait à un sprint et à un autre ; c'était comme s'il courait sans arrêt pour atteindre la ligne d'arrivée en pensant que son effort allait s'achever, mais lorsqu'il y arrivait, il devait à nouveau courir un cent mètres, puis un autre, et ainsi de suite. Il était exténué et seule l'adrénaline le faisait progresser. Quand se terminerait ce cauchemar ?

Il ne savait pas combien de temps s'était écoulé ; deux minutes, cinq, dix, vingt ? Il l'ignorait. L'effort et la concentration lui avaient fait perdre la notion du temps, mais, persévérant dans son effort, posant un pied ici et une main là, escaladant encore et encore comme s'il avait cessé d'être un homme et était devenu un automate, il parvint enfin en haut du tunnel pour constater que la cuvette des W.-C. bloquait la sortie. La police avait-elle déjà été alertée et l'attendait-elle en haut ? Ou avait-il été plus rapide que le carabinier qui était parti informer ses supérieurs ?

Il n'y avait qu'une manière de le savoir.

— Encore un effort, murmura-t-il haletant, pour se donner du courage. Encore un petit peu...

Il examina la cuvette en céramique qui bouchait l'extrémité supérieure du tunnel. Il eut envie de la briser à coups de pioche, mais cela ferait beaucoup trop de bruit et risquerait d'effrayer le cardinal Barboni. Le mieux était de faire comme le commando islamique : si les ravisseurs étaient arrivés à passer par là sans que personne s'en aperçoive, lui aussi y parviendrait.

Il se cala fermement contre les parois du tunnel et, prudemment pour ne pas perdre l'équilibre, il poussa vers le haut. La cuvette en céramique était lourde, mais pas autant qu'il le pensait, et il parvint à la faire bouger. Il se plaça de manière à la soutenir avec le dos et, exerçant une pression, il tenta à nouveau.

La cuvette se souleva et la lumière du soleil qui inondait la petite fenêtre des toilettes pénétra dans le tunnel. Il avait réussi.

LXII

Tomás n'eut ni le temps, ni l'envie, ni l'énergie de se réjouir. Il attendit quelques secondes pour voir ce qui allait se passer. Rien ne se produisit.

Il entendit des voix au loin. Patient, il retint sa respiration et se concentra pour en identifier l'origine. La musicalité du discours était italienne, mais il ne saisissait pas les mots ; les personnes qui parlaient étaient trop loin. Il finit cependant par comprendre qu'il s'agissait d'un téléviseur et il reprit confiance. Apparemment, les forces de sécurité n'avaient pas encore été alertées. Ou, en tout cas, elles n'étaient pas encore arrivées jusque-là.

Rassuré, il se hissa par l'ouverture et, les coudes appuyés sur le sol, il parvint à extraire le reste de son corps, mettant ainsi un terme à cette escalade interminable.

Il avait très envie de s'étendre sur le carrelage et de se reposer, mais il résista à la tentation.

Les muscles de ses jambes et de son dos tremblaient d'épuisement, et ses vêtements empestaient ; il se leva avec peine, se dirigea en chancelant vers la porte, qu'il ouvrit lentement pour ne pas faire de bruit.

« ... *Ankara se refuse à confirmer, mais le président turc a prévu de s'adresser ce soir au pays. On ignore sur quoi portera le message mais, selon une source liée au gouvernement turc, il s'agira d'une importante déclaration portant sur la crise entre la Croatie et la Bosnie en raison du...* »

La voix d'un journaliste emplissait la bibliothèque privée du souverain pontife. Par l'entrebâillement de la porte, Tomás aperçut le cardinal Barboni assis au bureau du pape, un stylo à la main et le visage tourné vers la télévision ; il paraissait hypnotisé. L'appareil était branché sur une chaîne d'information en continu italienne qui couvrait la crise au Vatican et ses répercussions dans le monde entier ; et cette nuit-là, les nouvelles n'arrêtaient pas d'arriver.

« ... *rappelle qu'une source à Washington a révélé que les images satellites obtenues cette nuit par le Pentagone indiquent que l'armée turque fait actuellement mouvement vers la frontière grecque. Le président des États-Unis aurait déjà appelé à deux reprises son homologue à Ankara pour lui demander de faire preuve de retenue et souligner qu'il était impensable que deux pays de l'OTAN entrent en guerre l'un contre l'autre, mais le chef d'État turc lui aurait répondu que son pays s'apprêtait à entrer en Grèce, par la force si nécessaire, afin de porter secours à l'armée musulmane de Bosnie-Herzégovine...* »

Tomás écarquilla les yeux. La Turquie concentrait des forces à la frontière grecque ? Qu'est-ce que cela pouvait bien vouloir dire ? La guerre allait-elle éclater ?

« *... de nouveaux affrontements à la frontière entre les militaires bosniaques et l'armée de la Croatie, pays à majorité catholique. La Grèce a déjà répondu à la menace turque et affirmé que si un seul soldat turc s'avisait de poser le pied sur son territoire, les Grecs seraient fidèles à l'histoire de leurs pères et lutteraient jusqu'au dernier, comme l'avaient fait trois cents de leurs ancêtres lors de la célèbre bataille des Thermopyles, il y a...* »

La tension internationale s'accentuait, constata Tomás. La guerre était imminente. La situation s'était détériorée plus vite qu'on aurait pu le penser et le monde se précipitait dans un nouveau conflit religieux à grande échelle. Comment avait-on pu en arriver là ?

Le pire restait à venir. Que se passerait-il lorsque les images de la décapitation du pape seraient diffusées en direct sur Internet ? L'explosion de violence serait alors inéluctable.

« *... à la concentration de forces turques à la frontière grecque, la Serbie a décrété la mobilisation générale afin de retenir l'armée turque au cas où celle-ci vaincrait la Grèce et pénétrerait sur son territoire pour se rendre en Bosnie*, ajouta le journaliste. *Selon des sources à Bakou, l'Azerbaïdjan se serait déjà engagé auprès d'Ankara à fournir des hommes et du matériel dans le cadre d'une opération de soutien à la Bosnie-Herzégovine. Interrompant sa visite à Budapest,* *le secrétaire général de l'ONU est immédiatement rentré au siège de l'organisation à New York, où il a convoqué une réunion d'urgence du Conseil de sécurité afin de débattre de l'enlèvement du pape et de la situation interna...* »

Quelque chose dans le regard du secrétaire d'État, plongé dans ses pensées et le flot d'informations diffusées par la télévision, appela alors l'attention de Tomás. À travers l'entrebâillement de la porte, il observa l'ecclésiastique qui gardait les yeux rivés sur le petit écran.

Le cardinal Barboni pleurait.

LXIII

L'image de l'homme à la soutane pourpre en larmes émut l'universitaire portugais. Le puissant secrétaire d'État du Saint-Siège, la personnalité qui, en l'absence du pape, devait assumer toutes les responsabilités du gouvernement de l'Église, l'ecclésiastique qui exercerait formellement le rôle de camerlingue lorsque le souverain pontife aurait été décapité était un homme brisé par l'angoisse face aux événements incroyables qui se déroulaient dans le monde et dont l'épicentre était le Vatican. Le pire n'était pas encore arrivé, et tout allait reposer sur ses épaules. Comment ne pas se sentir écrasé par la peur devant une telle épreuve ?

La scène était à ce point intime que Tomás hésita à franchir la porte. Le secrétaire d'État, avec son air bon enfant et son regard affectueux, était un personnage sympathique et il ne voulait pas lui faire peur. Mais alors qu'il rassemblait son courage et s'apprêtait enfin à apparaître, un homme maigre ouvrit la porte de la bibliothèque et fit irruption dans la pièce, l'air effrayé ; c'était le majordome du pape.

— Éminence ! cria-t-il, très agité. Nous devons sortir d'ici au plus vite !

Gêné d'avoir été surpris dans un moment de faiblesse, le cardinal sécha rapidement ses larmes et retrouva sa contenance.

— Mon Dieu, Giuseppe ! Que se passe-t-il ?

— La police vient de téléphoner, Éminence révérendissime. Nous devons quitter immédiatement les appartements du pape !

— Et pourquoi ? Que s'est-il passé ?

— Les terroristes, Votre Éminence ! Les terroristes sont ici !

— Ici où ? À Rome ?

— Dans le Palais apostolique !

Le visage du secrétaire d'État se contracta.

— Quoi ?

— Les terroristes sont ici, dans le palais ! répéta le majordome, désespéré. Je viens de recevoir un appel du commandant des carabiniers donnant l'ordre d'évacuer immédiatement le bâtiment. Les gendarmes arrivent, mais Votre Éminence court un réel danger et doit sortir d'ici. Les appartements du pape ne sont plus sûrs !

Le cardinal Barboni se leva, interloqué.

— Ah, mon Dieu, mon Dieu, bredouilla-t-il. Vierge Marie, mère de Dieu, ayez pitié de nous...

— Vite ! dit Giuseppe paralysé par la peur. Ils peuvent arriver à tout moment !

Tomás observait par la porte entrebâillée des toilettes. L'alerte avait été finalement donnée, les gendarmes arrivaient et le cardinal Barboni allait partir.

Il ouvrit la porte et entra dans la bibliothèque privée du pape.

— Éminence ! appela-t-il. Un instant s'il vous plaît !

Les deux hommes sursautèrent, la peur les rendit plus livides encore.

— Professeur ! s'exclama le secrétaire d'État dès qu'il eut recouvré ses esprits. Mais... comment ? Que... que faites-vous ici ?

— Il faut que je vous parle.

Le cardinal échangea un regard avec le majordome, comme s'il lui demandait conseil.

— Éminence révérendissime, supplia Giuseppe, les terroristes...

Cela suffit pour persuader le secrétaire d'État.

— Impossible pour l'instant, mon fils, dit-il en haussant les épaules, résigné. Il semblerait que les terroristes soient dans les lieux et la police a donné l'ordre d'évacuer le Palais apostolique. Nous devons...

— C'est moi que la police recherche.

Les deux hommes ouvrirent de grands yeux.

— Vous ? s'étonna le cardinal. Mais non. Elle recherche un terroriste.

Le terroriste qu'elle recherche, c'est moi.

Les deux hommes dévisagèrent Tomás entre frayeur et incrédulité.

— Professeur, vous êtes un... un terroriste ?

— Non, non ! s'empressa de préciser Tomás. Ce n'est qu'un regrettable malentendu. Depuis une heure, j'essaie de parler à Votre Éminence, mais les choses se sont incroyablement compliquées et une pagaille indescriptible s'est installée.

— Mais...

— Ce que j'essaie de vous dire, c'est qu'aucun terroriste n'est entré dans le Palais apostolique, insista-t-il. C'est moi qui ai tenté de venir ici et, par un concours de circonstances que j'ai moi-même du mal à comprendre mais que l'inspecteur Trodela a déclenché, la police me considère, à tort, comme un terroriste. C'est un invraisemblable cafouillage. Personne d'autre que moi n'a voulu pénétrer dans le Palais apostolique, et votre vie n'est nullement en danger ici, soyez rassurée, Votre Éminence.

Le cardinal ouvrit puis ferma la bouche, sans bien comprendre l'explication.

— Ah, finit-il par balbutier. (Il se tourna vers le majordome du pape.) Mais finalement, que se passe-t-il, Giuseppe ?

Celui-ci ébaucha une mimique qui semblait signifier qu'il ne comprenait rien.

— C'était la police, Votre Éminence. Elle vient de m'appeler pour dire que le bâtiment doit être immédiatement évacué et...

On entendit alors des pas approcher, suivis de cris. Tomás échangea un regard inquiet avec le cardinal et le majordome lorsque, en quelques secondes, plusieurs hommes armés envahirent la bibliothèque, le doigt sur la détente de leurs armes automatiques, prêts à ouvrir le feu.

LXIV

Les hommes qui venaient d'envahir la bibliothèque privée portaient des casques et des gilets pare-balles, le canon de leurs armes était pointé vers la porte ouverte des toilettes, prêts à faire feu sur quiconque apparaîtrait. Ils appartenaient au corps de la gendarmerie du Vatican.

— Éminence révérendissime, vous devez sortir d'ici ! ordonna l'un d'eux, qui avait le grade de lieutenant. On a repéré un terroriste qui montait par le secteur des égouts du palais, et mon commandant m'a donné l'ordre de faire évacuer le bâtiment.

Tomás leva le bras, comme s'il voulait se présenter.

— C'est moi qui suis entré par les égouts.

L'officier de gendarmerie le regarda, d'un air inquisiteur ; l'homme qui se tenait devant lui ne correspondait nullement à l'image qu'il se faisait d'un terroriste islamique. Il l'ignora et se concentra sur les toilettes.

— Sortez !

Le Portugais fit un pas de côté, pour se placer en face de l'arme afin d'appeler l'attention du lieutenant qui semblait commander l'unité.

— Vous n'avez pas entendu ce que j'ai dit ? insista-t-il. Il n'y a aucun terroriste. C'est moi, Tomás Noronha, qui suis entré par les égouts. Il fallait que je parle de toute urgence avec le cardinal, c'est pourquoi je suis entré de cette manière. Mais il n'y a absolument aucune menace, vous pouvez partir.

Les gendarmes hésitaient ; ce que Tomás venait de leur dire ne correspondait pas aux informations qu'ils avaient reçues, mais l'assurance de l'historien les fit douter.

Sur un signe du lieutenant, deux gendarmes traversèrent la bibliothèque et entrèrent dans les toilettes, prêts à faire feu. Ils inspectèrent le trou resté ouvert à la place de la cuvette, d'abord avec prudence, puis de manière plus assurée, avant de fouiller le local tout entier.

— Il n'y a personne dans le trou, mon lieutenant, conclut l'un d'eux. Le suspect est sorti par en haut ou par en bas. Mais il n'est plus dans le trou.

— Je vous répète que le suspect c'est moi, insista Tomás. Il n'y a aucun terroriste dans le Palais apostolique. (Il s'approcha des gendarmes.) Vous ne sentez pas l'odeur des égouts sur mes vêtements ? C'est parce que je viens de monter par là.

L'historien sentait vraiment mauvais et le lieutenant le considéra différemment, enfin convaincu qu'il disait la vérité, ou du moins une partie de la vérité.

— Dans ce cas, il vaut mieux que vous veniez avec nous au poste pour éclaircir la situation.

— Je me ferai un plaisir de vous accompagner, mais je dois d'abord m'entretenir avec Son Éminence.

L'officier de gendarmerie durcit le ton.

— Veuillez nous accompagner, s'il vous plaît.

Tomás se tourna vers le cardinal Barboni.

— Votre Éminence, vous savez que le pape a confiance en moi, n'est-ce pas ? lui rappela-t-il. Eh bien, il se trouve que j'ai fait quelques découvertes qui ont peut-être à voir avec l'enlèvement de Sa Sainteté et j'ai besoin de vous en faire part. Elles peuvent nous aider à élucider l'affaire.

Le secrétaire d'État leva le sourcil.

— De quoi parlez-vous ?

— Vous vous souvenez du message du pape dans la vidéo diffusée par les terroristes ? Vous avez remarqué que Sa Sainteté faisait référence à...

S'impatientant, le lieutenant de la gendarmerie du Vatican saisit le Portugais par le bras et le tira pour l'emmener avec lui.

— Ça suffit ! Venez avec moi maintenant !

— Du calme, j'ai besoin de parler avec Son Éminence.

Les gendarmes n'étaient pas convaincus et, devant la résistance de Tomás, ils l'entourèrent et le traînèrent de force, tel un pantin, hors de la bibliothèque.

— Venez !

— Laissez-moi ! protesta l'historien, tentant vainement de se libérer. Je dois parler avec Son Éminence.

— Taisez-vous !

Trois gendarmes avaient empoigné Tomás avec une telle force qu'il avait l'impression de flotter. Ils passèrent par l'antichambre au pas de course, puis dans le couloir qui menait à l'escalier. Sa seule occasion d'agir allait s'évanouir.

Il se retourna, désespéré. C'était sa dernière chance de convaincre le secrétaire d'État.

— Votre Éminence ! appela-t-il. Tout concerne monseigneur Dardozzi ! Tout concerne monseigneur

Dardozzi ! Vous entendez ? Tout concerne monseigneur...

— Attendez !

L'énorme silhouette pourpre de Barboni apparut à la porte du couloir. Les gendarmes s'arrêtèrent et le lieutenant, qui tenait toujours le Portugais, regarda le secrétaire d'État d'un air interrogateur.

— Qu'avez-vous dit, Éminence révérendissime ?

— Libérez-le, ordonna le cardinal, en désignant Tomás. J'ai besoin de parler avec lui.

— Votre Éminence, cet homme est entré de manière illicite au Vatican et son comportement est hautement suspect, souligna le lieutenant. Il doit être interrogé...

— Libérez-le !

— Mais, Votre Éminence...

Le secrétaire d'État ébaucha un geste impérial.

— Libérez-le, vous dis-je !

Le lieutenant de gendarmerie le regarda, frustré, cherchant à résister et argumenter encore, persuadé que c'était une pure folie. Ce suspect potentiellement très dangereux ne pouvait être libéré ainsi, alors que la situation générale était si grave. Et puis, il fallait respecter des procédures, poser des questions, vérifier certaines informations.

Le ton péremptoire du cardinal Barboni et son expression déterminée le persuadèrent cependant de renoncer. En l'absence du pape, le secrétaire d'État était la plus haute autorité du Saint-Siège et ses ordres ne souffraient aucune contestation. Il s'exécuta.

À regret, le lieutenant fit signe à ses hommes et aux gendarmes de relâcher Tomás.

— Va, bougonna-t-il, contrarié. Mais attention à toi si tu tentes quelque chose....

LXV

La conversation se déroula dans la bibliothèque ; Tomás et le cardinal Barboni, assis, se regardaient droit dans les yeux. Les gendarmes et le majordome du pape étaient restés dans l'antichambre, par mesure de sécurité, prêts à accourir au moindre signe suspect.

Une fois seul avec le secrétaire d'État, l'historien lui raconta les événements de l'après-midi, à commencer par l'attaque du commando islamique dont il avait été victime dans la basilique. L'ecclésiastique écouta l'exposé, visiblement peu concentré, mais l'interrompit au bout de quelques minutes seulement.

— Écoutez, l'inspecteur Trodela a déjà évoqué cette histoire, selon laquelle vous auriez été enlevé et je ne sais quoi encore, indiqua-t-il l'air agacé. Pour ma part, je ne crois à rien de tout cela.

Tomás se sentit offensé.

— Votre Éminence, m'accuseriez-vous de mentir ?

— Non, non, se hâta de préciser son hôte, plus par esprit de conciliation que par conviction. Il doit s'agir d'une erreur, ou d'une mauvaise plaisanterie, mais comme vous le comprendrez, cette histoire n'a ni queue ni tête, voyons. Où a-t-on déjà vu des islamistes radicaux attaquer quelqu'un à l'intérieur de la basilique du Vatican ? Cela n'a aucun sens...

— Mais... ils ont bien enlevé le pape !

— Raison de plus pour ne pas revenir sur le lieu du crime, vous ne trouvez pas ? Du reste, l'inspecteur Trodela a enquêté sur tout ça, et il n'a rien trouvé qui corrobore cette histoire fantaisiste. Bien au contraire, il a conclu que vous faisiez cavalier seul dans cette enquête.

— Cette conclusion est un peu trop hâtive, rétorqua le Portugais sur la défensive. Soit il est incompétent, soit il a une autre motivation. Toujours est-il qu'il a provoqué à mon sujet toute une série d'imbroglios qui ont failli mal tourner.

Le cardinal fit un geste vague de la main.

— Peut-être que oui, peut-être que non, répondit-il en cherchant à se concentrer sur des questions plus importantes. Quoi qu'il en soit, je ne veux pas m'en mêler. Cette question n'est pas de mon ressort. J'ai actuellement d'autres priorités et des préoccupations bien plus graves.

— Je n'en doute pas.

Le secrétaire d'État indiqua sa montre.

— Il faut nous dépêcher. La messe pour demander au Seigneur et à la Vierge d'intercéder en faveur de Sa Sainteté va bientôt commencer. Je ne peux pas m'attarder. C'est un moment extrêmement important. La cérémonie se déroulera simultanément dans les églises du monde entier, y compris les églises anglicanes, protestantes, orthodoxes, arméniennes et coptes et... enfin, dans les sanctuaires de toute la planète, les fidèles seront là lorsque minuit sonnera et... et... (Il ne put terminer, ému par la simple évocation du moment où l'ultimatum viendrait à expiration.) Vous comprenez, n'est-ce pas ? J'espère que vous ne m'en voudrez pas.

— Bien sûr que non, je comprends parfaitement et je vais tâcher d'être succinct.

Le cardinal Barboni changea de position et alla directement à ce qui l'intéressait.

— Vous avez indiqué tout à l'heure que l'enlèvement de Sa Sainteté avait un rapport avec monseigneur Dardozzi. Que vouliez-vous dire par là, mon fils ?

— Votre Éminence, vous connaissiez monseigneur Dardozzi ?

— Qui ne le connaissait pas ? Il était proche du cardinal Casaroli et travaillait à l'IOR.

— Vous vous souvenez que le pape a mentionné monseigneur Dardozzi dans la vidéo qui a été diffusée ?

— Oui. Et alors ?

— Le mystère, c'est que monseigneur Dardozzi est mort. Pour quelle raison le pape a-t-il demandé à un mort de prier pour lui ? Cela n'a aucun sens, n'est-ce pas ?

— Oui, en effet...

— À moins que cette référence ne soit une piste, bien sûr. Le pape nous suggérait une piste.

Le cardinal considéra l'idée et se redressa, subitement intéressé.

— Vous avez raison, reconnut-il. Je n'y avais pas pensé. (Il poursuivit avec animation.) On dit que monseigneur Dardozzi aurait découvert pas mal de fraudes à l'IOR dont il aurait gardé les preuves dans un dossier. J'aimerais pouvoir le consulter, mais Sa Sainteté l'a fait sceller et l'a caché je ne sais où.

— Eh bien moi je sais ! J'ai suivi la piste et elle m'a conduit aux archives confidentielles de la banque du Vatican, au palais des Congrégations. J'ai trouvé dans la cave le dossier Dardozzi et je l'ai lu.

Le secrétaire d'État écarquilla les yeux.

— Vous l'avez lu ?

— Oui, je l'ai lu. Cela étant, son contenu a suscité certains doutes et c'est pour ça que je suis venu vous voir. J'avais besoin d'éclaircir avec Votre Éminence certaines informations que j'ai découvertes.

— Par exemple ?

— Omissis.

— Pardon ?

Tomás scruta son interlocuteur avec une grande attention ; il s'agissait là du point le plus important de son enquête, de la véritable raison pour laquelle il avait tout tenté pour arriver jusqu'à lui.

— Le nom d'Omissis ne vous dit rien ?

— Non, absolument rien. Qu'est-ce que c'est ?

— C'est un nom de code ; le pape ne vous en a jamais parlé ?

— Jamais.

L'historien était sans voix. Il avait fait tout ça pour comprendre qui se cachait derrière Omissis et le secrétaire d'État l'ignorait.

— Et le dossier sur le compte de la Fondazione Cardinale Francis Spellman ? L'avez-vous jamais consulté ?

— Non.

— Mais vous en avez entendu parler...

— Jamais.

Tomás hésita.

— Bon... Et les autres dossiers, alors ? Celui concernant le compte du Fonds Mamma Roma pour la lutte contre la leucémie, par exemple, ou celui qui concerne...

— Je ne sais rien de tout cela.

L'historien fronça les sourcils.

— Mais... Votre Éminence ne sait absolument rien des documents laissés par monseigneur Dardozzi ?

— Malheureusement non. Au fil des années, je me suis fait beaucoup d'ennemis dans la curie pour avoir essayé de lutter contre la corruption qui y sévit. Lorsque j'ai eu vent de l'existence de ce dossier, il va de soi que j'ai voulu le lire, mais le Saint-Père l'a scellé et... enfin, je n'ai pas pu le consulter.

L'ignorance du cardinal déconcerta Tomás.

— Vous ne l'avez vraiment pas lu ?

— Non, je n'ai rien lu.

— Et vous ne savez rien de son contenu ? insista le Portugais qui commençait à désespérer. Le pape ne vous a rien dit ?

— Je crains bien que non.

L'historien refusait de capituler.

— Ce n'est pas possible, insista-t-il. Votre Éminence, vous n'êtes pas n'importe qui au Vatican ! Vous êtes le secrétaire d'État, vous devez nécessairement être au courant de toutes ces questions.

— Je vous assure, mon fils, que je ne dispose d'aucune information quelconque, rétorqua le cardinal Barboni sur un ton très convaincu. Après le décès de monseigneur Dardozzi, j'ai été avisé de l'existence du dossier qu'il avait laissé, mais je n'ai jamais été autorisé à le consulter. C'est la vérité.

Tomás ébaucha une expression de déception.

— Mais alors, que savez-vous ?

— Je sais qu'il y a des brebis galeuses au Saint-Siège... Mais attention ! N'allez pas croire que nous sommes tous corrompus. L'Église est l'une des rares institutions internationales à s'être engagée aux quatre coins de la planète pour aider les pauvres, nourrir et éduquer les populations, mettre sur pied des services de santé là où ils n'existent pas. Nous ne cherchons pas à faire des bénéfices, mais à servir. Nos activités ne font pas la Une des journaux télévisés, qui préfèrent dire du mal de nous, mais cela ne signifie pas que nous ne faisons pas beaucoup de bien. Nous en faisons. Cela n'empêche pas qu'il y ait parmi nous des brebis galeuses. Ceux qui, depuis des années, souillent le nom de l'Église ne sont cependant qu'une minorité, puissante certes, mais une minorité. Cette situation m'a beaucoup attristé, moi et bien d'autres prêtres. Grâce à Dieu un nouveau pape a été élu : Sa Sainteté était déterminée à affronter la curie et à faire le ménage, mais maintenant... maintenant...

Le secrétaire d'État ne parvint pas à retenir ses larmes. Sentant que sa voix s'étranglait, il se tut, incapable d'achever sa phrase. L'essentiel avait pourtant été dit, et Tomás comprit que cela n'était guère encourageant pour l'enquête.

— Nous sommes dans une impasse.

Le cardinal Barboni respira profondément pour reprendre ses esprits, il haussa les épaules et ouvrit les mains avec une expression d'impuissance, comme si rien ne dépendait de lui et qu'il s'en remettait au destin... et à Dieu.

— Il ne nous reste plus qu'à prier, mon fils.

LXVI

Un grand découragement s'abattit sur Tomás. Il avait surmonté mille obstacles pour retrouver le secrétaire d'État, avait affronté la foule, les gendarmes, l'armée et les carabiniers, était parvenu à se hisser le long d'un tunnel au milieu des égouts alors qu'on lui tirait dans le dos, et tout cela pour quoi ? Pour que le cardinal lui dise qu'il ne savait rien ?

— Mais pourquoi ? demanda-t-il, incapable de se résigner. En tant que numéro deux du Saint-Siège, Votre Éminence aurait parfaitement pu avoir accès à cette documentation...

Le cardinal Barboni secoua la tête.

— Je crains bien que non, rétorqua-t-il. Comme vous l'avez constaté, le dossier Dardozzi a été archivé et revêtu du sceau papal.

— Oui, c'est vrai, confirma le Portugais. C'est d'ailleurs l'une des questions que je me pose. Savez-vous pourquoi le pape a fait cela ?

— Sa Sainteté devait avoir ses raisons.

— Oui, mais... lesquelles précisément ?

— Vous en savez sans doute plus que moi, professeur,

puisque vous avez eu la chance de lire le dossier. Par exemple, la partie concernant le compte de la Fondation Spellman que vous avez évoquée tout à l'heure, que contient-elle ?

Tomás enrageait. Il était venu pour obtenir des informations et en fin de compte c'était lui que l'on interrogeait.

— Eh bien, elle contient les documents habituels concernant un compte bancaire, indiqua-t-il, résigné. Des extraits de compte, des ordres de virement, ce genre de choses...

— Vous n'avez rien trouvé de suspect ?

— Bien sûr que si, confirma-t-il. Sinon je ne serais pas venu ici pour vous en parler. J'avais l'espoir que Votre Éminence pourrait m'éclairer, mais apparemment vous en savez encore moins que moi.

Le cardinal parut intéressé.

— Mais, qu'avez-vous découvert de suspect dans le compte de la Fondation Spellman ?

— Beaucoup de choses.

— Par exemple ?

Tomás sortit de sa poche un morceau de papier sur lequel il avait gribouillé quelques notes.

— Eh bien, des sommes énormes, notamment des millions de lires en liquide, transitaient par ce compte, ce qui me paraît suspect, indiqua-t-il. Il y avait aussi des montants très élevés en titres du Trésor. Plus étrange encore, j'ai découvert, associée à un virement de quarante millions, une note griffonnée sur du papier à entête de la Chambre des députés.

— *Dio mio !* s'exclama le cardinal. Était-elle signée ?

— Non, mais dans la chemise, j'ai trouvé une feuille

qui mentionnait le nom du sénateur Lavezzari au sujet d'un dépôt de près de six cents millions.

— *Madonna !* Cette feuille se trouve vraiment dans le dossier ?

— Je l'ai vue de mes propres yeux et j'ai noté le nom du sénateur sur ce bout de papier.

Le secrétaire d'État se signa d'un mouvement rapide.

— *Gesù !* C'est... c'est très préoccupant, affirma-t-il. Et quoi d'autre ? Qu'avez-vous trouvé d'autre ?

— Oh, toute une série de virements bizarres, comme des mouvements de fonds à l'origine et à la destination incertaines. Ou encore le fait que seule une petite partie de l'argent déposé sur le compte de la Fondazione Cardinale Francis Spellman, qui est censée être une organisation caritative, ait été alloué à des œuvres de bienfaisance.

— Non ?

— Le plus étrange, cependant, ce sont les noms des personnes autorisées à utiliser l'argent crédité sur ce compte. Je comptais d'ailleurs sur vous pour m'éclairer à ce sujet, mais si Votre Éminence n'est pas au courant de l'affaire, je ne vois pas comment obtenir cette information.

Le cardinal Barboni était livide.

— Qui... qui étaient les personnes qui effectuaient des opérations sur ce compte ?

— Il y en avait deux. L'une était monseigneur Donato De Bonis, le vieil acolyte du cardinal Marcinkus à la banque du Vatican.

L'ecclésiastique sembla sidéré ; ce nom était devenu très familier et particulièrement embarrassant pour le Saint-Siège depuis le scandale de la banque Ambrosiano.

— Et... et l'autre personne ?

— Le fameux Omissis. (Tomás le regarda, avec une lueur d'espoir.) Votre Éminence est certaine qu'elle n'a jamais entendu ce nom ?

— Certaine, je vous l'ai déjà dit.

L'historien soupira, découragé.

— Quel dommage, ne put-il s'empêcher de lancer, abattu. J'espérais tant que vous pourriez m'éclairer sur l'identité de cet Omissis, mais en fin de compte...

— Vous n'avez rien trouvé dans ces archives permettant de savoir de qui il s'agit réellement ?

— Hélas, le seul document qui aurait permis de l'identifier est raturé, répondit-il. Si Votre Éminence ne sait pas qui c'est, alors toute l'enquête qui nous aurait permis de localiser le pape est dans une impasse.

— Et pourquoi cela ?

— Parce que Omissis est un personnage clé dans toute cette affaire. Si nous parvenons à l'identifier, nous comprendrons tout.

Le cardinal fit une moue dubitative.

— Qu'est-ce qui vous fait dire ça ?

— Vous vous souvenez que je vous ai dit que j'avais été attaqué cet après-midi, dans la basilique, par des membres du commando islamique ? Eh bien, j'ai entendu l'un d'eux mentionner le nom d'Omissis au téléphone. D'après la conversation, j'ai compris que les terroristes tenaient absolument à savoir si nous connaissons cet Omissis. De toute évidence, cette information doit être extrêmement importante.

— En effet, mais je ne peux malheureusement pas vous aider, car j'ignore de qui il s'agit.

— C'est ce que j'ai du mal à comprendre, murmura Tomás, s'adressant plus à lui-même qu'à son interlocuteur. Comment se fait-il que Votre Éminence, qui est pourtant le secrétaire d'État, n'ait pas été autorisée à accéder au dossier Dardozzi ?

— Oh, je n'ai pas été le seul, mon fils ! L'interdiction était générale. Le sceau papal empêchait quiconque d'accéder à ces documents. C'était un secret absolu.

— Mais pourquoi ?

Le secrétaire d'État fit un geste vers le plafond.

— Dieu seul le sait, rétorqua-t-il. Dieu et Sa Sainteté, bien entendu. Tout ce que je peux vous dire, c'est que, à la mort de monseigneur Dardozzi, on a trouvé parmi ses affaires beaucoup de documents cachetés sur lesquels figurait la mention « Confidentiel ». Il était précisé que tout devait être remis en mains propres à Sa Sainteté, seule autorisée à en consulter le contenu.

— C'était une demande expresse de monseigneur Dardozzi ?

— Ce furent ses dernières volontés, en effet. Le dossier a donc été remis à Sa Sainteté qui l'a lu et a ensuite demandé des informations complémentaires à l'IOR. Après les avoir reçues et avoir longuement réfléchi à la question, elle a fait revêtir du sceau papal les documents de monseigneur Dardozzi et ordonné qu'ils soient conservés dans les archives confidentielles de l'IOR, au palais des Congrégations.

— Elle a ordonné qu'ils soient conservés... ou cachés ?

Le cardinal Barboni haussa les épaules.

— Conservés, cachés, oubliés... quelle différence cela peut-il faire ? À toutes fins utiles, tous ces documents sont restés loin des yeux et de la mémoire. Ils ont disparu. C'était comme s'ils avaient cessé d'exister.

— Et que vous a dit le pape, à vous ?

— Rien. Cette affaire est devenue totalement taboue.

Une fois, lorsque je lui ai posé une question, le Saint-Père a répondu qu'il ne dirait jamais un seul mot au sujet du dossier de monseigneur Dardozzi. J'ai dû accepter sa décision et me taire. C'était curieux, bien sûr, mais comme vous le savez la décision de Sa Sainteté est souveraine et son opinion, infaillible.

Face à l'ignorance de son interlocuteur, Tomás ne savait que faire.

— Bien, s'il en est ainsi...

Le secrétaire d'État se leva, mettant ainsi fin l'entrevue.

— Le temps file, mon fils, dit-il, indiquant à nouveau sa montre. Je ne veux pas vous congédier, mais bientôt ce sera l'heure de la messe et je n'ai pas encore terminé mon homélie. Comme vous le savez, ce sera un moment très particulier. Quoi qu'il en soit, je vous remercie d'être venu jusqu'ici et je regrette infiniment de ne pas avoir pu vous aider.

L'historien se leva également et suivit son hôte qui le conduisit jusqu'à la porte de la bibliothèque.

— C'est moi qui vous remercie de votre disponibilité, Votre Éminence, dit-il sur un ton résigné. J'espérais trouver des réponses qui nous auraient permis de dénouer cette affaire et de sauver le pape, mais malheureusement ce n'est pas possible.

— Sa Sainteté est entre les mains du Seigneur, mon fils. Sa Sainteté et nous tous aussi, du reste. (Il se força à sourire, mais son visage demeurait fermé.) Ayons confiance et foi, Dieu aura pitié de nous et nous protégera, nous et le Saint-Père.

Le cardinal Barboni ouvrit la porte et lui serra la main avant de le quitter. Dans l'antichambre l'attendaient les gendarmes et, à côté du lieutenant qui commandait l'unité, l'inspecteur Trodela avec sa gabardine froissée, une barbe de trois jours et un air peu amène.

— Éminence révérendissime, toutes mes excuses pour ce regrettable incident, dit-il en fusillant Tomás du regard. Vous pouvez être certain que la justice italienne se montrera ferme avec cette fripouille qui a abusé de votre confiance et passé son temps à...

Le secrétaire d'État leva la main pour l'interrompre.

— Que personne ne s'en prenne au professeur Noronha, ordonna-t-il. Il ne doit être ni détenu ni accusé de quoi que ce soit. D'ailleurs, je l'invite à assister, dans la basilique, à la célébration qui aura lieu cette nuit pour intercéder en faveur de Sa Sainteté.

— Mais, Votre Éminence...

Le secrétaire d'État saisit un stylo et se pencha sur le bureau où il prit un papier.

— Faites ce que je vous dis, inspecteur, ordonna-t-il tout en écrivant. Le professeur Noronha a agi de bonne foi et il ne doit pas être puni pour les efforts qu'il a accomplis, même s'ils n'ont pas été couronnés de succès. En outre, notre religion est une religion d'amour et de pardon. Vous avez compris, inspecteur ?

L'inspecteur Trodela était visiblement irrité. Ravalant la série d'injures qu'il avait préparées contre Tomás, il baissa la tête en signe de soumission.

— Oui, Éminence révérendissime.

Le cardinal signa le papier et le donna à Tomás.

— Voici une invitation officielle pour la messe de 23 h 30, dit-il. Ce sera un moment très difficile pour tout le monde et j'espère que vous serez avec nous face à cette grande épreuve.

461

— Je m'efforcerai d'être présent, Votre Éminence.

Le cardinal Barboni hocha la tête en signe de salut.

— Que Dieu vous accompagne, mon fils.

L'historien remercia et salua le secrétaire d'État. Lorsque celui-ci retourna dans la bibliothèque privée, Tomás mit l'invitation dans sa poche et se dirigea vers l'escalier en compagnie de l'inspecteur Trodela et d'un gendarme. Ils auraient pu emprunter l'un des grandioses escaliers du Palais apostolique, comme la Scala Regia ou la Scala Nobile, mais ils optèrent pour l'un des escaliers de service.

Un silence embarrassant s'étant installé, le Portugais sortit son téléphone portable pour voir s'il avait des nouvelles de Maria Flor. Il était éteint depuis qu'il avait sonné lorsqu'il escaladait le tunnel. Il appuya sur le bouton pour le rallumer.

— Vous êtes sous la protection de Son Éminence et je ne peux donc rien faire, marmonna l'homme de la police judiciaire entre ses dents. Mais je ne veux pas d'autres embrouilles, vous avez compris ? Si vous recommencez à semer la pagaille, je vous boucle, quoi qu'en dise Son Éminence. Je dirige une enquête et je n'ai pas de temps à perdre avec des amateurs qui se prennent pour Sherlock Holmes. Suis-je clair ?

Les yeux fixés sur l'écran de son portable, Tomás haussa les épaules.

— Comme vous voudrez.

Lorsque l'appareil s'alluma, l'icône indiquait un appel en absence ; certainement celui qu'il avait reçu lorsqu'il était en fuite. Tomás appuya sur le bouton pour voir qui l'avait appelé à ce moment si malvenu : Catherine. Que lui voulait-elle ? Il y avait aussi eu un appel de Maria Flor, mais plus tard, son portable était déjà éteint. Finalement, elle avait donné signe de vie !

Il s'apprêtait à appeler sa fiancée, lorsqu'il découvrit un message de Catherine.

Appelez-moi. Urgent !!! Urgent !!!

LXVII

Tomás mourait d'envie de rappeler Maria Flor, mais si Catherine avait besoin de lui parler de toute urgence, il fallait l'appeler tout de suite.

Tout en descendant les escaliers, il appuya sur l'icône d'appel et, après deux sonneries, une voix féminine répondit en français.

— Tomás, mais où étiez-vous passé ?

— Je suis au Palais apostolique. Qu'y a-t-il ?

— Vous allez parler à Son Éminence ?

— Je lui ai déjà parlé. Je suis en train de sortir.

— Merde !

La déception de la Française surprit l'historien.

— Pourquoi ? Que se passe-t-il ?

— J'ai fait des découvertes très étonnantes, dit-elle. J'aurais besoin que vous interrogiez Son Éminence à ce sujet.

Tomás s'arrêta au milieu des escaliers, s'apprêtant à faire demi-tour.

— Des découvertes sur quoi ?

— Sur les comptes mentionnés dans les dossiers de

465

monseigneur Dardozzi. Ou, pour être plus précise, sur les titulaires de ces comptes.

Le cœur du Portugais s'emballa ; aurait-elle fait la grande découverte ?

— Omissis ? demanda-t-il, les yeux pleins d'espoir. Ne me dites pas que vous avez réussi à identifier Omissis !

— Pas exactement, répondit-elle. Mais j'ai du nouveau concernant la Fondazione Cardinale Francis Spellman, par exemple.

L'historien fit une grimace de déception.

— Oh...

— Qu'est-ce que ce « Oh », Tomás ? Ne sous-estimez pas mes découvertes, elles sont très révélatrices, vous allez voir.

Il avait déjà recommencé à descendre les escaliers, renonçant à essayer de parler à nouveau avec le secrétaire d'État puisqu'il ne pourrait pas les aider.

— Je ne dis pas le contraire, s'empressa-t-il d'ajouter. Le problème, c'est que le cardinal Barboni ne sait rien sur cette affaire.

— Sur Omissis ?

— Sur Omissis, sur la Fondation Spellman, sur le dossier laissé par monseigneur Dardozzi... sur rien. Il n'a pas lu le dossier, auquel il n'avait même pas accès.

— Ce n'est pas possible, Tomás, argumenta Catherine. Il est secrétaire d'État, voyons ! C'est le numéro deux de l'Église. Il avait forcément accès au dossier.

— Le seul à avoir consulté le dossier Dardozzi est le pape, précisa-t-il. Après l'avoir lu, il semblerait qu'il ait été si effrayé qu'il l'a refermé et protégé du sceau papal, puis caché dans les archives confidentielles de la banque du Vatican. Si incroyable que cela puisse paraître, nous sommes les premiers à accéder à ces documents en dehors du pape.

— Mince !

— Vous m'en voyez désolé, mais le cardinal Barboni ne pourra pas nous aider sur ce coup.

— Bon, j'ai compris.

Arrivé en bas de l'escalier, Tomás passa la porte du Palais apostolique et sortit dans la rue.

— Racontez-moi, qu'avez-vous découvert ?

— Je ne peux pas vous en parler au téléphone.

— Elle est bien bonne ! ricana le Portugais. Permettez-moi de vous rappeler que vous m'avez téléphoné il y a une heure environ, qui plus est à un moment extrêmement délicat pour moi, et que vous m'avez demandé de vous rappeler de toute urgence !

— Oui, c'était parce que je pensais que le cardinal savait quelque chose sur cette affaire et pourrait nous éclairer. Mais s'il ne sait rien, il vaut mieux que vous me rejoigniez.

— Au palais des Congrégations ?

— Non, non. C'est devenu trop dangereux. Apparemment, un type serait entré dans le bâtiment, un terroriste, et les carabiniers sont arrivés sur place avec des blindés pour...

— C'était moi.

— Comment ?

— C'est une longue histoire qui ne vaut pas la peine d'être racontée maintenant. Mais c'était un énorme malentendu, il n'y avait aucun extrémiste islamique, le palais des Congrégations est parfaitement sûr.

— Vous en êtes certain ?

— Absolument, affirma-t-il sur un ton péremptoire. Racontez-moi ce que vous avez découvert.

— Je viens de vous dire que je ne peux pas en parler au téléphone. Venez me retrouver à mon bureau et je vous montrerai tout.

Tomás respira profondément. En quelques secondes, il repensa à toute la situation, aux deux ou trois informations qu'il avait réussi à apprendre au cours de l'enquête et au peu de temps qu'il restait avant l'expiration de l'ultimatum.

— Écoutez, Catherine, j'ai passé l'après-midi à lutter contre je ne sais trop quoi. Je suis épuisé et, sincèrement, j'ai très envie de laisser tomber. Vous n'imaginez pas à quel point je suis fatigué ! Si vous voulez que je vous rejoigne à votre bureau, il faut que vous me donniez une bonne raison de le faire. Sinon, je jette l'éponge. J'oublie tout ce sac de nœuds et je vais m'enfermer à l'hôtel.

Catherine fit une courte pause avant de répondre.

— D'accord, mais je vais juste soulever une petite partie du voile, répondit-elle.

— D'accord, acquiesça Tomás. Allez-y, je vous écoute.

La chef de la COSEA respira profondément avant de se lancer.

— La Fondazione Cardinale Francis Spellman n'existe pas.

À ces mots, l'historien ébaucha une grimace.

— Le compte n'existe pas ?

— Le compte existe, Tomás, précisa Catherine. Ce qui n'existe pas, c'est la fondation.

— Quoi ?

Nouvelle pause de la Française. La réaction du Portugais était compréhensible, elle-même avait mis du temps à réaliser tant la découverte lui avait semblé incroyable, et ce n'est qu'après de nombreuses vérifications qu'elle s'était rendue à l'évidence.

— L'IOR traite avec des institutions factices.

LXVIII

L'entrée du palais des Congrégations était détruite. La porte avait disparu et une partie du mur en travertin avait été abattue, sans doute par les blindés durant la chasse à l'homme qui s'était déroulée dans l'après-midi. Deux carabiniers chargés de la sécurité du bâtiment s'interposèrent lorsque Tomás essaya d'entrer.

— Je suis attendu au quatrième étage, se justifia l'historien, en présentant son laissez-passer. Je suis un universitaire de Lisbonne et...

À ces mots, l'un des deux carabiniers se fendit d'un large sourire, ce qui surprit agréablement Tomás qui avait passé l'après-midi à tenter d'échapper à la police et qui sentait si mauvais qu'il s'attendait une fois encore à être violemment repoussé.

— Professeur Noronha ? demanda l'Italien. Oui, Mme Rauch nous a prévenus. (Il fit un geste, l'invitant à entrer.) Je vous en prie, vous pouvez passer.

Le Portugais hésita. Il eut presque peur de tant de gentillesse, mais il finit par avancer et il ne tomba dans aucune embuscade. Il entra dans l'ascenseur et appuya sur le bouton du quatrième étage.

Une fois en haut, il se trouva nez à nez avec Catherine qui l'attendait dans le hall ; apparemment, les carabiniers l'avaient avertie de son arrivée.

— Je me suis renseignée sur votre petite aventure, l'informa-t-elle en le conduisant dans les bureaux de la Préfecture pour les affaires économiques du Saint-Siège où se trouvaient les locaux de la COSEA. Qu'est-ce qui vous a pris d'engager une course-poursuite avec la police et l'armée italiennes ? Vous êtes devenu fou ?

Tomás souffla.

— Est-ce que nous pouvons parler d'autre chose ? répondit-il, trop fatigué pour se lancer dans des explications. J'ai eu une journée très compliquée et j'aimerais que les choses deviennent un peu plus simples à présent, si ce n'est pas trop demander.

— Comme vous voudrez. (S'approchant de lui, elle eut un air dégoûté.) Qu'est-ce que c'est que cette odeur ?

— Je me suis encore promené dans les égouts, expliqua le Portugais. Vous n'auriez pas des vêtements propres pour que je me change ?

— Il me semble qu'il y a une veste là-dedans.

Ils entrèrent dans le secteur affecté à la COSEA et pénétrèrent dans le bureau de Catherine. Comme ce devait être le cas dans le monde entier ce jour-là, la télévision était allumée et diffusait les informations en continu. En l'occurrence, il s'agissait d'une chaîne américaine ; dans la partie inférieure de l'écran, un large bandeau sur lequel on pouvait lire *Breaking News* signifiait sans doute que quelque chose était encore arrivé.

— Ça va de mal en pis, fit-elle observer avec un geste d'impuissance. Il y a encore des...

Tous deux se turent pour écouter les dernières informations. Sur l'écran, on voyait des images nocturnes interrompues par des flashes lumineux et des lettres en alphabet grec.

« ... *images diffusées à l'instant par la télévision grecque montrent des échanges de tirs à la frontière avec la Turquie. La télévision grecque a annoncé que l'armée turque avait tiré des coups de feu en direction du territoire grec. Ankara a démenti l'information et accusé les forces grecques de provocation, répétant que son armée effectuait une mission humanitaire visant à secourir la Bosnie-Herzégovine. Dans un communiqué à la nation, le président turc a demandé à la Grèce de laisser passer l'armée turque afin qu'elle puisse mener son opération de pacification dans les Balkans. À La Mecque, le grand mufti a engagé la communauté des croyants musulmans à appuyer la Turquie dans sa guerre destinée à défendre l'islam contre la menace qui plane sur la Bosnie et la communauté islamique dans les Balkans. La Russie a mis en état d'alerte la flotte de la mer Noire et averti que si l'armée turque entrait en Grèce et menaçait la Serbie, ses forces se porteraient au secours de Belgrade et...* »

L'écran devint subitement noir et Catherine se tourna vers Tomás qui tenait la télécommande.

— Pourquoi avez-vous éteint ?

— Excusez-moi, mais je ne peux pas continuer à regarder les informations, expliqua l'historien. Ça me fait trop mal. Le spectacle de toute cette bêtise humaine est affligeant.

— Mais nous devons savoir ce qui se passe, Tomás.

La situation évolue à une vitesse vertigineuse et nous ne pouvons pas simplement fermer les yeux.

Indifférent, le Portugais passa dans le cabinet de toilette, ôta sa veste et commença à se laver pour essayer de se débarrasser de son odeur.

— Ce qu'il faut, c'est que nous fassions notre travail, rétorqua-t-il. Vous n'auriez pas la veste dont vous m'avez parlé ?

Catherine apparut à la porte du cabinet de toilette avec une chemise propre et un pull-over bleu marine.

— Voici.

Il se sécha et s'habilla. Il revint ensuite au bureau et, en s'asseyant, désigna le téléviseur éteint avec un geste déplaisant.

— Inutile de nous préoccuper de ce qui ne dépend pas de nous. Toutes ces informations n'ont pour effet que de nous détourner de notre objectif. Il vaut mieux travailler avec la télévision éteinte.

La Française s'installa en face de lui.

— Vous avez sans doute raison, acquiesça-t-elle. Alors, vous voulez savoir ce que j'ai découvert ?

— Bien sûr. J'avoue que ce que vous m'avez dit au téléphone m'a énormément surpris. Qu'est-ce que c'est que cette histoire : la Fondazione Cardinale Francis Spellman n'existe pas ? Comment est-il possible que la banque du Vatican travaille avec des institutions fictives ?

— Apparemment, non seulement c'est possible, mais c'est effectivement bien ce qui s'est passé, répondit Catherine. J'ai commencé par aller sur Internet pour rechercher les coordonnées de la Fondation Spellman. J'ai pensé que ce serait facile, mais je n'ai rien trouvé, ce qui m'a paru très étrange. Après plusieurs tentatives, j'ai téléphoné à un auditeur qui travaille avec moi à la COSEA, plus particulièrement sur la comptabilité des fondations religieuses liées au Saint-Siège. Comme il ne connaissait pas la Fondation Spellman, il s'est adressé à une amie chargée des relations du Saint-Siège avec des fondations et institutions catholiques. Il se trouve qu'elle non plus n'avait jamais entendu parler de la Fondation Spellman, et elle a donc cherché dans les registres du secrétariat du Saint-Siège. Il n'y a rien du tout. Moi-même, j'ai entre-temps consulté les registres du commerce puis les registres administratifs italiens et américains, à la recherche de l'existence juridique d'une institution portant ce nom. J'ai enfin vérifié les registres de l'Union européenne, puis les registres internationaux. (Elle fit un geste d'impuissance.) Je n'ai absolument rien trouvé.

— En d'autres termes, la Fondation Spellman n'existe pas.

— Non.

Le Portugais prit un air perplexe.

— Comment est-ce possible ? demanda-t-il, abasourdi. Lorsqu'on ouvre un compte à la banque du Vatican, on n'est pas obligé de fournir des documents ?

— Bien sûr que si.

— Mais alors, le premier venu peut s'adresser à la banque du Vatican et ouvrir un compte au nom de la Fondation Spellman sans que personne s'assure de son existence ? Tout le monde est devenu fou ?

Catherine semblait embarrassée.

— En effet, ce n'est pas normal. Et le pire, c'est que le problème semble bien plus vaste que cela.

— Plus vaste ? Que voulez-vous dire ?

Embarrassée, la chef de la COSEA se baissa pour

sortir du tiroir de son bureau une bouteille en verre étroite et jaune ; du *limoncello*. Elle versa la célèbre liqueur italienne dans de petits verres et lui en offrit un.

— Vous devriez en boire un peu. Ça aide à se calmer dans les moments de grande tension.

— Je suis calme, rétorqua-t-il, sans perdre de vue son sujet. Vous dites que le problème est bien plus vaste, qu'entendez-vous par là ? Plus vaste comment ?

La Française porta le verre à sa bouche et le sirota lentement ; si lentement qu'on aurait dit qu'elle tentait d'éluder la question. Enfin, elle posa le verre vide et, sans plus pouvoir retarder sa réponse, elle leva les yeux et le dévisagea avec crainte.

— L'IOR héberge une infinité de comptes suspects d'organisations qui n'existent pas.

LXIX

Tomás resta paralysé. Il regarda longuement Catherine, en s'efforçant d'assimiler ce qu'elle venait de lui révéler, mais tout cela lui paraissait insensé.

— Que voulez-vous dire par là ? demanda-t-il. Vous avez découvert d'autres organisations fictives ayant un compte à la banque du Vatican ? Lesquelles ?

L'auditrice consulta ses notes.

— Vous vous souvenez des mouvements que nous avons relevés sur le compte du Fonds Mamma Roma pour la lutte contre la leucémie ? Rappelez-vous, il s'agissait de sommes très élevées. Des virements considérables ont été effectués sur ce compte à partir d'autres comptes de l'IOR, comme ceux de Tumedei Alina Casalis et du Fonds San Martino, ainsi que plus de quatre cents millions provenant du compte du Fonds Roma Charity.

— Oui. Et alors ?

— Eh bien, comme je l'avais déjà fait pour la Fondation Spellman, j'ai cherché partout, j'ai consulté une quantité invraisemblable de documents et de registres et j'ai passé maints coups de fil jusqu'à ce que je me rende à l'évidence : le Fonds Mamma Roma pour la lutte contre la leucémie n'existe pas non plus. Tout comme la Fondation Spellman, ce fonds n'a aucune existence juridique. C'est un client fantôme.

Le Portugais regardait Catherine bouche bée.

— Vous plaisantez !

— De même, le Fonds Roma Charity, qui avait aussi un compte à l'IOR et qui a fait des virements sur le Fonds Mamma Roma pour la lutte contre la leucémie, n'existe pas non plus. (Elle sauta une ligne dans ses notes et passa au compte suivant.) Et vous vous souvenez de la Fondation Louis Augustus Jonas d'aide aux enfants pauvres, celle dont le compte était associé à Luigi Bisignani, le grand maître de la loge P4 impliqué dans le scandale Enimont ?

— Elle n'existe pas non plus ?

— Elle existe.

— Ah...

— C'est une fondation qui s'occupe d'œuvres caritatives, dont le siège principal est à Doleystown, en Pennsylvanie. Eh bien, je l'ai appelée et on m'a dit qu'ils n'avaient connaissance d'aucun compte à l'IOR et qu'ils n'avaient jamais eu la moindre relation avec le dénommé Luigi Bisignani. Ils ont même été très surpris d'apprendre qu'ils avaient de l'argent au Vatican et m'ont demandé des détails. En outre, le nom de la fondation ne contient pas l'expression « aide aux enfants pauvres ». Ça, c'était une fioriture de l'IOR pour faire croire qu'il s'agissait d'une œuvre de bienfaisance.

— Vous voulez dire que non seulement la banque du Vatican dispose de comptes au nom d'organisations qui n'existent pas, mais qu'elle a également accepté qu'un personnage comme Bisignani, qui a été mêlé au scandale Enimont, utilise le nom d'organisations bien réelles pour ouvrir des comptes sans que celles-ci le sachent ?

— Il semblerait bien que oui.

Tomás secoua la tête.

— Mais c'est absolument incroyable !

Le doigt de la Française descendit sur la ligne immédiatement au-dessous ; la liste paraissait interminable.

— On peut également citer le compte de la Fondation San Serafino, par où ont transité des millions destinés à deux banques suisses et une luxembourgeoise, ajouta-t-elle. J'ai cherché partout des registres de cette institution. Chou blanc. Tout comme les autres, elle n'existe pas.

— Plus rien ne me surprend.

— Ensuite, j'ai essayé de trouver la trace d'un autre compte à l'IOR que mentionne le dossier Dardozzi, le compte des Fonds Madonna de Lourdes, un organisme apparemment lié aux apparitions mariales. J'ai remué ciel et terre à la recherche d'indices de l'existence juridique de ces fonds mais, je vous le donne en mille, une fois de plus je n'ai rien trouvé...

— Assez ! coupa l'historien, qui leva la main pour l'arrêter. Ça suffit ! J'ai compris.

Catherine posa son bloc-notes. L'image globale des activités de la banque du Vatican commençait à se préciser et elle n'était pas très reluisante.

— Revenons à ma question initiale, proposa Tomás. Comment est-il possible que la banque du Vatican ouvre des comptes au nom d'organisations inexistantes ? Comment est-il possible que des virements soient effectués du compte du Fonds Roma Charity, qui n'existe pas, sur le compte du Fonds Mamma Roma pour la lutte contre la leucémie, qui n'existe pas non plus ? Comment est-il possible, enfin, que la banque du Vatican ait pu simplement accepter d'ouvrir de tels comptes ? Tout cela est invraisemblable !

En guise de réponse, Catherine ouvrit un tiroir d'où elle sortit un petit cahier qu'elle posa sur le bureau.

— Voici les statuts de l'IOR, expliqua-t-elle, en feuilletant le cahier. Les règles établies par le pape Jean-Paul II prévoient que les clients de l'IOR doivent être des résidents du Vatican, y compris les fonctionnaires laïcs, ou bien des organismes ecclésiastiques ou religieux.

— Et les personnes qui ne font pas partie du Vatican ?

L'auditrice porta son attention sur l'une des clauses stipulées dans le cahier.

— L'article 2 des statuts de l'IOR précise : « L'objectif de l'IOR est d'assurer la conservation et la bonne gestion des biens meubles et immeubles, dès lors qu'ils sont destinés à financer des œuvres religieuses et caritatives. Par conséquent, l'IOR accepte des biens dont la destination partielle ou future est conforme à la clause susmentionnée. L'IOR peut accepter des dépôts de biens et de personnes qui appartiennent au Saint-Siège et à l'État du Vatican. »

— En somme, ne peuvent ouvrir un compte à la banque du Vatican que ceux qui sont au Vatican !

— Ce n'est pas tout à fait ça, souligna-t-elle. Cette formulation juridique est fort habile. Tout en disant une chose, elle en admet implicitement une autre. La première phrase permet à une personne qui ne vit pas au Vatican d'y ouvrir un compte dès lors qu'elle finance des œuvres religieuses ou caritatives. Vous comprenez ?

— Oui, et alors ?

— Ces personnes ont pu ouvrir des comptes au nom d'institutions telles que la Fondazione Cardinale Francis Spellman ou le Fonds Mamma Roma pour la lutte contre la leucémie, car les noms de ces institutions fictives laissent entendre qu'elles sont liées à l'Église et à des activités caritatives. En outre, on constate qu'une partie de l'argent qui a transité par ces comptes, une infime partie en réalité, était effectivement destinée à des institutions caritatives authentiques, respectant ainsi la lettre de la deuxième clause des statuts de l'IOR.

— C'est ainsi que les titulaires de ces comptes ont réussi à tromper la banque du Vatican ?

La question troubla Catherine. La chef de la COSEA eut du mal à soutenir le regard de l'historien. Elle se demandait ce qu'elle devait ou pouvait dire pour répondre à cette question.

— Le problème n'est pas là, Tomás. Ce dont il s'agit ici, ce n'est pas exactement de déterminer comment les titulaires de ces comptes ont trompé l'IOR. Ils n'ont pas pu le tromper étant donné que pour ouvrir un compte à l'IOR, que l'on soit une personne physique ou une institution, on doit nécessairement présenter des documents et une pièce d'identité. Vous comprenez ce que j'essaie de vous expliquer ? (Elle baissa la voix, comme effrayée de ce qu'elle allait lui dire.) Si ces comptes existent, cela n'a été possible que... qu'avec l'assentiment de l'IOR.

L'universitaire plissa les paupières, tentant d'assimiler ce que la Française venait de lui expliquer et de deviner ce qu'elle avait simplement sous-entendu.

— La banque du Vatican avait nécessairement connaissance de ce qui se passait... Mais qu'insinuez-vous ?

Catherine hésita.

— Ce que j'essaie de dire, c'est que le Vatican est... est... enfin, comment pourrais-je l'exprimer ? Le Vatican est... est...

— Est complice ?

Le terme était fort et la Française préféra rester sur ses gardes.

— C'est vous qui l'avez dit.

Sa manière de prendre ses distances sans pour autant démentir montrait que le terme n'était pas exagéré.

— Mais complice de quoi exactement ?

D'un geste, la chef de la COSEA indiqua les noms des comptes irréguliers qui s'alignaient sur son bloc-notes.

— Eh bien... il est indéniable que l'IOR a activement collaboré à l'ouverture de ces comptes au nom d'organisations fictives ou, dans le cas d'organisations réelles, sans leur autorisation ou sans qu'elles en aient connaissance. Ces comptes ne pouvaient pas exister sans que l'IOR le sache.

— En somme, une telle situation n'est possible qu'avec la complicité active et consciente de la banque du Vatican.

— C'est la conclusion qui s'impose.

— Mais quel avantage peut-il y avoir à permettre une telle chose ?

La chef de la COSEA hésita.

— Ne me dites pas qu'après tout ce que je viens de vous dire, vous n'avez pas encore compris ce qui est en cause ?

Elle avait un ton de défi, comme si elle lui demandait que ce soit lui, et non pas elle, qui mette des mots sur le sens véritable de ces découvertes. Sans être, comme Catherine, spécialiste des questions financières, Tomás ne se considérait pas non plus comme complètement ignorant et encore moins stupide. En outre, il connaissait trop bien l'histoire du Vatican pour se faire des illusions. Cependant, il croyait, ou voulait croire, que les choses avaient changé depuis l'époque du scandale de la banque Ambrosiano, et il avait quelques difficultés à admettre ces nouvelles révélations. Il venait de passer les dernières minutes à repousser la conclusion qui s'imposait à lui, s'efforçant de chercher une explication honnête ; on parlait tout de même de la banque du Saint-Siège.

— Le Vatican blanchit de l'argent sale.

LXX

En formulant cette conclusion accablante, Tomás fut assailli par un inexplicable sentiment de culpabilité. Il n'était pas croyant, mais il eut l'impression étrange d'avoir péché. Était-ce la conséquence de son éducation catholique ? Ce sentiment de culpabilité était-il lié à sa mère, une croyante dévote ? Que dirait dona Graça si elle savait que son fils avait découvert que le Vatican était impliqué dans des activités criminelles de blanchiment d'argent ? Et qui croirait-elle : son fils ou l'Église catholique ?

— L'expression est choquante, murmura Catherine, elle-même ébranlée par leurs découvertes, en tant que catholique, mais aussi salariée du Saint-Siège. Hélas, c'est la vérité. Nous devons nous rendre à l'évidence. L'IOR est impliqué dans des activités de blanchiment d'argent et de capitaux. Il n'y a pas d'autre explication à tout ce que nous avons découvert.

Tomás prit le bloc-notes de la Française et consulta la liste des organisations fictives disposant d'un compte à l'Institut pour les œuvres de religion.

— Mais à qui appartient l'argent que le Vatican blanchit ? demanda-t-il. À l'Église ?

— Bien sûr que non.

— Alors à qui ?

Pour la consultante, la réponse était facile, mais pour la catholique elle l'était moins.

— À des personnes moins... enfin, moins recommandables.

— Moins recommandables à quel point ?

— Peu recommandables.

Tomás fronça les sourcils. Il commençait à se dire que les vieilles méthodes de l'époque de la banque Ambrosiano n'étaient finalement pas obsolètes.

— Vous voulez dire, des criminels ?

Elle rougit, embarrassée par la manière toujours très directe qu'il avait de s'exprimer ; comme s'il n'y avait pas de mot interdit.

— C'est-à-dire que... je ne dirais pas les choses ainsi.

— Et pourquoi des criminels choisiraient-ils la banque du Vatican ? Il s'agit d'une institution de l'Église, qui a des responsabilités éthiques et morales évidentes : ces gens-là ne risquent-ils pas davantage d'être dénoncés ? L'époque de monseigneur Marcinkus est révolue et bien des choses ont changé depuis, non ?

Elle encaissa.

— Vous savez, Tomás, l'IOR présente d'énormes avantages pour mener ce type d'opérations financières.

— Par exemple ?

— Eh bien, pour commencer, la crédibilité. Qui ne ferait pas confiance à une institution qui a un compte à l'IOR ? Tout le monde, dans le monde entier, y compris ceux qui ne sont pas catholiques ni même chrétiens, considère que l'Église est une institution fiable, dédiée au bien. Si elle donne son aval à une organisation en lui permettant d'ouvrir un compte à l'IOR, c'est que cette organisation est crédible. Comme vous pouvez le comprendre, cela représente un capital non négligeable, qui permet d'attirer à l'IOR bon nombre de clients fortunés désireux d'être associés au prestige du Vatican. Or, il arrive malheureusement que certains de ces clients ne soient pas si recommandables que ça.

— Tout cela était vrai à l'époque de la banque Ambrosiano, observa Tomás. Mais vous l'avez dit vous-même, beaucoup de choses ont changé depuis. Et ça n'explique pas ce que nous avons découvert : de telles opérations exigent la complicité active de la banque du Vatican. Personne ne croira que l'IOR ignorait qu'il servait à blanchir de l'argent et qu'il traitait avec des malfrats. Lorsqu'une banque transfère des millions et des millions, elle le remarque, elle est obligée de poser des questions et d'en informer les autorités de contrôle. Apparemment, rien de tout cela n'a été fait, et ce n'est pas par hasard. Si on ne l'a pas fait, ce n'est pas par ignorance, mais volontairement.

— Impossible de dire le contraire. Ça prouve que le Saint-Siège est mouillé jusqu'au cou.

— Et pourquoi ? voulut comprendre Tomás. Pour quelle raison le Vatican a-t-il accepté de se compromettre avec de l'argent sale ?

— À cause des commissions, bien sûr.

— Vous voulez dire que le Vatican conserve une partie de l'argent qu'il contribue à blanchir ?

La chef de la COSEA fit une moue horrifiée et, bien qu'ils fussent seuls dans le bureau, elle regarda autour d'elle pour s'assurer que personne ne l'avait entendu.

Ce n'était pas une question que l'on pouvait aborder à la légère où que ce fût, et encore moins au Vatican.

— Chut, Tomás ! implora Catherine en murmurant. S'il vous plaît, ne dites pas de telles choses à haute voix !

Le Portugais prit un air innocent.

— Pourquoi, j'ai menti ?

— Ne faites pas l'idiot, répondit-elle gênée. Associer le nom du Vatican à des mots tels qu'« argent illicite » et « blanchiment », et les prononcer à haute voix c'est... enfin, on peut nous entendre.

— D'accord, mais ai-je menti ?

La Française respira profondément, renonçant à le raisonner. Pour l'instant il valait mieux éviter les questions sensibles.

— Bien, avançons. Que voulez-vous savoir exactement ?

— Je veux que vous répondiez à ma question de tout à l'heure, dit Tomás en reprenant le fil de la conversation. Vous m'avez expliqué que les criminels étaient attirés par la banque du Vatican en raison de la crédibilité qu'elle leur confère et que...

— Je n'ai pas parlé de criminels.

— Vous avez utilisé une expression plus sympathique pour faire allusion à des criminels, mais n'entrons pas dans ce genre de subtilités, argumenta-t-il. Être une institution censément vouée au bien fait de la banque du Vatican un endroit plutôt risqué pour blanchir de l'argent. Ce genre d'opération se repère facilement dans une banque, ne serait-ce que parce qu'il implique des comptes avec des noms louches, des virements étranges et des dépôts en liquide extrêmement élevés. Malgré cela, des malfrats n'ont visiblement pas hésité à choisir la banque du Vatican pour mener à bien leurs activités criminelles. Comment l'expliquez-vous ?

Catherine désigna le cahier qu'il avait consulté quelques instants plus tôt.

— Par le statut de l'IOR.

— Le statut n'a pas changé ? demanda Tomás. La banque du Vatican n'est-elle pas devenue une banque comme les autres ?

— Pas totalement. Il s'agit d'une banque qui n'a pas d'agence, qui n'accorde pas de crédits et n'émet pas de chèques.

— Ce n'est pas tout à fait exact, rétorqua-t-il. D'abord, elle a une agence, dont le siège se situe près de la tour Nicolas-V, tout près du Palais apostolique. S'il est vrai qu'elle n'émet pas de chèques, la banque du Vatican délivre néanmoins des cartes de crédit, une version moderne des chèques. Et si elle délivre des cartes de crédit, elle accorde nécessairement du crédit. C'est bien pour ça qu'on parle de cartes de crédit, non ?

La chef de la COSEA cligna des yeux, embarrassée de voir que son argument, tant de fois répété au Vatican, avait été sommairement démonté par un profane.

— Eh bien... euh ... en effet.

— Je reviens donc à ma question, répéta l'historien, tel un chien refusant de lâcher un os. Comment expliquer que des criminels choisissent la banque du Vatican pour blanchir de l'argent ? Ne me dites pas que c'est parce que la banque du Vatican n'est constituée que de malfrats tout disposés à être complices de ces malversations...

— Et voilà, tout de suite les grands mots ! protesta la Française, contrariée. Criminels, malfrats, malversations...

Mon Dieu, quel langage ! À vous entendre, on pourrait croire que l'IOR est composé de... de...

— Fripouilles ?

Elle leva les yeux au ciel, comme si, en silence, elle demandait pardon. Sa morale catholique l'empêchait de s'exprimer sans détours et avec la même véhémence que Tomás sur les activités financières du Saint-Siège.

— Eh bien, je ne vais pas nier que le comportement de certaines personnes au sein de l'IOR met l'institution dans une situation délicate, reconnut-elle. Des personnalités comme messeigneurs Marcinkus et De Bonis, entre autres, ont sans aucun doute largement contribué à instrumentaliser l'IOR pour des activités disons, problématiques, avec l'argent d'individus qu'on ne saurait considérer comme au-dessus de tout soupçon.

Tomás ébaucha un sourire malicieux.

— Chapeau ! Je reconnais que vous avez un don remarquable pour parler de bandits, d'argent sale et de magouilles en n'utilisant que des termes élégants, observa-t-il, caustique. Mais vous n'arriverez pas à me convaincre que toutes ces tricheries sont uniquement dues au fait que la banque du Vatican est dirigée par des gangsters. Quelqu'un a nommé ces filous à des postes clés, les y a maintenus et a autorisé leur comportement, voire les a peut-être encouragés. Le problème est récurrent. Avant, c'était Marcinkus, puis Marcinkus est parti et ce fut De Bonis ; finalement, il y a toujours quelqu'un pour faire le sale travail. Tout ça suggère un problème systémique, au-delà de personnalités bien particulières de tel ou tel escroc.

Catherine le regarda, exaspérée. Chacun de ces mots était un coup douloureux pour la catholique qu'elle était, en particulier parce qu'ils n'étaient guère contestables. La vérité était évidente.

— J'admets que le principal problème n'est pas nécessairement lié aux personnalités qui, au fil des années, ont dirigé l'IOR, mais aux règles mêmes de l'institution.

— Aux règles ? s'étonna l'historien. Comment cela ? Nous ne sommes plus à l'époque de la banque Ambrosiano ! La banque du Vatican n'est-elle pas régie, à présent, par les mêmes règles qui s'appliquent à toutes les banques internationales ?

La chef de la COSEA encaissa à nouveau, sans savoir comment répondre à la question. Le mieux était d'être brève et directe.

— Non.

LXXI

Que la Cité du Vatican fût un État ô combien singulier, cela ne faisait aucun doute. Il n'y avait rien de semblable sur la planète. Cependant, les scandales du passé avaient démontré qu'à certains égards, le Saint-Siège n'était pas différent des autres pays, notamment en ce qui concernait l'activité bancaire. D'où la stupéfaction de Tomás.

— Que voulez-vous dire ? La banque du Vatican est régie par des règles différentes de celles des autres banques ? Comment cela ?

Cette question essentielle obligea Catherine à se concentrer avant de répondre.

— Certaines règles spécifiques s'appliquent à l'IOR, qui le distinguent des autres banques, précisa-t-elle. Par exemple, la garantie de confidentialité et d'anonymat. Les clients de l'IOR savent qu'ils peuvent compter sur la discrétion du Vatican.

— Pour autant que je sache, la garantie de confidentialité n'empêche pas que les comptes et les opérations suspects soient contrôlés...

— Certes, mais le problème ne se limite pas aux règles spécifiques de l'IOR. N'oubliez pas que le Vatican jouit également d'un statut spécial.

— Vous faites allusion aux accords du Latran, qui officialisent la souveraineté de la Cité du Vatican ?

— Exactement.

— Je ne vois pas le rapport. La souveraineté du Vatican est identique à celle des autres pays. Le Portugal ou la France, par exemple, sont des pays souverains, mais cela ne permet pas à leurs banques d'échapper au contrôle. Les banques portugaises et françaises ont le devoir d'informer les autorités d'opérations suspectes, susceptibles de constituer une infraction de type blanchiment d'argent. Seriez-vous en train d'insinuer que la banque du Vatican n'est pas soumise à de telles obligations ?

Si certaines personnes pâlissent lorsqu'elles sont dans l'embarras, la gêne de Catherine se mesurait plutôt à l'intensité de la rougeur sur son visage.

— C'est-à-dire... enfin, les États normaux disposent de banques centrales qui élaborent des règles et de tribunaux qui jugent toute irrégularité dont se rendent coupables leurs banques. Dans le cas du Vatican, c'est différent. Rappelez-vous que le Saint-Siège ne dispose pas de banque centrale ni de tribunaux spécialisés dans des crimes de cette nature.

— Mais alors, comment se font la régulation et la justice ?

— C'est tout le problème, reconnut-elle. Le Saint-Siège exerce ces deux fonctions.

Tomás fronça encore les sourcils.

— Comment ? s'étonna-t-il. Le Vatican n'a qu'une banque, qui se trouve justement être la sienne. Sans organe de contrôle ni de tribunaux indépendants, cela signifie que le Saint-Siège se juge lui-même ? En d'autres termes, il est juge et partie.

La chef de la COSEA baissa la tête ; elle savait que c'était tout à fait contraire aux règles les plus élémentaires de gestion ou de contrôle bancaire, sans même parler du fonctionnement normal d'un État de droit.

— Eh bien...

— Mais alors, que se passe-t-il lorsque, par exemple, la justice italienne découvre que la banque du Vatican est impliquée dans des activités criminelles ?

— C'est justement l'un des problèmes qui découlent de la souveraineté du Vatican prévue par les accords du Latran, indiqua-t-elle. Il faut bien comprendre le statut de l'IOR et la façon dont fonctionne l'institution. L'IOR est une banque qui opère à l'intérieur du Vatican, une entité juridique et administrative propre qui échappe au contrôle des autorités des autres pays, y compris l'Italie. La justice italienne, ou de tout autre pays, n'a aucun pouvoir à l'intérieur du Vatican. Les juges italiens ne sont pas compétents pour interroger les habitants du Vatican ou faire procéder à des perquisitions au siège de l'IOR ni dans n'importe quel autre bâtiment de la Cité du Vatican, ni placer sur écoute le téléphone d'un suspect qui vivrait au Vatican. De même, ils ne peuvent ni arrêter ni juger un habitant du Vatican, même s'il est notoire qu'il a commis des crimes. Le Vatican est un État souverain qui ne se soumet pas à une justice étrangère, comme le prévoit l'article 11 des accords du Latran.

— Ça je le sais, répondit Tomás. C'est à cause de ces accords que l'ancien président de la banque du Vatican impliqué dans les fameuses malversations de la banque Ambrosiano, monseigneur Marcinkus, n'a pas été arrêté.

— N'exagérons pas, rétorqua-t-elle, embarrassée par cet exemple. J'admets que monseigneur Marcinkus a eu des agissements douteux, mais à vous entendre on pourrait penser que c'était un criminel...

— C'en était un.

Catherine leva les yeux au ciel, mais n'insista pas.

— Comme vous voudrez, rétorqua-t-elle. Et pour répondre à votre question, oui, en effet, c'est pour ça qu'il n'a pas été arrêté.

Tomás se frotta le menton. Tout cela maintenait effectivement l'IOR dans la situation particulière dans laquelle il se trouvait à l'époque du scandale de la banque Ambrosiano. Rien n'avait donc changé depuis cette époque ?

— Mais le Vatican n'a-t-il pas signé le protocole de Strasbourg, qui régit l'entraide judiciaire en matière pénale ?

— Non.

— Vous plaisantez ?

— Je suis sérieuse, Tomás. Ceci dit, il faut souligner que l'IOR a adhéré aux principes du GAFI, le Groupe d'action de la finance internationale, qui s'occupe de la criminalité liée au recyclage de l'argent d'origine suspecte.

— Ah bon ! approuva l'historien. Cela démontre un certain sérieux, et prouve que des changements ont effectivement eu lieu. (Il remua sur son siège.) Et comment est-ce que ça fonctionne ? Le GAFI envoie quelqu'un pour contrôler les activités de la banque du Vatican ?

Comme une enfant surprise la main dans la boîte de bonbons, la chef de la COSEA ébaucha un sourire contraint.

— Eh bien... c'est-à-dire... que... non.

— Non ?

— Non.

Tomás secoua la tête, essayant de saisir ce qui semblait lui échapper dans cette histoire.

— Mais alors, quels sont les effets concrets de cette adhésion ?

La Française le regarda l'air embarrassé ; son interlocuteur avait vraiment le don de mettre le doigt sur ce qui fait mal.

— Aucun, je le crains, finit-elle par avouer à voix basse, comme si elle espérait qu'il n'entende pas. La vérité, c'est que... l'adhésion ne soumet l'IOR à aucune autorité.

— Aucune autorité ? Mais si elle a adhéré au GAFI, la banque du Vatican est sous son autorité !

— Écoutez-moi bien, souligna-t-elle. Je n'ai pas dit que l'IOR avait adhéré au GAFI. J'ai dit que l'IOR avait adhéré aux principes du GAFI, ce qui est très différent. L'IOR ne fait pas partie du GAFI.

Se sentant abusé, le Portugais s'emporta.

— Mais c'est une énorme entourloupe, indigne d'une institution chrétienne ! protesta-t-il. Alors comme ça, la banque du Vatican adhère, mais sans vraiment adhérer ? Qu'est-ce que cela signifie ? Des institutions du Saint-Siège se cachent derrière des subtilités linguistiques pour feindre qu'elles sont irréprochables sur le plan éthique, c'est ça la morale chrétienne ? Qui le Vatican veut-il tromper ? N'a-t-il donc rien appris des erreurs du passé ?

Catherine se crispa ; elle avait beau s'efforcer de défendre les pratiques bancaires et financières du Saint-Siège, les arguments lui faisaient défaut.

— Enfin...

— Bon ! J'ai compris que la banque du Vatican n'a encore adhéré à aucune convention internationale pour régler la question du blanchiment d'argent sale, ce qui me paraît extraordinaire. Mais est-ce que le Vatican a signé des conventions d'entraide judiciaire bilatérale avec certains pays ?

La consultante encaissa.

— Euh... non.

Tomás la dévisagea, sidéré.

— Quoi ! s'exclama-t-il. Mais tous les pays ont signé des conventions bilatérales pour régler ces questions !

Elle transpirait.

— C'est vrai, mais le Vatican... enfin, est le seul État d'Europe qui n'a jamais signé ce type de convention.

Il secoua la tête, exaspéré. Le Saint-Siège était décidément particulièrement opaque, ce qui ne pouvait avoir qu'une seule explication : dissimuler ses turpitudes financières.

Tomás finit par poser un regard fatigué sur le cahier des statuts de l'IOR.

— Pourriez-vous me préciser un point ? demanda-t-il. Je sais que la Commission des affaires économiques et sociales de l'Organisation des Nations unies établit le classement des pays en fonction de leurs pratiques en matière de lutte contre le blanchiment d'argent. Quelle est le rang du Vatican dans ce classement ?

— Il est dans le top 10.

L'historien ébaucha une moue d'appréciation.

— Vraiment ? s'étonna-t-il. Pas mal du tout. Compte tenu de l'histoire du Vatican et de tout ce que vous m'avez raconté, sans parler de ce que nous avons découvert, c'est vraiment extraordinaire. Tout bien considéré, les choses ne sont pas aussi catastrophiques qu'elles en ont l'air. Il semblerait que le Saint-Siège ait vraiment tiré les conclusions du scandale de la banque Ambrosiano et des malversations de Marcinkus et de ses comparses.

La chef de la COSEA s'adossa à son siège et le regarda avec une expression difficile à interpréter. En réalité, elle ne le regardait pas, elle se demandait plutôt si elle devait vraiment clarifier sa réponse. Elle eut presque envie de ne pas le faire. Son exigence de vérité finit cependant par l'emporter.

— Le Vatican est dans le top 10, en effet, mais des meilleurs endroits au monde pour blanchir l'argent sale.

LXXII

Le Vatican était l'un des meilleurs endroits de la planète pour blanchir de l'argent sale. Après avoir dévisagé son interlocutrice pendant quelques secondes pour s'assurer qu'elle ne plaisantait pas, Tomás se raidit.

— Comment expliquer que rien n'a changé depuis l'époque où sévissait cette fripouille de Marcinkus ? demanda-t-il. N'en a-t-on tiré aucune leçon ?

— Ne dites pas cela, rétorqua Catherine, agacée par le mépris avec lequel le Portugais évoquait l'ancien président de l'IOR. Cessez de traiter monseigneur Marcinkus de fripouille.

— Et pourquoi pas ? C'était une fripouille.

— Pas vraiment. Ce n'était en réalité qu'un prélat qui ne connaissait pas grand-chose à la haute finance et qui s'est fait berner par des escrocs.

Tomás ébaucha une expression d'étonnement.

— Qui vous a dit cela ?

D'un geste, elle indiqua la fenêtre et, au-delà, la place Saint-Pierre.

— Tout le monde sait ça au Vatican. Les banquiers

italiens ont profité de la bonté et de l'ignorance du président de l'IOR pour abuser de sa bonne foi.

Malgré les événements difficiles de la journée, Tomás ne parvint pas à réprimer un éclat de rire.

— Bonté ? Ignorance ? Bonne foi ? C'est comme ça qu'on explique le scandale de la banque Ambrosiano, au Vatican ?

— Vous en doutez ? s'étonna la Française. Les banquiers ont abusé de la bonne foi de monseigneur Marcinkus, tout le monde sait ça ! Vous ne voyez pas que les prélats ne connaissent rien à la haute finance et qu'ils sont facilement manipulables ? Monseigneur Marcinkus a simplement essayé d'aider les...

— Ne dites pas de bêtises ! la coupa-t-il sèchement. Ce ne sont que des affabulations pour édulcorer les crimes commis par la banque du Vatican.

— Des crimes ? Allons, n'exagérons pas.

— Parfaitement, des crimes, insista Tomás sur un ton provocant. Ce que cet homme et ses acolytes ont fait sont des crimes qu'il faut appeler par leur nom. Et le pire, c'est que rien n'a changé.

— Ne dites pas cela, beaucoup de choses ont changé depuis cette époque.

— Par exemple ?

La question prit Catherine au dépourvu.

— C'est-à-dire... euh..., bredouilla-t-elle. Il y a des choses qui... sont radicalement différentes.

— Comme ?

Catherine ne sut que répondre.

— C'est difficile à préciser, finit-elle par reconnaître. Écoutez, je vais vous faire un aveu. Je ne sais pas très bien ce qui s'est passé à l'époque du scandale de la banque Ambrosiano. J'étais encore enfant. Tout ce que je sais, c'est ce qu'on m'a raconté au Saint-Siège. Mais si ce n'est pas vrai, alors quelle est la vérité ?

S'il y avait un sujet que le Portugais maîtrisait, c'était bien celui-là.

— Vous ne savez pas ce qui s'est passé ? demanda-t-il de façon purement rhétorique. Le scandale de la banque Ambrosiano est une question d'histoire, ma chère, et l'histoire, c'est mon domaine. Je connais l'affaire sur le bout des doigts et c'est pour ça que je suis très étonné de constater que certaines pratiques qui avaient cours à l'époque se perpétuent encore aujourd'hui.

— Eh bien, que s'est-il passé exactement ?

Il hésita.

— Vous voulez vraiment que je vous le dise ?

— Je vous le demande, puisque le Vatican m'a présenté une version totalement biaisée. Et certains des éléments que nous sommes en train de découvrir semblent remonter à cette époque. J'ai donc besoin de savoir exactement ce qui s'est produit, car le passé peut contribuer à expliquer le présent.

Tomás rassembla ses idées afin de reconstituer les événements qui avaient eu lieu quelques décennies auparavant.

— Le scandale de la banque Ambrosiano remonte à la mort de Jean XXIII, un pape immensément populaire. Lorsqu'il a disparu, les dons des fidèles à l'Église se sont effondrés. Par exemple, la dernière année du pontificat de Jean XXIII, le denier de Saint-Pierre a recueilli quinze millions de dollars, mais cette somme est tombée à quelque quatre millions l'année suivante. Comme si cela ne suffisait pas, au même moment, le gouvernement italien a mis fin aux exonérations fiscales concédées au Vatican et commencé à imposer les dividendes du Saint-Siège. Or, le Vatican avait des participations dans un très grand nombre d'entreprises italiennes et, avec ces nouvelles règles, il allait devoir payer des impôts sur les bénéfices.

— Cela a dû faire un sacré trou....

— Et comment ! Les finances du Vatican se sont trouvées dans une situation extrêmement délicate. C'est pourquoi le nouveau pape, Paul VI, a décidé de se défaire des participations que détenait le Saint-Siège et de transférer l'argent à l'étranger. La tâche a été confiée à deux personnes : monseigneur Marcinkus, ami de Paul VI avant même qu'il devienne pape et qui, de ce fait, a été promu au rang de secrétaire de la banque du Vatican, et un banquier que le pape avait également connu à l'époque où il était archevêque de Milan et à qui il devait certaines faveurs, un certain Michele Sindona.

— N'était-ce pas lui qui était lié à la mafia ?

— Oui. Apparemment, il gérait les comptes de Vito Genovese, un *capo* associé au fameux gangster Lucky Luciano. Ami avec Carlo Gambino, il a également commencé à gérer les bénéfices que la très puissante famille Gambino tirait du trafic d'héroïne. Allié aux Genovese et aux Gambino, Sindona a pris une place si importante dans le monde du crime organisé qu'il aurait été l'un des invités du grand repas qui s'est tenu en 1957 à Palerme, au cours duquel a été créée « Cosa Nostra », le nom par lequel on désigna la mafia internationale.

Catherine ouvrit la bouche, stupéfaite.

— Mon Dieu ! s'exclama-t-elle, scandalisée. Cet homme était vraiment l'ami du pape ?

— Oui, vraiment, au point que Paul VI l'a choisi pour vendre les participations du Vatican et mettre l'argent du Saint-Siège à l'abri du fisc italien, c'est vous dire.

— Ah oui !

— Recourant aux canaux qu'il utilisait pour la mafia, Sindona s'est révélé diligent et efficace. Mais il ne l'a pas fait gratuitement. Son idée était de se servir de la banque du Vatican pour recycler de l'argent, y compris les fonds de ses clients de la mafia engrangés grâce au trafic de drogue, à la prostitution, à l'extorsion et à toutes sortes de crimes. Des millions et des millions d'argent sale ont ainsi été recyclés par le Saint-Siège, qui percevait pour cela des commissions pouvant s'élever jusqu'à quinze pour cent.

La Française mit une main devant ses yeux ; elle avait honte.

— Oh merde !

— Le Vatican a ainsi été mêlé à une série d'affaires très douteuses. Avec l'argent provenant probablement de la mafia, et en se servant de la banque du Vatican comme machine à laver, Sindona a créé une holding qui a permis d'acquérir un ensemble de banques, comme la Banca Privata et la Banca Unione en Italie, ainsi que, en Suisse, la banque Amincor de Zurich et la Banque de financement de Genève, dont le Saint-Siège détenait un tiers. Celle-ci est d'ailleurs devenue le modèle que Sindona et le Vatican ont utilisé pour en acquérir d'autres. Une fois les banques sous son contrôle, Sindona a commencé à transférer vers la banque du Vatican des sommes provenant des comptes des déposants sans que ceux-ci en aient connaissance.

— Mais... mais c'est du vol !

— Bien sûr que c'est du vol. C'est le gérant de l'une de ces banques, la Banca Privata, qui a révélé toute la combine. Lorsqu'un client constatait qu'il manquait de l'argent sur son compte et protestait, le gérant de la banque lui disait que c'était une erreur et remettait l'argent sur le compte. En outre, on a découvert un système de double facturation à la Banque de financement de Genève, que Sindona utilisait pour gérer les affaires douteuses de la famille Genovese, tandis que les gestionnaires passaient leurs journées à jouer en Bourse. Lorsqu'ils perdaient de l'argent, les pertes étaient débitées des comptes des déposants. Lorsqu'ils en gagnaient, les bénéfices alimentaient le compte de Sindona. Le banquier savait que la meilleure manière de voler une banque n'était pas de l'attaquer, mais de l'acheter. Le gérant de la Banca Privata a révélé que des membres de la mafia arrivaient avec des valises remplies de billets qu'ils convertissaient en obligations du Trésor, ensuite envoyées à la Banque de financement.

— C'est de l'escroquerie pure et simple !

— Ce qui est étonnant c'est que, lorsqu'on lui a demandé où il allait chercher l'argent pour faire toutes ses affaires, Sindona a répondu avec une effronterie et une sincérité incroyables : quatre-vingt-quinze pour cent des sommes appartenaient à des tiers. D'après certains calculs, il aurait volé plus de deux cents millions de dollars à ses seules banques italiennes, mais sans doute beaucoup plus si l'on considère que deux cent cinquante millions de dollars ont été détournés de la seule Banca Unione, qui appartenait également en partie au Saint-Siège, et ont atterri dans une autre banque de Sindona, l'Amincor de Zurich.

— Quel voleur ! s'exclama Catherine, scandalisée. Un véritable cas pathologique. Mais au Saint-Siège, on m'a dit qu'à l'époque, il avait très bonne réputation.

— Et c'est vrai. Sindona a mis en place un système comprenant plus de huit cents banques du monde entier, et il lui est arrivé de contrôler près de la moitié des actions échangées à la Bourse de Milan. Il était devenu le plus puissant banquier d'Italie. Des universités américaines, comme Harvard, l'ont même invité à des conférences, et Richard Nixon en personne a déjeuné avec lui. Le *Wall Street Journal* le considérait comme « l'un des financiers les plus respectés du monde », allant jusqu'à l'appeler « le Howard Hughes italien », et l'ambassadeur américain à Rome lui a décerné le Prix de l'Homme de l'année 1973.

— Incroyable. Et quel service exactement ce petit génie a-t-il rendu au Saint-Siège ?

Tomás ouvrit les mains, comme si la réponse était tellement évidente qu'il ne comprenait pas pour quelle raison il devait la formuler à haute voix.

— Le vol.

LXXIII

La chef de la COSEA était sous le choc des mots employés par l'historien. Se redressant sur son siège, elle regarda Tomás avec l'air de quelqu'un qui attendait des paroles plus sensées.

— Ce n'est pas une réponse, rétorqua-t-elle. Sindona n'a pas pu être engagé pour voler le Vatican.

— Ce n'est pas ce que j'ai dit, précisa le Portugais. Il ne volait pas le Vatican, il volait *avec* le Vatican. Tous deux sont devenus des partenaires dans le crime, vous comprenez ?

Elle secoua la tête, exaspérée.

— Oh, vous exagérez !

Tomás se leva et se dirigea vers la fenêtre pour regarder la place Saint-Pierre. La foule remplissait l'espace et des centaines de milliers de cierges scintillaient dans la nuit, comme si la Voie lactée était descendue sur Rome.

— Lorsque Sindona est entré au Vatican, il avait la ferme intention de convaincre le pape que l'Église avait tout à gagner avec ses services, expliqua-t-il. Il n'avait qu'un seul moyen : remplir les coffres du

Saint-Siège. Et c'est ce qu'il a fait, en utilisant l'argent qu'il volait aux épargnants, y compris ceux de sa Banca Privata, pour acheter les participations de l'Église qui allaient être taxées par le fisc italien et dont le Vatican voulait se débarrasser. C'est ainsi qu'il a acquis pour le Saint-Siège la Società Generale Immobiliare au double du prix du marché, et c'est également comme ça qu'il a acheté la part de l'Église dans la Compagnie des eaux de Rome, puis la Sereno, une entreprise pharmaceutique qui appartenait au Vatican et qui fabriquait des pilules contraceptives.

Catherine écarquilla les yeux, médusée.

— Le Vatican fabriquait des pilules ?!

L'historien esquissa un sourire.

— Inattendu, n'est-ce pas ? observa-t-il. Mais Sindona a fait plus encore pour le Saint-Siège. Il a vendu à des investisseurs internationaux les innombrables actions que le Vatican détenait dans de nombreuses entreprises italiennes. La procédure de vente a pris un an, et Paul VI était tellement content du travail de son ami qu'il l'a officiellement proclamé *Mercator senesis romanan curiam sequens*, « principal banquier de la curie romaine » en latin, ou, plus simplement, « banquier du pape ». Pas mal pour un homme lié aux familles Genovese et Gambino, et qui volait des millions et des millions aux épargnants, hein ? En fin de compte, l'expression qui le définissait le mieux n'était pas « banquier du pape », mais « voleur du pape ».

La Française ne savait plus ce qu'elle pouvait dire.

— Allons, ne devenez pas méchant.

— Méchant ? Qui est méchant, celui qui dénonce le vol ou celui qui le commet ? demanda Tomás. L'alliance entre Sindona et le Saint-Siège s'est révélée très lucrative pour les deux parties. Combine après combine, le voleur du pape a mis en place un système gagnant-gagnant pour l'Église et pour lui-même, toujours en lien avec la banque du Vatican. Il permettait à l'Église de gagner de l'argent et, en échange, il se servait de la banque du Vatican pour blanchir son argent sale. On a d'ailleurs découvert que, chaque fois que la mafia voulait placer de l'argent en Italie, elle le faisait par le biais de la banque du Vatican.

— Quand a-t-on commencé à comprendre qu'il se passait quelque chose d'anormal ?

— Ce qui a véritablement attiré l'attention des autorités, c'est une affaire qui liait la mafia au Vatican. La police de New York, qui avait placé un Autrichien du nom de Leopold Ledl sur écoute, a découvert que celui-ci avait contacté des membres de la famille Genovese pour leur dire que l'Église voulait acquérir près d'un milliard de dollars de faux titres d'obligations de grandes entreprises américaines.

L'auditrice de la COSEA esquissa une mimique sceptique.

— L'Église voulait acquérir de fausses obligations ? Qui, au Vatican, a pu demander une telle chose ?

— Les hommes de la mafia ont évoqué le cardinal Eugène Tisserant, qui dirigeait le collège des cardinaux et était considéré comme l'un des personnages les plus proches du pape, ainsi que monseigneur Marcinkus, président de la banque du Vatican, et un archevêque qu'ils n'ont pas voulu nommer. Ces noms ont été confirmés par Ledl, qui a désigné Tisserant comme l'auteur de la demande initiale.

— Mon Dieu ! Et pourquoi voulaient-ils ces faux titres ?

— Apparemment, pour garantir un prêt que la banque du Vatican et Sindona envisageaient de contracter afin d'acheter un conglomérat italien dénommé Società Italiana per le Strade Ferrante Meridionale, plus connu sous le nom de Bastogi, ayant des intérêts dans l'immobilier, les mines, l'industrie chimique et les cimenteries, entre autres. Les banques qui allaient prêter l'argent au Vatican pour l'achat de la Bastogi ne savaient pas que les titres présentés en garantie étaient faux.

— Mais c'était très risqué, constata la chef de la COSEA. Et si l'affaire avait mal tourné et que les banques aient réclamé les titres ? La supercherie aurait été découverte et le nom du Vatican aurait été traîné dans la boue, vous vous rendez compte ?

— La question a été posée au cardinal Eugène Tisserant, qui aurait répondu qu'il n'y avait pas de raison de s'en faire, car le gouvernement américain n'oserait jamais accuser l'Église d'être sciemment impliquée dans une affaire de faux titres. Le faussaire de la famille Genovese a alors imprimé les fausses actions et obligations qui lui avaient été commandées, y compris des titres frauduleux au nom de grandes entreprises comme le constructeur automobile Chrysler Corporation, la General Electric, l'American Telephone and Telegraph Company, et la compagnie aérienne Pan Am. Deux premiers lots ont été écoulés pour tester les banques et ça a marché. Sauf que des échantillons de ces lots ont été envoyés à l'Association des banques à New York, dont les experts ont conclu qu'il s'agissait de faux. Interpol a été immédiatement alertée et a procédé à plusieurs arrestations. Les prévenus ont avoué que la banque du Vatican était l'acheteur final et qu'elle avait désigné Tisserant et Marcinkus comme interlocuteurs. L'un des détenus a même révélé que Marcinkus avait des intérêts aux Bahamas, ce qui a été avéré par la suite, lorsqu'on a découvert qu'il était également directeur de la Cisalpine Overseas Bank de Nassau, propriété de Sindona, et qu'il partageait avec celui-ci des intérêts dans la société Edilcentro Internacional, une institution bancaire des Bahamas. Tisserant venait de décéder et les enquêteurs du département de la Justice et du FBI sont venus ici, à Rome, pour interroger Marcinkus.

— Des agents du FBI se sont personnellement entretenus avec le président de l'IOR ? Que leur a-t-il dit ?

— Il leur a fait immédiatement savoir qu'il n'avait aucune intention de collaborer avec eux, a tout démenti et très peu coopéré. Ce qui n'a bien sûr pas convaincu les enquêteurs américains de son innocence. Les intermédiaires auraient-ils inventé toute l'histoire et essayé de berner la mafia ? Cela aurait été suicidaire, car on ne trompe pas la mafia impunément, et si on y parvient, on ne survit pas pour s'en vanter. Qui plus est, les intermédiaires savaient que Marcinkus avait des intérêts aux Bahamas, ce qui était ignoré de tous à l'époque ; cela prouvait qu'ils étaient particulièrement bien informés. Leur version était très crédible. Cependant, faute de preuves, les Américains n'ont pu inquiéter Marcinkus et l'administration Nixon a ordonné de mettre fin à l'enquête pour ne pas contrarier le Vatican et l'électorat catholique américain... Comme Tisserant l'avait prévu.

Catherine ne cessait de secouer la tête.

— Quelle honte, mais quelle honte...

— Pourtant la supercherie devait être découverte tôt ou tard. Selon l'une des règles élémentaires de la finance, voler l'argent d'une banque laisse toujours un déficit. Celui-ci peut être dissimulé avec des emprunts illicites qui permettent de faire de fausses déclarations de bénéfices, par exemple, mais ce ne sont que des jeux d'écritures : il arrive toujours un moment où, pour dissimuler la malversation, il faut des espèces sonnantes et trébuchantes. La réalité finit toujours par l'emporter. Sindona a longtemps réussi à cacher les déficits qu'il avait creusés en volant les clients de plusieurs de ses banques, y compris certaines dans lesquelles le Vatican avait des participations, mais la crise économique provoquée par le choc pétrolier de 1973 a tout révélé. La Bourse s'est effondrée et les robinets du crédit se sont refermés. Incapable d'obtenir des prêts pour dissimuler les déficits, Sindona a vu ses banques au bord de la faillite. Il a fusionné la Banca Privata et la Banca Unione, donnant ainsi naissance à la Banca Privata Italiana. Mais la réunion de deux grands déficits n'a fait qu'en créer un nouveau, encore plus grand. La Banca Privata Italiana a fait faillite, puis ce fut le tour de la Banque de financement de Genève. La Banca di Roma a failli disparaître en tentant de racheter la Banca Privata. On a fini par découvrir que l'IOR détenait une partie des banques qui avaient fait faillite, et l'Église s'est retrouvée avec un déficit de près d'un milliard de dollars.

Catherine siffla, impressionnée.

— Un milliard ? Mais c'est une fortune !

— Sindona n'en est pas resté là. Il avait acquis l'une des plus grandes banques des États-Unis, la Franklin National, et l'on soupçonne, sans que cela ait jamais été prouvé, qu'il l'a fait avec l'aide de la banque du Vatican et une partie des fausses obligations établies à la demande du Vatican dans le cadre de l'affaire Bastogi. En deux ans, il a soustrait tant d'argent à la Franklin National et l'a impliquée dans des opérations spéculatives tellement ruineuses qu'il l'a menée à la banqueroute. C'était une combine classique : il se servait de l'argent de la banque pour alimenter quelques-unes des quarante sociétés-écrans offshore qu'il détenait et utilisait des holdings dans des paradis fiscaux pour présenter des bénéfices fictifs. Pour sauver la banque, la Réserve fédérale américaine est même allée jusqu'à accorder à Sindona deux milliards de dollars, mais cela n'a pas suffi et la Franklin National a fait faillite. Ce fut une des plus grandes débâcles bancaires de l'histoire des États-Unis. Parallèlement, une autre banque contrôlée par Sindona et la banque du Vatican, la Bankhaus Wolff de Hambourg, est également tombée.

— L'homme est devenu un véritable fossoyeur de banques !

— Ce fut l'effondrement total. Les affaires de Sindona ont donné lieu à de nombreuses enquêtes en Italie, un tribunal de Milan a délivré un mandat d'arrestation, l'accusant de malversations et de faillite frauduleuse. Pour y échapper, il s'est enfui. Les sonnettes d'alarme ont commencé à retentir au Saint-Siège, car Marcinkus savait que l'IOR était mouillé jusqu'au cou dans les combines illégales de Sindona. Les procès se sont succédé, tout comme les homicides. Cinq enquêteurs italiens qui avaient commencé à fouiller dans ses affaires ont été assassinés.

— On se croirait dans *Le Parrain*...

— En effet, à ceci près que, dans cette histoire,

le parrain était un ami intime du pape Paul VI et de Marcinkus, et qu'il gérait l'argent du Vatican. Après avoir donné des conférences dans des universités américaines sur l'éthique bancaire, Sindona a fini par être arrêté en Amérique. Comme vous pouvez facilement le deviner, tout cela a fini par devenir très embarrassant pour l'Église. Les autorités italiennes ont interrogé Marcinkus sur ses relations avec Sindona et un haut fonctionnaire de la banque du Vatican a même été arrêté. Pour ne rien dire des préjudices financiers considérables. Le déficit était si grand que le pape a invoqué les pertes de la banque du Vatican pour réduire le budget de 1975.

— Bien... J'espère au moins que le Saint-Siège en a tiré les leçons.

— Il n'a rien appris du tout. Une fois Sindona écarté, Marcinkus et Paul VI se sont tournés vers un autre banquier. Leur choix s'est arrêté sur un comparse de Sindona, un certain Roberto Calvi, dont on disait qu'il était également lié à la mafia, et qui allait devenir président d'une importante banque de Milan, la deuxième plus grande banque privée d'Italie.

— Ne me dites pas que c'était la... la...

Tomás, qui s'était jusqu'alors tenu debout près de la fenêtre pour observer la foule massée devant Saint-Pierre, se retourna et revint à sa place. Il s'assit face à Catherine et acheva la phrase qu'elle avait commencée, en prononçant le nom de la banque qui avait entraîné le Vatican dans un cataclysme financier.

— La banque Ambrosiano.

LXXIV

La banque Ambrosiano était devenue une véritable
légende au Vatican et dans les cercles financiers internationaux ; mais malheureusement pas pour de bonnes
raisons. Catherine avait maintes fois entendu parler de
cette institution de Milan dont la simple évocation faisait trembler de nombreux clercs du Saint-Siège. Elle
n'avait pourtant qu'une vague idée de la polémique
suscitée par l'affaire.

— C'est donc à ce moment-là que la fameuse
banque Ambrosiano entre en scène ?

Tomás croisa les jambes.

— Absolument, confirma-t-il. Le nom de la banque
Ambrosiano vient de Saint-Ambroise. Elle gérait les
investissements de la majorité des ordres religieux
catholiques, au point qu'on l'appelait « la banque des
curés ». Pour y ouvrir un compte, il fallait présenter un
certificat de baptême catholique.

— Oui, je sais déjà tout ça. Mais comment est-elle
entrée en relation avec l'IOR ?

— Lorsque Calvi a pris la direction de l'Ambrosiano,
il a contacté Sindona pour lui annoncer que sa banque

regorgeait d'argent qu'il souhaitait investir dans des placements agressifs. C'était encore l'époque dorée de Sindona, qui lui apprit tout ce qu'il fallait savoir pour blanchir de l'argent dans les paradis fiscaux et contourner la loi. C'est dans ce contexte qu'en 1971, Sindona l'a mis en relation avec la banque du Vatican et Calvi est devenu un *uomo di fiducia*, un homme de confiance, de l'Église. De connivence avec Marcinkus, Calvi retirait de l'argent de l'Ambrosiano qu'il déposait à la banque du Vatican.

— Pour quoi faire ?

— Pour faire croire aux organes de régulation que telle était la destination finale des fonds, expliqua-t-il. Sauf que Marcinkus virait ensuite ces dépôts vers des compagnies offshore.

L'auditrice reconnut le système.

— Ah oui, en Italie on appelle ça un *conto deposito*. Un mécanisme de fraude classique.

— Calvi a mêlé le Saint-Siège à toute une série de magouilles, il manipulait la valeur des actions en Bourse et se servait de l'argent de la banque du Vatican pour combler les trous qu'il faisait dans ses multiples banques et entreprises. Par exemple, avant les audits, Marcinkus envoyait des dizaines de millions de dollars et de francs suisses à Calvi, que celui-ci utilisait pour dissimuler les déficits aux auditeurs. Dès que l'audit était terminé, l'argent, auquel s'ajoutait une commission, était restitué le jour même au Saint-Siège, à travers une multitude de banques situées dans des paradis fiscaux afin de brouiller les pistes. La banque du Vatican a ainsi touché près d'un milliard de lires de commissions pour des services tels que des virements bancaires complexes par le biais d'entreprises offshore, des conversions monétaires surévaluées, des prêts fantômes, l'utilisation de fonds de garantie pour manipuler des banques, le blanchiment d'argent... tout y passait. Bon nombre des principales opérations d'Ambrosiano étaient conjointes avec la banque du Vatican. Calvi reversait des commissions pour avoir le privilège d'utiliser le nom de l'institution dirigée par Marcinkus.

— C'est invraisemblable !

— Les choses ont commencé à se gâter après deux opérations entre Calvi et Marcinkus. L'une a eu lieu en 1974 ; au lendemain du premier choc pétrolier, la Bourse de Milan a dévissé et entraîné dans sa chute les actions de la banque Ambrosiano. Calvi a eu plus de mal à obtenir des fonds pour dissimuler ses déficits. C'est alors qu'une société dénommée Suprafin est sortie de nulle part et a commencé à acheter les actions de l'Ambrosiano. (L'historien leva les bras au ciel.) Miracle, miracle ! Alléluia ! Les actions remontaient ! L'Ambrosiano était sauvée !

— À qui appartenait Suprafin ?

— À deux entreprises du Liechtenstein qui, prétendument, appartenaient à la banque du Vatican.

— Prétendument ?

— Oui, on a découvert plus tard que la banque du Vatican servait juste de façade. Les deux entreprises du Liechtenstein appartenaient en fait à Calvi lui-même.

L'auditrice ouvrit la bouche, stupéfaite.

— Elles étaient à lui ? s'étonna-t-elle. Donc l'Ambrosiano achetait ses propres actions pour les valoriser et ainsi manipuler le marché. C'est une pratique totalement illégale !

— En effet, et elle a pu être menée à bien grâce à la complicité criminelle de la banque du Vatican qui percevait des commissions pour avoir participé à cette fraude, fit observer Tomás. La seconde opération qui a compliqué les choses est une affaire véreuse imaginée par Calvi et Sindona pour acquérir la Banca Cattolica del Veneto, l'équivalent à Venise de la banque Ambrosiano, qui était contrôlée par la banque du Vatican. Marcinkus a accepté de céder à l'Ambrosiano les actions de la banque vénitienne que l'IOR détenait, pour gonfler artificiellement la valeur des actions que Calvi et Sindona manipulaient. Bien que la Banca Cattolica del Veneto finançât des projets caritatifs de l'Église, sa vente à l'Ambrosiano a été approuvée par le pape Paul VI, que Calvi a personnellement rencontré, et exécutée par le biais du même réseau infini d'entreprises offshore, comme c'était généralement le cas des affaires associant Sindona, Calvi et Marcinkus. Le patriarche de Venise n'a guère apprécié l'affaire et a interrogé monseigneur Marcinkus à ce sujet, mais le président de la banque du Vatican l'a expulsé de son bureau.

— Qui était le patriarche de Venise à l'époque ?

— Luciani.

Le nom sembla familier à Catherine.

— Qui ? (Un éclair illumina son regard.) Ne me dites pas que vous faites allusion au cardinal Albino Luciani...

— Lui-même, confirma Tomás avec un sourire malicieux. Sindona, accusé de blanchir de l'argent illégal avec la complicité de la banque du Vatican, a été arrêté aux États-Unis en 1976. L'année suivante, il a eu besoin d'argent et en a demandé à Calvi. Le président de l'Ambrosiano a commencé par refuser. Quand deux compères se fâchent, la vérité éclate. Un proche de Sindona a écrit à la Banque d'Italie pour dénoncer des irrégularités à l'Ambrosiano et menacer de poursuivre la Banque centrale si elle n'ouvrait pas une enquête sur la banque de Calvi. En 1978, l'inspection menée par la Banque d'Italie a révélé une multiplicité de déficits et d'irrégularités dans les comptes de la banque Ambrosiano, notamment des crédits sans couverture, des dettes astronomiques, des sommes d'argent accordées à des partis et à des politiciens de tous bords sans contrôle ni garanties, des falsifications dans les plans de pension des épargnants, des manipulations de documents financiers, des fraudes fiscales, de l'évasion de capitaux... Enfin, une liste impressionnante de malversations. De plus, les inspecteurs ont découvert que la Suprafin, qui avait acheté les actions de l'Ambrosiano pour qu'elles reprennent de la valeur, appartenait selon toutes probabilités à l'Ambrosiano elle-même. Inquiet, Calvi a demandé à Marcinkus d'écrire une lettre garantissant que Suprafin appartenait à la banque du Vatican.

— Monseigneur Marcinkus n'a tout de même pas accédé à une telle demande...

— Et comment ! Bien sûr qu'il a accepté ! Marcinkus a écrit la lettre qui lui était demandée en l'antidatant de trois ans.

— Mais... cela implique activement l'IOR dans une opération frauduleuse !

— C'est le moins qu'on puisse dire. La lettre était datée de 1975, mais la Banque d'Italie a soupçonné qu'elle n'avait été établie qu'après le début de l'inspection, ce qui rendait en outre la banque du Vatican suspecte de falsification de documents. L'inspection de l'Ambrosiano et les irrégularités qu'elle a révélées ont fait trembler le Saint-Siège. La situation est devenue tellement grave que le pape aurait déclaré : « La fumée de Satan est entrée dans le temple de Dieu. » Quelque temps plus tard, toujours en 1978, Paul VI est mort.

— Il a été alors remplacé par le cardinal Albino Luciani.

— Qui prit le nom de Jean-Paul Ier. Dès le deuxième jour de son pontificat, le nouveau pape a ordonné au secrétaire d'État, le cardinal Jean Villot de procéder à un audit complet des finances du Saint-Siège. Le rapport préliminaire sur la banque du Vatican qui lui a été présenté une semaine plus tard faisait état de graves irrégularités dans les relations que le Saint-Siège entretenait avec Sindona et Calvi. Jean-Paul Ier a été informé que la Banque d'Italie enquêtait sur les liens entre la banque Ambrosiano de Calvi et la banque du Vatican, notamment sur le marchandage au sujet de la Banca Cattolica del Veneto, que le pape lui-même avait critiqué alors qu'il n'était que cardinal. On l'a également informé que le dossier serait ensuite confié au juge Emilio Alessandrini, qui poursuivrait l'enquête. Quelques jours après que l'information eut été rendue publique, le juge Alessandrini a été assassiné.

— Par la mafia ?

— Le crime a été revendiqué par l'organisation d'extrême gauche Prima Linea, mais on a soupçonné Calvi d'en être le commanditaire. Tout le monde sait que de tels groupes extrémistes exécutent parfois des contrats pour gagner l'argent qui finance leurs autres activités. On suppose que c'est ce qui s'est passé, car le juge a été assassiné dès qu'on a su que l'enquête concernant la banque Ambrosiano lui avait été confiée. On a du mal à imaginer qu'un groupe d'extrême gauche puisse tuer un magistrat chargé d'enquêter sur des capitalistes corrompus, vous ne trouvez pas ? En outre, c'est à Calvi que la mort du juge a profité, puisque l'enquête a été suspendue. Tout s'est arrêté. La situation est revenue à la normale. Mais c'est alors qu'a explosé la grande bombe.

— Quoi, encore un attentat ?

— Pire, dit l'historien. Une revue appelée *L'Osservatore Politico* a publié une liste de plus d'une centaine de personnalités du Vatican qui étaient franc-maçonnes. Huit papes successifs avaient condamné la maçonnerie, accusée d'être une religion d'athées faisant tout pour détruire l'Église, et le canon 2335 du Code de droit canonique prévoyait l'excommunication automatique de tout catholique affilié à cette organisation secrète. Un exemplaire de la revue s'est retrouvé entre les mains de Jean-Paul Ier, tout juste élu, qui a été horrifié par ce qu'il a lu. Tenez-vous bien, en haut de la liste figurait le nom de son propre secrétaire d'État !

— Le cardinal Villot ?

— Absolument.

La Française secoua la main comme si elle venait de se brûler.

— Oh là là !

— La liste mentionnait également le bras droit de Villot, le cardinal Baggio, ainsi que le responsable du Vatican chargé des affaires étrangères, monseigneur Agostino Casaroli, le vicaire de Rome, le cardinal Poletti, et même le secrétaire du pape Paul VI, monseigneur Macchi. Sans parler bien évidemment des habituels suspects liés à la banque du Vatican, nos vieilles connaissances messeigneurs Marcinkus et Donato De Bonis.

— Mon Dieu ! En somme, toutes les huiles du Vatican ?

— Toutes. L'auteur de l'article en question était un membre de la toute-puissante loge maçonnique Propaganda Due, ou P2, qui avait contribué au retour de Juan Perón au pouvoir en Argentine et qui avait tout préparé pour fomenter un coup d'État au cas où l'Italie serait tombée aux mains des communistes. En réalité, on a découvert plus tard que la loge P2 était dirigée par un type sinistre, dénommé Licio Gelli, et qu'elle comptait près d'un millier de membres, peut-être même plus, parmi lesquels trois ministres et un secrétaire d'État, quarante-quatre députés, plus de cinquante généraux et huit amiraux, dont le commandant des forces armées et tous les chefs des services secrets italiens, ainsi que quelques-uns des entrepreneurs, financiers, juges, magistrats et journalistes les plus importants d'Italie, notamment le propriétaire et les directeurs du *Corriere della Sera*, sans oublier des hommes politiques comme Silvio Berlusconi et, bien évidemment, nos amis Sindona et Calvi.

— Un véritable État dans l'État, observa Catherine. Que s'est-il passé ensuite ?

— L'homme qui a publié cette liste a été assassiné, comme on pouvait s'y attendre. On lui a enfoncé un pistolet dans la bouche et on a tiré deux fois. Son corps a été retrouvé avec une pierre dans la bouche, le traditionnel *sasso in bocca* de la mafia lorsqu'elle exécute quelqu'un qui a trop parlé.

— Quelle horreur ! Et le pape ? Qu'a-t-il fait lorsqu'il a lu l'article ?

— Jean-Paul Iᵉʳ a étudié le problème pendant quelques jours. Le matin du 28 septembre 1978, il a convoqué le cardinal Baggio et lui a expliqué qu'en raison de ses liens avec la maçonnerie, il devait quitter Rome. Baggio aurait poussé des cris d'orfraie.

— Pas très distingué...

— Dans l'après-midi, le pape a convoqué le cardinal Villot pour parler de la banque du Vatican. Le secrétaire d'État a aussitôt commencé à trembler. Jean-Paul Ier lui a annoncé que Marcinkus devait être remplacé et nommé à un poste secondaire en Amérique, non pas une semaine ou un mois après, mais dès le lendemain. En outre, tous les fonctionnaires de la banque du Vatican liés à Marcinkus, Sindona et Calvi seraient tenus à l'écart et nommés à des fonctions secondaires, en dehors du Saint-Siège, y compris Donato De Bonis. Quant à Villot, le pape lui a demandé de démissionner et de retourner dans son pays natal.

— La France, donc.

— La réunion s'est achevée peu après 19 heures. Le pape est allé dîner, puis il s'est assis devant la télévision pour écouter les informations. À 21 h 30, il a souhaité bonne nuit à ses deux assistants et à la bonne, et il est allé se coucher.

Une telle profusion de détails éveilla l'attention de la chef de la COSEA.

— Quel jour était-ce, déjà ?

— Le 28 septembre 1978.

Catherine fronça les sourcils, elle connaissait cette date.

— Mais c'est le jour où...

Elle ne parvint pas à achever sa phrase ; elle venait de comprendre. L'intensité avec laquelle l'historien la fixait ne lui échappa pas. Il semblait insinuer que tout était lié, ce qu'il confirma en achevant sa phrase :

— C'est le jour où Jean-Paul Ier est mort.

LXXV

Un moment de silence permit à Catherine d'assimiler ce que Tomás venait de laisser entendre. Comme la plupart des gens, mais aussi parce qu'elle travaillait pour le Vatican, l'auditrice française avait entendu les rumeurs qui entouraient la mort de Jean-Paul Ier. C'était pourtant la première fois qu'on lui expliquait en détail le contexte politique de cet événement.

— Le pape aurait donc été assassiné ?

Tomás se pencha vers elle et la regarda droit dans les yeux.

— Nous ne pouvons jamais être sûrs de rien, souligna-t-il. Mais nous sommes en Italie, ma chère. Le nombre de décès qu'a entraînés toute cette histoire ne vous a sans doute pas échappé ? On a assassiné cinq enquêteurs italiens qui s'étaient mis à fouiller dans les affaires des banques de Sindona et ses magouilles avec le Saint-Siège, puis le juge à qui avait été confié le dossier de la banque Ambrosiano, et l'auteur de la revue qui a rendu publique la liste des francs-maçons du Vatican. Vous avez remarqué que tous ceux qui ont voulu faire éclater la vérité ont fini par être abattus ?

Maintenant dites-moi, vous pensez vraiment que c'est une coïncidence que le pape ait été retrouvé mort quelques heures après avoir informé le cardinal Villot qu'il allait mettre fin à toutes ces magouilles et à ces méthodes honteuses ?

La chef de la COSEA ferma les yeux, ébranlée.

— En effet, je dois reconnaître que tout cela est perturbant, admit-elle. Mais, pour lancer une accusation aussi grave, il faut plus que des coïncidences, si troublantes soient-elles.

— Que voulez-vous de plus ? Qu'un mafieux vienne nous dire « C'est moi qui ai tué le pape » ?

— Non, mais il faut au moins des indices pour alimenter de tels soupçons.

— Vous voulez des indices ? demanda Tomás sur un ton de défi. Eh bien en voilà. Le lendemain, Radio Vatican a annoncé au monde la mort du pape. Avec l'autorité qui caractérise toute institution profondément attachée à la transparence et à la vérité, le Vatican a annoncé par la voie de sa radio officielle que le corps de Jean-Paul Ier avait été découvert à 6 h 30 du matin par son secrétaire, monseigneur Magee, et que Sa Sainteté avait eu un infarctus du myocarde la veille, aux alentours de 23 heures. Selon Radio Vatican, le pape tenait à la main un exemplaire de l'œuvre *De imitatione Christi*. Son corps a été embaumé. Jusqu'à présent, tout est clair, n'est-ce pas ?

— Comme de l'eau de roche. Je ne vois pas le moindre indice suspect. Tout me paraît absolument normal.

— C'est le cas en effet. Tout est normal jusqu'à ce que ça devienne anormal. Le premier hic a surgi lorsqu'on a découvert que l'exemplaire de Jean-Paul Ier

de *De imitatione Christi* était en fait resté dans sa résidence à Venise, où il avait été cardinal avant de devenir pape. Il n'y avait aucun autre exemplaire de ce livre dans les appartements du pape. Alors, comment le Vatican a-t-il pu affirmer que Jean-Paul Ier était mort avec ce livre dans les mains ? Le Saint-Siège a fini par reconnaître au bout de quatre jours qu'en réalité *De imitatione Christi* ne se trouvait pas sur le lieu du décès mais que le pape avait été trouvé avec, je cite, « certains papiers », c'est-à-dire des textes personnels, notamment des homélies, des discours, des réflexions et diverses notes.

— Le Vatican a modifié sa version des faits ?

— Il l'a modifiée, en effet.

— Et quelle explication a été donnée ?

— L'auteur de l'information, le père Francesco Farusi, a soutenu que celle-ci était destinée à éviter que les fidèles ne pensent qu'avant de dormir, le pape s'était mis à lire une revue pornographique ou un livre de cow-boys.

— Vous plaisantez...

— Je vous jure que c'est l'explication qui a été donnée.

— Mais cela n'a ni queue ni tête ! explosa l'auditrice. C'est prendre les gens pour des idiots !

— Cette histoire est cousue de fil blanc, de toute évidence. Naturellement, ce premier mensonge a provoqué la méfiance de la presse, qui a voulu savoir de quelles homélies, quels discours, quelles notes il s'agissait... Après avoir tourné l'affaire dans tous les sens et s'être maintes fois embrouillé, le Vatican a fini par admettre qu'en réalité les choses ne s'étaient pas vraiment passées comme dit. Une troisième version a alors été fournie. En fin de compte, on avait trouvé auprès du cadavre ce qui a été présenté comme « certaines nominations à la curie romaine et à l'épiscopat italien ».

À ces mots, Catherine sursauta.

— Ah ! S'agissait-il des remplaçants de Villot et des responsables de l'IOR ?

— Ça ne pouvait être que ça, non ? La question est de savoir pour quelle raison le Saint-Siège s'est senti obligé de mentir à deux reprises. Pourquoi fallait-il cacher le fait que Jean-Paul Iᵉʳ avait dans les mains des documents concernant des changements au Vatican ? Peut-être parce que c'était la véritable cause de la mort du pape.

— Mais cela reste de la spéculation...

— Je l'admets. Cependant, d'autres incohérences sont apparues. Une organisation catholique, Civiltà Cristiana, a été informée par une source anonyme du Vatican que toute l'histoire autour de la mort du pape était une imposture et que le Saint-Siège mentait. Civiltà Cristiana a contacté l'agence de presse ANSA pour exiger publiquement une autopsie. On a alors découvert que les embaumeurs avaient été réveillés à 5 heures du matin pour s'occuper du cadavre du pape. Étrange, non ?

Catherine fit une grimace dubitative.

— Étrange ? Pourquoi ?

— Eh bien, n'est-ce pas Radio Vatican qui a annoncé que monseigneur Magee avait découvert le corps du pape à 6 h 30 du matin ? Comment se fait-il alors que les embaumeurs aient été réveillés à 5 heures du matin ?

— Ça peut être une simple erreur, suggéra Catherine. Réveillés aux aurores, les embaumeurs ont pu s'embrouiller dans les horaires.

— Ils ne se sont pas embrouillés. Selon le registre des entrées et des sorties de la Cité du Vatican, la voiture qui est allée les chercher a passé le portail à 5 h 23, soit plus d'une heure avant la découverte officielle du cadavre, et elle est revenue à 5 h 40. En d'autres termes, les embaumeurs sont arrivés au Vatican avant que le cadavre n'ait été découvert.

— Étrange.

— Par ailleurs, l'action des embaumeurs elle-même soulève des questions. En effet, la loi italienne interdit de procéder à l'embaumement moins de vingt-quatre heures après le décès sans l'autorisation d'un magistrat. Dans ces conditions, pourquoi autant d'empressement à embaumer le pape ?

— Quelle a été l'explication du Vatican ?

— Le cardinal Villot a allégué que la loi canonique interdit expressément de procéder à une autopsie sur le corps du pape, et qu'il n'y avait donc aucun motif de retarder l'embaumement.

— Voilà ! Vous avez votre explication.

— Le problème, c'est qu'en réalité la loi canonique n'interdit ni ne requiert que l'on effectue une autopsie. Elle ne dit tout simplement rien sur la question. Du reste, le corps de Pie VIII avait été autopsié en 1830, ce qui prouve que cette explication ne tient pas debout.

— Ah ! Et on l'a dit au Vatican ?

— Bien sûr. Une autre justification a alors été avancée. Selon la nouvelle version, Jean-Paul Ier a été embaumé par tradition, tout comme, par exemple, Jean XXIII. Le problème, c'est que cette explication ne colle pas non plus, car on a constaté que, traditionnellement, on n'embaume pas le corps des papes.

La Française soupira, agacée par les contradictions du Vatican.

— Très bien, le cardinal Villot a donc menti, reconnut-elle. C'est lamentable. Mais à quoi rime tout cela ? Même s'il y avait eu homicide, qu'avaient à gagner les assassins avec cet embaumement ? Qu'est-ce que ça prouve ?

— L'embaumement a été réalisé par une injection immédiate d'un fluide sans retirer le sang du corps, sur ordre exprès du Vatican, indiqua Tomás. Tout médecin légiste sait que cette technique empêche de pratiquer une autopsie complète et de déterminer de façon rigoureuse la cause de la mort, dans la mesure où les substances chimiques utilisées pour l'embaumement atténuent, voire annulent toute trace de poison. En d'autres termes, l'autopsie demandée par Civiltà Cristiana n'était plus possible. Plus étrange encore, le Vatican a exigé qu'aucune prise de sang ne soit effectuée, empêchant ainsi que les échantillons puissent être éventuellement analysés ensuite par des médecins légistes.

— Ce n'était peut-être pas possible pour un embaumement.

— Mais bien sûr que si. Les embaumeurs auraient très bien pu prélever quelques gouttes de sang avant de commencer leur travail. Du reste, s'ils avaient vidé le corps de son sang, l'embaumement aurait été encore plus rapide. Ils ne l'ont pas fait uniquement parce que le Vatican l'a expressément interdit. On a ainsi commencé à soupçonner le cardinal Villot d'avoir ordonné l'embaumement parce qu'il ne voulait pas que l'on découvre la véritable cause de la mort du pape.

— Vous exagérez !

— De même, l'affirmation selon laquelle Jean-Paul Iᵉʳ avait été victime d'un infarctus du myocarde a été remise en cause. Les dernières personnes à l'avoir vu, les deux assistants et la bonne, ont affirmé que le pape est allé se coucher de bonne humeur. Son médecin personnel, le docteur Antonio da Ros, a révélé qu'il l'avait examiné quelques jours plus tôt et qu'il l'avait trouvé en très bonne santé. Il s'est en outre étonné qu'il eût été victime d'un problème cardio-vasculaire car il souffrait de manière chronique d'hypotension. Il faisait régulièrement de l'exercice, ne fumait pas, buvait avec modération et avait une alimentation saine. Les cardiologues du monde entier ont d'ailleurs été très étonnés que l'on ait diagnostiqué un infarctus du myocarde sans autopsie. Selon eux, dans ces conditions, un diagnostic était « invraisemblable ». De même, l'ordre des médecins italiens a estimé qu'il était irresponsable de prononcer un tel diagnostic sans autopsie, qui plus est au sujet d'un patient qui n'avait aucun antécédent cardiaque.

— J'ai compris. On a établi que le Saint-Siège, ses médecins et les embaumeurs avaient agi de façon, disons, précipitée. Et alors ?

— Ils ne se sont pas contentés d'agir précipitamment, Catherine. Ils ont menti délibérément, et à plusieurs reprises.

— Délibérément et à plusieurs reprises ? N'exagérons pas...

— Croyez-moi. On a affirmé dans la presse que même le récit de la découverte du corps du pape n'était rien d'autre qu'une affabulation invraisemblable.

— Que voulez-vous dire par là ?

— Vous vous souvenez que Radio Vatican avait annoncé que monseigneur Magee avait trouvé le corps sans vie ? Eh bien, finalement, ça aussi c'était un mensonge. On sait à présent que c'est quelqu'un d'autre qui l'a découvert.

— Comment ? !

— Les mensonges se succèdent.

— Et... et qui l'a découvert alors ?

La Française était suspendue à ses lèvres et Tomás fit une pause avant de répondre, non par besoin, mais pour savourer sa réaction.

— Une femme.

LXXVI

Personne mieux que Catherine ne savait à quel point le petit monde du Vatican était misogyne. L'Église catholique refusait obstinément d'ouvrir le sacerdoce au sexe féminin, et lorsqu'on faisait valoir que Jésus n'avait jamais exercé aucune discrimination à l'égard des femmes, il y avait aussitôt quelqu'un au Saint-Siège pour dire qu'aucune femme n'avait participé à la Cène.

D'où l'étonnement de la chef de la COSEA lorsque Tomás lui annonça que le cadavre de Jean-Paul Ier avait été découvert par une femme. Et sa stupeur était d'autant plus grande que l'affirmation de Tomás prouvait une fois de plus que les autorités du Vatican avaient menti effrontément au sujet d'une question très importante pour les fidèles, celle de la mort du pape, et une catholique comme elle avait du mal à l'accepter.

— Vous parlez sérieusement ? Le cadavre du pape a été découvert par une femme ?

Le Portugais acquiesça.

— On sait aujourd'hui que la véritable histoire n'est pas celle initialement racontée et maintenue pendant des années par le Saint-Siège. Lorsque Radio

Vatican a annoncé que le corps avait été découvert par monseigneur Magee, la source anonyme au Saint-Siège a de nouveau contacté Civiltà Cristiana et a suggéré que l'on s'adresse à sœur Vincenza Taffarel et à monseigneur Magee lui-même si l'on voulait connaître la vérité. Civiltà Cristiana a alors demandé à la presse d'interviewer les intéressés. Intrigués, des journalistes ont téléphoné sans attendre au Saint-Siège afin de leur parler.

— Et ? Ils leur ont parlé ?

— Impossible de savoir où ils se trouvaient. Apparemment, ils n'étaient pas au Vatican. La source de Civiltà Cristiana a alors conseillé aux journalistes de demander au Saint-Siège où ils se trouvaient. Ceux-ci ont appelé le père Panciroli, directeur du bureau de la presse du Vatican, pour lui poser la question. Harcelé, Panciroli a demandé des instructions au cardinal Villot puis informé les journalistes que sœur Vincenza était « injoignable » et que monseigneur Magee « avait quitté le pays ».

Catherine fit une nouvelle moue dubitative.

— Il avait quitté le pays ? L'homme qui avait découvert le corps du pape avait quitté l'Italie ?

— Extraordinaire, non ? On a appris par la suite que le cardinal Villot avait envoyé d'urgence sœur Vincenza dans un couvent, avec ordre de ne jamais toucher mot de cette affaire à personne, et qu'il avait affecté monseigneur Magee à un séminaire hors de Rome, en lui précisant qu'il le rappellerait « lorsque la situation serait sûre ». Magee a préféré aller à Liverpool, où vivait sa sœur, et devinez qui s'est occupé du voyage ?

— Je n'en ai pas la moindre idée.

— Monseigneur Marcinkus en personne. Le président de la banque du Vatican lui a acheté le billet d'avion et l'a mis dans une voiture avec chauffeur à destination de l'aéroport.

— Mais que voulait-on cacher exactement ? Quelle est la vérité au sujet de la découverte du corps de Sa Sainteté ?

— La vérité n'a été racontée, par des sources anonymes au Vatican, qu'à l'agence italienne d'information ANSA. Tout a commencé à 4 h 30 du matin lorsque sœur Vincenza Taffarel a frappé à la porte de la chambre de Jean-Paul Ier pour le réveiller et a posé par terre un plateau avec du café, comme elle le faisait d'habitude. Revenant une demi-heure plus tard, elle a constaté que le plateau n'avait pas bougé. Elle a frappé de nouveau à la porte et a appelé le pape pour le réveiller. Comme il ne répondait pas, sœur Vincenza est entrée sur la pointe des pieds et l'a trouvé adossé à la tête du lit, les lunettes sur le nez, des papiers à la main et d'autres documents éparpillés sur les draps. En s'approchant, elle a constaté qu'il avait les lèvres entrouvertes, les gencives bien visibles et les yeux écarquillés, bref, un air macabre. Elle lui a pris le pouls. Rien.

— Alors c'est bien elle qui a découvert le cadavre.

— C'est elle. Effrayée, elle a appuyé sur la sonnette pour appeler les secrétaires, puis elle est sortie à la recherche d'autres sœurs et du père Diego Lorenzi, le secrétaire que le pape avait amené avec lui de Venise. Lorenzi s'est précipité dans la chambre et a vu le corps. Puis est apparu l'autre secrétaire, monseigneur Magee, qui a confirmé que le pape était mort. Il a aussitôt téléphoné au cardinal Villot, ce qui était logique puisqu'il était le camerlingue. Le secrétaire d'État, qui habitait deux étages plus bas, est arrivé quelques minutes après dans les appartements du pape et, au grand étonnement de monseigneur Magee, il était rasé, soigné et portait ses vêtements ecclésiastiques.

— Monseigneur Magee s'en est étonné ? Mais pourquoi ? Il était normal que le secrétaire d'État fût « soigné ».

— Il était 5 heures du matin, Catherine, souligna l'historien. Malgré l'heure matinale, le cardinal n'avait pas l'air de quelqu'un qui sortait du lit. C'est étrange, vous ne trouvez pas ?

— Peut-être, mais cela ne prouve rien.

— Lorsqu'il arriva près du cadavre, le cardinal Villot s'empressa de rassembler les médicaments du pape et les documents éparpillés sur le lit, les fameux papiers concernant « certaines nominations à la curie romaine et à l'épiscopat italien ». Puis il a téléphoné au cardinal Confalonieri et au cardinal Casaroli avant d'appeler le médecin du Vatican. Lorsque le médecin est arrivé, il a diagnostiqué le surprenant infarctus du myocarde et conclu qu'il était mort à 23 heures. Enfin, vers 6 heures du matin, le cardinal Villot a donné l'ordre de sceller les appartements du pape et des techniciens sont venus embaumer le corps.

— Ils étaient pressés.

— Très. Après l'embaumement s'est produit un épisode tout aussi étrange. Le cardinal Villot a dit à monseigneur Magee qu'il fallait donner une version différente de l'événement, car s'ils révélaient qu'une femme avait le droit d'entrer dans la chambre du pape cela pouvait susciter des rumeurs déplaisantes. Sœur Vincenza devait donc disparaître de la scène et, désormais, on prétendrait que c'était lui, monseigneur Magee, qui avait découvert le corps. Sinon les ragots iraient bon train.

— Ça, c'est vrai...

— Mais ce n'était qu'une excuse pour les forcer à garder le secret absolu sur ce qui s'était effectivement passé. Ce que Villot voulait réellement dissimuler, ce n'était pas tant l'identité de la personne qui avait fait la triste découverte, somme toute pas si embarrassante, que le fait qu'il y avait des médicaments sur la table de chevet et que le pape consultait des documents lorsqu'il est mort. Le cardinal Villot a non seulement décidé de modifier les faits, mais il a aussi précisé à monseigneur Magee qu'il ne pouvait évoquer devant personne les documents éparpillés sur les draps ni les médicaments qui avaient entre-temps été récupérés. Le secrétaire du pape était si perturbé qu'il a exécuté les ordres sans discuter. Ainsi débuta l'opération destinée à dissimuler la vérité sur la mort de Jean-Paul Ier. Le Vatican a aussitôt démenti les révélations des sources anonymes à l'ANSA et maintenu cette version pendant des années, avant de finir par reconnaître, sous la pression des enquêtes externes, que l'histoire véritable était différente et qu'il avait trompé les fidèles.

— Je comprends.

— Mais il y a encore un élément étrange dans toute cette histoire. Un peu avant 7 heures du matin, le sergent Hans Roggan, un garde suisse, a rencontré monseigneur Marcinkus devant les bureaux de la banque du Vatican, tout près du Palais apostolique, où le pape était mort. Le sergent lui a annoncé le décès du pape, mais cela n'a apparemment suscité aucune émotion chez Marcinkus ni un quelconque commentaire de sa part.

— Et alors ? Qu'est-ce que ça prouve ?

— Il était sept heures moins le quart, Catherine...

— Et après ? Monseigneur Marcinkus aimait peut-être se réveiller tôt.

— Eh bien en fait, il se trouve que non. Non seulement il vivait dans un appartement de la villa Stricht, à vingt minutes du Vatican, mais en plus il était connu pour être un lève-tard. Or, comme par hasard, ce jour-là, alors qu'il n'était même pas 7 heures du matin, Marcinkus se trouvait près du Palais apostolique, où le pape venait de mourir, et n'était soi-disant pas encore au courant de la nouvelle. Peu de temps après, le même monseigneur Marcinkus que Jean-Paul Ier avait précisément décidé, la veille, d'écarter de la banque du Vatican, s'occupait du billet de monseigneur Magee afin de lui faire quitter Rome sans être interrogé par la presse sur les circonstances de la mort du pape. Curieux, non ?

— Vraiment...

— Nous nous trouvons donc face à une interminable suite de mensonges et une série de faits étranges. À vrai dire, certains cardinaux se sont inquiétés. Le cardinal Confalonieri a proposé une autopsie pour faire taire les rumeurs qui se multipliaient. Sur la défensive, le secrétaire d'État s'est vu contraint de présenter une nouvelle version des faits. En fin de compte, le cardinal Villot finit par reconnaître que le pape n'avait pas succombé à un infarctus.

Catherine écarquilla les yeux.

— Quoi ?

— C'est ce que je vous dis, répéta Tomás. Le cardinal Villot a admis qu'il n'y avait pas eu d'infarctus.

— Mais... mais...

La Française était absolument sidérée. Elle dévisageait son interlocuteur à la recherche d'une explication. Ce n'était pas possible, il devait exagérer ; le Vatican n'avait pas pu annoncer une cause de décès du pape puis une autre.

Mais Tomás confirma :

— Villot a bien reconnu qu'il avait menti sur la cause de la mort.

LXXVII

Tomás était arrivé à un point crucial des révélations concernant la mort de Jean-Paul Ier.

— Le cardinal Villot a reconnu qu'il avait délibérément maquillé la vérité sur la mort du pape, insista Tomás. Ce qui s'était passé, a-t-il allégué, c'est que Jean-Paul Ier a pris par inadvertance une surdose d'Effortil, un médicament pour la pression artérielle, qui lui avait été fatale. Villot souligna qu'il fallait éviter une autopsie.

— Pourquoi ?

— Parce que l'autopsie révèlerait le mensonge et la véritable cause de la mort : ce résultat de l'examen médico-légal pouvait faire croire que le pape s'était suicidé ou qu'il avait été assassiné.

La Française semblait toujours incrédule.

— Villot a vraiment admis que le pape n'était pas mort d'un infarctus ?

— En privé, oui. Un cardinal, resté anonyme, a révélé à un enquêteur que Villot lui avait dit que si on effectuait une autopsie, on découvrirait que le pape était mort parce qu'il avait pris une dose excessive de médicament.

— Mais c'est très grave !

— Plus grave encore si l'on associe cette question au problème de l'heure du décès. Comme nous l'avons vu, le Vatican a annoncé que Jean-Paul Ier était mort aux alentours de 23 heures.

Le problème, c'est que les deux embaumeurs ont été interrogés par un enquêteur et ont déclaré que, en l'absence de *rigor mortis* et vu la température du corps, la mort n'avait pu se produire qu'aux alentours de 4 heures ou 5 heures du matin. Interrogés à trois reprises, les embaumeurs ont été catégoriques sur ce point.

— Oui, et alors ?

— Eh bien, c'est évident. Si le pape est mort d'une overdose de médicament, comme le cardinal Villot l'a admis en privé, cela signifie qu'il se serait soudainement réveillé vers 4 heures ou 5 heures du matin pour avaler d'énormes doses d'Effortil. Ça n'est pas crédible. Tous ceux qui doivent prendre régulièrement des médicaments savent parfaitement quoi prendre et à quelle heure. Si l'Effortil doit être pris au coucher, on le prend au coucher. Personne ne se réveille au milieu de la nuit pour avaler des quantités industrielles de médicament, ça tombe sous le sens.

Catherine secoua encore la tête, abasourdie par le comportement de l'ancien secrétaire d'État et les incohérences de la version présentée par le Vatican. Les arguments de l'historien avaient achevé de la convaincre.

— Vous avez raison, Tomás, finit-elle par admettre. Tout cela sent vraiment la magouille.

— Notez qu'on n'a aucune preuve de quoi que ce soit et pas beaucoup plus de certitudes, hormis ces trois faits : le premier, c'est que le cardinal Villot a menti et donné l'ordre de mentir ; le deuxième, c'est qu'il a autorisé l'embaumement de Jean-Paul Ier, rendant ainsi impossible l'autopsie ; et le troisième, c'est que les grands bénéficiaires de la mort du pape ont été Villot lui-même et Marcinkus, puisqu'ils ont sauvé leur poste, ainsi que Calvi, qui a pu continuer ses affaires, et Sindona, qui a réussi à ce que le Vatican reste muet sur ses combines, alors qu'il était en mauvaise posture.

— Mais que s'est-il passé ensuite ? Comment le scandale de la banque Ambrosiano a-t-il éclaté ?

— Comme vous le savez, le conclave a élu un nouveau pape, le Polonais Karol Wojtyla, qui a pris le nom de Jean-Paul II. Entre-temps, la Banque d'Italie avait achevé l'enquête sur la banque Ambrosiano et conclu que celle-ci était impliquée dans de nombreuses fraudes. Le juge Alessandrini qui devait engager l'action pénale a été assassiné juste après sa désignation, ce qui a retardé la procédure, et les enquêtes ont avancé à un rythme de tortue. Cependant, un autre incident très révélateur s'est produit à ce moment-là. Le gouverneur de la Banque d'Italie et son bras droit ont affirmé que ce qui avait été découvert jusque-là était suffisant pour mettre Calvi derrière les barreaux et ils ont exigé que la procédure soit menée avec diligence. Il fallait agir, et vite. Un juge a alors lancé un mandat d'arrêt, mais pas contre Calvi, non. Vous savez contre qui ? Je vous le donne en mille : contre le gouverneur de la Banque d'Italie lui-même et contre son bras droit.

— Quoi ?

— On dirait une plaisanterie, n'est-ce pas ? C'est pourtant ce qui s'est vraiment passé. Ils ont tous les deux été condamnés à des peines de prison pour ne pas avoir divulgué des informations qu'ils auraient détenues au sujet d'un crime. Quelques mois plus tard, on a conclu que l'accusation était fausse. Cela prouve à quel point Calvi savait se mouvoir dans les méandres du pouvoir. Le gouverneur de la Banque d'Italie a retrouvé son poste et, bien qu'il eût personnellement souffert de ce pouvoir corrompu, il a eu le courage de résister aux pressions de l'un des hommes de confiance du Premier ministre qui voulait que la Banque d'Italie comble les déficits laissés par l'autre partenaire de la banque du Vatican, Sindona. Ce dernier était aux abois à cause des découvertes que l'avocat Ambrosoli venait de faire à la Banca Privata Italiana, où il avait été nommé liquidateur par la Banque d'Italie. Ambrosoli avait découvert comment Sindona avait pillé sept banques en Italie, en Suisse, en Allemagne et aux États-Unis, faisant disparaître deux cent soixante-dix millions de dollars. Et il avait aussi décelé les délits commis en collaboration avec la banque du Vatican, notamment l'affaire de la Banca Cattolica del Veneto. Sindona devait le freiner. Comment a-t-il fait selon vous ?

— Il l'a poursuivi en justice ?

— Il a engagé un tueur de la famille Gambino, répondit sèchement Tomás. Ambrosoli a été tué par balle. Deux jours plus tard, un policier qui faisait une enquête sur la loge maçonnique P2 et le blanchiment d'argent a lui aussi été abattu. Et la semaine suivante, ce fut le tour de l'un des responsables de la police de Palerme, qui enquêtait sur les liens de Calvi et Sindona avec la mafia et qui avait découvert que Sindona avait utilisé la banque du Vatican pour blanchir de l'argent provenant du trafic d'héroïne.

Catherine ferma les yeux ; elle se sentait souillée par toutes ces révélations.

— C'est lamentable, absolument lamentable...

— Entre-temps, l'affaire de la banque Ambrosiano allait se dénouer. Calvi avait mis au point avec Marcinkus un plan compliqué dans lequel ils utilisaient la banque du Vatican pour virer de l'argent de l'Ambrosiano vers huit sociétés-écrans dans des paradis fiscaux. Plus d'un milliard de dollars ont ainsi été transférés, ce qui a rapporté des commissions substantielles à la banque du Vatican. Avec le troisième choc pétrolier, en 1979, les taux d'intérêt se sont envolés et les charges de l'Ambrosiano sont devenues gigantesques. La Guardia di Finanza a commencé à enquêter sur les huit sociétés-écrans et, bien qu'elle s'efforçât de fermer les yeux, elle a tout de même découvert bon nombre d'irrégularités. Le juge qui avait remplacé Alessandrini traînait aussi les pieds parce qu'il tenait à sa vie ; il s'est néanmoins vu contraint de saisir le passeport de Calvi et de l'informer des charges portées contre lui.

— Qu'a fait le Saint-Siège lorsque c'est arrivé ?

Tomás garda les yeux fixés sur la Française.

— Rien.

LXXVIII

La justice italienne avait engagé des poursuites contre Roberto Calvi, président de la banque Ambrosiano et principal partenaire de la banque du Vatican dans d'innombrables combines véreuses, et le Saint-Siège aurait décidé de ne rien faire ? Catherine ne parvenait pas à l'accepter. Tomás devait se tromper.

— Ce n'est pas possible, Tomás, argumenta la Française. Le Saint-Siège n'a pas pu rester les bras croisés lorsqu'il a appris qu'un juge avait saisi le passeport de Calvi et engagé une action pénale contre lui. Ça n'a pas de sens, voyons.

— J'en conviens, acquiesça l'historien. Le Vatican a cependant décidé de ne rien faire.

La chef de la COSEA avait du mal à le croire.

— Mais l'Église a vraiment été informée ? Vous en êtes sûr ?

— Le ministre italien du Trésor en personne est venu ici, au Vatican, implorer le responsable des Affaires étrangères du Saint-Siège, le cardinal Agostino Casaroli, et lui demander que l'Église rompe ses liens avec l'Ambrosiano, indiqua Tomás. Casaroli en a parlé avec Jean-Paul II et la demande du ministre a été purement et simplement ignorée. Le Vatican n'a absolument rien fait.

— Mais... pourquoi ? Tout le monde au Saint-Siège était devenu fou ?

— Il n'y a qu'une explication, dit le Portugais. La rupture était impossible, dans la mesure où l'Ambrosiano était devenue, en pratique, la propriété de la banque du Vatican. En réalité, le gouvernement italien n'a pas été le seul à prendre cette initiative. Les actionnaires de l'Ambrosiano ont également écrit une lettre au pape, dans laquelle ils attiraient son attention sur toutes les irrégularités au sein de l'institution et les relations qui avaient été établies entre la banque du Vatican, Calvi, la loge maçonnique P2 et la mafia, et ils lui ont demandé d'intervenir. Ils ont même pris le soin de rédiger la lettre en polonais, afin d'être sûrs que Jean-Paul II en comprendrait la teneur, mais le pape n'a même pas daigné leur répondre. Aux abois, le vice-président de la banque Ambrosiano lui-même a demandé la démission de Calvi. Quelques jours plus tard, on a essayé de l'assassiner. Le vice-président a été blessé, mais un agent de sécurité de l'Ambrosiano est intervenu et l'assassin a été abattu. Plus tard, la police a découvert que c'était un mafieux et que son contrat avait été payé par Calvi.

— Mon Dieu ! Ces gens-là ne pensent qu'à tuer quiconque se met en travers de leur chemin !

— Catherine, la banque du Vatican a commis des crimes financiers avec des banques liées à la mafia. À quoi vous attendiez-vous ? À des enfants de chœur ?

Elle soupira, résignée.

— En effet...

— Ensuite, les événements se sont accélérés. Il y eut d'abord l'attentat contre Jean-Paul II, place Saint-Pierre, puis, quelques jours plus tard, Calvi a été arrêté et condamné à quatre ans de prison. Enfin, Sindona a été accusé de l'assassinat d'Ambrosoli. Alors que tout commençait à s'effondrer autour d'eux, les intéressés ont bénéficié d'un répit. Calvi a été libéré sous caution, en attendant de statuer sur son recours, et la Banque d'Italie l'a autorisé à diriger à nouveau la banque Ambrosiano.

— Alors même qu'il avait été condamné et malgré toutes les malversations découvertes à la banque Ambrosiano ?

— Selon une rumeur de l'époque, Calvi aurait conclu un accord avec le ministère public aux termes duquel il acceptait de coopérer avec la justice en échange de quelques faveurs. Cependant, un nouveau problème est apparu. Les succursales de la banque Ambrosiano au Pérou, au Nicaragua, au Panama, aux Bahamas et au Luxembourg avaient contracté des emprunts de plus d'un milliard de dollars auprès d'autres banques, y compris la banque du Vatican, afin que Calvi puisse acheter des actions de l'Ambrosiano et ainsi faire monter la cote de sa propre banque en Bourse. Calvi réclamait encore plus d'argent pour cette opération, mais les directeurs des succursales au Pérou et au Nicaragua, dont les comptes étaient dans le rouge à cause de toutes ces manigances, savaient que la Guardia di Finanza soupçonnait que les huit sociétés-écrans dans des paradis fiscaux appartenaient à la banque Ambrosiano.

— Et c'est très bien, rétorqua l'auditrice. Si les sociétés étaient vraiment détenues par l'Ambrosiano, cela signifiait tout simplement que les emprunts n'avaient aucune garantie. En d'autres termes, ils ne seraient jamais remboursés.

— Ce fut le raisonnement des gérants péruvien et nicaraguayen. Comme Calvi affirmait que ces huit sociétés étaient la propriété de la banque du Vatican, les gérants exigèrent des preuves. Calvi s'est alors adressé à Marcinkus, qui lui a établi deux lettres d'intention confirmant que la banque du Vatican possédait bien ces huit sociétés. En échange, Calvi versa une commission à la banque du Vatican et laissa une lettre secrète dans laquelle il exemptait l'Église de l'obligation de payer les emprunts contractés pour les huit sociétés. Peu après, grâce à toutes ces manipulations, l'Ambrosiano a annoncé que ses bénéfices annuels avaient été, tenez-vous bien, multipliés par trois.

Catherine éclata de rire ; elle ne connaissait que trop bien les subtilités comptables auxquelles des banques pouvaient se livrer pour annoncer des résultats fantastiques.

— Des « bénéfices-poudre-aux-yeux », oui !

— Sauf que la réalité finit toujours par éclater, n'est-ce pas ? La famille de Calvi a révélé que Licio Gelli, l'homme fort de la loge maçonnique P2, qui entre-temps s'était enfui en Uruguay, continuait à l'appeler pour exiger de l'argent, et Calvi payait.

Chaque fois que quelqu'un de la famille répondait au téléphone, Gelli donnait son nom de code. Devinez quel nom il avait choisi.

— Je n'en ai pas la moindre idée.

— Luciani.

Elle fronça les sourcils.

— Quel Luciani ? Albino Luciani ?

— Vous en connaissez un autre ? demanda-t-il sur un ton moqueur. Chaque coup de fil de Gelli commençait par « Allô, ici Luciani ». Vous trouvez ça normal ? Comme pour rappeler à Calvi ce pape mort dans des circonstances si suspectes. Un inspecteur qui enquêtait sur la mort de Jean-Paul Ier contacta Calvi, lequel, lorsqu'il comprit que le sujet de la conversation était Albino Luciani, devint très agité. « Qui vous a envoyé vers moi ? » cria-t-il. « Qui vous a dit de parler avec moi ? Je paie toujours. Je paie toujours. Comment vous connaissez Gelli ? Qu'est-ce que vous voulez ? Combien vous voulez ? »

— Le nom du pape décédé l'avait rendu vraiment très nerveux...

— Au même moment, la Banque d'Italie lui a demandé des explications détaillées sur les virements concernant les huit sociétés-écrans. Mais rien n'était explicable. Pris de panique, Calvi a fait ses valises. « Je vais révéler des choses qui vont ébranler le Vatican », a-t-il dit à l'un de ses proches. « Le pape devra démissionner. » Ensuite il a quitté le pays. Les actions de l'Ambrosiano ont commencé à chuter et les inspecteurs de la Banque d'Italie ont fini par comprendre que tous les chemins menaient à la banque du Vatican. Les gestionnaires de l'Ambrosiano ont alors exigé qu'elle assume les dettes des huit sociétés-écrans, comme Marcinkus l'avait garanti dans la lettre d'intention, mais le Saint-Siège exhiba la lettre secrète de Calvi qui exonérait la banque du Vatican. L'Église a pensé s'en sortir. Mais cette lettre secrète n'avait aucune valeur légale puisque les succursales du Pérou et du Nicaragua, ainsi que le conseil d'administration et les actionnaires de l'Ambrosiano, n'en connaissaient pas la teneur. En d'autres termes, pour être valable, la lettre secrète ne pouvait pas être secrète.

— C'est évident ! confirma la Française. Tout auditeur sait ça, et Marcinkus devait le savoir aussi !

— La première réaction du Vatican a été de dire qu'il ne paierait pas un centime. Sans fonds propres ni crédit, la banque Ambrosiano a fait faillite. Le même jour, on a retrouvé Calvi pendu sous un pont de Londres. La police a d'abord conclu à un suicide, mais seize ans plus tard son corps a été exhumé et un examen médico-légal a permis d'établir qu'il avait été assassiné.

— Par qui ?

— Un mafieux a reconnu le crime et précisé que l'ordre avait été donné par la mafia, en accord avec Licio Gelli, de la loge P2. Il a parlé de sommes d'argent qui avaient disparu, mais il est probable que les mandataires du crime avaient beaucoup à craindre d'une éventuelle collaboration de Calvi avec la justice. Des questions très importantes étaient en jeu, une kyrielle sans fin de crimes, y compris sans doute la mort du pape. Il y avait un tas de choses compromettantes qu'il fallait taire. D'ailleurs, le parquet de Rome a conclu que la mafia n'avait pas agi dans son intérêt personnel, mais plutôt pour défendre ce qu'il a décrit comme « d'importantes personnalités politiques et des responsables de la maçonnerie, de la loge P2 et de la banque du Vatican », hypothèse confirmée par l'un des assassins devant le juge.

— Et au Vatican, quelle a été la réaction ?

— Ce fut la panique. La Banque d'Italie a estimé que l'artifice des trois lettres constituait une conspiration de Marcinkus et de Calvi pour frauder et un juge de Turin a ouvert une enquête contre Donato De Bonis, le numéro deux de la banque du Vatican qui avait été impliqué dans certaines des transactions illégales de Calvi. Le ministère public a envisagé la possibilité d'accuser De Bonis de complicité dans la débâcle de l'Ambrosiano, mais il a fini par le considérer comme un simple exécutant. Plus grave encore, non seulement la banque du Vatican avait perdu tout l'argent qu'elle avait prêté à l'Ambrosiano, mais les créanciers des huit sociétés-écrans ont exigé du Saint-Siège qu'il honore les garanties qu'il avait données, en se fondant sur les lettres d'intention signées par Marcinkus. Après moult hésitations, et apparemment grâce à l'intervention de monseigneur Dardozzi, le Vatican a accepté de se considérer comme le responsable moral de tout ce scandale et a versé plus de deux cent quarante millions de dollars d'indemnisation.

— Et Sindona ?

— Il a été extradé vers l'Italie et condamné à la prison à perpétuité pour l'assassinat d'Ambrosoli. Il a annoncé en prison qu'il allait passer aux aveux et dénoncer tout le monde. Deux jours plus tard, alors qu'il buvait un café dans l'établissement de haute sécurité de Voghera où il avait été incarcéré, il s'est mis à vomir et s'est effondré en criant qu'il avait été empoisonné. Il est mort le surlendemain. Les analyses ont révélé qu'il y avait du cyanure dans son café.

Catherine soupira profondément.

— Eh bien ! Quelle histoire !

Une fois achevé le long récit du scandale de la banque Ambrosiano, Tomás s'adossa au dossier de son siège et croisa les bras, observant son interlocutrice, un léger sourire aux lèvres.

— Dans toute cette lamentable aventure, les invraisemblables combines de Marcinkus n'ont d'égal que son incroyable impunité. Pendant ces événements, qu'a fait le pape Jean-Paul II, selon vous ? Il l'a démis de ses fonctions ? Il l'a expulsé du Vatican ? Il l'a remis à la justice ? Absolument pas. Non seulement il l'a confirmé comme président de la banque du Vatican, sans doute pour le remercier de ses compétences et de son honnêteté chrétienne, mais il l'a également nommé président de la Commission pontificale, une charge qui l'élevait au rang d'archevêque, faisant de lui le gouverneur virtuel de la Cité du Vatican.

L'auditrice écarquilla les yeux.

— Le pape l'a promu ?!

— Absolument. La justice italienne a émis un mandat d'arrêt contre Marcinkus, alors qu'il était archevêque, et contre deux autres hauts fonctionnaires de la banque du Vatican. L'Église a invoqué l'article 11 des accords du Latran pour les protéger et l'archevêque Marcinkus est resté cloîtré derrière les murailles léonines. S'il en sortait, il risquait d'être appréhendé par la police italienne.

— C'est tout simplement incroyable.

— À cause de ces scandales, les dons au denier de Saint-Pierre ont baissé de soixante-quinze pour cent, ce qui n'a fait qu'aggraver la ruine du Vatican. Face à la catastrophe, les cardinaux ont imploré Jean-Paul II de faire quelque chose pour rétablir la confiance des fidèles. Le pape a répondu que, s'il fallait pour cela remettre l'archevêque Marcinkus à la justice, il était inutile d'y songer.

Catherine évita de regarder Tomás ; le comportement du souverain pontife était par trop embarrassant.

— En effet...

— J'imagine donc que vous savez déjà quelle question je vais vous poser à présent, n'est-ce pas ? C'est une question à un million d'euros.

Elle respira profondément, comme si elle savait effectivement à quoi s'attendre, mais elle avait besoin que l'historien formule lui-même la question.

— Je vous écoute.

— Pour quelle raison Jean-Paul II a-t-il protégé Marcinkus ?

Catherine leva un sourcil.

— Je l'ignore.

— Je ne vois qu'une possibilité.

— Laquelle ?

Tomás demeura encore un instant adossé à son siège. Puis il s'inclina et s'approcha du visage de la Française, désireux d'étudier sa réaction à ce qu'il allait lui dire.

— Le pape était mêlé à tout ça.

LXXIX

Pour Tomás, c'était bien là le plus grand mystère du scandale de la banque Ambrosiano. Comment, après avoir participé pendant tant d'années à toutes sortes d'opérations illégales avec Michele Sindona et Roberto Calvi, deux banquiers liés à la mafia et condamnés par la justice, et alors même que les autorités italiennes avaient délivré un mandat d'arrêt contre lui, monseigneur Marcinkus avait-il été non seulement protégé contre la justice, mais aussi maintenu à la tête de l'IOR et, qui plus est, promu au rang d'archevêque par le pape ?

— Le comportement de Jean-Paul II à l'égard du scandale de la banque Ambrosiano a été très suspect, insista l'historien. Moins de deux mois après le début de son pontificat, Karol Wojtyla a convoqué monseigneur Marcinkus à une réunion dans ses appartements. À cette époque, les incidents mettant en cause Marcinkus se multipliaient. Le FBI l'avait déjà interrogé pour l'émission des faux billets de trésorerie, la Banque d'Italie avait découvert des irrégularités à la banque Ambrosiano, un audit interne demandé par Jean-Paul Ier avait révélé des anomalies dans la gestion de la banque du Vatican et ce même pape avait donné l'ordre au cardinal Villot d'éloigner immédiatement Marcinkus de l'institution.

— Vous avez la certitude que le pape était au courant de tout cela ?

— Absolument. Six mois avant la réunion de Jean-Paul II avec monseigneur Marcinkus, deux cardinaux lui ont remis les conclusions de l'audit de la banque du Vatican. Le jour de la réunion, voulant s'assurer que le pape avait bien pris connaissance du dossier, l'un des cardinaux lui a demandé sans détours s'il avait lu le rapport d'audit. Jean-Paul II a répondu que oui.

— Très bien.

— La réunion a eu lieu en polonais. Les parents de monseigneur Marcinkus étaient lituaniens et il connaissait cette langue. Le pape a évoqué la polémique financière que suscitait, à l'époque, la gestion par un groupe de moines d'un sanctuaire, aux alentours de Philadelphie, dédié à Notre-Dame de Czestochowa, la fameuse Vierge noire vénérée par les catholiques polonais. Jean-Paul II voulait savoir si Marcinkus était capable de trouver de l'argent pour régler le problème. Sentant qu'on lui donnait une chance de s'en sortir, le président de la banque du Vatican répondit au pape qu'il allait s'en occuper. Changeant alors de sujet, Jean-Paul II a annoncé qu'il envisageait de faire un voyage au Mexique et lui a demandé s'il était disposé à organiser cette visite et à l'accompagner. Marcinkus accepta et la réunion s'acheva, les deux parties étant très satisfaites.

Catherine afficha un air étonné.

— Mais alors, et les questions liées aux anomalies

constatées à l'IOR ? Que lui a demandé le pape à ce sujet ?

— Rien.

— Ce n'est pas possible. Le Saint-Père n'avait pas lu le rapport d'audit portant sur l'IOR ?

— Il l'avait lu, mais apparemment il n'a pas évoqué ce sujet lors de l'entretien avec monseigneur Marcinkus. Il s'est comporté comme si tout était normal.

— Il l'a peut-être abordé et on ignore ce qu'ils se sont dit, rétorqua-t-elle. Personne d'autre n'était présent à la réunion, ils ont très bien pu décider de ne rien révéler de cette partie de leur entretien, vous ne pensez pas ?

— Peut-être, reconnut Tomás. Cependant, Jean-Paul II savait que Marcinkus, étant américain, de Chicago, une région de forte immigration polonaise, avait réuni les dons des Américains polonais de Chicago pour le diocèse de Cracovie à l'époque où Karol Wojtyla y exerçait ses fonctions. En d'autres termes, le pape savait que le président de la banque du Vatican était très doué pour collecter des fonds. Par conséquent, il est clair selon moi que, pour Jean-Paul II, les résultats de Marcinkus étaient plus importants que les méthodes douteuses qu'il employait pour y parvenir. Jean-Paul II ne voulait pas savoir si l'argent venait des activités de la mafia, telles que le trafic de drogue et la prostitution, s'il était volé aux déposants de la Banca Privata ou de la banque Ambrosiano, ou encore s'il provenait d'une quelconque autre source illicite, immorale ou illégale. Ce qu'il voulait, c'était l'argent. Point final. Et ça ne peut être que parce qu'il n'était pas innocent dans toute cette histoire.

La chef de la COSEA semblait résignée.

— C'est possible.

Sa réponse surprit Tomás. Il s'attendait à ce que Catherine, salariée du Saint-Siège et catholique pratiquante, soit indignée par une telle conclusion, proteste, mette en avant la pureté des intentions du souverain pontife et affirme que Jean-Paul II avait été trompé. Cependant, elle semblait être d'accord sur ce point si crucial et si délicat.

— Ai-je bien entendu ? lui demanda l'historien. Vous ne contestez pas ce que je dis ?

— Pourquoi le contesterais-je ? Votre analyse est parfaitement plausible et conforme aux faits connus.

— Alors, si nous sommes d'accord là-dessus, il va falloir répondre à la question suivante : pourquoi le pape avait-il besoin d'argent ? Pour alimenter son compte bancaire ? Pour le donner aux pauvres ? Pourquoi ?

À ces questions, la Française le dévisagea.

— Ne me dites pas que vous ne savez pas...

— Non, je ne sais pas, confirma Tomás. Pour quelle raison Jean-Paul II a-t-il ignoré les crimes commis par le président de la banque du Vatican et ses comparses ? Et pourquoi s'est-il uniquement focalisé sur l'argent ? Comment un pape peut-il accorder autant de valeur à l'argent alors que Jésus a dit qu'« il est plus facile à un chameau de passer par le trou d'une aiguille qu'à un riche d'entrer dans le royaume de Dieu » ? Le sauriez-vous par hasard ?

— Sur ce sujet, je suis particulièrement bien informée, répondit-elle. J'ai eu accès à un certain nombre d'informations en faisant l'audit des comptes du Vatican...

— Alors expliquez-moi !

Catherine détourna momentanément les yeux vers le téléviseur, désireuse d'avoir des nouvelles de l'enlèvement du souverain pontife et de la situation internationale, mais l'appareil était toujours éteint. Sans doute était-ce mieux ainsi, car elle pouvait se concentrer sur leur conversation. La meilleure manière de répondre à cette difficile question, conclut-elle, était d'en poser une autre.

— Dites-moi une chose, Tomás, demanda-t-elle. Vous pensez que les cardinaux qui ont élu Karol Wojtyla étaient pleinement conscients des conséquences de leur choix en nommant un cardinal originaire d'Europe de l'Est dans un contexte d'affrontement entre démocraties occidentales et totalitarisme communiste ?

— Vous voulez parler de la guerre froide ? (L'historien secoua la tête.) Je ne crois pas que ce soit ce qui a le plus préoccupé les cardinaux. Du reste, on sait aujourd'hui que le nom de Wojtyla est apparu tardivement au cours du scrutin, et uniquement parce qu'il était le candidat du compromis.

— Cette question n'a peut-être pas été déterminante dans le choix de Jean-Paul II, mais croyez-moi, elle l'a été durant tout son pontificat. Lorsqu'ils ont opté pour Wojtyla, les cardinaux ont élu sans le savoir le plus anticommuniste de tous les papes. Karol Wojtyla venait de Pologne, un pays sous la botte communiste, strictement contrôlé par Moscou qui avait déjà envahi deux autres pays de l'Est, la Hongrie et la Tchécoslovaquie. Le pape polonais savait ce que c'était de vivre sous un régime totalitaire et dictatorial, et il détestait les communistes et ce qu'ils faisaient à son pays.

— Le rôle de Jean-Paul II dans la lutte contre le communisme est largement connu, fit observer Tomás. Au début, Wojtyla ne croyait pas que le communisme pouvait être vaincu et il pensait même que la meilleure solution serait que l'Église trouve un arrangement avec les communistes. Tout cela a changé avec l'attentat de la place Saint-Pierre, le 13 mai 1981. La date de l'attentat a coïncidé avec l'anniversaire des apparitions de Fátima, ce qui a amené Jean-Paul II à considérer avec une attention particulière les prophéties de la Vierge aux bergers portugais. Cette prédiction au sujet de la conversion de la Russie était-elle vraie ? Les prophéties de Fátima l'ont amené à penser que le communisme pouvait réellement être vaincu. C'est pour ça que Jean-Paul II a consacré la Russie au Cœur immaculé de Marie, comme la Vierge l'avait demandé en 1917. Pour l'Église, cela a été fondamental dans l'effondrement de l'empire soviétique.

— Et vous, Tomás ? Vous y croyez aussi ?

— Je suis un homme de science, je ne crois pas en ces choses-là, rétorqua-t-il, presque offensé qu'elle ait pu le croire capable d'accorder de l'importance à des prophéties. Ce que je viens de vous expliquer est simplement la lecture mystique de l'Église. En réalité, le contexte international était en train de changer à cette époque. Souvenez-vous, peu avant le début du pontificat de Jean-Paul II, Margaret Thatcher est arrivée au pouvoir au Royaume-Uni, puis Ronald Reagan aux États-Unis. C'est cette triple alliance, conjuguée à l'échec du communisme en tant que système, qui a été à l'origine de l'implosion de l'Union soviétique. Le reste, ce sont des histoires.

— Très bien, acquiesça la Française. Mais à cette

époque, certains événements se sont également produits en Pologne, n'est-ce pas ?

— Ah, oui ! Solidarnosc. (Il chercha dans ses souvenirs.) Il me semble que c'est quelques mois après le début du pontificat de Karol Wojtyla que les travailleurs des chantiers navals de Gdańsk, dirigés par Lech Walesa, ont défié les autorités communistes et créé Solidarnosc, premier syndicat non contrôlé par les communistes. (Il fronça les sourcils, intrigué.) Pourquoi parlez-vous de cela ? Insinueriez-vous que le pape est à l'origine de la création de Solidarnosc ?

— Bien sûr que non, précisa-t-elle. Mais, de toute évidence, Jean-Paul II n'est pas resté indifférent à cet événement.

— Cela va de soi. Ça se passait en Pologne, son pays d'origine. Comment pouvait-il l'ignorer ? De plus, c'était un événement extrêmement embarrassant pour les communistes. Polonais et anticommuniste, Karol Wojtyla a suivi les événements de près. D'ailleurs, grâce à l'Église polonaise, il avait accès à des informations de première main venant du terrain. Mais qu'est-ce que cela a à voir avec notre sujet ?

— Vous savez certainement qu'à Moscou, la crise polonaise était également suivie de très près ; c'était un sujet de préoccupation, ajouta-t-elle, ignorant délibérément la question de son interlocuteur. Au Kremlin, d'aucuns, redoutant un effet domino en Europe de l'Est, étaient favorables à l'invasion de la Pologne, comme les Soviétiques l'avaient déjà fait lors des troubles en Hongrie et en Tchécoslovaquie pour éviter l'effondrement des dictatures communistes. Le pape n'ignorait rien de tout cela.

Il s'agissait là de questions historiques que Tomás connaissait sur le bout des doigts.

— En effet, acquiesça-t-il. Il semblerait même que Jean-Paul II ait écrit une lettre au leader soviétique, Léonid Brejnev, pour l'avertir qu'il dirigerait en personne la résistance polonaise au cas où l'Union soviétique envahirait la Pologne. Le Vatican prit soin de faire connaître la teneur de cette lettre aux militants de Solidarnosc. L'information s'est répandue comme une traînée de poudre et les a encouragés à poursuivre la révolte. Si les tanks russes entraient dans le pays, le pape en personne viendrait les affronter ! Le vicaire du Christ serait leur général ! Qui pouvait demeurer indifférent à un tel engagement ?

Catherine continuait de dévisager Tomás de ses yeux bleus.

— Vous savez qui est allé secrètement à Moscou remettre cette lettre à Brejnev ?

L'historien haussa les épaules.

— Quelle importance ?

— Très grande.

— Alors, qui était-ce ?

La Française esquissa un léger sourire. Après avoir entendu de la bouche du Portugais tant de choses qui l'avaient surprise, le moment était enfin venu de lui rendre la pareille. Elle se réjouissait déjà de voir la réaction de Tomás à ce qu'elle allait lui révéler.

— L'archevêque Marcinkus.

LXXX

Cette nouvelle révélation aurait dû choquer Tomás, mais ce ne fut pas le cas. L'historien savait parfaitement qu'un fort lien de complicité unissait Jean-Paul II au président de l'IOR, un lien qui autorisait tout, même le recours à monseigneur Marcinkus comme envoyé spécial du pape en mission secrète de la plus haute importance.

– Je l'ignorais, mais cela ne me surprend pas, affirma-t-il. Marcinkus et Wojtyla étaient devenus très proches. Je sais qu'ils ont passé énormément de temps ensemble pour préparer ce premier voyage au Mexique, et le président de la banque du Vatican a alors eu toute latitude pour convaincre le pape qu'il n'avait rien à voir avec la mort de Jean-Paul Ier. Selon Marcinkus, le KGB était à l'origine de cette rumeur. Pour Wojtyla, un tel argument faisait parfaitement sens : le pape connaissait bien les méthodes de la police secrète polonaise et il devait penser que celles de la police soviétique étaient probablement bien pires. Il a assuré Marcinkus qu'en aucun cas il ne permettrait au KGB de nuire à sa réputation.

Catherine fut presque déçue par la réaction de l'historien. Elle avait espéré le troubler par l'information qu'elle lui avait donnée, mais manifestement il n'en était rien.

— Eh bien... d'une certaine manière, vous avez la réponse à votre question sur les raisons qui ont conduit Jean-Paul II à soutenir Marcinkus chaque fois qu'il a été mêlé à des scandales.

— Non, pas tout à fait, rétorqua Tomás. Le pape pouvait être crédule quant aux théories conspirationnistes impliquant le KGB, cela ne fait aucun doute, mais il n'était pas idiot. Au bout d'un certain temps, il est apparu clairement que des choses très graves se passaient à la banque du Vatican et seul un imbécile pouvait penser que le KGB était derrière Sindona, Calvi, la loge maçonnique P2 et la mafia. Or, Jean-Paul II était tout sauf un imbécile. Il a néanmoins soutenu Marcinkus envers et contre tout, allant jusqu'à souiller la réputation de l'Église catholique. Pourquoi ? Qu'avait bien pu faire Marcinkus pour s'assurer la loyauté éternelle et inconditionnelle du souverain pontife ?

La chef de la COSEA soupira. Elle avait espéré que Tomás se contenterait de l'explication simpliste selon laquelle Jean-Paul II avait cru que le KGB était derrière tout cela, ce qui lui aurait évité d'aborder d'autres sujets désagréables, mais de toute évidence l'historien avait l'intention d'aller au fond des choses.

Elle inclina la tête et lui jeta un regard pénétrant.

— Après tout ce que je vous ai raconté, vous n'avez pas encore compris ?

Tomás hésita, repassant la conversation dans sa tête. Enfin, il vit ce qui aurait dû être tout de suite évident.

— La Pologne ?

Elle acquiesça.

— Tout a à voir avec la Pologne.

Tomás réfléchit à la question. En effet, la Pologne et la confrontation avec l'empire communiste apparaissaient comme l'élément central du pontificat de Jean-Paul II. Le pape n'avait-il pas été convaincu par la prophétie de Fátima concernant la conversion de la sainte Russie ? Et quel pouvait bien être le cheval de Troie au sein de l'empire communiste, la clé de la reconversion de la Russie au christianisme ? Sa Pologne natale, bien évidemment. Comment n'y avait-il pas pensé plus tôt ?

Il se pencha en avant et dévisagea intensément son interlocutrice.

— Et le lien entre Marcinkus et la Pologne ?

Catherine leva la main droite et frotta son pouce contre son index, en un geste universellement connu.

— L'argent.

— Comment cela ?

— Revenons au contexte de l'époque, commença-t-elle. Comme vous l'avez observé, Jean-Paul II n'était pas seul dans sa croisade anticommuniste. Margaret Thatcher en Angleterre et Ronald Reagan en Amérique l'ont tous deux encouragé à affronter Moscou. Il se trouve que bon nombre des hommes proches du nouveau président américain étaient catholiques, y compris le chef de la CIA. William Casey s'est mis à rendre visite à Jean-Paul II tous les six mois pour lui communiquer des informations confidentielles recueillies par les services secrets américains, des photographies satellites montrant les mouvements des troupes soviétiques et les positions des missiles, ainsi que des informations sur les activités des communistes pour miner Solidarnosc. En échange, le pape communiquait aux Américains des renseignements que les prêtres polonais recueillaient sur le terrain et relayaient au Vatican. Ces renseignements étaient tellement intéressants que le président Reagan lui-même voulait en prendre connaissance.

— Reagan, Thatcher et Wojtyla ont formé une alliance. Ce fait est connu et il a été déterminant.

— En effet. Cependant, entre les visites de Casey tous les six mois, il fallait quelqu'un pour maintenir le contact entre le Vatican et Washington, quelqu'un qui jouisse de la confiance des deux parties, quelqu'un qui... enfin, un prélat américain.

Tomás écarquilla les yeux, tant la suggestion était évidente.

— Marcinkus ?

— Le président de l'IOR fut associé de près à cette affaire, confirma Catherine. J'ai découvert ça, ici, au Vatican, presque par hasard. Monseigneur Marcinkus avait le profil idéal. Washington avait confiance en lui parce qu'il était américain, et Jean-Paul II aussi parce que c'était un prélat, d'origine lituanienne de surcroît. Il a ainsi commencé à voyager régulièrement entre le Vatican et les États-Unis pour porter des messages, comme un pigeon voyageur en somme.

— Je l'ignorais.

— Restait cependant un problème pratique à régler. L'échange d'informations, à lui seul, ne suffisait pas. Il ne pouvait être utile que s'il permettait d'agir efficacement sur le terrain. Sur le plan pratique, cela consistait à aider la CIA à acheminer en Pologne des équipements tels que du matériel de communication et des machines typographiques, des équipements simples mais nécessaires pour permettre à Solidarnosc de fonctionner. Qui mieux que les religieux pouvaient exécuter cette mission ?

— Le Vatican a donc commencé à aider Solidarnosc....

— Absolument. Le problème, c'est que Lech Walesa et ses amis n'étaient pas en mesure d'affronter l'empire communiste et tout son appareil totalitaire et répressif uniquement avec du matériel de communication, des machines typographiques et ce genre de choses. Solidarnosc avait besoin de plus que ça. Beaucoup plus. Il y avait des syndicalistes emprisonnés dont les familles étaient démunies, des grévistes au chômage qui avaient besoin d'aide, des militants qui étaient passés dans la clandestinité et devaient changer d'appartement et de voiture pour échapper à la police politique communiste. Bref, les dangers ne manquaient pas, il fallait soutenir du monde et payer beaucoup de choses.

— En somme, il fallait de l'argent.

— Beaucoup d'argent, Tomás. Le pape savait que Solidarnosc en avait besoin, mais où allait-il en trouver ?

— Chez les Américains, bien entendu.

— Les Américains ont donné de l'argent, c'est vrai. Mais pas tant que ça, contrairement à ce qu'on pense. Conformément aux règles non écrites de la guerre froide, les parties ne devaient pas trop aider les opposants de l'adversaire sur le sol européen. Il fallait rechercher l'argent ailleurs. Mais où Jean-Paul II pouvait-il le trouver ? Où... et auprès de qui ?

Pour l'historien, la tournure des événements était évidente et le raisonnement du pape très clair.

— Auprès de Marcinkus et de la banque du Vatican, bien sûr.

— Vous voyez que vous êtes malin, sourit-elle. Comme vous l'avez compris, Jean-Paul II ne voulait pas savoir si l'argent venait des activités liées à la prostitution et au trafic de drogue des familles Gambino ou Genovese, des épargnants des banques de Sindona ou de Calvi, de la fraude fiscale à grande échelle, ou d'ailleurs. Ce qu'il voulait, c'était de l'argent. Et Marcinkus lui en procurait.

— La fin justifie les moyens.

— Les enjeux étaient si grands et les objectifs si importants que rien n'intéressait plus Jean-Paul II que la perspective de sauver sa Pologne et de renverser le régime communiste. Il a donc ordonné à Marcinkus de mettre au point des moyens secrets pour envoyer de l'argent à Solidarnosc, ce qui devint particulièrement important quand les autorités communistes décrétèrent la loi martiale, déclarèrent illégal le syndicat indépendant et arrêtèrent six mille de ses membres. C'est ainsi que, pendant huit ans, le président de l'IOR a envoyé d'importantes sommes d'argent en Pologne, et c'est dans ce contexte que le pape a été impliqué dans l'affaire de la banque Ambrosiano.

— Quelles sommes ont-ils fait parvenir en Pologne ?

— C'est difficile de le savoir précisément, mais certainement plus de cent millions de dollars. Et pas seulement en liquide. Pendant mon audit, j'ai découvert que trois millions cinq cent mille dollars de l'IOR avaient servi à acheter au Crédit suisse de petits lingots d'or pur à 99,99 %. J'ai posé quelques questions et j'ai découvert que les lingots avaient été cachés dans une trappe et dans les portes d'une Lada Niva qu'un curé de Gdańsk a conduite d'Italie en Pologne. Et ce n'est là qu'un exemple. Tout ce qu'il était possible de faire a été fait, même en violant la loi.

Tomás se cala dans son siège. Finalement, toutes les pièces finissaient par s'emboîter.

— Cela explique que Marcinkus ait trempé dans ces affaires véreuses avec les banquiers de la mafia, conclut-elle. Il est probable qu'une grande partie de l'argent détourné de la banque Ambrosiano ait fini en Pologne. De même, il est très probable que Licio Gelli et la loge maçonnique P2, qui luttaient contre les communistes en Europe et en Amérique du Sud, aient été recrutés pour mener cette bataille décisive de la guerre froide.

La Française regarda vers la fenêtre. De l'extérieur montait une rumeur formée par les centaines de milliers de voix qui priaient pour la vie et la libération du pape.

— Tout ça, c'est l'Histoire, dit-elle, inquiète. Mais quel lien peut-il y avoir entre ces événements et l'enlèvement et l'exécution imminente de notre pape ? Et comment ces événements passés peuvent-ils nous aider à comprendre et à régler ce qui arrive actuellement ?

L'historien posa les yeux sur les nombreuses chemises du dossier Dardozzi éparpillées et empilées sur le bureau de la chef de la COSEA.

— Le lien doit se trouver quelque part dans ces documents.

LXXXI

Tous les documents avaient été consultés, sauf quelques-uns qui, jugés moins importants, étaient restés dans un coin. Le dossier Dardozzi était si imposant que Catherine et Tomás avaient dû faire un choix.

La Française contempla les piles d'un air dubitatif.

— Vous pensez vraiment que c'est là-dedans qu'on va trouver le lien entre le passé et le présent ? demanda-t-elle. Nous avons déjà examiné tant de papiers sans trouver aucune nouvelle piste...

Tomás tendit le bras et saisit l'une des chemises portant la mention « *Corrispondenza* », « correspondance ». Il ne l'avait pas encore ouverte, justement parce que le titre ne semblait pas particulièrement intéressant pour l'enquête.

— Je n'ai aucune certitude, rétorqua-t-il. C'est juste une intuition. Si le pape nous a guidés vers le dossier Dardozzi, c'est probablement parce qu'on y trouvera la clé du mystère de son enlèvement. Mon instinct me pousse dans cette direction, mais j'avoue que je ne suis sûr de rien. Je ne sais pas comment terminer ce puzzle, il me manque sans doute une pièce maîtresse.

— De quelle pièce peut-il s'agir, selon vous ?

L'universitaire portugais feuilletait le contenu de la chemise « *Corrispondenza* », dont il parcourait distraitement les lettres. Il s'agissait de courriers échangés entre l'IOR et d'autres institutions ou épargnants. L'un des documents attira sa curiosité ; il ne s'agissait pas d'une lettre à proprement parler, mais de la simple photocopie d'un document datant de la Renaissance, qui représentait deux cercles concentriques, comportant des lettres et des chiffres, enchâssés l'un dans l'autre.

Ce double cercle, que Tomás avait reconnu, attira son attention.

— Alberti.

La consultante fit une grimace interrogative.

— C'est la pièce de notre puzzle ? Que voulez-vous dire par là ? Qui est cet Alberti ?

Comprenant le malentendu, l'historien lui tendit la chemise pour lui montrer la photocopie.

— Non, je parlais de ceci, expliqua-t-il. C'est le cadran chiffrant que le sage florentin Alberti a intégré dans le livre *De Cifris*, une œuvre du XVe siècle. Cela n'a rien à voir avec notre problème.

Sans intérêt, pensa Catherine.

— Et donc, quelle serait, selon vous, la pièce manquante qui permettrait de résoudre ce mystère ?

Concluant qu'il n'y avait rien d'intéressant pour eux dans la chemise de la « *Corrispondenza* », Tomás la referma et la reposa sur le bureau.

— Omissis.

— Vous pensez vraiment qu'en découvrant l'identité de celui ou celle qui se cache derrière ce nom de code et qui, conjointement avec Donato De Bonis, gérait le compte de la pseudo Fondazione Cardinale Francis Spellman, nous parviendrons à tout comprendre ?

— Je vous ai déjà dit que le type du commando qui m'a enlevé avait pour instruction de déterminer si nous connaissions ou non la véritable identité d'Omissis, rappela-t-il. Donc cette question est essentielle. Si l'on arrive à savoir qui est Omissis, nous saurons qui est derrière tout ça.

— Mais ça nous le savons déjà, Tomás ! C'est un groupe lié à l'État islamique.

— Oui, mais ce que nous savons n'explique pas pourquoi le pape a fait référence à Dardozzi dans la vidéo, ni ne nous dit qui est le Judas qui, au Vatican, aide les terroristes. Si le pape nous a encouragés à suivre la piste Dardozzi, c'est parce qu'elle nous mènera quelque part. Je suis convaincu qu'Omissis est la clé.

— Et comment l'identifier ?

Tomás s'enfonça dans son siège, ferma les yeux et

respira profondément. Il était épuisé et avait la sensation d'être perdu dans un labyrinthe.

— Je n'en ai pas la moindre idée.

La Française s'était habituée à ce que l'historien prenne la situation en main et elle comptait dessus. Le voir sans réponse était déconcertant.

— Et alors qu'allons-nous faire maintenant ?

L'universitaire regarda, découragé, les chemises empilées qu'ils n'avaient pas encore consultées ; il y en avait beaucoup trop.

— La messe pour le pape va bientôt commencer dans la basilique, constata-t-il. Le cardinal Barboni m'a invité à y assister, mais j'avoue que je n'en ai pas le courage. Je pense que je vais rester ici.

— Vous voulez dire que... que vous abandonnez ?

Tomás soupira.

— Écoutez, nous devons nous rendre à l'évidence. (Il désigna sa montre.) Il est 23 h 10. Dans cinquante minutes il sera minuit. Vous pensez vraiment qu'il y a une chance de régler ça à temps pour sauver le pape ? (Il secoua la tête.) J'en doute.

Le découragement de Tomás accablait Catherine car, plus qu'une défaite, cela signifiait que l'espoir de sauver le chef de l'Église s'évanouissait. Cet espoir n'avait jamais été très grand, le temps filait et, au cours de l'après-midi, il était devenu clair que l'enquête était bien trop complexe. Mais le fait d'avoir essayé lui avait donné un objectif, une occupation, et l'avait empêchée de réfléchir vraiment à la signification profonde de l'exécution du pape.

Maintenant que cette illusion s'évanouissait, Catherine était confrontée à la terrible vérité. Le pape allait être assassiné en direct sur Internet et ils ne pourraient rien faire.

— Je... je ...

Soudainement émue, la Française détourna le regard pour cacher ses larmes.

Son émotion perturba Tomás. Dans ces circonstances particulièrement douloureuses, lui aussi, maintenant qu'il avait renoncé à sa mission, se sentait ébranlé par la réalité et vaincu par l'impuissance. Il avait la gorge nouée. L'émotion était palpable, c'était une énergie qui débordait de la place Saint-Pierre et qui se répandait partout, vibrant à l'unisson dans des millions de cœurs, y compris le sien.

Quarante-cinq minutes.

Dans quarante-cinq minutes il serait minuit, dans quarante-cinq minutes le pape serait décapité, dans quarante-cinq minutes l'humanité plongerait dans l'abîme.

Il s'approcha d'elle et la prit dans ses bras. Ils demeurèrent ainsi quelques instants. Le parfum de la jeune femme était délicat et la chaleur de son corps commença à troubler Tomás. Il secoua la tête, s'efforçant de dominer le désir inattendu qui l'avait assailli. Ce n'était pas possible, se dit-il. Il était fiancé et il n'avait certainement pas le droit de succomber à la première blonde venue. Et ça n'était de toute façon pas le moment ; le pape allait être exécuté par des terroristes, l'humanité était au bord de la catastrophe et lui... il désirait cette femme ?

Catherine leva le visage et le regarda avec des yeux que la douleur et le désir avaient rendus encore plus bleus. Ses lèvres étaient entrouvertes, comme une invitation, et la tentation d'y poser un baiser devint irrésistible. Quel mal pouvait-il y avoir à l'embrasser ? Maria Flor ne le saurait jamais. Quant au moment tragique qu'ils vivaient, rien de ce qu'il ferait ou ne ferait pas ne changerait quoi que ce soit. Quel mal y avait-il à l'embrasser, à caresser son corps frémissant, à arracher ses vêtements, et à...

Il s'arrêta.

Catherine était dans ses bras, le regard abandonné, le corps haletant, et Tomás brûlait de désir, les mains tremblant d'un appétit presque incontrôlable.

Un sursaut de conscience l'arrêta avant l'irréversible.

Non.

Non, il ne pouvait pas faire ça, ni ici, ni maintenant, trahir ainsi la douleur du pape, la souffrance de l'humanité, la confiance de Maria Flor et l'amour qu'il ressentait pour elle.

Il ne pouvait pas.

— Il... il vaut mieux que j'aille voir ce qui se passe dehors.

D'un geste maladroit, Tomás se dégagea et marcha jusqu'au balcon afin de recouvrer son sang-froid et, pendant qu'il se remettait, il contempla les milliers de points lumineux qui illuminaient la place Saint-Pierre. La rumeur de la foule en prière ne s'arrêtait pas, les fidèles entonnant à ce moment-là un nouvel *Ave Maria*.

La porte claqua avec un bruit sourd.

Surpris, il se retourna et constata qu'il était seul.

Catherine était partie.

LXXXII

La télévision diffusait en direct des images de la place Saint-Pierre. Après avoir regardé les chaînes américaines, françaises et britanniques, Tomás s'aperçut qu'elles affichaient toutes une horloge avec un compte à rebours jusqu'à minuit, délai fixé par l'État islamique pour satisfaire ses exigences. Le Portugais s'arrêta sur la BBC.

Il restait quarante minutes.

« ... les églises chrétiennes de la planète commenceront, dans une dizaine de minutes, des cérémonies religieuses, des prières pour le souverain pontife et la paix dans le monde. De nombreuses mosquées se sont associées à cette initiative, ainsi que des synagogues et des temples d'autres religions, comme l'hindouisme et le bouddhisme. D'ailleurs, le dalaï-lama a annoncé que... »

En bas de l'écran, un bandeau affichait les informations de dernière minute. Elles semblaient inépuisables, toutes plus graves les unes que les autres. De nouveaux incidents s'étaient produits à la frontière entre la Turquie et la Grèce, entre musulmans et croato-bosniaques à Mostar, la principale ville du sud de la Bosnie-Herzégovine, ainsi qu'à Medjugorje, le sanctuaire où un attentat avait été perpétré quelques heures auparavant. Entre-temps, deux bombes avaient explosé dans la basilique Saint-Étienne à Budapest et un kamikaze s'était fait exploser parmi les touristes devant l'entrée de la maison d'Anne Frank à Amsterdam ; des affrontements violents avaient eu lieu entre groupes d'extrême droite et réfugiés musulmans à Salonique, en Grèce, à Guevgueliya, en Macédoine, et à Calais, en France. L'armée russe faisait route vers la frontière serbe, pour entrer dans le pays si les autorités de Belgrade le demandaient, au cas où la Turquie envahirait vraiment la Grèce. Face à la détérioration rapide de la situation, la Maison-Blanche avait lancé une nouvelle initiative de paix et le Conseil de sécurité de l'ONU avait invité toutes les parties à faire preuve de retenue, mais la réaction dans les Balkans avait été très froide, chaque partie rejetant la responsabilité sur l'autre.

Les informations se succédaient, toutes d'une extrême gravité, mais l'historien porta son attention sur les images diffusées en direct. La BBC montrait l'intérieur de la basilique Saint-Pierre, remplie de cardinaux, d'évêques et d'autres prélats. Le cardinal Barboni célébrerait la messe ; il n'allait pas tarder à apparaître.

« ... lévisions vont transmettre cette cérémonie en direct. Aucune n'a accepté de relayer les images que les islamistes allaient diffuser sur Internet, montrant l'exécution du pape en direct. Cependant, le site sur lequel ces images pourront être vues est actuellement

inaccessible en raison du très grand nombre d'inter-
nautes qui tentent de s'y connecter afin d'assister à la
décapitation le moment venu. Le Vatican a lancé un
nouvel appel afin de... »

D'un geste brusque, Tomás coupa le son. C'en était trop, il ne voulait pas en entendre davantage. Comment pouvait-on avoir envie d'assister à la décapitation du pape en direct, comme s'il s'agissait d'un divertissement ? N'y avait-il plus une once de décence ? Un reste d'humanité ? Et que dire des gouvernants qui exploitaient les émotions les plus primaires des foules pour conduire leur pays au bord de la guerre pour des raisons soi-disant religieuses, alors qu'en réalité ils s'adonnaient une fois de plus à cette vieille pratique consistant à utiliser la religion pour atteindre leurs propres objectifs politiques ?

Le Portugais revint s'asseoir au bureau et respira profondément. Comment allait-il passer la terrible demi-heure à venir ? Il eut envie d'appeler Maria Flor ; il avait été tellement occupé qu'il l'avait complètement négligée. Il prit son téléphone portable et s'aperçut qu'il était éteint. Il appuya sur le bouton et attendit qu'il se rallume.

À la vue des chemises éparpillées sur le bureau, une petite flamme se ralluma. De quel droit abandonnait-il ? Certes, il avait perdu tout espoir. Pour examiner la totalité du dossier Dardozzi, il lui aurait fallu au moins une semaine alors qu'il ne disposait que d'une demi-heure. Que pouvait-on lui demander de plus ?

Cela ne signifiait pas pour autant qu'il allait cesser de lutter. Lutter était dans son tempérament, un principe de vie, car un homme qui n'osait pas affronter les obstacles était un éternel vaincu. Il pouvait être battu, mais il ne serait jamais vaincu. Non. Il lutterait jusqu'à l'expiration du délai, et il continuerait encore après s'il le fallait. C'était lorsqu'il avait le plus envie d'abandonner que son esprit combatif se réveillait. Il allait lutter jusqu'au bout car il avait ça dans le sang, et il ne se reposerait qu'après.

Son téléphone était allumé : les messages non lus et les appels en absence s'affichèrent. Quelques secondes plus tôt, il les aurait consultés, mais l'énergie qui venait de revenir instinctivement le poussa à examiner l'un des dossiers qui étaient posés sur le bureau.

Il s'en empara et lut le titre dactylographié sur la couverture : « *Cardinal Francis Spellman* ».

C'était justement dans ce dossier-là qu'il avait trouvé la référence à Omissis, se rappela-t-il. Il l'ouvrit et feuilleta les documents, à la recherche de celui qui portait la signature raturée. Il s'agissait du formulaire d'ouverture de compte.

En moins de deux minutes, il retrouva la feuille en question. Elle comportait l'emblème de l'Institut pour les œuvres de religion et le numéro de compte 001-3-14774-C, ainsi que la date de l'ouverture, le 15 juillet 1987, à la demande de monseigneur Donato De Bonis. Sa signature figurait au bas de la page, et le nom d'Omissis était dactylographié à côté, avec la signature raturée en dessous.

Il examina la petite tache avec soin, s'efforçant de deviner le nom qui avait été effacé et espérant que quelque chose lui avait échappé. Il tourna la feuille vers la lumière, toujours à la recherche d'une ligne, d'un trait, d'un indice suggérant une quelconque identité. Il chercha, chercha encore et encore...

— Merde !

Impossible.

La signature était définitivement illisible. Frustré, il s'adossa à sa chaise et souffla longuement pour laisser sortir la pression accumulée en lui. Il avait beau essayer, toujours un obstacle, une barrière, quelque chose l'empêchait d'atteindre ce qu'il cherchait. Il fallait se rendre à l'évidence. Il ne découvrirait rien.

Il jeta un coup d'œil sur le téléviseur. Dans trente-cinq minutes il serait minuit. En attendant le début de la messe dans la basilique Saint-Pierre, la BBC montrait des images des principaux sanctuaires du monde où les cérémonies religieuses n'allaient pas tarder à commencer. Notre-Dame-de-Paris, l'abbaye de Westminster à Londres, la Sagrada Familia à Barcelone, Saint-Pierre-et-Sainte-Marie à Cologne, le monastère des Hiéronymites à Lisbonne, le Saint-Sépulcre à Jérusalem, la cathédrale Saint-Sébastien à Rio de Janeiro, la Cathédrale métropolitaine de Buenos Aires, Saint-Patrick à New York, Basile-le-Bienheureux à Moscou...

À l'écran, les images en direct, sobres et émouvantes, se succédaient. On voyait à présent d'autres lieux de culte d'autres religions. Des foules emplissaient la synagogue Hourva dans la vieille ville de Jérusalem, la mosquée Süleymaniye à Istanbul, le Temple d'or des sikhs d'Amritsar, le temple hindou Siddhivinayak à Bombay, les monastères bouddhistes de Namgyal à Dharamsala et du Jokhang à Lhassa.

Tous se préparaient à prier pour le pape.

Résigné, Tomás respira profondément et revint à sa réalité. Il saisit le document qu'il avait consulté et le replaça dans la chemise. Mais alors qu'il s'apprêtait à la refermer, son regard se posa sur le haut de la page et il remarqua quelque chose d'étrange. Il suspendit son geste.

— C'est pas vrai !

Il reprit la feuille et en examina très attentivement la partie supérieure. À côté de l'emblème de l'IOR, on distinguait une étrange succession de lettres gribouillées au crayon.

$$OtBkCeN(g)$$

Il les avait déjà vues quelques heures plus tôt, mais il avait pensé que les gribouillis au crayon n'étaient qu'une codification quelconque faisant référence au compte et il ne leur avait attribué aucune importance particulière. Entre-temps, il avait pourtant examiné beaucoup d'autres documents et il s'était bien trompé : cette suite de lettres était tout autre chose.

C'était un message codé.

Comment diable ne l'avait-il pas compris la première fois ? Le document enregistrant l'ouverture à l'IOR de l'étrange compte de la Fondazione Cardinale Francis Spellman, une institution qui, comme Catherine l'avait découvert, n'existait même pas, comportait un message chiffré. Mais quel secret se dissimulait dans ces lignes codées, écrites au crayon par une main inconnue ?

La réponse lui sauta aux yeux telle une évidence et lui échappa des lèvres dans un murmure.

— Omissis...

Ces lettres ne pouvaient que cacher le véritable nom du second titulaire du compte, le mystérieux « Omissis » dont, sur la même feuille, le véritable nom avait été raturé. S'il parvenait à la comprendre, se dit-il, tout s'éclaircirait. Il saurait quel était l'homme, ou la femme, qui, conjointement avec monseigneur De Bonis, disposait de ce compte. Il identifierait enfin la personne que les ravisseurs du pape voulaient à tout prix tenir cachée.

23 h 30 au Vatican.

Après avoir présenté tous les grands sanctuaires de la planète en effervescence, la BBC revint à la basilique Saint-Pierre de Rome, pour y demeurer pendant toute la durée de la cérémonie, jusqu'à l'heure fatidique. Le cardinal Barboni se dirigeait à ce moment-là vers le chœur. Ses gestes étaient lents et son pas lourd, il s'agenouilla devant la croix pour se signer, imité par tous les cardinaux, les évêques, les officiels et les fidèles qui se trouvaient à l'intérieur de la grande église de la chrétienté, sous le regard du monde entier.

La messe pour le pape et pour la paix commençait.

L'historien regarda de nouveau l'énigme. Le temps filait à une vitesse vertigineuse. Il ne disposait plus que d'une demi-heure. Mais il était enfin sorti de l'impasse et la découverte de la véritable identité d'Omissis était à sa portée. Il faudrait avancer vite et sans commettre d'erreur. Il commençait à y croire à nouveau.

LXXXIII

Historien et cryptanalyste, Tomás connaissait très bien les codes. Aussi ne se faisait-il aucune illusion sur ce qui l'attendait. Le défi restait immense et ce d'autant plus que le délai était extrêmement court.

Sa très grande expérience jouait pourtant en sa faveur. Un message pouvait être codé d'un million de manières différentes, du relativement simple à l'infiniment complexe. La question était de découvrir quelle méthode avait été utilisée cette fois-là.

Il examina à nouveau la succession de lettres gribouillées au crayon en haut de la page.

$$O t B k C e N (G)$$

Tomás eut la conviction qu'il s'agissait d'un chiffre complexe. Pourquoi ? Parce que le message ne comportait que deux voyelles, le *o* et le *e*, ce qui laissait fortement à penser qu'il avait affaire à un chiffre. Il ne s'agissait pas d'une anagramme, d'un mot dont l'ordre des lettres avait été modifié, dans la mesure où les mots avaient généralement davantage de voyelles. La méthode de déchiffrement la plus efficace consistait à effectuer une analyse de fréquence, mais elle ne fonctionnait pas si la méthode employée était complexe, comme cela semblait être le cas.

Ce chiffre devait également être simple. Pourquoi ? L'auteur avait gribouillé le message en haut de la page de manière informelle, ce qui laissait supposer une méthode rapide. En outre, et compte tenu des circonstances, il n'avait sans doute pas dû rechercher une très grande complexité ; c'était superflu.

Quel chiffre pouvait être à la fois simple et complexe ? Un tel système existait-il ? Tomás examina encore la suite de lettres à la recherche de détails susceptibles d'en révéler la singularité. Son regard fut attiré par un détail. La séquence était constituée de majuscules et de minuscules : d'abord un O, puis un t, puis un B, puis un k... et ainsi de suite. Cela ne pouvait signifier qu'une chose.

Un chiffrement polyalphabétique.

Plus il regardait, plus il était convaincu de se trouver sur la bonne voie. L'auteur du code avait utilisé un chiffrement polyalphabétique, l'un en majuscules, l'autre en minuscules. Cette méthode avait remplacé les systèmes simples de chiffrement par substitution monoalphabétique au XVe siècle, grâce à une invention de...

Il venait de comprendre. Écarquillant les yeux, il cria presque.

— Alberti !

À peine une demi-heure plus tôt, il avait vu un cadran chiffrant d'Alberti quelque part ! Plein d'impatience, il se leva et se pencha sur les dossiers qui se trouvaient sur le bureau. Où diable pouvait bien se cacher la feuille avec l'image du cadran ?

Il s'arrêta pour réfléchir.

Il se souvenait avoir vu une photocopie du dessin du cadran chiffrant, vraisemblablement faite à partir d'une page du *De Cifris* de Leon-Battista Alberti. Cette image se trouvait dans une chemise qu'il avait consultée distraitement, le dossier où était conservé la... la...

Comment diable s'appelait ce maudit dossier ?

Il prit une chemise, une autre, puis une autre encore, lisant frénétiquement les titres inscrits sur la couverture. Il ne trouva rien. Mais non, la chemise ne venait pas du lot éparpillé sur le bureau, mais du tas qui se trouvait dans l'angle, celui des dossiers qu'ils n'avaient pas examinés en priorité.

Il s'approcha de la pile et, sur le dessus, trouva ce qu'il cherchait. Sur la couverture était dactylographié à l'encre rouge, le mot « *Corrispondenza* ».

Il ouvrit la chemise et la feuilleta. La photocopie en question se trouvait quelque part au milieu. Elle lui avait semblé égarée, mais il finit par comprendre qu'en réalité elle avait été cachée. D'ailleurs, comment expliquer la présence dans la correspondance de l'IOR d'une photocopie du dessin du cadran chiffrant qu'Alberti avait réalisé dans son *De Cifris* ? Un document comme celui-là n'avait rien à faire au milieu de lettres et de dépêches. Il n'avait pas été placé là par hasard, mais délibérément.

Il feuilleta les papiers les uns après les autres jusqu'à trouver la photocopie qu'il recherchait.

Le cadran chiffrant d'Alberti a été le premier exemple d'utilisation, en cryptographie, d'un système polyalphabétique de substitution. L'érudit de Florence, un homme aux nombreux talents, s'adonnait à la peinture et à la musique, à la poésie et à la philosophie ainsi qu'à l'architecture ; il était devenu par son génie l'un des plus grands personnages de la Renaissance. C'était lui l'auteur de la célèbre fontaine de Trevi, qui attirait tant de touristes à Rome.

Selon la légende, Alberti avait eu l'idée du système de substitution polyalphabétique en se promenant dans les jardins du Vatican, où il avait retrouvé par hasard un ami qui occupait la fonction de secrétaire pontifical. Au cours de leur conversation, ils abordèrent des questions de cryptographie et c'est à ce moment-là qu'Alberti eut l'idée d'utiliser un chiffre à deux alphabets au lieu d'un seul, comme cela se faisait à l'époque.

Ainsi naquit le cadran chiffrant d'Alberti. Le système fonctionnait avec deux disques concentriques, l'un à l'extérieur, appelé *Stabilis*, car il était fixe, et l'autre à l'intérieur, nommé *Mobilis*, c'est-à-dire mobile. Dans le dessin qu'Alberti avait publié en 1467 dans son œuvre *De Cifris*, l'alphabet figurant dans le *Stabilis* était en majuscules et celui du *Mobilis* en minuscules.

Or, cela était conforme au message chiffré.

En regardant le cadran reproduit sur la photocopie, Tomás n'avait plus le moindre doute sur le fait que la personne qui avait codé l'identité d'Omissis avait utilisé ces deux alphabets comme base de travail. Voilà comment déchiffrer le message.

Le problème était de déterminer par quelle lettre des alphabets devait commencer le décodage. Il lui semblait peu probable que la séquence commence avec le A de l'alphabet du *Stabilis*, le message aurait été trop facile à décoder. Il convenait néanmoins d'essayer. Il était impossible de savoir, d'emblée, quel degré de complexité avait recherché l'auteur du message. De plus, il ne pouvait ignorer que le A se trouvait en haut du cadran, ce qui lui donnait de l'importance et rendait plausible l'idée qu'il fût la première lettre du premier alphabet du chiffre.

Avec un stylo, Tomás compta le nombre de lettres et de chiffres qui se trouvaient sur chacun des disques concentriques. Il y en avait 24. Dès lors, l'alphabet normal devrait comporter 24 lettres et non 26, comme c'était normalement le cas. Il élimina donc les lettres les plus récentes, à savoir le W et le Y.

Ensuite, il écrivit rapidement sur une feuille les trois alphabets, chacun sur une ligne : en haut, l'alphabet normal sans le W et le Y, puis en dessous les alphabets des disques concentriques.

Normal: A B C D E F G H I J K L M N O P Q R S T U V X Z
Stabilis: A B C D E F G I L M N O P Q R S T V X Z 1 2 3 4
Mobilis: g k l n p r t v z & x y s o m q i h f d b a c e

Il regarda le message encore une fois.

OtBkCeN (G)

Lorsqu'on connaissait les alphabets chiffrés, c'était relativement simple de déchiffrer un message en utilisant les disques concentriques. Il suffisait d'alterner entre les deux. Les majuscules renvoyaient à l'alphabet du *Stabilis*, les minuscules à celui du *Mobilis*, il n'y avait qu'à passer de l'un à l'autre.

Ainsi, la première lettre du message, le O, devait correspondre à celle se trouvant juste au-dessus de lui dans l'alphabet normal. En l'occurrence, au-dessus du O de la ligne du *Stabilis*, il y avait le L de l'alphabet normal. La deuxième lettre du message chiffré était le t. Puis, au-dessus du t de la ligne de l'alphabet de *Mobilis*, se trouvait le G, de l'alphabet normal.

Le cryptographe portugais écrivait avec une grande fébrilité, alternant entre les deux alphabets et se laissant guider par le message chiffré. Après le O et le t, il rechercha les correspondances des lettres B, k, C, e, N et du G entre parenthèses.

Il s'arrêta net. Le message était déchiffré.

LXXXIV

Tomás avait noté le résultat sur un bloc-notes et il se gratta la tête, l'air perplexe. Les lettres qu'il avait écrites étaient censées dévoiler l'identité d'Omissis, mais la solution n'avait aucun sens.

$$LGBBCZK(G)$$

Il secoua la tête, refusant de croire ce qu'il voyait. De toute évidence, l'inconnu ne pouvait pas s'appeler *lgbbczk*. Ce charabia ne signifiait rien. Donc la méthode qu'il avait utilisée n'était pas la bonne.

Il leva les yeux vers le petit écran. La messe se déroulait à l'intérieur de la basilique Saint-Pierre et le cardinal Barboni, agenouillé, les mains tremblantes et les larmes aux yeux, priait. L'émotion qui se dégageait de cette scène en était suffocante et, incapable de la regarder, Tomás détourna le regard. Il jeta un coup d'œil sur l'horloge incrustée dans le coin de l'écran, à côté du logo de la BBC ; il serait minuit dans vingt-cinq minutes.

Vingt-cinq minutes avant la mort du pape.

Il avait certainement utilisé la bonne méthode, se dit-il pour essayer d'avancer, mais le point de départ était erroné.

Pour déchiffrer le message, il fallait très probablement ne commencer ni par le A du disque *Stabilis*, ni par le g du *Mobilis*. La première lettre devait forcément être une autre.

Mais laquelle ?

Il ne pouvait pas non plus ignorer le problème posé par le G entre parenthèses à la fin du message chiffré. Les deux seules lettres majuscules qui n'alternaient pas avec des minuscules étaient les finales, le K et le G entre parenthèses, ce qui rendait celle-ci doublement singulière. Mais dans quel but ?

Comprenant que la clé devait se trouver dans la photocopie de la page du *De Cifris*, Tomás redoubla d'attention pour étudier l'image du cadran d'Alberti.

Y avait-il dans ce dessin, réalisé plus d'un demi millénaire plus tôt, un indice quelconque indiquant par quelle lettre commençaient les alphabets insérés dans les deux disques concentriques, et qui permettait de déchiffrer le message ? Le A majuscule du *Stabilis*, choix évident parce qu'il s'agissait de la première lettre de l'alphabet et qu'il se situait au sommet du disque d'Alberti, était une fausse piste. En analysant très attentivement le dessin, Tomás se concentra pour la première fois sur l'espèce de fioriture au centre du disque, dans l'espace situé à l'intérieur des deux séquences alphabétiques.

Qu'est-ce que ça pouvait bien être ?

On y voyait un grand cercle et un demi-cercle, plus petit, au-dessus. Les deux anneaux semblaient unis par une espèce d'arabesque qui se terminait par une pointe en haut, tournée vers la droite, comme si elle montrait quelque chose.

Comme si elle montrait.

— Hum...

Et si elle montrait vraiment quelque chose ?

Tomás se gratta le menton, pensif. Que pouvait bien indiquer cette pointe ? Il la prolongea mentalement jusqu'aux deux alphabets du cadran chiffrant. Elle indiquait les lignes situées avant le t du *Mobilis* et le G du *Stabilis*.

La lettre G ?

Il regarda aussitôt le message chiffré, comme s'il cherchait une confirmation.

$$OtBkCeN\,(G)$$

C'était bien ça, le G entre parenthèses.

Il se leva lentement et ouvrit la bouche, entrevoyant une solution.

— Serait-ce... ?

Il se sentait bouillonner d'enthousiasme, d'excitation, d'impatience, de nervosité et de tant d'autres choses encore. Il ne pouvait pas s'agir d'une coïncidence. Le bout de l'arabesque au centre du disque désignait la lettre G de l'alphabet du *Stabilis*. Le même G qui se trouvait entre parenthèses dans le message chiffré.

Le même G.

Cela ne pouvait définitivement pas être une coïncidence. L'auteur du code avait laissé le G entre parenthèses parce qu'il constituait, non un élément du message chiffré, mais une piste indiquant la première lettre de l'alphabet du *Stabilis*.

Tomás reprit son stylo et aligna frénétiquement les trois alphabets sur une nouvelle page de son bloc-notes. Il commença par l'alphabet normal, comme l'exigeait le protocole de déchiffrement polyalphabétique du chiffre d'Alberti, puis ceux des disques *Stabilis* et *Mobilis*, mais cette fois en commençant par les bonnes lettres, celles que désignait la pointe de l'arabesque au centre du cadran chiffrant. C'est-à-dire le G du *Stabilis* et la lettre qui se trouvait en dessous, à savoir le t du *Mobilis*.

Normal : A B C D E F G H I J K L M N O P Q R S T U V X Z
Stabilis : G I L M N O P Q R S T V X Z 1 2 3 4 A B C D E F
Mobilis : t v z & x y s o m q i h f d b a c e g k l u p r

Il reprit le processus de déchiffrement, toujours en suivant le protocole d'Alberti. La première lettre du code étant le O, il la chercha dans l'alphabet du *Stabilis*, puis identifia celle qui lui correspondait dans l'alphabet normal, à savoir le F.
Il écrivit sur son bloc-notes.

F

Puis, il passa à la deuxième lettre du message, le t, qu'il trouva aussitôt dans l'alphabet du *Mobilis*, car il s'agissait de la première lettre, à savoir le A de l'alphabet normal.

Il écrivit.

FA

Il en vint à la troisième lettre du code, puis procéda ainsi jusqu'à ce qu'il eut déchiffré tout le message. Il avait écrit mécaniquement, sans chercher le moindre sens à ce qu'il faisait, et ce n'est que lorsqu'il eut achevé l'exercice qu'il s'arrêta pour regarder le résultat final.

Il avait enfin déchiffré le code.

LXXXV

En découvrant le résultat, Tomás fit une moue de désillusion. Il s'était attendu à un nom, une grande révélation, quelque chose d'étonnant, voire de fascinant, mais ce qui lui apparut, écrit de sa propre main sur le bloc-notes, était bien loin de tout cela.

FATTURE

Fatture ?

Était-ce là le véritable nom d'Omissis ? Le mystérieux titulaire du compte de l'IOR à la Fondazione Cardinale Francis Spellman s'appelait *Fatture* ? Était-ce vraiment la personne dont les ravisseurs du pape voulaient protéger l'identité à tout prix ? Fatture ? Était-ce un patronyme ?

Il envisagea encore une fois la possibilité d'une erreur de déchiffrage. Peut-être n'avait-il pas trouvé le bon mot ? Mais il écarta rapidement cette éventualité ; de toute évidence c'était la bonne solution. Quelle était la probabilité qu'un mauvais décodage ait pour résultat un mot qui existât vraiment ? *Fatture* était bel et bien un mot, qui signifiait « factures » en italien.

Le problème, c'est qu'il n'avait jamais entendu un tel nom. Personne ne s'appelait « M. Factures ». Il n'avait jamais rencontré un Jean Factures, à moins bien sûr qu'il ne s'agisse d'un surnom.

Mais personne ne se serait donné tout ce mal pour coder un surnom. Le mieux était de se mettre à la place de l'auteur du code. S'il avait choisi le mot « factures » pour qu'il soit enregistré sur le document d'ouverture du compte de la Fondazione Cardinale Francis Spellman, pour quelle raison l'aurait-il fait ? Ça ne pouvait être que pour...

Son regard s'illumina.

— C'est ça ! murmura-t-il. C'est ça !

Tout comme le G entre parenthèses, *fatture* était un indice. L'auteur du code utilisait le mot « factures » pour mettre sur la voie de la véritable identité d'Omissis.

Fatture était une information. Mais une information sur quoi ? Tomás continuait à penser que ça ne concernait pas l'identité d'Omissis. Et s'il s'agissait du lieu où était cachée cette identité ? En y réfléchissant bien, il se persuada que cette possibilité était la plus probable. Oui, c'était sans doute ça. Le véritable nom de la personne qui se cachait derrière Omissis devait figurer sur une facture ! Ça ne pouvait être que ça.

Il hésita. Stricto sensu, et comme il l'avait déjà constaté, *fatture* ne signifiait pas « facture », mais « factures », au pluriel. L'identité d'Omissis se cachait-t-elle dans plusieurs factures ? Lesquelles ? Où les trouver ?

Il jeta un œil sur la table. Au milieu de tous ces documents, il y avait peut-être un dossier consacré exclusivement aux factures de l'IOR.

Il se pencha à nouveau sur les chemises empilées dans le coin du bureau, celles qu'il n'avait pas consultées de prime abord, et il se mit à lire les titres écrits sur la couverture, les écartant les uns après les autres. Sur l'une, on pouvait lire « *Électricité* », sur une autre « *Eau* », ou encore « *BCE* », qui portait sans doute sur les relations entre l'IOR et la Banque centrale européenne, une autre indiquait « *Ernst & Young* », certainement des rapports d'audit, et ainsi de suite.

Enfin, arrivé à la dernière partie de la pile, il découvrit sur la couverture d'une chemise le mot qu'il cherchait.

« *Fatture* ».

Le dossier des factures existait vraiment. Tomás était sur la bonne piste. Il soupesa le dossier. Comme la plupart des autres, il était volumineux. Il l'ouvrit et commença à feuilleter les documents qui s'y trouvaient. Il s'agissait pour l'essentiel de factures concernant de menus services et des achats de matériel pour l'IOR. Il y avait ainsi celles d'un charpentier et d'un plombier, celle correspondant à l'achat de deux tables et d'un buffet, une autre encore pour la fourniture de 200 caisses d'eau minérale, et une quantité d'autres pour l'acquisition de divers objets. Apparemment, dans ce dossier n'étaient conservées que des factures pour des achats de peu de valeur, qui ne nécessitaient pas une chemise spécifique.

À vrai dire, il ne savait pas ce qu'il cherchait. Examinant les factures les unes après les autres, il espérait tomber sur un détail étrange, une référence inhabituelle, quelque chose qui sortirait de l'ordinaire, mais il n'avait pas la moindre idée de ce que cela pouvait être. Tomberait-il sur une facture signée par Omissis ? Et comme il était très improbable qu'Omissis l'eut signée de son nom de code, comment saurait-il que le nom figurant sur la facture était celui du mystérieux titulaire du compte de la Fondazione Cardinale Francis Spellman ?

Sans réponse à ces questions, Tomás se contenta de suivre son plan : examiner une facture, déterminer si un détail anormal pouvait renvoyer à Omissis, et passer à la suivante. Après un certain temps, il agissait comme un automate, et de plus en plus vite. Il y avait tellement de factures et il disposait de si peu de temps, qu'il finit par se décourager.

Il avançait rapidement, mais rien d'extraordinaire n'apparaissait. Il se prit à douter. S'était-il à nouveau fourvoyé ? Quelque chose lui avait-il échappé ? Si ce n'était pas ça, qu'est-ce ça pouvait bien être ? Pourquoi diable avait-on codé le mot *fatture* ?

Il n'y avait pas d'autre solution. S'il s'était trompé et si le dossier était une fausse piste, il ne voyait pas où le mot *fatture* pourrait le conduire. Il ne pouvait s'agir que d'une référence au dossier des factures, pensa-t-il, confondant ses désirs et sa capacité d'analyse. Il fallait que la solution soit dans ce dossier.

Et pourtant. Il avait beau examiner facture après facture, de plus en plus vite, rien n'apparaissait. Si ça se trouve...

Il s'arrêta.

Ce qu'il tenait entre ses doigts fébriles n'était pas une facture comme les autres, mais un document au nom du compte de la Fondazione Cardinale Francis Spellman. Il prit la feuille et l'examina attentivement. Il s'agissait d'une fiche imprimée à partir d'un système informatique et probablement cachée dans ce dossier pour une raison précise. Examinant attentivement la feuille, Tomás y découvrit la référence « Key2 », imprimée automatiquement : probablement le logiciel de comptabilité utilisé par l'IOR.

Le nom de la personne qui avait imprimé cette fiche avait également été enregistré automatiquement : Renato Dardozzi.

Plus intéressantes, en revanche, étaient les données mentionnées sur la fiche relative au compte. Y figuraient le nom de l'institution bancaire où se trouvait le compte, l'*Istituto per le Opere de Religione*, la date du 15 juillet 1987, jour d'ouverture du compte, ainsi que sa désignation, Fondazione Cardinale Francis Spellman, et son numéro 001-3-14774-C.

La partie la plus importante, toutefois, se trouvait plus bas. Il s'agissait des noms des deux personnes autorisées à effectuer des opérations sur le compte, et de leurs signatures respectives. Le premier était monseigneur Donato De Bonis, ce que savait déjà le Portugais.

Débordant de curiosité, Tomás posa les yeux sur la seconde signature. Oui, la véritable signature d'Omissis figurait bien sur ce document, oui, elle était reconnaissable et oui l'historien connaissait cette personne. Son cœur fit un bond et il suspendit sa respiration quelques instants, conscient que tous les Italiens seraient sidérés.

Andreotti, Giulio

Il avait identifié Omissis.

LXXXVI

Nul besoin d'être historien pour connaître le rôle primordial qu'avait joué Giulio Andreotti en Italie, voire en Europe. Leader du Parti de la démocratie chrétienne, trois fois Premier ministre et assurément l'homme politique italien le plus important de l'après-guerre, Andreotti avait été en Italie ce que Winston Churchill fut au Royaume-Uni, Charles de Gaulle en France, ou Konrad Adenauer en Allemagne. Un géant.

Et c'était Omissis.

Incrédule, Tomás vérifia à trois reprises qu'il ne s'était pas trompé. La réponse restait invariablement la même. Sur cette fiche du compte fictif de la Fondazione Cardinale Francis Spellman, imprimée par monseigneur Dardozzi avec le logiciel de comptabilité de l'IOR, le Key2, figuraient noir sur blanc les signatures des deux personnes autorisées à effectuer des opérations, à savoir monseigneur Donato De Bonis et Giulio Andreotti.

L'universitaire portugais n'ignorait pas les rumeurs sur la part d'ombre d'Andreotti qui circulaient en Italie depuis fort longtemps. Il savait que la plus importante figure de l'histoire politique italienne de la seconde moitié du XXe siècle comptait de nombreuses relations peu recommandables, parmi lesquelles Michele Sindona, le banquier de la mafia et du pape, qu'il avait à une certaine époque appelé « le sauveur de la lire », Roberto Calvi, président de la banque Ambrosiano, ainsi que Licio Gelli, grand maître de la loge maçonnique P2, véritable État dans l'État. La veuve de Calvi avait révélé que, peu de temps avant de mourir, son mari lui avait confié que le véritable chef de la loge P2 n'était pas Gelli, mais Giulio Andreotti, et que celui-ci avait directement menacé Calvi.

L'ancien Premier ministre, suspecté de liens avec le mafieux sicilien Salvatore Lima, avait même été jugé pour avoir été affilié à la mafia. Le ministère public l'avait accusé de protéger l'organisation criminelle sicilienne en échange de l'appui électoral de Lima et de l'assassinat d'ennemis politiques, mais ces allégations n'avaient pas été prouvées. Plus tard, cependant, Andreotti finit par être condamné pour le meurtre de l'auteur de l'article portant les noms des prélats du Vatican qui appartenaient à la maçonnerie, qui était arrivé sur le bureau de Jean-Paul Ier, liste sur laquelle figuraient les cardinaux Villot et Casaroli ainsi que Marcinkus et De Bonis. L'homme d'État italien n'avait échappé à la prison que parce qu'il jouissait de l'immunité en tant que sénateur à vie, puis il finit par être blanchi.

La kyrielle de noms associés à l'ancien Premier ministre donna le vertige à Tomás. Le pape Jean-Paul Ier et sa mort suspecte, Michele Sindona et les trafics dans ses différentes banques, Roberto Calvi et la banque Ambrosiano, le sinistre Licio Gelli avec la puissante et obscure loge P2, les cardinaux Villot et Casaroli, ainsi que la mafia, sans oublier, bien sûr, les inévitables Marcinkus et De Bonis à la tête de l'IOR, transformé en centre de blanchiment de capitaux d'origine douteuse. Au centre de cette toile de noms et d'institutions apparaissait la figure incontournable de Giulio Andreotti.

Y avait-il vraiment un lien entre tout cela ?

Perturbé, l'universitaire portugais reprit la chemise de la Fondazione Cardinale Francis Spellman, qu'il feuilleta pour se rafraîchir la mémoire. Il constata qu'une opération était effectuée sur le compte tous les quatre jours en moyenne, souvent des sommes très élevées, notamment des dépôts en espèces et en titres. Il remarqua ainsi la note, sur papier à entête de la Chambre des députés, portant l'instruction « transférer à Spellman » ; un billet du sénateur démocrate-chrétien Lavezzari, un ami personnel d'Andreotti probablement, relatif à un dépôt de près de six cents millions de lires, ainsi que le talon d'un chèque de soixante millions émis en faveur de Severino Citaristi, trésorier du Parti de la démocratie chrétienne dirigé par Andreotti, et un autre de quatre cents millions à l'ordre d'Odoardo Ascari. Sans parler d'un virement de deux cents millions de la société Fasco sur le même compte de la pseudo Fondation Spellman.

L'allusion à la société Fasco intrigua de nouveau Tomás. Lorsqu'il était tombé sur ce document, quelques heures plus tôt, ce nom lui avait paru familier. Cette impression demeurait.

— Fasco... Fasco... Fasco, murmura-t-il, en cherchant

dans sa mémoire. Où ai-je déjà vu ça ? Ne serait-ce pas dans la... dans la...

Tout à coup, il eut un éclair. Fasco, se rappela-t-il, était le nom de la holding qui regroupait les multiples banques de Michele Sindona. Perplexe, il vérifia à nouveau le nom de la société et l'ordre de virement de deux cents millions. Si Fasco avait viré de l'argent sur le compte de la Fondazione Cardinale Francis Spellman, cela signifiait que Michele Sindona versait secrètement de l'argent à Giulio Andreotti, par l'intermédiaire de l'IOR.

Combien l'ancien Premier ministre italien avait-il amassé sur ce compte secret ? En additionnant les 90 dépôts enregistrés sur ce compte utilisé par celui qui fut trois fois Premier ministre de l'Italie, Tomás parvint à un total de près de trente milliards de lire.

— Trente milliards ? murmura-t-il, scandalisé. C'est énorme...

Il ne connaissait pas le salaire d'un chef de gouvernement ou d'un sénateur à vie en Italie, mais ça n'avait certainement rien à voir avec cette somme astronomique. Si Giulio Andreotti n'avait pas gagné cette fortune en tant que chef de gouvernement ou sénateur, d'où venait-elle ? Et il y avait encore beaucoup d'autres questions sans réponse. Pour quelle raison Andreotti avait-il utilisé l'IOR pour conserver tout cet argent ? Pourquoi Andreotti se cachait derrière le nom de code Omissis ? Pour quelle raison était-il titulaire d'un compte au nom d'une fondation qui n'avait pas d'existence ? Dans quel but émettait-il des chèques en faveur d'autres hommes politiques ou de personnalités liées à d'autres partis ? Pour quel motif Sindona le payait-il en cachette ? Et, enfin, comment expliquer que l'IOR ait permis tout cela ?

À vrai dire, toutes ces questions trouvaient assez facilement des réponses, mais elles n'étaient pas belles. Tout cela sentait très mauvais, empestait la corruption et le blanchiment de capitaux, puait la complicité active du Vatican. D'institution religieuse, le Saint-Siège s'était transformé en une gigantesque machine à laver l'argent sale au cœur de Rome, et les hommes politiques les plus influents d'Italie figuraient parmi ses clients. Visiblement, non seulement les habitudes héritées de l'époque de l'archevêque Marcinkus n'avaient pas disparu, mais elles s'étaient même aggravées.

Mais quel était le lien entre tout cela et l'enlèvement du pape ?

La réponse devenait claire pour Tomás. Lorsque lui-même avait été enlevé par les terroristes, l'un de ses ravisseurs n'avait-il pas reçu l'ordre de l'interroger pour savoir si l'enquête avait permis de découvrir l'identité d'Omissis ? Quel intérêt les chefs de groupes affiliés à l'État islamique avaient-ils à protéger l'identité de Giulio Andreotti ?

Il n'y avait qu'une explication.

Tomás prit son portable et composa le numéro de Catherine. La sonnerie retentit deux fois, aussitôt suivie d'une annonce : « Le numéro que vous avez demandé n'est pas disponible. Veuillez laisser un message. »

Il raccrocha.

— Merde !

La Française avait dû rejeter son appel. Quelle mauvaise tête ! Pourquoi toutes les femmes autour de lui avaient un caractère de cochon ? Maria Flor, Catherine.

C'était fatigant, d'autant qu'il avait vraiment besoin de parler avec la chef de la COSEA.

Il ne lui restait plus qu'une seule solution, qui ne le séduisait guère. C'était un euphémisme, l'idée lui était même extrêmement désagréable. Il tremblait rien qu'à l'idée de la conversation qui s'annonçait. Malheureusement, il n'avait pas le choix. Résigné, il chercha dans son portable le numéro qu'il avait ajouté le jour même à sa liste de contacts.

Celui de l'inspecteur Trodela.

LXXXVII

Les relations entre Tomás et Trodela s'étaient dégradées jusqu'à un point de non-retour, mais vu l'urgence, le Portugais espérait que le responsable de la police judiciaire l'écouterait et ferait preuve d'un minimum de compréhension. Les intérêts en jeu exigeaient que le policier italien surmonte l'absurde animosité qu'il avait développée à l'égard de l'historien après le malentendu survenu dans l'église de Saint-Étienne-des-Abyssins.

Il appuya sur la touche d'appel du téléphone, entendit deux sonneries, puis la voix familière du commissaire de la police judiciaire.

— Allô ?

— Inspecteur Trodela ? C'est Tomás Noronha. Vous m'entendez ?

Il perçut un claquement de langue contrarié à l'autre bout du fil.

— *Ma che cazzo !* jura l'Italien sur un ton méfiant. Qu'est-ce que vous me voulez ? Vous savez l'heure qu'il est ? Vous ne voyez pas que je suis occupé ?

— Oui, j'en suis conscient et je vous demande de

m'excuser, inspecteur, mais il s'agit d'une situation extrêmement urgente.

— C'est ce qui se passe en ce moment même qui est urgent, professeur. Vous rendez-vous compte que Sa Sainteté va bientôt être exécutée ? Je n'ai pas de temps à perdre avec un *stronzo* de votre espèce, vous entendez ?

Toujours aussi raffiné ce Trodela.

— C'est précisément la situation du pape qui motive mon appel, inspecteur, reprit Tomás avec toute la patience dont il pouvait faire preuve. Je viens de découvrir que l'État islamique n'est qu'un leurre. Le véritable responsable de l'enlèvement du pape, c'est la mafia, vous comprenez ? La mafia.

— La mafia ? *Per carita*, professeur, foutez-moi la paix !

— Écoutez, inspecteur....

— *Che palle !* coupa l'Italien. Vous n'êtes qu'un emmerdeur ! J'ai mieux à faire que de perdre mon temps à écouter vos sornettes, c'est clair ?

— J'essaie seulement de vous aider !

— Vous savez ce que je pense de votre aide ? *Mi fa cagare !*

Comme prévu, l'échange avec l'inspecteur de la police judiciaire était tendu. Devant les insultes qui fusaient, Tomás n'avait qu'une envie : répondre à ses obscénités en l'envoyant se faire voir avant de raccrocher. Mais la vie du pape était en jeu et le Portugais devait à tout prix capter l'attention du policier italien.

— Le groupe de l'État islamique n'est pas à l'origine de cette histoire, inspecteur, insista-t-il, s'efforçant d'ignorer le scepticisme et l'animosité de son interlocuteur. Il y a d'autres intérêts en jeu, et notamment des hommes politiques. Le pape n'a pas été enlevé parce qu'il est le chef de l'Église catholique, comme on veut nous le faire croire. En décidant de mettre de l'ordre dans la banque du Vatican et d'en finir avec une incroyable série d'abus et d'illégalités commis au Saint-Siège pendant des décennies et des décennies, le pape s'est mis un tas de gens puissants à dos. Tout comme son prédécesseur Jean-Paul Ier, il est sur le point de le payer de sa vie. La mafia veut protéger ses intérêts financiers et ceux des hommes politiques auxquels elle est associée. J'ai découvert un dossier qui prouve que l'argent de l'affaire Enimont, que vous appelez en Italie la mère de toutes les corruptions, a été blanchi par la banque du Vatican. Donc l'initiative du pape pour réformer l'institution et faire toute la lumière sur les comptes du Saint-Siège met en danger tous ces intérêts. C'est pour cette raison que la mafia veut l'éliminer. Les terroristes affiliés à l'État islamique ne sont qu'un instrument utilisé par les mafieux, qui ont fourni les informations aux extrémistes islamiques, ainsi que les moyens d'exécuter cette opération. C'est la mafia qui tire les ficelles en coulisses.

— C'est quoi toutes ces conneries ?

— Ce ne sont pas des conneries, inspecteur. L'ancien Premier ministre Giulio Andreotti était le titulaire d'un compte ouvert secrètement à la banque du Vatican, au nom d'une fondation qui n'existe pas, et par lequel a transité l'argent des pots-de-vin d'Enimont et de la holding de Michele Sindona.

— Andreotti ?

— Oui. Il avait un compte secret à la banque du Vatican, par lequel a transité l'argent d'Enimont et de Sindona.

— Des preuves, professeur ! Je veux des preuves !

— Il y en a, et pas qu'un peu. J'ai découvert, sur le compte dont Andreotti était le titulaire secret, qu'un chèque de soixante millions a été émis pour Severino Citaristi, le trésorier du Parti de la démocratie chrétienne, et un autre pour Odoardo Ascari qui, d'après Catherine Rauch, est lié au politicien libéral Edgardo Sogno. En outre, deux cents millions ont également été virés sur ce compte par la société Fasco de Sindona. Et d'autres comptes, à la banque du Vatican, ont probablement été utilisés pour la même affaire. Par exemple, Luigi Bisignani, chef de la loge P4 et filleul d'Andreotti, qui a exercé des fonctions dans un gouvernement de l'ancien Premier ministre et qui a été arrêté dans le cadre du scandale Enimont, était titulaire d'un compte au nom d'une autre fondation. Ce que j'essaie de vous expliquer, c'est que la banque du Vatican a été utilisée par la classe politique pour laver l'argent de l'affaire Enimont, avec des comptes au nom de fondations et d'organismes caritatifs fictifs qui servent de façade aux hommes politiques. Le pape a voulu mettre un terme à tout ça, et c'est pour cette raison qu'il a été enlevé, vous comprenez ?

— Sa Sainteté a été enlevée par un groupe lié à l'État islamique, insista Trodela. Vous n'avez pas vu la vidéo que les terroristes ont diffusée sur Internet ?

— L'implication de l'État islamique n'est qu'un leurre, inspecteur.

— Vous êtes en train de me dire que l'État islamique n'est pas impliqué dans cette affaire ?

— Ce n'est pas ce que j'ai dit, bien sûr qu'il l'est. La mafia n'a probablement pas voulu enlever le pape elle-même. D'ailleurs, bon nombre de ses dirigeants sont des catholiques et ils ne voulaient sans doute pas se salir les mains avec le sang du chef de l'Église. C'est pourquoi les mafieux ont conclu un accord avec les islamistes radicaux pour mener une opération conjointe qui sert les intérêts des deux parties. Le groupe associé à l'État islamique frappe un grand coup, qui met le monde occidental au bord de la guerre avec l'Islam, tandis que la mafia et les politiciens qui lui sont associés éliminent un pape particulièrement gênant. Il meurt et ça arrange tout le monde, chacun pour ses propres raisons.

— La mafia s'est alliée aux politiciens et à ce groupe de l'État islamique pour enlever et tuer Sa Sainteté ? Andreotti a un compte secret à l'IOR ? Excusez-moi, mais tout ça me semble un peu tiré par les cheveux.

— Mais c'est le pape lui-même qui nous a mis sur la piste, inspecteur, souligna Tomás. Vous vous souvenez qu'il a évoqué monseigneur Dardozzi dans la vidéo ? Eh bien, j'ai fait des recherches et j'ai découvert que monseigneur Dardozzi, qui a été l'un des responsables de la banque du Vatican, a laissé un dossier explosif prouvant que le Saint-Siège a continué à laver l'argent des politiques, et probablement de la mafia, même après le scandale de la banque Ambrosiano et le départ de l'archevêque Marcinkus. Toutes ces informations ont été communiquées au pape Benoît XVI. Sans doute par peur, mais aussi parce qu'il s'est rendu compte qu'il n'avait ni l'énergie ni le courage pour mettre un terme à cette situation extrêmement grave, il a préféré démissionner. Le pape actuel a décidé d'en finir avec toutes ces combines, et... voyez ce qui est en train de se passer. On l'a enlevé et on va le tuer.

À l'autre bout de la ligne, Trodela respira profondément.

— Supposons que tout cela soit vrai. Je ne dis pas que ça l'est, notez bien. En réalité, je ne crois pas un traître mot de ce que vous dites. Depuis le début de cette enquête, vous n'avez fait que raconter des conneries et entraver mon travail. Mais, imaginons que ce soit vrai. Que voulez-vous que je fasse ? Que j'aille en Sicile arrêter les mafieux ? Que je demande aux hommes politiques s'il est vrai qu'ils se sont servi de l'IOR pour blanchir les sommes gagnées avec les pots-de-vin d'Enimont ? C'est vraiment ce que vous voulez que je fasse ?

— Mais vous avez les moyens d'enquêter. Si l'on part du principe que ce sont ces gens qui ont organisé l'enlèvement du pape et si vous leur mettez la pression, vous finirez par découvrir l'endroit où ils le retiennent.

— Savez-vous seulement l'heure qu'il est ?

Tomás consulta sa montre.

— Minuit moins vingt.

— Exactement ! Minuit moins vingt, professeur ! Dans vingt minutes, Sa Sainteté sera exécutée ! Vous pensez vraiment que je vais prendre un avion pour Palerme, là, maintenant, et aller demander aux mafieux siciliens où ils ont caché le pape ? Vous vous moquez de moi ?

En effet, se dit l'historien, à moins de vingt minutes de l'exécution du chef de l'Église, il semblait impossible de faire quoi que ce soit. Les informations contenues dans le dossier Dardozzi seraient très certainement utiles après le crime, mais pas pour empêcher l'assassinat du pape. Le délai était presque épuisé.

— Enfin, je reconnais que, vu l'heure, il est peut-être....

— Et puis, vous ne pensez pas qu'au lieu de nous transmettre des messages sibyllins au sujet de monseigneur Dardozzi ou je ne sais quoi encore, Sa Sainteté aurait pu nous donner quelques indices sur l'endroit où elle est retenue ?

Tomás hésita.

— En effet...

Son interlocuteur émit un nouveau claquement de langue et l'interrompit.

— Franchement, professeur ! Vous savez ce que je vous dis ?

— Quoi ?

— *Vaffanculo !*

Après cette dernière invective, Tomás entendit un clic, puis le silence.

Le commissaire Trodela avait raccroché.

LXXXVIII

Dans un silence lourd et recueilli, la foule qui envahissait la place Saint-Pierre et les rues alentour suivait la messe diffusée par des haut-parleurs. Des dizaines de milliers de cierges étaient allumés ; beaucoup avaient les yeux fermés, des larmes coulant sur leurs joues, alors que résonnaient les voix angéliques d'un chœur d'enfants plongeant la grande place dans l'émotion.

L'heure était extrêmement grave.

En sortant du palais des Congrégations, Tomás s'enfonça dans la foule sans savoir exactement où il allait ni ce qu'il devait faire. Il avait tout essayé et tout avait échoué. Il avait découvert la vérité, du moins en grande partie, mais personne ne voulait l'entendre. Même si on l'avait écouté, se dit-il, cela n'aurait servi à rien. Le délai fixé par les ravisseurs était sur le point d'expirer et il ne restait plus assez de temps pour découvrir le lieu où ils retenaient le chef de l'Église.

D'un geste de réflexe qui trahissait son anxiété, et à l'instar de ce que des milliers de personnes faisaient à chaque instant, il consulta sa montre. Minuit moins le quart.

Quinze minutes.

Dans quinze minutes, le pape serait égorgé. L'angoisse lui étreignit le ventre tant il se sentait impuissant. Ni lui, ni la police, ni personne parmi les millions de gens sortis dans la rue ce jour-là, à Rome et dans le monde entier, par solidarité avec le souverain pontife, ne pouvait faire quoi que ce soit pour éviter l'exécution. L'histoire était écrite.

Lorsque le chœur des enfants se tut, on entendit dans les haut-parleurs la voix du cardinal Barboni qui commença à réciter le Notre Père en italien, aussitôt repris à l'unisson par un million d'autres voix sur la place et aux alentours.

« *Padre nostro, che sei nei cieli*, murmura la foule. *Sia santificato il tuo nome...* »

Les hommes et les femmes étaient agenouillés, les mains jointes en prière, les visages baissés et fermés en une intense supplique. Certains portaient des crucifix au cou ou des chapelets noués à leurs doigts ; à côté d'eux, des bouteilles d'eau, des sachets avec de la nourriture et les éditions spéciales des journaux avec les dernières informations sur la crise.

« *... nga il tuo regno...* »

L'attention de Tomás fut attirée par une édition spéciale de *La Repubblica*, dont la Une affichait une image extraite de la vidéo du pape captif. La légende sous la photographie reproduisait la phrase déjà célèbre du chef de l'Église qui avait mis Tomás sur la piste du dossier Dardozzi.

« *... sia fatta la tua volont...* »

Le Portugais se baissa et ramassa l'exemplaire de *La Repubblica*. Attirés comme par un aimant, ses yeux se fixèrent sur la transcription de la phrase du pape.

« Pierre a été le premier pape,
que je ne sois pas le dernier.
Que monseigneur Dardozzi et vous tous priiez
pour moi et pour l'humanité.
L'amour du Christ sera toujours notre trophée. »

La référence à Dardozzi lui avait permis de découvrir que l'IOR avait continué à blanchir de l'argent sale même après le départ de l'archevêque Marcinkus, et était ainsi directement impliqué dans le scandale Enimont.

« ... ome in cielo, così in terr... »

Cependant, pensa Tomás, l'inspecteur Trodela avait raison. Plutôt que des pistes aussi complexes que la référence à monseigneur Dardozzi, pourquoi le pape n'avait-il pas saisi cette occasion unique pour glisser dans son message de subtils indices permettant aux autorités de déterminer l'endroit où il se trouvait ? Cela n'aurait-il pas été beaucoup plus utile et plus intelligent ?

Ou en tous cas plus logique, ne serait-ce d'ailleurs que parce que le chef de l'Église lui-même, comme le Portugais l'avait constaté en faisant sa connaissance en début d'après-midi, avait un goût certain pour les messages codés. Il n'avait pas oublié la façon dont le souverain pontife l'avait accueilli, dans la bibliothèque privée, avec...

Il s'arrêta.

Le cœur battant soudain à tout rompre, Tomás relut la transcription de la déclaration du pape en captivité. *« Pierre a été le premier pape, que je ne sois pas le dernier. »*

« ... *ci oggi il nostro pane quotid...* »

L'excitation s'empara de lui quand il comprit que cette phrase était à double sens. Elle contenait un autre message. Et il le savait grâce à ce que le pape lui-même lui avait dit en début d'après-midi. Comment le chef de l'Église l'avait-il appelé ? Samot : son propre nom chiffré, la clé étant un célèbre verset de l'Évangile selon saint Matthieu, « Les derniers seront les premiers et les premiers seront les derniers ». Or, en l'occurrence, le souverain pontife avait dit : « Pierre a été le premier pape, que je ne sois pas le dernier. » Impossible de ne pas remarquer l'analogie. Cela ne pouvait vouloir dire qu'une chose.

Cette phrase était la clé du code.

Mais quel message chiffrait-elle ? Si le premier paragraphe fournissait la clé et que le second visait à mettre les autorités sur la piste du dossier Dardozzi, la réponse se trouvait sûrement dans la troisième phrase.

« ... *rimetti a noi i nostri deb...* »

Revenant au journal, il relut la troisième phrase de la déclaration. « *L'amour du Christ sera toujours notre trophée.* » Qu'avait bien pu vouloir dire le pape ? Et surtout, comment appliquer la clé de chiffrement à cette phrase ? Y avait-il un rapport avec l'amour du Christ ? Dans quel sens ?

Tomás secoua la tête.

Il devait certainement faire fausse route. Il revint à ce qui lui sembla élémentaire. Si le chef de l'Église avait dit : « Pierre a été le premier pape, que je ne sois pas le dernier », et si cette phrase renvoyait au verset de saint Matthieu, « Les derniers seront les premiers et les premiers seront les derniers », alors il lui fallait procéder comme il l'avait fait pour déchiffrer Samot.

La dernière lettre était la première, et la première la dernière. C'était bien ainsi qu'il avait compris que Samot signifiait Tomás, non ?

« ... *ome noi li rimettiamo ai nostri deb...* »

Mais de quel terme de la troisième phrase devait-il inverser les lettres ? Amour ? Le journal avait transcrit le mot « amour » dans sa version la plus formelle en italien, « *amore* ». Si c'était en portugais ce serait *amor*, terme qui du reste s'écrivait également ainsi dans sa version moins formelle en italien, et dans ce cas l'inversion des lettres donnerait...

« *Roma* ».

L'historien bondit : Amor donnait Roma. Le pape essayait-il de dire qu'il se trouvait à Rome ? Ou bien... peut-être pas. Il réfléchit. Le souverain pontife s'était exprimé en italien et, dans la transcription de *La Repubblica*, le mot était écrit avec un *e* final, c'est-à-dire « *amore* ». En inversant le mot *amore*, on obtenait Eroma, ce qui était différent. Ou bien, encore une fois... peut-être pas. Le chef de l'Église avait-il voulu dire « Eroma » ou, si l'on scindait le terme en deux mots qui aient un sens en italien, *È Roma,* « C'est Rome » ? En outre, sachant que le plus célèbre cryptanalyste au monde se trouvait au Vatican et qu'il était portugais, le pape aurait très bien pu utiliser le mot dans sa version italienne non formelle, *amor*.

L'indication était très importante, certes, mais pas vraiment décisive. Vu l'étendue de Rome, cette information était insuffisante. S'il voulait qu'on le retrouve à temps, le pape avait dû fournir plus de détails. Les aurait-il insérés dans son message ?

Tomás revint à la troisième phrase de la transcription et commença à inverser les lettres d'autres mots.

Dans l'expression « *l'amour du Christ* », il avait inversé *amour*. Inverser Christ donnait « Tsirhc », ce qui évidemment ne signifiait rien. De même, le mot *trophée* ne menait à rien, ni en italien ni en aucune autre langue.

« *... non ci indurre in tentazion...* »

Le Portugais ferma les yeux et se concentra. Quelque chose lui échappait. Il devait faire vite, car l'horloge ne s'arrêtait pas et le délai était sur le point d'expirer. Garder son sang-froid et raisonner avec lucidité n'était pas facile.

Il ouvrit les yeux et, décidé à tenter une nouvelle approche, il revint à la transcription du message du pape. Cette fois-ci, il ne se limita pas à la troisième phrase. Il lut les trois d'un seul coup et une idée lui vint.

Et si le message était caché dans l'ensemble de l'allocution ?

Excité par cette nouvelle perspective, Tomás relut encore une fois les trois phrases. Comment les déchiffrer ? La clé ne pouvait être, comme il l'avait déjà deviné, que le verset de saint Matthieu, « Les derniers seront les premiers et les premiers seront les derniers ». La différence c'est que ce verset ne s'appliquait pas aux lettres, comme l'avait fait le pape avec son nom. Il s'appliquait aux mots.

Voilà ! Le pape avait transmis un message chiffré dont la solution se trouvait dans l'inversion du premier et du dernier mot ! Mais quels étaient ces mots ?

« *... ma liberaci dal m...* »

Il fixa de nouveau les yeux sur le journal.

« Pierre a été le premier pape,
que je ne sois pas le dernier.
Que monseigneur Dardozzi et vous tous priiez pour
moi et pour l'humanité.
L'amour du Christ sera toujours notre trophée. »

Le premier mot de la déclaration était *Pierre* et le dernier *trophée*. C'est-à-dire : *Pierre trophée*. Si on les inversait, comme l'indiquait le verset de saint Matthieu, on obtenait *trophée Pierre*.

Le trophée de Pierre.

C'est là que se trouvait le pape !

« Amen. »

LXXXIX

Le pape était enfermé au sein même du Vatican !

La conclusion était surprenante mais tout à fait logique. Retenir le souverain pontife à l'intérieur des murailles léonines était le meilleur moyen de tromper les autorités qui recherchaient le chef de l'Église partout ailleurs, remuant Rome et sa banlieue de fond en comble, mais ignorant totalement la basilique Saint-Pierre, le cœur de la chrétienté, le lieu où le premier pape avait été crucifié et où le dernier allait être égorgé.

Cela expliquait aussi l'attaque dont Tomás avait été lui-même victime dans l'après-midi, lorsque les terroristes l'avaient séquestré pour l'interroger. Le fait que les ravisseurs le capturent dans la basilique l'avait laissé perplexe : que faisaient encore les terroristes dans la basilique ? Pourquoi étaient-ils revenus sur les lieux du crime ? Sur le moment, cela n'avait pas semblé important, mais à présent la réponse était claire. En réalité, ils n'en étaient jamais sortis.

Le commando avait emmené le pape dans les catacombes et le retenait à l'endroit même où se trouvait le trophée de Gaius, là où Pierre aurait été enterré et où, quelques heures auparavant, Tomás avait découvert ce qui pourrait être les ossements du plus important disciple de Jésus.

Mais il y avait plus. « Pierre a été le premier pape, que je ne sois pas le dernier », avait dit le souverain pontife. Cette phrase contenait une information supplémentaire. En disant qu'il espérait ne pas être le dernier, le pape semblait indiquer que ses ravisseurs avaient l'intention de l'exécuter là même où avait été enterré le fondateur de l'Église. L'intelligence avec laquelle le souverain pontife avait distillé toutes ces informations dans sa courte déclaration sans que ses ravisseurs s'en aperçoivent remplit Tomás d'admiration, mais...

Aurait-on assez de temps pour le sauver ?

Fébrile, l'historien regarda sa montre. Elle indiquait 23 h 50.

Dix minutes.

Il disposait d'à peine dix minutes pour sauver le pape. Angoissé, les mains tremblantes, il saisit son portable et rechercha une nouvelle fois le numéro de l'inspecteur Trodela. Il appuya sur la touche d'appel et entendit deux sonneries.

— Allô ?

La voix lui était désormais familière.

— Inspecteur Trodela ? Ici Tomás Noronha. Je viens de découvrir le....

— Encore vous ? coupa le policier d'un ton plein de lassitude. *Che fastidia !* Je n'ai jamais rencontré quelqu'un d'aussi agaçant ! *Mama mia !*

— Écoutez, inspecteur....

— *Vaffanculo*, professeur ! *Vaffanculo !*

— Écoutez, inspecteur, j'ai découvert l'endroit où se trouve le pape ! Vous avez entendu ? Il est dans les catacombes de la basilique, juste sous l'autel papal, dans la partie de la nécropole chrétienne qu'on appelle le trophée de Gaius, ou trophée de Pierre. Vous devez y aller et le sauver ! (Il fit une pause, attendant la réponse.) Vous m'entendez, inspecteur ? Allô ? Allô ?

La ligne resta muette, le responsable de la police judiciaire lui avait raccroché au nez. Il n'avait même pas écouté ce qu'il avait à lui dire. À peine s'était-il rendu compte que c'était Tomás, qu'il lui avait asséné ses insultes habituelles et avait raccroché.

Le Portugais chercha frénétiquement dans sa liste de contacts. Catherine Rauch. Il appuya sur la touche d'appel. Après deux sonneries, il entendit le même message que plus tôt. « Le numéro que vous avez composé n'est pas disponible actuellement. Veuillez laisser... »

— Oh, non !

La Française refusait encore de répondre.

Lorsqu'il entendit le bip du répondeur, Tomás hésita. À quoi bon lui laisser un message alors qu'il devait absolument lui parler maintenant ? D'un autre côté, qu'avait-il à perdre ?

— Catherine, c'est Tomás, dit-il rapidement, d'une voix confuse. Le pape se trouve dans le trophée de Pierre, dans le secteur des catacombes situées sous le maître-autel de la basilique et c'est là qu'il sera exécuté. J'ai appelé l'inspecteur Trodela, mais il n'a même pas voulu m'écouter. Il m'a raccroché au nez. Dès que vous entendrez mon message, contactez la police, s'il vous plaît.

Il raccrocha et regarda sa montre.

Huit minutes.

XC

Les deux gardes suisses et le fonctionnaire du Saint-Siège regardèrent le nouveau venu avec méfiance. Tomás avait traversé la place Saint-Pierre en courant, bousculant tous ceux qui se trouvaient sur son passage, pour ne s'arrêter que devant la barrière qui bloquait l'accès à la basilique, exactement en face de l'escalier principal.

— Retournez d'où vous venez ! ordonna l'un des gardes suisses sur un ton agressif, visiblement agacé par la manière dont il avait bousculé tout le monde pour arriver jusque-là. Vous ne pouvez pas entrer dans la basilique ! (Il pointa son index vers lui en guise d'avertissement.) Et ne vous avisez pas de déranger à nouveau les fidèles, vous avez entendu ? Respectez la souffrance d'autrui.

Essoufflé, en sueur, le Portugais n'avait pas le temps de faire des politesses ou de se lancer dans des formules diplomatiques. Il devait les convaincre de l'aider, même si cela n'allait pas être facile.

— Écoutez, dit-il. Informez immédiatement vos supérieurs. Le pape va être exécuté sous le maître-autel, et il faut absolument y aller avant qu'il ne soit trop tard.

Les trois hommes qui contrôlaient le point de passage échangèrent un regard plein de sous-entendus ; de toute évidence, ils pensaient avoir affaire à un illuminé.

— Circulez ! insista le garde suisse toujours avec fermeté. Reculez !

— Si vous ne voulez pas informer vos chefs, venez au moins avec moi jusqu'aux catacombes pour...

— Faites ce que je vous dis, sinon je vais devoir vous arrêter !

— Vous n'avez pas entendu ce que j'ai dit ? Le pape va....

— Arrière !

Tomás se rendit à l'évidence. Il était inutile d'insister, il ne ferait que perdre son temps et sa crédibilité. L'expression des gardes montrait clairement qu'ils le prenaient pour un fou furieux. Jamais ils ne le croiraient. Il ne pouvait compter ni sur les gardes suisses, ni sur les gendarmes, ni sur les carabiniers, ni sur la police judiciaire, bref, sur personne. Tout ce sur quoi il pouvait véritablement compter, c'était son ingéniosité.

Il fallait improviser. Changeant brusquement de tactique, il sortit de sa poche le papier que le cardinal Barboni lui avait remis quelques heures plus tôt.

— Voici une invitation pour assister à la messe, dit-il. Laissez-moi entrer.

— Vous ne pouvez pas passer ! rétorqua le garde suisse de plus en plus impatient. La cérémonie a déjà commencé. Ayez l'obligeance de quitter les lieux, comme je vous l'ai déjà demandé !

— Veuillez lire invitation, s'il vous plaît, insista

Tomás. Elle m'a été remise par le cardinal Barboni lui-même.

Avec réticence, et toujours beaucoup de méfiance, le garde suisse prit le papier et le lut. Son air condescendant se transforma aussitôt. La teneur du document, qui semblait effectivement authentique, le surprit. Saisi d'un doute, il montra l'invitation à l'homme qui se tenait à côté de lui.

— Ceci a-t-il été vraiment signé par Son Éminence ?

Le fonctionnaire du Vatican s'approcha et examina le papier.

— C'est bien sa signature en effet.

— Tu en es certain ?

— Je me suis occupé de sa correspondance le mois dernier et je connais bien sa signature. C'est bien la sienne, tu peux me croire.

Le garde suisse se tourna vers Tomás, toujours méfiant.

— Où avez-vous trouvé cette invitation ?

— C'est le cardinal Barboni qui me l'a donnée cet après-midi. Il m'a demandé d'assister à la cérémonie dans la basilique. Je suis un peu en retard, mais il est encore temps d'honorer son invitation. (Il désigna le sanctuaire de la tête.) Alors ? Je peux entrer, oui ou non ?

Perplexes et indécis, les trois hommes qui se tenaient derrière la barrière échangèrent de nouveau un regard, comme s'ils cherchaient une raison de le retenir. Comme personne ne souleva d'objection, le garde suisse qui avait interrogé le Portugais lui rendit l'invitation et, toujours avec réticence, fit un pas sur le côté pour le laisser passer.

— D'accord... c'est bon, vous pouvez entrer, dit-il. Mais faites attention, la cérémonie est en cours et elle ne doit être interrompue sous aucun prétexte. À la moindre incartade, vous aurez de sérieux ennuis, compris ?

— Ne vous en faites pas.

Le garde suisse désigna le portique avec les cinq portes d'accès à la basilique.

— Entrez par la porte de gauche, s'il vous plaît.

— Ah, la porte de la mort.

La sentinelle fronça le sourcil.

— Vous connaissez ?

L'historien ne répondit pas. Il s'éloigna d'un pas rapide et gravit l'escalier en courant. La basilique était abondamment illuminée pour cette occasion solennelle et, de l'intérieur provenait la voix du cardinal Barboni, en pleine homélie.

Tomás était anxieux. Combien de temps avait-il perdu en traversant la place et le poste de contrôle ? Avec appréhension, il consulta sa montre : 23 h 56

Quatre minutes.

Il fut tenté de désobéir aux gardes suisses, de pénétrer dans la basilique par l'entrée centrale, la porte de Filarete, et de crier que le pape se trouvait dans les catacombes du sanctuaire, mais il se ravisa. Non seulement, on le prendrait pour un fou et il lui faudrait beaucoup de temps pour se justifier, mais cela risquait aussi de précipiter l'exécution du chef de l'Église.

Il traversa le portique et, puisqu'il n'était pas superstitieux, il emprunta la porte de la mort. À peine entré, l'ambiance solennelle de la basilique Saint-Pierre, où était célébrée la messe exceptionnelle, l'écrasa de tout le poids de l'histoire. Le sanctuaire regorgeait de cardinaux, d'évêques et autres prélats, ainsi que des personnalités invitées. Il y avait tellement de monde que les trois nefs étaient infranchissables. Comment parvenir aux catacombes ?

L'heure n'était pas aux tergiversations. Voyant le chemin bloqué, Tomás fit aussitôt demi-tour, ressortit et contourna la basilique par le sud. Il s'engagea dans le patio où, deux mille ans plus tôt, se trouvait le centre du cirque de Caligula, et avança jusqu'à la porte qui indiquait « *Ufficio Scavi* », le département des fouilles. Des cordes et un panneau bloquaient l'entrée. Passage interdit. Il ne l'avait pas remarqué ce matin. Il avait sans doute été placé là dans l'après-midi pour empêcher l'accès aux catacombes, les ingénieurs ayant des craintes quant à la solidité structurelle de la basilique. Il regarda sa montre pour savoir combien de temps il lui restait.

Deux minutes.

XCI

Ignorant l'interdiction, il contourna la barrière, emprunta l'escalier qui descendait aux catacombes et se lança dans une course effrénée. Il ne pensait pas arriver à temps mais, jusqu'au dernier moment, il n'abandonnerait pas.

Deux minutes.
En réalité, deux minutes moins quelques secondes.

Il passa par les structures constantiniennes, situées immédiatement sous la basilique actuelle, et descendit jusqu'au niveau pré-constantinien, celui des catacombes et du cirque de Caligula. Ce matin même, il y cherchait les ossements de saint Pierre, mais il avait l'impression que c'était il y a des années, que ça s'était passé dans une autre vie.

Il consulta sa montre.
Une minute et trente secondes.

Il avait l'impression de s'asphyxier tant il avait chaud, les poumons brûlants et les muscles endoloris par les efforts accomplis durant cette folle journée. L'anxiété renouvelait pourtant son énergie et, ignorant la fatigue accumulée, il zigzagua à toute vitesse entre les diverses chambres et niches, parcourant les *clivi* successifs en se cognant aux parois abîmées des vieilles catacombes chrétiennes, passant par des ouvertures en *opus reticulatum*, se baissant pour franchir un passage bas, empruntant un couloir étroit, franchissant une porte entrouverte, évitant un *tumulus*, sautant par-dessus un autre, montant et descendant des marches ingénieusement ménagées dans les murs, accélérant dès qu'il le pouvait et freinant chaque fois que c'était nécessaire.

Sa respiration était devenue haletante, son corps lui faisait mal, sa vision se troublait, brouillée par un tourbillon de mouvements incessants. Il sentait qu'il pouvait défaillir à tout moment. Son corps l'implorait d'arrêter, de se reposer, de tout abandonner et de le laisser en paix. Mais, chez Tomás, c'était la tête qui commandait et, obstiné, se sentant si près du but, il se força à continuer.

Il regarda encore sa montre.

Une minute.

C'était comme disputer une course d'obstacles dans un labyrinthe semé d'embûches, la nécropole étant truffée de vieilles pierres et de passages qui se révélaient des impasses. Mais, ayant tant de fois parcouru les lieux ces derniers jours, il s'était familiarisé avec tous ses recoins, ses pièges et ses chausse-trappes. Les catacombes étaient mal éclairées ; seules quelques lampes jaunâtres conféraient à l'espace une atmosphère fantomatique. Il regretta de ne pas avoir eu le temps de se munir d'une lampe torche. Ce qui l'aidait, c'était l'aisance avec laquelle il évoluait dans ce lieu, comme si l'ancienne nécropole était sa propre maison et qu'elle n'avait aucun secret pour lui.

Pour la énième fois, il regarda sa montre.
Trente secondes.

Il n'y arriverait pas. Dans la matinée, il avait cherché parmi ces ruines les ossements de Pierre, du premier pape, et il avait fini par les trouver dans un obscur entrepôt du Vatican. Ce soir pourtant, il n'allait pas parvenir à sauver le dernier pape. Il restait encore quelques mètres et le temps était pratiquement écoulé. Par ailleurs, il ne suffisait pas d'arriver au trophée de Pierre et de délivrer le pape. Ce n'était hélas pas aussi simple.

Le défi était immense et tout jouait contre lui. Seul, il lui faudrait faire face à un commando d'hommes entraînés dans des camps en Syrie, en Irak, en Libye ou ailleurs. N'avait-il donc jamais vu, dans d'innombrables vidéos plus horribles les unes que les autres, ce dont étaient capables ces terroristes ? Sans l'aide de la police, la décision d'affronter des hommes aussi dangereux représentait un acte extrêmement audacieux, pour ne pas dire insensé. Mais il ne voulut pas y penser. Le moment venu il réagirait, il avait confiance en sa capacité d'improvisation.

Encore un coup d'œil sur sa montre.
Minuit.

Son dernier espoir s'évanouissait et le pire des scénarios était devenu effroyablement réel. Il n'arriverait pas à temps et les prophéties de Malachie, de Fátima et de Pie X sur l'assassinat du pape allaient effectivement se réaliser.

Mais il ne renonça pas.

Essoufflé, dégoulinant de sueur, Tomás dépassa le dernier angle du couloir de la nécropole. S'effondrant presque de fatigue et négligeant les plus élémentaires précautions, il reconnut l'étroite ouverture ménagée dans un mur comme la dernière barrière avant l'inconnu qui l'attendait, et il se jeta littéralement dessus.

Il s'étala de tout son long de l'autre côté et se cogna contre des ruines, déchirant ses coudes et ses genoux. Sa course était finie. Déconcerté, il toucha ses membres pour évaluer les dégâts causés par sa chute et se tranquillisa : il avait dû s'écorcher mais, apparemment, il ne s'était rien cassé.

Il entendit des voix.

Effrayé, il leva la tête et constata qu'il était arrivé au champ P, là où, deux mille ans plus tôt, les restes de saint Pierre avaient été conservés par la première génération de chrétiens. Le lieu lui était familier, mais pas le décor qu'il y trouva. Une partie du champ P, justement celle où se trouvaient les ruines du trophée de Pierre, était illuminée par de puissants projecteurs.

Il regarda attentivement et finit par le voir.

Le pape.

XCII

La scène qui se déroulait dans les ruines du trophée de Pierre n'était pas sans rappeler ces images sinistres que Tomás avait déjà vues à la télévision. Encore allongé là où il était tombé, l'historien distingua un homme vêtu de noir, le visage grossièrement caché par un morceau de tissu, tenant un couteau à la main. Malgré son déguisement, il le reconnut ; c'était le même individu qui l'avait attaqué cet après-midi, dont le nom de guerre était Abu Bakr.

Le djihadiste tenait par la tête son prisonnier, agenouillé devant lui, les mains attachées derrière le dos, à sa merci. Des drapeaux noirs de l'État islamique couvraient en partie le mur rouge derrière les ruines de la tombe du fondateur de l'Église. À la différence des vidéos habituelles, la victime ne portait pas une combinaison orange, mais les traditionnels habits blancs qui permettaient de l'identifier immédiatement.

Le pape.

Deux puissants projecteurs illuminaient la scène. Entre les deux foyers de lumière se tenait un autre homme vêtu de noir, le visage également dissimulé, à côté d'une caméra posée sur un trépied et reliée à un ordinateur ; c'était Ibn Taymiyyah. Il avait un pansement sur le nez et un hématome à l'œil, souvenirs de la blessure que Tomás lui avait infligée quelques heures plus tôt.

Il se préparait visiblement à transmettre des images en direct sur Internet, et Abu Bakr s'était positionné pour procéder à l'exécution, comme il avait annoncé qu'il le ferait à minuit.

— *Ma hdha ?* demanda en arabe le djihadiste qui était à la caméra. Qu'est-ce que c'est que ça ?

L'arrivée soudaine de Tomás n'était pas passée inaperçue. Mais les projecteurs étant orientés vers le trophée de Pierre où se déroulait la scène, le contraste lumineux empêchait de bien voir la partie des catacombes qui n'était pas éclairée, et notamment l'endroit où se trouvait le Portugais. Cela l'avait protégé momentanément.

— *Hal hnak shay !* lança Abu Bakr, qui avait le couteau à la main et maintenait le chef de l'Église. Il y a quelque chose là-bas !

Les deux djihadistes mirent leur main en visière pour se protéger de la lumière des projecteurs et essayer d'identifier l'origine du bruit.

— *Who's there ?* demanda en anglais celui qui tenait la caméra. Qui est là ?

Tomás comprit qu'ils ne l'avaient pas encore vu. Tirant parti de l'obscurité, il roula sur sa droite et se cacha derrière des ruines.

— Arrête la vidéo, ordonna en arabe celui qui se préparait à décapiter le pape. Tourne les projecteurs par là.

Ibn Taymiyyah obéit et dirigea l'un des projecteurs vers la zone où ils avaient entendu du bruit. Adossé aux restes d'un tombeau, l'historien vit la lumière s'abattre sur l'endroit où il s'était caché et il ne bougea pas, comme s'il s'était lui-même transformé en ruine.

— *Kan yumkin na yakun far*, déclara celui qui avait manipulé le projecteur, ne distinguant rien d'étrange. C'est sans doute un rat.

— Un rat ne ferait pas autant de bruit, espèce d'idiot ! répondit Abu Bakr. Prends la kalachnikov et va voir ce que c'est.

L'autre obéit. Il alla chercher l'arme qui était posée près de l'ordinateur et, le projecteur à présent dirigé vers la zone suspecte, il avança dans la pénombre, le doigt sur la détente, le canon de son arme pointé devant lui, prêt à ouvrir le feu si une cible se présentait.

Toujours caché, Tomás sentit l'homme approcher. Il comprit que le djihadiste explorait les ruines lentement et méthodiquement, scrutant chaque recoin avec attention. S'il continuait ainsi, le Portugais se dit qu'il ne tarderait pas à être découvert.

Il balaya du regard l'espace autour de lui, ne distinguant que des ruines et des ombres au-delà de la zone illuminée par le projecteur.

L'historien connaissait bien le périmètre archéologique, et il savait que dans cette zone limitée il n'y avait que des restes de tombeaux et de murs. S'il pouvait traverser le mur rouge situé derrière le trophée de Pierre, ce serait différent. Il y trouverait sans aucun doute des endroits plus propices pour se cacher, car dans ce secteur les chambres mortuaires et les mausolées ne manquaient pas, qui feraient d'excellentes cachettes. En revanche, là où il se trouvait, il n'avait pas beaucoup d'options.

Il entendit près de lui le djihadiste qui s'approchait avec la kalachnikov.

— *Lays lashy huna*, déclara Ibn Taymiyyah. Il n'y a rien ici.

— *Mutalabat bitahsin*, lui répondit Abu Bakr. Cherche mieux. Ce bruit a été provoqué par quelque chose. Tâche de voir ce que c'est.

Tomás suivait la conversation avec anxiété. Il avait bien senti que l'homme armé voulait arrêter de chercher et il avait même eu l'espoir de s'en sortir, mais l'insistance de l'autre djihadiste ne présageait rien de bon.

Il retint sa respiration et se recroquevilla davantage. Il entendit les pas de l'homme juste derrière lui ; il lui semblait incroyable que celui-ci ne l'ait pas encore découvert. Ce qui le sauvait c'était l'ombre qui l'enveloppait.

Et pourtant, ce qui devait arriver arriva.

— *Hnak kafîr huna !* cria soudainement Ibn Taymiyyah, pointant sa kalachnikov vers Tomás et se préparant à faire feu. Il y a un infidèle ! Je vais le tuer !

C'était la fin.

XCIII

Tomás vit sa dernière heure arriver. L'arme du djihadiste était pointée sur lui et ses paroles étaient sans appel. Quelle stupidité que de s'être lancé aveuglément sans la police, et sans rien pour se défendre. Il n'avait même pas un canif. Qu'espérait-il en venant ici ? Que les ravisseurs le féliciteraient pour ses extraordinaires capacités de déduction ? Qu'ils lui remettraient le pape sur un plateau et les laisseraient tous les deux repartir en paix ? Quel naïf il faisait !

Que diable avait-il en tête ? Son erreur allait lui coûter la vie. On raconte que lorsqu'on est sur le point de mourir, on revoit toute son existence en quelques secondes, comme un film comprimé dans le temps, mais ce n'est pas ce qui arriva à Tomás. En cet ultime instant, la seule chose que l'universitaire se disait c'était qu'il avait fait preuve d'une stupidité sans limites. Ses actes irréfléchis, loin d'une tentative de sauvetage, ressemblaient plutôt à une mission suicide.

— *La tatlaquu alnnar !* cria de loin Abu Bakr. Ne tire pas ! Si tu ouvres le feu, les *kafirun* au-dessus vont nous entendre et ils seront là en un rien de temps !

L'homme à la kalachnikov demeura indécis.

— Et alors, qu'est-ce que je fais ?

— *Man hu ?* demanda l'autre. Qui est-ce ? C'est un policier ?

Celui qui s'était approché du Portugais hésita, probablement parce qu'il essayait d'identifier l'intrus.

— C'est l'infidèle que nous avons capturé cet après-midi et qui s'est enfui ! Celui qui m'a tabassé !

— Quoi ? répondit Abu Bakr. Amène-le ici !

Les deux hommes avaient donc peur de faire du bruit, se dit Tomás. Ils se trouvaient exactement sous la basilique et le sanctuaire était rempli de monde, de gendarmes et de carabiniers ; ce qui signifiait qu'ils ne tireraient qu'en dernier ressort. Une occasion inespérée se présentait à lui. Avant que le djihadiste ne le saisisse, Tomás se leva d'un bond et courut en direction de la zone du champ P qui était plongée dans l'obscurité.

— Stop ! ordonna en anglais l'homme à la kalachnikov. Arrête-toi ou je tire !

Ils n'imaginaient pas que l'historien avait compris leur échange en arabe et qu'il savait qu'il n'ouvrirait pas le feu. Ignorant les menaces, Tomás disparut.

— Stop !

— *Attabieh !* ordonna celui qui tenait le pape. Poursuis-le !

— *Walikun kayf la iidha ra'ayt ?* Mais comment, si je ne vois rien ?

Agacé, Abu Bakr lâcha le chef de l'Église, toujours agenouillé et les mains attachées derrière le dos, face au trophée de Pierre, puis dirigea le second projecteur vers l'endroit où le fugitif avait disparu. La lumière aveugla Tomás.

— *Qubid ealayh* ! ordonna encore celui qui semblait être le chef. Attrape-le !

Ibn Taymiyyah n'avait pas attendu l'ordre pour se lancer. Zigzagant parmi les ruines du champ P, il se dirigea vers le fugitif. Adossé à un monument funéraire du premier siècle, Tomás comprit qu'il n'y avait plus d'échappatoire. Le champ P se terminait derrière lui et les seules issues étaient celles qui donnaient sur le *clivus* par où il était entré ou les niches situées au-delà du mur rouge. Mais ces deux issues étaient bloquées par les islamistes.

Il regarda l'homme qui approchait, son arme pointée sur lui, et envisagea les différentes options. Soit il se rendait, soit il résistait. Se rendre équivalait à une mort certaine. Ne restait donc qu'une seule possibilité.

S'approchant de Tomás, le djihadiste ralentit et pointa sa kalachnikov sur lui, convaincu de son effet dissuasif. Le Portugais ne se laissa pas intimider.

— *Give yourself up* ! ordonna Ibn Taymiyyah. Rends-toi !

La réponse fusa.

— *Fuck off* !

S'il y avait bien une chose qu'un fondamentaliste n'aimait pas c'était qu'on lui adresse des injures à caractère sexuel. Ne pouvant l'empêcher d'approcher, Tomás essayait de le provoquer, espérant que, sous l'effet de la colère, son adversaire finirait par commettre une erreur. L'homme n'avait guère apprécié l'insulte et, dans un accès de rage, il le visa avec sa kalachnikov, mais ne tira pas.

Ils se faisaient face.

— Rends-toi ! insista Ibn Taymiyyah en anglais. Sinon je te tue.

La tentation d'obéir était grande. Seul et désarmé, Tomás était au bord de l'épuisement. Ses capacités de combat n'allaient guère au-delà de ce qu'il avait appris pendant les deux années où il avait pratiqué le karaté, une modeste ceinture jaune. Il n'était pas à la hauteur d'un soldat entraîné dans les déserts de Syrie et d'Irak.

Il ne se laissa pourtant pas intimider et alla jusqu'à lui lancer une nouvelle provocation en souriant.

— *Go to hell !*

Mortifié par l'inefficacité de son arme, Ibn Taymiyyah se jeta rageusement sur lui.

— *Ibn al-kalb !* cria-t-il. Fils de chien !

Ayant anticipé l'attaque, le Portugais s'écarta et lui asséna un coup de pied dans le dos. Le soldat faillit perdre l'équilibre, mais il se rétablit rapidement et, faisant un demi-tour rapide sur lui-même, il surprit Tomás, qu'il atteignit à la tête avec la crosse de sa kalachnikov.

L'historien tomba en arrière et heurta violemment une pierre tombale. Il sentit que sa vue se brouillait et qu'un liquide chaud lui coulait le long de son front. Déconcerté, il porta la main à sa tête et la regarda. Elle était maculée de sang.

Presque en même temps, son adversaire se jeta sur lui.

— *Yamut kafir !* cria Ibn Taymiyyah. Meurs, infidèle !

Tomás parvint à éviter la crosse de la kalachnikov, mais il était trop étourdi pour affronter le djihadiste, qui le frappa de nouveau à la tête. Il s'effondra.

XCIV

La première chose que Tomás vit lorsqu'il ouvrit les yeux fut la lumière qui descendait sur lui. Tout était flou, comme dans un rêve. Étourdi, il eut l'impression d'être aveuglé par le soleil, mais la brume dans laquelle il était plongé se dissipa peu à peu. Il comprit alors qu'il n'y avait pas un soleil mais deux, puis il se rendit compte que ces lumières qui l'emprisonnaient n'étaient pas des soleils.

C'étaient des projecteurs.

— Hum...

Le gémissement attira l'attention des ravisseurs.

— *Hua alssahwa*, constata Abu Bakr. Il se réveille. Rebranche l'ordinateur pour qu'on recommence à transmettre les images en direct.

Désorienté, Tomás fut d'abord étonné d'entendre de l'arabe, mais il se rappela rapidement où il se trouvait et ce qui s'était passé. Il regarda autour de lui et constata qu'il était couché dans le trophée de Pierre, la main gauche enchaînée à la colonne du mausolée, et sous l'intense lumière des projecteurs. Devant lui se tenaient les deux terroristes, l'un debout, un couteau à la main, observant l'autre, accroupi sur l'ordinateur, probablement pour rétablir la liaison Internet.

— Vous souhaitez vous confesser, professeur ?

En entendant la question, à peine chuchotée, Tomás se retourna. Près de lui était agenouillé un homme vêtu de blanc, les bras attachés dans le dos. Le pape.

— Votre Sainteté. Vous allez bien ?

La réponse lui parvint avec un sourire triste.

— Nous sommes entre les mains du Seigneur, lui répondit l'homme en blanc avec sérénité. Voulez-vous vous confesser ?

— Comme vous le savez, Votre Sainteté, je ne suis pas très pratiquant...

— Pas même maintenant que vous êtes sur le point de mourir ? Vous ne voulez vraiment pas vous réconcilier avec Dieu ? Le moment n'est-il pas venu de vous préparer à mourir ?

Le Portugais dévisagea les deux hommes devant lui et serra les dents avec détermination.

— Nous ne sommes pas encore morts.

Le pape gardait les yeux fixés sur lui, tentant de comprendre d'où lui venait son apparente confiance.

— Dois-je comprendre que vous êtes venu accompagné, professeur Noronha ?

L'historien soupira, forcé de reconnaître sa stupidité.

— Je suis venu seul, malheureusement.

— Personne ne sait que vous êtes ici ?

Tomás continua d'observer les deux ravisseurs. Ils s'affairaient autour de l'ordinateur et semblaient indifférents à la conversation des prisonniers ; comme s'ils n'avaient rien entendu ou, s'ils avaient entendu, que cela les laissait indifférents.

— Personne.

Le chef de l'Église soupira profondément, exhalant ainsi son dernier espoir.

— Alors, nous sommes entre les mains de Dieu, murmura-t-il, résigné. Que le Seigneur ait pitié de nous, qu'il nous aide et nous reçoive auprès de lui.

Tomás regarda tout autour, cherchant une issue. Il ne vit rien et sentit le découragement l'envahir.

— Nous sommes dans un sacré pétrin, n'est-ce pas ?

Le pape gardait les yeux fermés, méditatif. Il consacrait ses dernières minutes de vie à se préparer à mourir.

— Lúcia avait raison.

Ces mots murmurés par le chef de l'Église surprirent l'historien.

— Lúcia ?

Le souverain pontife ouvrit les yeux et le dévisagea de nouveau.

— Vous avez oublié ce que sœur Lúcia a dit de l'évêque vêtu de blanc ? Du pape ?

— Ah, la prophétie de Fátima.

Respirant profondément et s'éclaircissant la voix, le vieil homme récita la partie la plus importante de la prophétie.

— « Le Saint-Père traversa une grande ville à moitié en ruines et, à moitié tremblant, d'un pas vacillant, affligé de souffrance et de peine, il priait pour les âmes des cadavres qu'il trouvait sur son chemin », récita-t-il de mémoire. « Parvenu au sommet de la montagne, prosterné à genoux au pied de la grande croix, il fut tué par un groupe de soldats qui tirèrent plusieurs coups avec une arme à feu et des flèches ; et de la même manière moururent les uns après les autres les évêques, les prêtres, les religieux et religieuses et divers laïcs, hommes et femmes de classes et de catégories sociales différentes. »

L'historien reconnut l'intégralité du passage.

— C'est la troisième partie du secret de Fátima telle que Lúcia l'a consignée par écrit, constata-t-il. Votre Sainteté, n'y pensez pas s'il vous plaît.

— Comment pourrais-je ne pas y penser ? Avez-vous vu où nous sommes séquestrés ?

Tomás se tourna et considéra à nouveau l'espace qui les entourait.

— Le trophée de Pierre.

— Exactement sous le maître-autel de la basilique, précisa le souverain pontife. C'est-à-dire, au pied de la « grande croix » mentionnée par Lúcia.

— Mais il n'y a pas de cadavres autour de nous et Votre Sainteté n'a gravi aucune montagne...

— Bien sûr que si, nous sommes sur le mont Vatican, parmi les restes de la « grande ville à moitié en ruines » que sont objectivement les catacombes des premiers chrétiens de Rome et, métaphoriquement, le monde déchiré par les attentats successifs et les guerres à venir. Quant aux cadavres... Qu'ont provoqué selon vous les attentats qui ont éclaté aujourd'hui un peu partout dans le monde ? Oui, j'ai entendu ces terroristes parler de ces graves événements d'aujourd'hui. Des morts et encore des morts. D'ailleurs, si une guerre de religion éclate, les cadavres ne manqueront hélas pas. Et à votre avis, quel sort nous attend, si ce n'est d'être tués par ces soldats ?

— La prophétie évoque également la mort d'évêques, de prêtres et de laïcs...

D'un geste, le pape indiqua le plafond.

— Est-il vrai qu'une messe se déroule actuellement là-haut, dans la basilique ?

— Oui. La basilique et la place sont remplies de gens qui prient pour Votre Sainteté et pour la paix dans le monde. Des religieux et des laïcs, main dans la main. Pour que tout le monde soit en communion au moment où... où... enfin, lorsque le délai expirera.

D'un signe de tête, le chef de l'Église indiqua quelque chose sur la gauche.

— Regardez ce qu'ils ont placé là, sur les piliers.

L'historien regarda dans la direction indiquée, il ne vit que des ruines et des ombres, mais, sur les piliers, il distingua des espèces de cartouches attachées aux structures et d'autres encore enfilées dans des vestes abandonnées par terre.

— Qu'est-ce que c'est que ça ?

— Des explosifs.

Tomás écarquilla les yeux.

— Quoi ?!

— Après nous avoir exécutés en direct sur Internet, ces hommes vont faire exploser la basilique et une partie de la place Saint-Pierre. Des milliers d'innocents vont périr, y compris « des évêques, des prêtres, des religieux et religieuses et divers laïcs, hommes et femmes de classes et de catégories sociales différentes », exactement comme les prophéties de Fátima l'ont prévu.

— Mon Dieu !

— Pie X a également vu juste lorsqu'il a vu le pape marcher sur les cadavres de ses prêtres et mourir d'une « mort cruelle ». Et il affirmait que « cette perversion annonce le début des derniers jours du monde ».

Le Portugais secoua la tête, se refusant à accepter.

— Non, Votre Sainteté ne...

— Et saint Malachie l'a également deviné lorsqu'il a évoqué la « persécution finale de l'Église » et la « destruction de Rome ».

— ... peut pas dire de telles choses.

Le pape posa sur lui un regard résigné et mélancolique.

— Pourquoi, si c'est effectivement ce qui est en train de se passer ? Saint Malachie m'a appelé Petrus Romanus, et où vais-je mourir ? (Il regarda autour de lui.) Dans le trophée de Pierre, c'est-à-dire Petrus, à Rome. Qui est Pierre le Romain, le dernier pape, si ce n'est moi ?

— Écoutez, tout ça n'est rien d'autre que...

Une voix rugit dans la nécropole ; en anglais.

— *Silence !*

Ils se turent. Abu Bakr s'approcha, le couteau à la main et le regard déterminé de celui qui savait que, malgré le retard, l'heure était venue d'accomplir sa mission. Visiblement, les djihadistes avaient réglé leur problème de connexion.

— *Daqiqat wahidat akthar*, dit Ibn Taymiyyah, debout près de la caméra vidéo, en levant un doigt. Encore une minute et nous serons en direct.

Abu Bakr s'approcha de Tomás et, d'un air menaçant, posa la pointe de son couteau sur son front avant de l'interroger en anglais.

— Comment savais-tu que nous étions ici ?

L'historien hésita, terrorisé mais intrigué. Que cherchait-il à savoir en posant cette question ? La réponse était évidente. Abu Bakr voulait savoir si la police allait arriver. Pourrait-il l'induire en erreur ?

— Grâce à une technologie secrète, nous avons

compris que votre vidéo serait tournée dans la nécropole, mentit Tomás. Je suis venu en éclaireur, mais la police va arriver d'un moment à l'autre.

Le djihadiste regarda le trou qui reliait le champ P au reste des catacombes, comme s'il voulait vérifier la véracité de ces paroles. Soudain, sans prévenir, il balança violemment un coup de pied à la tête de Tomás, qui le projeta brutalement contre le pilier.

— Tu me prends pour un idiot, *kafir* ? vociféra-t-il. Tu veux nous faire peur, mais nous sommes des moudjahidines et nous n'avons peur de rien. Nous ne craignons pas la mort car elle nous emmènera à Jannah, le paradis d'Allah, où nous attendent des *houris* pures, à la poitrine généreuse. Il ne viendra aucun policier, et s'ils arrivent nous avons une surprise pour eux. (Il sortit un petit objet de sa poche, protégé par un étui.) Tu sais ce que c'est ?

Tomás regarda l'étrange objet.

— Non.

Abu Bakr désigna l'un des gilets d'explosifs situés près du pilier.

— C'est l'interrupteur qui déclenchera les explosifs, dit-il. Ce sera le second acte de la vengeance d'Allah. Lorsque nous aurons envoyé l'apôtre des fausses vérités en enfer, nous mettrons tous un gilet, y compris toi, et nous exploserons en direct, ce qui provoquera l'effondrement de cet antre d'idolâtres et la mort de tous ceux qui s'y trouvent. Une fin en apothéose pour une mission de martyre.

— La police sera là avant.

Il donna un nouveau coup de pied au Portugais étalé par terre.

— Si ça arrive, c'est très simple, dit-il. Nous anticiperons le moment final.

Il rangea le petit étui et s'éloigna de Tomás pour venir se placer derrière le pape en vue du dernier acte.

— *Aintibah !* lança Ibn Taymiyyah près de la caméra vidéo. Attention ! Trois... deux... un...

Les images étaient à présent diffusées dans le monde entier via Internet, Abu Bakr saisit la tête du chef de l'Église qu'il tira vers l'arrière pour dégager son cou. Il colla la lame de son couteau sur sa pomme d'Adam puis fixa la caméra, conscient que ce moment était historique et que des millions de personnes les regardaient.

L'heure était arrivée.

XCV

La scène était en tout point semblable aux vidéos tristement célèbres diffusées sur Internet. Vêtu de noir, le djihadiste s'était placé derrière le pape et se préparait à lancer le grand final.

— Ceci est un message destiné aux croisés, annonça, en anglais, l'homme au couteau, en regardant la caméra qui transmettait la scène en direct. Votre chef, apôtre de fausses vérités, est agenouillé en signe de soumission à la vérité suprême de l'islam, d'Allah et de son prophète, que la paix soit avec lui. Nous vous avons communiqué en temps voulu les ordres sacrés consignés dans le Saint Coran, sourate 9, verset 29, et qui font partie de la charia éternelle : « Faites la guerre à ceux qui ne croient point en Dieu ni au jour dernier, qui ne regardent point comme défendu ce que Dieu et son Apôtre ont défendu, et à ceux d'entre les hommes des Écritures qui ne professent pas la vraie religion. Faites-leur la guerre jusqu'à ce qu'ils payent le tribu de leurs propres mains et qu'ils soient soumis... »[1] Vous avez entendu, *kafirun*, cette juste exigence d'Allah et de son prophète, que la paix soit avec lui, en sachant parfaitement que vous aviez jusqu'à minuit, heure de Rome, pour vous y soumettre. Et...

Tomás tenta de libérer son bras gauche enchaîné au pilier du trophée de Pierre, pour lancer une ultime action désespérée mais il était impossible de briser la chaîne.

— ... en réponse à cet ordre d'Allah, qu'avez-vous fait ? poursuivit le djihadiste. Avez-vous obéi à la volonté divine ? Avez-vous accepté la charia sacrée ? Vous êtes-vous soumis à Allah ? Non. Vous avez refusé de vous convertir ou, à défaut, de payer la *jiziah* de votre propre main, comme Allah l'a ordonné dans le Saint Coran et comme l'a enseigné son Prophète, que la paix soit avec lui, à travers la *sunna*, le bel exemple. L'heure...

Désespéré, le Portugais regarda autour de lui à la recherche d'une pierre, d'un instrument contondant, de n'importe quel objet qu'il pourrait lancer contre Abu Bakr, la caméra vidéo ou l'ordinateur avant qu'ils ne soient tués, car il ne voulait pas mourir sans lutter, mais il ne trouva rien. Il y avait bien quelques pierres çà et là, mais elles étaient trop loin, éparpillées sur le site. La seule chose qui se trouvait près de lui était une cavité ménagée dans la paroi située près du pilier du mausolée de Pierre.

---

1. Tiré de ://www.lenoblecoran.fr/albert-kazimirski/

— ... c'est pourquoi l'heure de la justice divine est venue, conclut le djihadiste. (Il leva son couteau et poussa le cri rituel du djihad.) *Takfir !*

Celui qui gérait la caméra vidéo répondit par la formule traditionnelle.

— *Allahu akbar !*

Dans un geste éperdu, Tomás introduisit sa main libre dans la cavité de la paroi et tâtonna frénétiquement, tandis que le pape, conscient qu'il se trouvait dans la position de l'agneau du sacrifice et qu'il serait le premier à mourir, tremblait sans réussir à se contrôler.

— Le délai a expiré, annonça Abu Bakr. L'heure de la justice d'Allah a sonné.

Malgré la peur, le chef de l'Église, s'efforçant de garder son calme, leva les yeux en une dernière prière.

— Je ne Vous demande rien pour moi, Seigneur, hormis de la compassion, et de la miséricorde pour Votre troupeau. Rien ne peut me rendre plus heureux que de suivre Votre exemple et de mourir pour expier les péchés de l'humanité. Je Vous implore, Seigneur, ne laissez pas Vos enfants désemparés. Protégez-les du mal, guidez-les et pardonnez-leur. Mais, si Vous décidez que l'heure est venue pour Votre troupeau de payer aussi ses péchés, alors que Votre volonté soit faite. Je Vous prie...

Abu Bakr le saisit par les cheveux et lui poussa violemment la tête en arrière.

— Tais-toi, *kafir* ! rugit-il. Prépare-toi à rendre des comptes à Allah et à subir le châtiment éternel !

Il approcha son couteau et passa le fil de la lame sur

le cou du pape, ouvrant une entaille rouge vif sous l'oreille gauche.

Dans un bruit de gargouillements, du sang commença à jaillir de la gorge du pape.

Épouvanté, désespéré et horrifié par sa propre impuissance, Tomás tâtonnait frénétiquement à l'intérieur de la cavité.

Soudain, il sentit une surface dure et froide au bout de ses doigts. C'est alors qu'il se souvint.

Ce matin, lorsqu'il était venu là avec Maria Flor, il avait laissé quelques instruments d'archéologie dans ce trou. Deux petites pelles et une petite pioche.

Il la saisit par le manche et, s'étirant autant que la chaîne le permettait, il se jeta sur le djihadiste qu'il atteignit dans le dos avec la pointe de la pioche.

Abu Bakr hurla de douleur.

Il lâcha le pape. Le couteau ensanglanté à la main, il se tourna vers Tomás et le frappa. Le Portugais se détourna juste à temps pour éviter la lame et, attirant son adversaire vers lui, essaya de lui planter à nouveau la pioche dans le dos. Cette fois, Abu Bakr ne se laissa pas faire ; il blessa Tomás au bras avec son couteau, l'obligeant à laisser tomber la pioche.

Désarmé, le bras droit tailladé et l'effet de surprise envolé, l'historien se savait perdu. Il n'avait plus la moindre énergie si ce n'est celle du désespoir. Avant que son adversaire n'ait eu le temps de se retourner, Tomás le contourna et lui passa autour du cou la chaîne qui le retenait à la colonne du mausolée. Il tira alors de toutes ses forces pour l'étrangler.

— Gghhh...

— Abu Bakr !

Pendant que l'autre homme arrivait au secours de

son compagnon, tout en continuant à tirer sur la chaîne avec ce qui lui restait d'énergie, Tomás regarda en direction du trépied, où la caméra vidéo transmettait au monde entier les images des événements extraordinaires qui se déroulaient dans le trophée de Pierre. Il vit alors Ibn Taymiyyah armer sa kalachnikov et la diriger vers le pape.

Le chef de l'Église avait roulé par terre, les mains autour du cou pour tenter d'arrêter le sang qui ne cessait de couler. Ibn Taymiyyah était déterminé à mener à bien sa mission sacrée plutôt qu'à sauver son compagnon.

Lorsqu'il fut prêt à ouvrir le feu, il poussa le cri de guerre des moudjahidines.

— *Allahu akbar !*

Presque instinctivement, Tomás libéra Abu Bakr de la chaîne qui l'étranglait et, avec l'énergie du désespoir, le projeta violemment sur le corps prostré du pape.

L'homme à la kalachnikov ouvrit le feu.

XCVI

La rafale atteignit en même temps Abu Bakr et le pape, mêlant les deux corps dans un enchevêtrement de noir et de blanc, de membres et de troncs, de têtes et de pieds, l'un et l'autre enlacés, unis par le rouge vif du sang.

Lorsque l'arme se tut, la nécropole fut subitement plongée dans le silence et, pendant un instant, Tomás eut l'impression que le temps lui-même s'était arrêté. Le chef de l'Église avait été abattu en direct sans qu'il ait pu faire quoi que ce soit.

— Non ! s'écria le Portugais, réagissant enfin et cherchant à tout prix à faire quelque chose. Nooonn !!!

Il essaya de s'approcher, mais la chaîne métallique qui le retenait au pilier l'empêchait d'atteindre le chef de l'Église. Il se sentait comme un chien en furie attaché à une laisse. Il s'arrêta brusquement.

À quoi bon lutter si le pape était mort et que tout était perdu ? Il haletait, essoufflé. Son cœur grondait comme un volcan dans sa poitrine, son bras droit et son front étaient en sang et son corps n'en pouvait plus. Il était épuisé et il avait échoué, voilà la vérité.

Il avait échoué.

Il se laissa tomber par terre, désemparé, et regarda le plafond des catacombes. Impuissant, inspirant et expirant lourdement, il pensa aux paroles écrites par Lúcia, au troisième secret de Fátima et à la terrible prophétie, récitée quelques minutes plus tôt par le pape lui-même.

« Parvenu au sommet de la montagne, prosterné à genoux au pied de la grande croix, il fut tué par un groupe de soldats qui tirèrent plusieurs coups avec une arme à feu et des flèches. »

Comment s'opposer au pouvoir du destin ?

En mitraillant le pape, le djihadiste accomplissait la première partie de la prédiction, la « mort cruelle » que Pie X avait également annoncée. Le reste de la prophétie de Fátima, celle concernant la basilique et la place Saint-Pierre pleines de monde, constituerait l'étape suivante. Le dernier acte.

« Et de la même manière moururent les uns après les autres les évêques, les prêtres, les religieux et religieuses et divers laïcs, hommes et femmes de classes et de catégories sociales différentes. »

Il suffirait de faire détoner les explosifs.

L'homme à la kalachnikov s'approcha des corps pour s'assurer que le pape, étendu face contre terre à côté d'Abu Bakr dans une mare de sang, avait bien été abattu. Satisfait, il se tourna vers Tomás et pointa son arme sur lui.

— À ton tour, *kafir*.

Le Portugais gisait au sol, enchaîné à la colonne et incapable de réagir. Ibn Taymiyyah recula alors d'un pas, son arme automatique toujours tournée vers le prisonnier. Tomás avait perdu tout espoir. Il garda les yeux fixés sur le plafond de la nécropole, résigné à mourir.

Rien ne se produisit.

— Qu'attends-tu ?

Le djihadiste indiqua les gilets avec les explosifs qui entouraient les piliers des catacombes.

— Tu vas te faire exploser en direct.

Toujours étendu par terre, Tomás se tourna et le dévisagea avec un air de défi. S'il devait mourir, il mourrait comme il l'entendrait.

— *Fuck you !*

Malgré l'insulte, le djihadiste ébaucha un sourire. Il saisit un gilet et le lança vers le trophée de Pierre, sans atteindre Tomás.

— Avec tous les explosifs que nous avons placés ici, une seule balle suffirait pour provoquer l'effondrement de cet antre du polythéisme, de l'idolâtrie et des fausses vérités.

— La mort du pape ne vous suffit pas ? s'écria subitement l'historien en se redressant. (Tout était perdu, mais il ne pouvait s'arrêter de lutter.) Tout le mal que vous avez fait ne vous suffit pas ? Pourquoi tuer davantage de gens ? À quoi cela vous avancera-t-il ?

Ignorant cet ultime appel, Ibn Taymiyyah pointa sa kalachnikov sur les explosifs, conscient que la scène était toujours transmise en direct sur Internet. Du fond de sa gorge sortit alors le cri à la gloire de Dieu.

— *Allahu akbar !*

XCVII

Étendu dans le trophée de Pierre et résigné à une mort inéluctable, Tomás pensa que la détonation de la kalachnikov serait la dernière chose qu'il entendrait. Aurait-il mal ? Sentirait-il quelque chose ? Peut-être n'entendrait-il même pas l'explosion. La balle atteindrait les explosifs et la détonation se produirait aussitôt, pulvérisant tout en une fraction de seconde. Il n'aurait même pas le temps de s'apercevoir que le djihadiste avait ouvert le feu. Il serait vivant et, l'instant d'après, le néant.

Et pourtant, il avait entendu le coup de feu. Il avait même entendu l'écho de la détonation se propager dans le champ P. Le plus incroyable, c'est qu'aucune explosion ne s'était produite ensuite.

L'historien se sentait désemparé. Il saignait de la tête et du bras droit, son corps était endolori, ses poumons lui brûlaient la poitrine et gênaient sa respiration, sa vision était troublée et il avait des étourdissements. Il avait l'impression d'avoir été drogué et de vivre un rêve. Dans l'état de faiblesse où il se trouvait, la réalité n'avait plus d'importance, elle avait même perdu tout son sens. Tomás avait le sentiment d'être au-delà de tout, au point qu'il lui était indifférent de vivre ou de mourir. Il se contrefichait de savoir si l'explosion s'était produite, si la basilique s'était effondrée et si l'humanité s'était précipitée dans l'abîme de la guerre. Tout ce qu'il voulait, à ce moment d'épuisement absolu, c'était qu'on le laisse en paix afin qu'il puisse se reposer. Jusqu'à l'éternité.

Silence.

Était-ce donc ça la vie après la mort ? Après le bruit infernal de la détonation, le silence absolu enveloppa Tomás. Toujours étendu par terre, le Portugais se demandait si, au bout du compte, l'explosion s'était vraiment produite et s'il n'était pas déjà dans l'autre monde, au-delà de la vie, en un lieu paisible où il avait enfin découvert la paix. Il avait perdu sa mère, enfermée dans un foyer avec sa maladie d'Alzheimer, et il avait perdu Maria Flor, qu'il aimait autant pour sa douceur que pour son mauvais caractère et avec qui, finalement, il n'allait pas vivre le restant de ses jours comme il l'avait secrètement espéré. Il avait perdu les deux personnes qui lui étaient les plus chères et ce sentiment le dévastait.

Cependant, une autre idée le réconforta. Après tout, la mort allait peut-être lui permettre de retrouver ceux qu'il avait tant aimés qui avaient quitté ce monde. Reverrait-il Margarida, sa fille adorée qu'il avait perdue alors qu'elle n'était encore qu'une enfant ? Rencontrerait-il à nouveau son père, le professeur de mathématiques qui, peu avant sa mort, lui avait montré le sens de l'existence et lui avait dévoilé la formule de Dieu ?

Ces pensées le remplirent d'un vague espoir. Mourir n'était peut-être pas si terrible que ça. La mort n'était rien de plus qu'un passage, tout dans l'univers se transformait, chaque chose, à tout instant, avait un début et une fin. La transformation permanente voilà l'essence de l'existence ; tout n'était qu'impermanence et, avec la mort, Tomás avait fini par se fondre dans le cosmos et...

Des voix.

Tomás les entendait de loin, incompréhensibles et diffuses. Étaient-ce des anges ? Ou sa fille et son père qui venaient vers lui pour l'accueillir de l'autre côté ? Il savait, par l'expérience de mort imminente qu'avaient vécue sa mère et beaucoup d'autres, que le passage vers l'autre côté se faisait dans un tunnel, au bout duquel une lumière extraordinaire et un parent décédé accueillaient le nouveau venu.

Certes, il n'avait traversé aucun tunnel, mais il était certain de bientôt voir sa fille et son père. Ils s'embrasseraient, comme des gens qui s'aiment et qui ne se sont pas vus depuis de nombreuses années, ils pleureraient de joie et d'émotion, car rien n'est plus émouvant que de revoir quelqu'un perdu à jamais, ils l'appelleraient....

— Tomás ?

C'est exactement comme ça que Margarida l'appellerait, de sa voix d'enfant. Elle l'embrasserait tendrement et, unis par un sourire d'amour, les larmes coulant sur leur visage, elle lui murmurait à l'oreille....

— Tomás ? Vous m'entendez ?

La voix était peut-être celle d'un ange, mais elle ne ressemblait pas à celle de sa fille. D'ailleurs, elle s'exprimait en français. Parlait-on français au paradis ?

— *Un dottore !* cria soudain la même voix, en italien cette fois. Un médecin, ici ! Vite !

— *Aspetta !* lui répondit une voix masculine, à deux mètres de distance. Attendez !

— Vite, dépêchez-vous ! insista la première voix, celle de la femme. Le professeur Noronha perd son sang !

— *Aspetta !*

Cette conversation n'avait rien de céleste, se dit Tomás. Ou bien, si elle l'était, ce n'était pas exactement comme ça qu'il avait imaginé le ciel. Il ouvrit les yeux, intrigué, et vit une tête blonde penchée sur lui, angélique effectivement, mais en chair et en os, et avec un visage d'adulte.

— Catherine ?

Le voyant revenir à lui, la Française eut un sourire de soulagement.

— Grâce à Dieu ! Vous êtes vivant !

L'historien tenta de se lever.

— Le... le pape ?

— Restez tranquille ! ordonna-t-elle. Vous êtes blessé et vous ne devez pas bouger ! Il faut que vous restiez immobile jusqu'à l'arrivée du médecin.

Mais Tomás n'obéit pas. Il ne saisissait pas bien ce qui se passait et il essayait de comprendre. Il voulait comprendre. Il en avait besoin. Et pour ça, il devait voir.

— Le pape ?

Comprenant qu'il lui fallait à tout prix obtenir une réponse à cette question, Catherine recula légèrement pour qu'il observe ce qui se passait à côté.

— Les médecins s'occupent de Sa Sainteté. C'est pour ça qu'ils ne se sont pas encore venus vous voir.

C'est alors que le Portugais remarqua un groupe de blouses blanches penchées sur un homme étendu à deux mètres de lui, certainement le chef de l'Église.

— Il... il est vivant ?

La Française secoua la tête et baissa les yeux avec une expression de découragement.

— Nous devons garder espoir.

Tomás se tourna pour tenter d'avoir une vue d'ensemble du champ P. Il y avait des gendarmes et des carabiniers partout, et il distingua même l'inspecteur Trodela accroupi près des cartouches qui n'avaient pas explosé. Les projecteurs étaient toujours allumés mais, à côté du trépied et de la caméra vidéo, il remarqua un corps vêtu de noir étendu par terre : l'homme à la kalachnikov.

— Que... que s'est-il passé ?

— Quand j'ai entendu votre message sur mon répondeur, il était déjà minuit, je suis allé trouver l'inspecteur Trodela, raconta Catherine. Il regardait la vidéo diffusée en direct sur Internet et il n'a pas voulu m'écouter : « Pas de temps à perdre avec de telles bêtises en une heure aussi grave. » Il m'a presque expulsée du PC de la police judiciaire. J'ai crié que la police devait aller dans les catacombes, mais il a répondu qu'il n'irait nulle part... Et puis, alors que nous parlions, vous êtes apparu sur les images. L'inspecteur Trodela a fini par comprendre que tout était vrai, que vous n'aviez pas menti ; que Sa Sainteté était bien dans la nécropole de la basilique et que l'exécution se déroulait dans le trophée de Saint-Pierre. Puis tout est allé très vite. Nous nous sommes précipités ici et, à peine arrivés, le carabinier en tête a vu le djihadiste pointer son arme sur les explosifs et crier « *Allahu akbar !* » et... il l'a abattu.

L'historien respira profondément

— Juste à temps, hein ?

— Juste à temps, en effet.

Il se tourna de nouveau vers le groupe de médecins penchés sur le souverain pontife. Il y avait des poches de sang et des tubes partout. Ils effectuaient des transfusions.

— Mais pas pour lui.

Catherine soupira.

— Le pape a été grièvement blessé et a perdu beaucoup de sang, je le crains, dit-elle gravement. Les terroristes lui ont en partie tranché la gorge et il a reçu trois ou quatre balles. Je crains que nous ne le perdions. Mais... enfin, il faut garder espoir et essayer de rester positif. Après tout, nous avons évité l'explosion de la basilique. C'est déjà ça. Si l'église la plus emblématique de la chrétienté avait été détruite, avec tous ceux qui se trouvaient à l'intérieur, la catastrophe aurait été totale.

— Mais ce qui est arrivé au souverain pontife est déjà catastrophique ! argumenta Tomás. Ils l'ont tué, et en direct. C'est... c'est un cataclysme.

La Française acquiesça.

— Je sais, mais nous ne pouvons rien y faire. C'était écrit.

— Comment réagit le monde ?

— Pour l'instant, les gens prient. Les images circulent déjà en boucle sur Internet et sur les chaînes de télévision, mais le décès du souverain pontife n'a pas encore été officiellement annoncé et...

Quelque chose se passait à côté d'eux ; ils se retournèrent. Des brancardiers s'approchaient du trophée de Pierre et les médecins s'écartaient pour les laisser passer ; ils allaient transporter le pape à l'extérieur. L'un des médecins italiens s'approcha alors de Tomás et Catherine et s'agenouilla pour examiner les blessures du Portugais.

— *Allora ?* demanda-t-il. Comment va notre patient ?

L'historien n'était absolument pas préoccupé par son état à lui.

— Le pape, docteur ?

Le médecin le dévisagea et secoua la tête, le regard voilé.

— Il n'en a plus pour longtemps.

XCVIII

Malgré leurs efforts, les infirmiers avaient du mal à éviter les soubresauts en transportant Tomás par les galeries et les *clivi* des catacombes jusqu'aux étages supérieurs. Lorsqu'ils parvinrent au rez-de-chaussée de la basilique, tout près du maître-autel, ils durent pourtant s'arrêter devant un mur humain formé d'hommes d'Église et d'importantes personnalités, ainsi que d'une nuée de journalistes armés d'appareils photos dont les flashs crépitaient sans cesse.

De cette compacte barrière humaine émergea un énorme ecclésiastique vêtu de pourpre, que l'historien reconnut aussitôt. Le cardinal Barboni s'approcha, les yeux nimbés de larmes, et lui prit la main gauche avec tendresse.

— Ah, mon fils, lança-t-il d'une voix troublée par l'émotion. *Grazie, grazie.* (Il soupira.) Le Saint-Père est dans le coma et il y a très peu d'espoir. Il ne nous reste qu'à prier. Mais je tiens à vous remercier pour tout ce que vous avez fait pour Sa Sainteté, pour l'Église et, surtout, pour l'humanité. Que Dieu vous bénisse et vous protège.

— Merci, Votre Éminence, murmura Tomás. Si vous saviez comme je m'en veux de ne pas avoir pu le sauver...

Le cardinal esquissa une grimace de douleur.

— Comme vous le savez, d'innombrables prophéties avaient prévu la disparition de Sa Sainteté, rappela-t-il. Comment lutter contre le destin ? Le Saint-Père se trouve à présent entre les mains du Seigneur, mais gardons confiance et prions pour qu'Il ait pitié de nous et nous le rende. Si toutefois Dieu, dans son immense sagesse, devait en décider autrement, Il ne manquera pas de nous guider à travers les épreuves auxquelles nous sommes confrontés. Nous devons nous en remettre à la divine Providence.

Les flashes des appareils photos ne cessaient de crépiter, éblouissant le blessé. Tomás leva la main gauche pour se protéger les yeux.

— Où m'emmène-t-on à présent ?

— À l'hôpital, bien sûr, expliqua le secrétaire d'État. Vous êtes blessé et devez être soigné. Mais je tenais à vous dire combien nous avons apprécié votre héroïque intervention. Nous vous devons énormément. Je dois avouer qu'il m'est arrivé de douter de vous, mais à tort et, au nom de l'Église, permettez-moi de saluer sincèrement votre courage et de vous rendre hommage. Grâce à Dieu, Sa Sainteté, certainement guidée par le Saint-Esprit, a eu la clairvoyance de faire appel à vous. Grâce lui en soit rendue.

Toute cette foule autour d'eux commençait à incommoder Tomás.

— Votre Éminence, puis-je vous demander une faveur ?

— Tout, mon fils. Je ferai tout ce qui est en mon pouvoir.

— Avant que l'on ne m'hospitalise, pourriez-vous convoquer l'inspecteur Trodela et Mme Rauch pour une réunion avec moi, ainsi que le majordome et le secrétaire particulier du pape ? (Il regarda de nouveau autour de lui, embarrassé.) Si possible dans un endroit tranquille, loin des regards indiscrets.

— Bien évidemment. Quel est l'objet de cette réunion, si ce n'est pas indiscret ?

— Je vous l'expliquerai lorsque nous serons plus tranquilles, répondit-il. Puis-je compter sur vous ?

Il fut inutile d'en dire davantage. Aussitôt après que le personnel médical eut confirmé que la vie de Tomás n'était pas en danger et que les soins pouvaient attendre une demi-heure, le cardinal Barboni ordonna à ses subordonnés de convoquer les intéressés. Puis il s'approcha des infirmiers qui portaient le brancard et leur fit signe de le suivre.

— Venez, dit-il. Juste à côté, il y a un endroit parfait pour être au calme.

Aidé par trois gardes suisses, le cardinal Barboni se fraya un chemin parmi la multitude de prêtres et de personnalités rassemblés à l'intérieur de la grande basilique, suivi des infirmiers qui transportaient le blessé. De nombreux ecclésiastiques faisaient le signe de croix au passage de Tomás et lui adressaient des remerciements et des encouragements en italien, en anglais, en français, en espagnol, en allemand...

— *God bless you my son !*

— *Che Dio te benedica e ti coli di gioia !*

— *Vous êtes un cadeau du Ciel !*

L'un d'eux, un visage qu'il reconnut pour l'avoir vu à la télévision, lui lança une fleur et s'adressa à lui en portugais.

— *Obrigado, meu filho ! Obrigado !* Merci, mon fils ! Merci !

C'était le cardinal patriarche de Lisbonne. Tomás avait réussi jusque-là à se maîtriser, à ne laisser surgir aucune émotion, malgré la fatigue et la tension permanente. Mais ces mots, prononcés tout à coup dans sa propre langue par un compatriote, le touchèrent au-delà de ce qu'il pouvait imaginer.

Il sentit sa vision se brouiller. Le Portugal lui manquait tellement, ce pays champêtre et ensoleillé, épargné par de telles folies, ce pays où les gens se savaient petits et se sentaient grands, cette nation de *hobbits* qui résistait à un monde violent et hostile. Le reste de l'humanité n'avait pas perdu son importance aux yeux de Tomás. Loin de là. Il n'était pas nationaliste, cependant, à ce moment-là, il se sentait étrangement et intensément portugais.

Il respira profondément, s'efforçant de se concentrer sur l'essentiel. Il ne pouvait s'offrir le luxe d'être sentimental. Restait encore une dernière chose à régler.

— Éminence ?

Le cardinal Barboni regarda derrière lui.

— Oui, mon fils ?

— Où m'emmenez-vous ?

Le visage du secrétaire d'État s'éclaira du sourire radieux de celui qui réserve une surprise.

— Vous allez voir.

Ils traversèrent la nef centrale pleine de monde, parcoururent la basilique puis, après avoir passé une porte, empruntèrent un couloir qui les conduisit à un bâtiment contigu.

Allongé sur le brancard, Tomás vit l'espace s'ouvrir devant lui ; l'endroit lui parut familier. Sur un mur, il reconnut les *Scènes de la vie de Moïse* de Botticelli, et sur un autre *La Remise des clefs à saint Pierre* du Pérugin. Mais ce furent les merveilleuses fresques de la voûte qui lui ôtèrent tout doute sur le lieu où on l'avait emmené.

— Nous sommes dans... dans...

Le cardinal Barboni acquiesça.

— Dans la *Capella Magna*.

C'était bien cela. Ils étaient dans la chapelle du Palais apostolique, célèbre pour son plafond, orné des fresques de Michel-Ange. Célèbre aussi parce que c'était là que se tenaient les conclaves au cours desquels les papes étaient élus. Après les travaux de restauration entamés au XVe siècle, la *Capella Magna* avait été rebaptisée d'un nom qui rendait hommage au pape Sixte IV, qui l'avait remodelée. La chapelle Sixtine.

— Toutes les personnes que vous avez fait demander arrivent, annonça le cardinal Barboni. Pouvez-vous me dire à présent ce qui se passe ?

Tomás hésita. N'était-il pas trop tôt pour répondre ? Avant de commencer la réunion, il pouvait bien lever une partie du voile.

— Votre Éminence n'ignore pas que les terroristes n'ont pu mener à bien leurs actions que parce qu'ils disposaient de complicités à l'intérieur même du Vatican.

— Je connais vos soupçons, admit le cardinal. Il y aurait un traître au Saint-Siège.

Le jeu était à présent terminé et les cartes enfin posées sur la table. Il incombait maintenant au Portugais de les retourner et de montrer ce qu'elles cachaient.

— L'heure est venue de révéler qui est le Judas.

XCIX

Le brancard fut posé au centre de la chapelle Sixtine. En attendant les autres, Tomás, entouré des gigantesques tableaux polychromes qui ornaient les murs, contemplait la *Création d'Adam*, la célèbre œuvre de Michel-Ange qui occupait le centre de la voûte et sur laquelle on voyait Adam, nu, la main tendue pour recevoir de Dieu le souffle de la vie. Combien de fois avait-il vu cette image reproduite sur des affiches et dans des livres ? Et il était là, à présent, étendu dans la chapelle Sixtine à contempler l'original.

Le ciel était-il ainsi ?

Il entendit quelqu'un tousser. Il souleva la tête et vit le cardinal Barboni, toujours vêtu de pourpre, qui le regardait et semblait attendre quelque chose.

— Mon fils, dit le secrétaire d'État d'une voix douce. Les infirmiers sont partis, les personnes que vous avez convoquées sont arrivées et les gardes suisses, dehors, assurent la sécurité de cette réunion comme s'il s'agissait d'un conclave. Nous sommes seuls et personne ne viendra nous déranger. Je pense que nous pouvons commencer.

Malgré toutes les douleurs qu'il ressentait dans le corps et dans la tête, particulièrement son bras droit que le djihadiste avait tailladé et que les infirmiers avaient soigné, Tomás se leva avec peine et regarda les personnes présentes les unes après les autres. Se trouvaient là le cardinal Barboni, bien sûr, Giuseppe, le majordome, Ettore, le secrétaire particulier, Catherine Rauch, la chef de la COSEA et l'inspecteur Trodela, le responsable de la police judiciaire auprès du Saint-Siège.

Tous dévisageaient l'historien avec curiosité, à l'exception du commissaire de la police judiciaire qui regardait par terre.

— Les hommes d'un groupe affilié à l'État islamique ont enlevé le pape et tenté de l'assassiner cette nuit, commença Tomás. Ça nous le savons déjà. Ce que nous ne savions pas, mais que nous suspections, c'est qu'ils n'ont pas agi seuls. Ils ont bénéficié des encouragements et du soutien logistique de la mafia, qui voulait ainsi préserver ses vieilles magouilles à la banque du Vatican et protéger les politiciens auxquels elle est liée. Nous avons donc été confrontés à une trinité diabolique : l'État islamique, la mafia et un certain nombre de politiciens corrompus.

L'inspecteur Trodela le dévisagea pour la première fois.

— Vous avez des preuves de ce que vous affirmez ?

— Elles se trouvent dans les documents de monseigneur Dardozzi, auxquels le pape a fait une allusion subtile dans la vidéo qui a été enregistrée lorsqu'il était captif.

— Il faudra que je voie ça. (Il avait l'air particulièrement méfiant.) Ces documents prouvent-ils vraiment que la mafia et des politiciens soi-disant corrompus étaient de connivence avec les hommes de l'État islamique ?

— Ce qu'ils prouvent, c'est que la mafia et plusieurs hommes politiques se servaient de la banque du Vatican pour blanchir de l'argent sale, précisa Tomás. Ils n'établissent pas absolument la corruption de la banque du Vatican, mais celle-ci a été évoquée par le pape lui-même dans la vidéo. C'est lui qui a fait le rapprochement entre son enlèvement et les documents de monseigneur Dardozzi. Il appartient donc à la police judiciaire d'utiliser cette information pour ouvrir une enquête.

— Hum ! ronchonna le policier visiblement sceptique. Nous verrons.

Sa blessure au bras droit se réveilla et Tomás grimaça de douleur avant de poursuivre.

— Cette trinité diabolique a bénéficié de complicités à l'intérieur des murailles léonines.

— Oui, oui, vous l'avez déjà dit, observa l'inspecteur Trodela avec ennui. La question est de savoir de qui il s'agit. Et ça, vous ne nous l'avez pas encore précisé.

— Il est évident que les terroristes avaient des complices au Vatican, acquiesça le cardinal Barboni. Vous savez, mon fils, les audits successifs ordonnés par Sa Sainteté ont mis en cause certains intérêts installés au sein même de la curie. Il ne fait aucun doute que de nombreux ecclésiastiques, y compris des évêques et des cardinaux, ont hâte que ce pontificat s'achève.

Tomás fronça les sourcils.

— Je crains, Votre Éminence, que ce ne soit bien pire que cela.

— Pire ?

Sachant qu'il s'apprêtait à faire une révélation explosive, l'historien dévisagea chacune des personnes présentes et répondit en murmurant.

— Le Judas est parmi nous.

— Oui, nous le savons déjà, rétorqua le cardinal. La question est de déterminer qui, au sein même du Vatican, est le traître. C'est toute la difficulté, car il y a beaucoup de monde au Saint-Siège et...

— Éminence, vous n'avez pas compris ce que j'ai dit, coupa le Portugais. Le Judas est parmi nous, ici dans la chapelle Sixtine. (Il désigna le groupe.) C'est l'un d'entre nous.

Un silence pesant s'abattit sur le sanctuaire des conclaves ; tous échangèrent des regards terrifiés et embarrassés. Le cardinal Barboni, Catherine Rauch et l'inspecteur Trodela, sans oublier le majordome Giuseppe et le secrétaire particulier Ettore dévisageaient le Portugais avec un air de stupéfaction.

— *Dio cane !* s'exclama le commissaire de la police judiciaire, incapable de contrôler sa langue. C'est quoi ces sottises ? Vous êtes en train d'insinuer que je... que je... que je... ? (Il fronça les sourcils, l'air furieux.) *Vaffanc...* (Il s'interrompit en se souvenant qu'il était en présence du cardinal et d'une femme, et opta pour une expression moins vulgaire.) *Brutto disgraziato !*

— Contrôlez votre langage ! le sermonna le secrétaire d'État. Restez poli !

— *Mi scusi*, Votre Éminence révérendissime, s'excusa Trodela. C'est que... c'est que je ne tolère pas que l'on mette en cause mon honneur. Je ne l'admets pas !

— Votre accusation est effectivement très grave, mon fils, reconnut le cardinal Barboni en se tournant vers Tomás. Dois-je en conclure que vous me comptez également parmi les suspects ?

— Et moi aussi ? s'empressa d'ajouter Catherine, l'air blessé. Je fais partie des suspects ? Moi ?

Le majordome Giuseppe leva les bras au ciel.

— *Madonna !* s'écria-t-il. Comment peut-on mettre en cause mon honneur ? Moi qui ai dédié toute ma vie à tant et tant de Saints-Pères ! *È un' ingiustizia !*

— Et moi ? interrogea Ettore, le secrétaire particulier, en se tournant vers le cardinal. Vous savez, Votre Éminence, que j'ai toujours été fidèle à Sa Sainteté ! *Mamma mia*, c'est une calomnie ! Une... une calomnie !

Le plus irrité de tous restait pourtant l'inspecteur Trodela. Le commissaire de la police judiciaire ne se résigna pas et désigna le Portugais du doigt.

— Dans toute cette histoire, le véritable Judas c'est ce *stronzo* ! accusa-t-il pour tenter d'exciter les autres. Depuis qu'il est arrivé ici, il n'a fait que semer la confusion et la discorde ! Je ne saurais tolérer qu'il mette en cause notre intégrité avec une telle légèreté ! Vous avez entendu ? Je ne l'accepterai pas ! J'exige que le professeur Noronha avance des arguments à l'appui de sa vile accusation ou bien qu'il présente immédiatement des excuses ! (Il fit un geste spectaculaire de la main.) *Ah, porca miseria !* Qu'ai-je donc fait pour mériter une telle ingratitude ?

Tomás le fixa intensément.

— Vous voulez vraiment le savoir ?

— Je l'exige !

— Depuis combien de temps, inspecteur, êtes-vous le responsable de la police judiciaire auprès du Vatican ?

L'inspecteur se frappa la poitrine en un geste théâtral.

— Depuis plus de vingt ans, et avec beaucoup de fierté ! Pourquoi ?

— Cela signifie, inspecteur, que vous connaissez le Vatican comme votre poche et que vous êtes parfaitement au courant des rivalités de pouvoir qui agitent la curie. En outre, votre profession vous met régulièrement en contact avec des criminels. Trafiquants, mafieux, assassins... vous avez affaire à tous ces gens-là. Qui peut garantir qu'un politicien ou un mafieux ne vous a pas corrompu ? Somme toute, vous ne seriez pas le premier policier à être de mèche avec des criminels. Ce n'est pas par hasard que les polices des polices du monde entier sont toujours débordées.

Le commissaire de la police judiciaire le dévisagea, indigné.

— Vous m'accusez directement ? protesta-t-il. Vous insinuez que j'ai été corrompu ?

— Je dis que c'est une possibilité qu'on ne peut pas exclure, précisa Tomás. Vous êtes un enquêteur et vous savez que, dans une enquête, il faut partir du principe que tous les suspects sont coupables jusqu'à preuve du contraire, bien que ce soit l'inverse sur le plan juridique.

— Et moi ? voulut savoir Catherine. Pourquoi suis-je suspecte ?

— Et moi ? Mon Dieu ! ajouta le majordome. Comment pouvez-vous mettre en doute mon intégrité ?

Le secrétaire particulier du pape ouvrit également la

bouche pour clamer son innocence et protester contre son inclusion dans la liste des suspects, mais Tomás l'arrêta d'un geste.

— Écoutez, tout le monde au Vatican est suspect, insista-t-il. Non parce que cela me fait plaisir, mais parce qu'il y a un traître au Saint-Siège, vous comprenez ?

— Jusque-là, je vous suis, répondit le cardinal Barboni. Mais pour quelles raisons précises suspectez-vous les personnes ici présentes ?

Le Portugais dévisagea à nouveau chacun de ceux qui l'entouraient. Tous le regardaient avec une expression d'effroi.

— La réponse à cette question est liée aux circonstances entourant l'enlèvement du pape, expliqua Tomás. Vous savez que les ravisseurs sont entrés par un tunnel aménagé sous la cuvette des toilettes et qu'ils ont surpris le pape dans la bibliothèque privée du Palais apostolique.

— Oui, et alors ?

L'historien continua de scruter attentivement les cinq suspects.

— Eh bien, personnellement, les circonstances de l'enlèvement du pape m'ont tout de suite paru étranges, dit-il. Certains détails ont attiré mon attention.

L'inspecteur Trodela l'observait les bras croisés, avec l'air de quelqu'un à qui on imposait une corvée.

— Lesquels ?

— Comment les ravisseurs ont-ils pu entrer par l'étroit tunnel aménagé sous la cuvette et sortir en empruntant le même chemin, qui plus est en emmenant le pape avec eux ? Comment pouvaient-ils savoir à quel moment précis le pape serait seul dans la bibliothèque privée ? Et, une fois dans le souterrain, comment ont-ils pu franchir le portail qui fermait le passage vers le Palais apostolique, alors que l'ensemble de la structure ainsi que la serrure sont restés intactes ? Les intrus n'ont pu passer par la porte du palais des Congrégations qui donne sur la place Pie-XII ou par le portail souterrain du Palais apostolique que s'ils avaient les clés. (Il se tourna vers le cardinal Barboni.) Votre Éminence, savez-vous par hasard qui a accès aux clés de ces deux passages ?

— Toutes les clés du Vatican sont conservées au Gouvernorat, précisa le secrétaire d'État. Mais d'autres organismes en possèdent également. Par exemple, les clés pour entrer dans le palais des Congrégations sont à la disposition des congrégations qui utilisent le bâtiment et, bien évidemment, des forces de sécurité, lesquelles détiennent aussi celles du portail du réseau souterrain.

— Quelles forces de sécurité ?

— La gendarmerie du Vatican et... et la police judiciaire.

— Et quel est l'homme de la police judiciaire qui est chargé des relations avec le Vatican ?

À cette question, tous les regards se posèrent sur l'inspecteur Trodela.

— C'est une infamie ! protesta le policier italien. Une calomnie ! (Il désigna le Portugais.) Ce... ce *pompinaro* est en train de tous vous monter contre moi ! Ce *testa di minchia* ! Ce *figlio di troia* ! (Rouge de colère, il fit un pas dans sa direction, le poing levé, menaçant.) *Ti ammazzo, pezzo di merda !* Je vais te tuer, tu m'entends ?

Ettore et Giuseppe s'efforcèrent de l'arrêter et le cardinal se vit contraint d'intervenir encore une fois.

— Maîtrisez-vous, inspecteur ! le sermonna-t-il. Comment osez-vous prononcer ces mots en ce lieu sacré et en face de moi ? Vous n'avez donc pas la moindre décence ?

Le commissaire de la police judiciaire était effondré.

— *Scusi ! Scusi !* implora-t-il, théâtral. *Dio mio !* C'est... c'est cet imbécile qui me met hors de moi !

Tomás demeurait impassible, montrant qu'il ne se laissait ni impressionner ni intimider.

— Vous démentez, inspecteur, que vous avez accès à la clé de la porte du palais des Congrégations et à celle du portail des tunnels situés sous le Vatican, par où les ravisseurs ont emmené le pape ?

— Non. J'ai effectivement accès à ces clés ! admit Trodela sur un ton de défi. Et alors ? C'est un crime ? Qu'est-ce que ça prouve ? Hein ? Qu'est-ce que ça prouve ?

L'historien le dévisagea avec intensité, se préparant à énoncer une évidence.

— Cela prouve, inspecteur, que vous étiez idéalement placé pour donner les clés aux hommes affiliés à l'État islamique, afin qu'ils puissent entrer au palais des Congrégations pour cambrioler le coffre de la COSEA, ainsi qu'au Palais apostolique pour enlever le pape. Or, comme vous connaissez beaucoup de monde à la curie, où le pape n'est pas très populaire, cela vous met naturellement dans une position délicate, vous ne trouvez pas ?

L'inspecteur joignit les mains, presque en une supplique.

— Mais, je n'ai rien fait ! protesta-t-il. Rien ! Je suis innocent ! *Porca miseria !* Je le jure sur la tête de mes filles ! Je le jure sur la santé de ma sainte mère ! *Mamma mia*, pourquoi ne me croyez-vous pas ? *Povero me !* Je suis calomnié, vilipendé, outragé ! *E un' ingiustizia !* Vous devez me croire ! (Il se tourna vers le cardinal.) *Per Carita*, Votre Éminence ! N'écoutez pas ce... ce commissaire Montalbano de pacotille ! suppliat-il, invoquant un célèbre détective de la littérature italienne. Je suis innocent ! Innocent !

Le secrétaire d'État fit un geste de la main.

— Calmez-vous, mon fils !

— Je sais très bien que de simples indices ne prouvent rien contre personne, dit Tomás, reprenant le fil de son raisonnement. À ce stade, il convient de rappeler qu'après avoir découvert le trou sous la cuvette des toilettes et le réseau souterrain par lequel le pape a été enlevé, nous nous sommes retrouvés dans une impasse. Il était urgent d'en sortir le plus vite possible, car le pape avait été enlevé et il allait être exécuté à minuit : chaque minute comptait. À ce moment-là, j'avais déjà ma petite idée sur l'identité du Judas, mais je devais le forcer à commettre une erreur pour confirmer que j'étais sur la bonne piste. J'ai alors pensé à convoquer la réunion que nous avons tenue dans le cabinet de Son Éminence avec toutes les personnes que je considérais comme suspectes pour, soi-disant, faire le point sur la situation. J'ai en fait posé un piège au traître pour le contraindre à se dévoiler.

— Un piège ? s'étonna Catherine. Quel piège ?

— L'annonce que j'ai faite à la fin. Si vous vous souvenez bien, j'ai commencé par reconstituer les événements comme le traître s'attendait à ce qu'ils soient reconstitués, puis j'ai indiqué que la clé du mystère résidait dans le passage des ravisseurs par le portail du réseau souterrain. En réglant le problème du portail, on réglait tout. Sachant que mon raisonnement allait rendre notre traître extrêmement nerveux, à la fin de la réunion j'ai donné l'estocade finale en annonçant qu'il y avait un Judas au Vatican. L'intéressé a alors pensé que je l'avais démasqué et qu'il ne me manquait que des preuves pour l'incriminer. C'est alors que, pris de panique, il a commis l'erreur que je l'avais forcé à commettre.

— Quelle erreur ? demanda Trodela. Selon vous, quelle est l'erreur que j'aurais commise ?

— Vous avez ordonné que l'on m'enlève.

— Je n'ai rien ordonné du tout ! protesta l'inspecteur. Ce ne sont que mensonges ! Ah, *che noia* ! Si vous pensez que les choses se sont passées ainsi, prouvez-le ! Allez, prouvez-le !

Tomás garda les yeux rivés sur le commissaire de la police judiciaire.

— Je conclus à ces mots que vous reconnaissez, inspecteur, que vous êtes le traître...

— Je ne reconnais rien du tout ! rétorqua Trodela. (Il désigna son interlocuteur.) Vous m'accusez, professeur ! Mais il ne suffit pas d'accuser. Il faut des preuves ! Des preuves !

La charge de la preuve incombait effectivement à l'historien et tous le savaient. Lorsque l'inspecteur se fut calmé, Tomás reprit son exposé.

— Le fait que les hommes de l'État islamique m'aient attaqué dans la basilique prouve que la personne derrière l'enlèvement du pape était l'une des cinq qui avaient participé à la réunion et qu'elle a effectivement été prise de panique lorsque j'ai affirmé qu'il y avait un Judas au Saint-Siège. D'ailleurs, le coup de fil de l'un de mes ravisseurs à son contact qui voulait savoir si je connaissais l'identité d'Omissis, démontre que mon piège avait bel et bien marché. Notre traître, convaincu que je l'avais démasqué ou que j'étais sur le point de le faire, a voulu me neutraliser et essayer de savoir ce que j'avais vraiment découvert.

— Ce ne sont que mensonges ! grommela Trodela. *Mamma mia*, dois-je vraiment continuer à écouter ces inepties ?

— Je crains bien que oui, inspecteur, répondit Tomás. Et vous savez pourquoi ?

Le commissaire esquissa une grimace de mépris.

— Surprenez-moi.

— L'histoire de l'enlèvement du pape par les toilettes n'est pas ce qu'elle semble être.

— Alors, qu'est-ce que c'est ?

Le Portugais sourit avant de répondre ; si l'inspecteur italien voulait vraiment une surprise, il n'allait pas être déçu.

— C'est un bobard.

C

L'affirmation de Tomás les laissa tous bouche bée. La découverte du trou sous la cuvette des toilettes avait permis de comprendre comment les ravisseurs avaient pénétré dans le Palais apostolique et enlevé le chef de l'Église sans que personne ne les voie. Cette reconstitution semblait solide, d'autant plus qu'elle était corroborée par tout ce qui avait été découvert sur le lieu du crime. La révélation de l'historien selon laquelle toute cette histoire n'était rien d'autre qu'une affabulation étonna donc tout le monde.

— Que voulez-vous dire par là ? demanda Catherine. Les terroristes n'ont pas enlevé Sa Sainteté par le tunnel ouvert dans les toilettes ?

Le Portugais secoua la tête.

— Non.

Tous se regardèrent.

— Comment ça, non ?

— J'ai tout inventé. Ce n'est pas comme ça que le pape a été enlevé. `

Les cinq suspects le dévisagèrent, éberlués, se demandant comment il pouvait affirmer une telle chose.

— Mais, un tunnel a bien été aménagé sous les toilettes, argumenta le cardinal Barboni. J'ai moi-même senti l'odeur des égouts. Tout comme Ettore. Une heure après, lorsque nous nous sommes tous retrouvés sur place, cette puanteur n'avait toujours pas disparu. Même mes habits en étaient imprégnés. Comment expliquez-vous cela, mon fils ?

— Le tunnel a été construit pour nous mettre sur une fausse piste, répondit Tomás. C'est comme les trucs des illusionnistes, vous voyez ce que je veux dire ? Pendant qu'on regarde d'un côté, on ne voit pas ce qui se passe de l'autre. Un vrai tour de passe-passe.

— Et... et la poussière des briques qui se trouvaient par terre, dans les toilettes ? rappela Catherine. Comment est-elle arrivée là ?

— La poussière des briques a servi à attirer notre attention sur le trou qui se cachait sous la cuvette. Les auteurs de l'enlèvement voulaient que le tunnel soit découvert.

— Mais dans quel but se sont-ils donné tout ce mal ?

— Ils avaient trois objectifs. Non seulement, ils pouvaient ainsi détourner l'attention, mais, dans la mesure où les tunnels débouchent en ville, cela leur permettait aussi de faire croire que le pape avait été emmené au-delà des murailles léonines et ne se trouvait donc plus au Vatican. Ce qui éloignait les recherches de la basilique.

Le cardinal Barboni regardait l'historien comme s'il attendait quelque chose.

— Vous avez mentionné trois objectifs, mais vous n'en avez donné que deux...

— Le troisième est facile à comprendre, fit observer Tomás. Suivez mon raisonnement, je vous prie. En déposant de la poussière de brique près de la cuvette des toilettes pour que nous découvrions le tunnel, quel était l'objectif de notre Judas ? Il voulait qu'on découvre le trou sous la cuvette, puis le portail verrouillé dans le souterrain. Et pourquoi ? Parce qu'il savait que tôt ou tard nous allions conclure que, le portail et la serrure étant intacts, les ravisseurs avaient utilisé la clé. Et qui avait la clé ? Les forces de sécurité. Partant, qui le traître cherchait-il à incriminer ?

Tous les yeux se posèrent de nouveau sur le commissaire de la police judiciaire, mais ce fut Catherine qui formula la conclusion qui s'imposait.

— L'inspecteur Trodela !

Tomás fit le geste des illusionnistes lorsqu'ils achèvent leur tour de magie avec succès.

— Donc, l'inspecteur Trodela est innocent.

Comme s'il doutait de ce qu'il venait d'entendre de la bouche de Tomás, tant le revirement l'avait pris par surprise, Trodela mit un long moment à réagir.

— *Davvero ?* demanda-t-il incrédule, craignant visiblement que le Portugais ne revienne aussitôt sur ses paroles. Vous êtes sérieux ? Vous reconnaissez, professeur, que... que je suis innocent ?

— Absolument !

Le visage du commissaire, jusqu'alors furibond, se fendit d'un immense sourire.

— *Alla buon'ora !* s'exclama-t-il, exubérant. Finalement ! *Evviva !* Quelqu'un croit en moi ! *Che splendido !* Justice est faite !

Les autres observaient la scène, incrédules.

— Mais... mais alors qui est le Judas ?

Le regard de Tomás revint sur les quatre suspects restants. Une fois éliminé le commissaire de la police judiciaire, le traître était forcément l'un d'eux. Il dévisagea Giuseppe, puis Ettore, puis Catherine et, enfin, le cardinal Barboni.

Il fixa ses yeux sur ce dernier.

— Éminence, veuillez excuser mon indiscrétion, dit-il. Lorsque vous étiez dans votre bureau, juste après l'enlèvement du pape, il me semble que vous avez demandé à l'inspecteur Trodela d'envoyer quelqu'un chez vous chercher quelque chose.

— Des vêtements pour me changer.

— Oui, c'est ça, se souvint l'historien. Vous avez alors donné à l'inspecteur Trodela l'adresse de votre logement. Pourriez-vous me la rappeler, s'il vous plaît ?

— J'habite au numéro deux de la via Carducci.

— Oui, oui, c'est ça, au numéro deux de la via Carducci. (Il regarda les trois autres.) L'un d'entre vous habite-t-il à côté ?

Hésitant, presque avec crainte, le secrétaire particulier du pape leva la main.

— J'habite via Salandra, une rue perpendiculaire à la via Carducci.

Le secrétaire d'État haussa un sourcil, étonné par ces questions incongrues.

— Pourquoi nous demandez-vous cela ?

— Pour rien, pour rien.

Cette fois ce fut l'inspecteur Trodela qui intervint.

— *Che fastidio*, je n'y comprends plus rien ! protesta-t-il. En fin de compte, qui est le traître ?

— Avec tout le respect que je vous dois, inspecteur, la question qui s'impose n'est pas encore celle-là.

— Ah non, et quelle est-elle alors ?

Tomás s'approcha de Trodela et le désigna du doigt.

— Pour quelle raison le véritable ravisseur avait-il besoin de détourner l'attention sur vous ?

Le commissaire de la police judiciaire haussa les épaules.

— Moi aussi, j'aimerais le savoir...

— La réponse est évidente, ajouta le Portugais, répondant à sa propre question. Car, sans la fausse piste du tunnel, les soupçons se seraient immédiatement portés sur le véritable auteur de l'enlèvement.

— Et qui est-ce ?

Tomás désigna Catherine.

— Mme Rauch...

Le visage de la Française se contracta en une expression horrifiée.

— Moi ?

— ... ça ne peut pas être elle.

— Pardon ?

— Ça ne peut pas être madame Rauch, répéta le Portugais. Et ce pour une simple raison : au moment de l'enlèvement, elle était avec moi au palais des Congrégations. (Il se tourna vers les autres suspects.) Ce qui signifie qu'il ne reste que vous trois...

Le cardinal Barboni échangea un regard avec Ettore et Giuseppe avant de fixer l'historien.

— Si vous avez une accusation à porter, allez-y.

Tomás leva la main pour rappeler une vieille maxime policière.

— Cherchez la dernière personne qui était avec la victime et vous trouverez probablement le coupable, dit-il. Or, si l'on considère que le tunnel est une fausse piste, quelle était la dernière personne qui se trouvait dans la bibliothèque lorsque le pape a disparu ?

La question demeura en suspens, et l'inspecteur Trodela finit par y répondre.

— Le majordome !

Se voyant accusé, Giuseppe roula des yeux.

— *Dio mio !* C'est toujours la faute du majordome, n'est-ce pas ? C'est comme ça dans les romans policiers et c'est comme ça dans la vie. Déjà, dans l'affaire des lettres secrètes du pape Benoît XVI, on a accusé le majordome. Et à présent, qui accuse-t-on ? Le majordome, bien sûr ! C'est toujours la faute du majordome !

L'inspecteur Trodela le fixa intensément.

— Giuseppe, dites-moi la vérité, murmura-t-il. C'est vous le Judas ?

Le majordome répondit en joignant les mains, comme s'il faisait une prière.

— *Per amor del cielo*, vous me croyez capable d'une telle chose ? Je jure que ce n'est pas moi ! Je suis innocent ! C'est vrai que je suis entré dans la bibliothèque, mais elle était déjà vide. (Il se tourna vers le secrétaire particulier.) N'est-ce pas, Ettore ?

— Je le confirme. La bibliothèque était vide.

À ces mots, Tomás demeura impassible. Lorsque Giuseppe se calma enfin, il revint à la charge.

— Je n'ai pas demandé quelle était la dernière personne qui se trouvait dans la bibliothèque après la disparition du pape, corrigea-t-il. Ce que je veux savoir, c'est qui y était lorsqu'il a disparu. Ou, en d'autres termes, qui l'a vu en dernier ?

Ce fut l'inspecteur Trodela qui formula l'évidence.

— Eh bien, à vrai dire ce n'était pas une personne, rappela-t-il. Mais deux. Son Éminence et le secrétaire particulier de Sa Sainteté.

Le cardinal Barboni et Ettore se regardèrent.

— Éclairez-moi, *per carità*, demanda le secrétaire d'État. Qui accusez-vous ? Moi ou Ettore ?

— Lorsque j'ai compris quelles étaient les deux dernières personnes à se trouver avec le pape, je me suis demandé si quelque chose d'anormal s'était passé à ce moment-là, ajouta Tomás, ignorant la question du secrétaire d'État. De fait, quelque chose d'assez inhabituel s'est effectivement produit. Vous êtes allé aux toilettes et vous vous êtes senti indisposé, Votre Éminence. On a alors appelé le secrétaire particulier du pape, qui vous a emmené prendre l'air. Ce détail a attiré mon attention. Pour quelle raison Votre Éminence s'est-elle sentie indisposée ?

— Vous savez très bien pourquoi, mon fils, dit le cardinal Barboni, agacé d'avoir à se défendre. Ça sentait le... les... enfin, les égouts.

— Je reconnais que cette odeur n'est pas très agréable, concéda Tomás. Cependant, elle ne provoque pas de syncope et ça n'a jamais tué personne.

— Les terroristes avaient répandu un gaz dans les toilettes.

— Ce fut, effectivement, la théorie avancée alors pour appuyer l'hypothèse selon laquelle les ravisseurs étaient entrés par le trou situé sous la cuvette des toilettes. Mais en réalité, quelques heures plus tard, il n'y avait que l'odeur des égouts dans les toilettes. Or, comme je l'ai déjà dit, bien que désagréable, celle-ci ne provoque pas d'évanouissement. Cela m'a permis de formuler l'hypothèse suivante. Et si la personne qui s'était sentie mal n'avait pas été Votre Éminence, mais le pape ? Et si l'indisposition du pape avait été provoquée, non par l'odeur des toilettes, mais par une solution chimique, comme... comme, par exemple, du chloroforme ?

Le secrétaire d'État le fixa avec indignation.

— Qu'insinuez-vous ?

— Mais, je n'insinue rien Votre Éminence, s'empressa d'ajouter le Portugais.

— Ah, bon.

Tomás ne détacha pas son regard du cardinal Barboni, très attentif à la réaction que celui-ci aurait en entendant les paroles qu'il allait prononcer. Demeurerait-il impassible ou perdrait-il ses moyens ?

— Je vous accuse.

CI

Un silence de stupeur s'abattit sur la chapelle Sixtine. Le cardinal Barboni demeura immobile, en état de choc. Toutes les personnes présentes regardèrent Tomás, incrédules, se demandant s'il avait toute sa raison. Seul un fou pouvait lancer une telle accusation contre le deuxième homme du Saint-Siège.

Comme d'habitude, le premier à réagir fut le commissaire.

— Votre Éminence, dit-il à l'accusé. C'est un... un outrage ! Nous ne pouvons laisser passer une telle calomnie ! C'est une ignominie ! Vous n'avez qu'un mot à dire et je donnerai l'ordre aux gardes suisses de mettre immédiatement dehors le professeur Noronha !

Le secrétaire d'État semblait étourdi et incapable de réagir.

— Je... je..., balbutia-t-il. Je...

Et il se tut, au désespoir de l'inspecteur Trodela.

— Moi, je n'en crois pas un mot ! déclara le policier en se tournant vers les autres membres du groupe. Son Éminence est la personne du Saint-Siège en laquelle le pape a le plus confiance, et ce n'est pas par hasard qu'il l'a nommé secrétaire d'État. Ils se connaissent depuis de nombreuses années et c'est Son Éminence qui a convaincu Sa Sainteté d'en finir avec la corruption au Vatican. Au sein de la curie, personne ne déteste plus la corruption que Son Éminence !

— Je suis d'accord, déclara Tomás. Son Éminence est véritablement excédée par les activités des hommes d'Église tels Marcinkus, De Bonis et autres, qui ont transformé la banque du Vatican en une gigantesque machine à laver l'argent sale. Cela ne fait absolument aucun doute.

Le policier garda le regard fixé sur Tomás, sans comprendre son raisonnement.

— Alors, si vous êtes d'accord, quelle est précisément l'accusation ?

L'historien désigna à la fois le cardinal Barboni et Ettore.

— Que Son Éminence soit un ennemi acharné de la corruption au Saint-Siège ne l'empêche pas d'avoir été à l'origine de l'enlèvement du pape, avec la complicité du secrétaire particulier de celui-ci, ni d'avoir confié la réalisation de l'opération à un commando affilié à l'État islamique.

— Mais... mais...

— L'homme qu'Ettore a fait sortir de la bibliothèque pour aller prendre l'air n'était pas Son Éminence, mais le pape lui-même. C'est comme ça qu'il a été enlevé. Lorsque le pape était dans la bibliothèque privée en compagnie de Son Éminence et d'Ettore, ceux-ci lui ont fait respirer du chloroforme. Puis le secrétaire particulier a fait revêtir au pape des vêtements de cardinal et l'a sorti de la bibliothèque, en faisant croire qu'il emmenait Son Éminence. Ettore a expliqué au majordome

Giuseppe que le pape ne voulait pas être dérangé et il lui a fait quitter le Palais apostolique. Il l'a alors emmené dans les catacombes de la basilique, dont l'accès avait été interdit en fin de matinée par Son Éminence, au prétexte que les vieilles structures de l'édifice présentaient un danger, mais en réalité pour permettre aux extrémistes islamiques de s'y installer et de mener à bien leur opération sans être dérangés.

L'inspecteur Trodela doutait toujours.

— Ettore a emmené le pape dans les catacombes, déguisé en cardinal, pour le remettre aux mains des terroristes ? demanda-t-il. Et Son Éminence alors ? Comment, selon cette théorie rocambolesque, serait-elle sortie de la bibliothèque ?

— Par le tunnel situé sous les toilettes, bien sûr. Vous vous souvenez que, lorsque nous sommes descendus tous les deux par ce même tunnel, nous empestions les égouts ? Eh bien, il s'est passé la même chose avec Son Éminence après la disparition du pape ! Rappelez-vous, ses habits puaient tellement qu'elle a demandé qu'on envoie quelqu'un lui chercher de quoi se changer. C'est bien la preuve de son passage par le même tunnel, mais avant nous !

L'inspecteur Trodela n'avait pas pensé à ce détail ; or, c'était non seulement on ne peut plus censé, mais aussi décisif. Il continua pourtant de défendre le cardinal.

— Et le portail qui bloquait le passage souterrain ? demanda-t-il. Comment Son Éminence est-elle passée par le portail ?

— Eh bien grâce à la clé, tout simplement, répondit Tomás sur le ton de quelqu'un qui expose une évidence. N'oublions pas que les forces de sécurité ne sont pas les seules à disposer des clés de la porte du palais des Congrégations, qui donne sur la place Pie-XII, et du portail situé dans le réseau souterrain. Comme on nous l'a dit, le Gouvernorat du Vatican possède des doubles. Or, en tant que secrétaire d'État, Son Éminence y avait accès, et c'est ainsi qu'elle est sortie du Palais apostolique sans être vue, pour revenir ensuite comme si elle avait fini de « prendre l'air ».

L'inspecteur Trodela se tourna vers le cardinal Barboni.

— Votre Éminence, dites-moi, je vous en prie, que rien de tout cela n'est vrai.

Le secrétaire d'État sembla enfin sortir de sa torpeur et un éclair de panique dans son regard le trahit. On pouvait encore penser qu'il allait résister, tout nier en bloc et clamer son innocence, mais il n'en fut rien. Il finit par baisser la tête et tomber à genoux.

— Pardon... Pardon...

Les larmes inondaient le visage ridé du cardinal et ses pleurs se transformèrent en sanglots irrépressibles. Le secrétaire d'État, inconsolable, se cachait le visage. Ettore s'approcha de lui et, assumant également la faute, l'embrassa pour le réconforter.

Tous regardaient le deuxième homme du Saint-Siège avec une expression d'incrédulité totale. Une fois de plus, l'inspecteur Trodela fut le seul à pouvoir traduire en mots le sentiment de perplexité qui s'était emparé de l'assemblée en s'apercevant que Tomás avait vu juste.

— *Ma che cazzo !*

Après avoir pleuré un long moment sans s'arrêter, le cardinal Barboni fit un effort pour se maîtriser. Il ôta les mains de son visage trempé et balbutia une réponse :

— On m'avait dit qu'ils se contenteraient de lui faire peur. Un stratagème inoffensif, rien de mal, je n'avais pas à m'en faire. Et je... et je... (Il se frappa la tête avec le poing, se punissant lui-même.) Fou ! Fou ! Quel fou j'ai été de les croire !

— Qui vous a dit cela ?

Le secrétaire d'État haussa les épaules.

— Un escroc, un mafieux qui a un compte à l'IOR... Quelle importance ? Il m'a dit de faire ce qu'on me demandait et tout irait bien, je n'avais pas à m'inquiéter, car les personnes qu'il représentait étaient catholiques comme moi et elles ne permettraient pas qu'on fasse du mal à Sa Sainteté. (Il secoua encore la tête.) Stupide, comme j'ai été stupide ! (Il renifla.) Lorsque... lorsque j'ai appris que des attentats avaient eu lieu à Disneyland et à Medjugorje, et surtout lorsque j'ai vu cette horrible vidéo des terroristes montrant le Saint-Père à genoux, j'ai compris mon erreur. Ah, *Dio mio !* (Il pleurait à chaudes larmes.) Oh, le Seigneur sait que je me suis repenti. J'ai voulu mourir ! J'ai pensé tout confesser. Ou me jeter par la fenêtre. Mais... misérable que je suis, je n'en ai pas eu le courage. Je n'ai eu le courage de faire ni une chose ni l'autre. *Povero me !* Je ne suis qu'un *disgraziato !* Un lâche !

— Mais pourquoi, Votre Éminence ? voulut savoir Trodela, encore bouleversé. Pourquoi ?

Le secrétaire d'État mit quelques secondes à trouver l'énergie pour répondre.

— Parce que... parce que...

Il se tut et baissa de nouveau la tête, en sanglotant. Il était évident que, par gêne, par peur ou pour une autre raison, il ne serait pas capable d'expliquer ce qui l'avait conduit à agir comme il l'avait fait.

Tomás s'éclaircit la gorge.

— Vous permettez, inspecteur ?

Le policier italien se tourna vers lui.

— Je vous en prie.

— Je crains que le sentiment de honte qu'éprouve Son Éminence ne l'empêche de confesser les véritables motifs de sa trahison. Cependant, ceux-ci me semblent très clairs.

— Clairs ? s'étonna l'inspecteur. Pour ma part, rien ne me paraît clair dans cette histoire. Mais, si ça l'est pour vous, professeur Noronha, je vous saurais gré de partager avec nous ce que vous avez découvert.

— La clé est l'adresse de Son Éminence, fit-il observer. Vous vous en souvenez, inspecteur ?

— Via Carducci. Et alors ?

— Ce nom ne vous dit rien ?

— Non. Il devrait me parler ?

L'historien haussa un sourcil.

— Vous avez déjà entendu parler de l'Europe Multi Club ?

Le commissaire de la police judiciaire réagit aussitôt et regarda le cardinal Barboni avec surprise, comme s'il cherchait une confirmation. Il venait enfin de tout comprendre.

— Puisque cela vous semble familier, inspecteur, constata Catherine, se mêlant à la conversation, pouvez-vous nous éclairer ?

Trodela échangea un regard avec Tomás, sollicitant son assentiment avant de répondre. Le Portugais acquiesça d'un geste de la tête et le policier italien regarda la chef de la COSEA.

— L'Europe Multi Club est le plus grand sauna

gay d'Italie, et il se trouve via Carducci, indiqua-t-il. C'est le lieu de rencontre de nombreux ecclésiastiques, y compris des cardinaux, et il est de notoriété publique que bon nombre d'hommes d'Église homosexuels habitent dans ce quartier.

Catherine écarquilla les yeux, abasourdie, et regarda le cardinal Barboni avec une expression interrogative.

— C'est vrai, Votre Éminence ?

Le secrétaire d'État, la tête basse, ne dit rien ; cela équivalait à un aveu. Ettore, qui vivait aussi dans ce quartier et qui était complice du cardinal, adopta la même attitude.

Tomás intervint à nouveau.

— Si vous le permettez, j'aimerais souligner qu'à notre époque, le fait d'être homosexuel ne devrait poser aucun problème. Dans nos sociétés modernes, nul ne peut faire l'objet de discrimination fondée sur sa race, sa nationalité, sa religion, son genre ou son orientation sexuelle, et ce principe n'est pas négociable. (Il leva la main, comme pour émettre une réserve.) Être gay ne serait pas un problème si les intéressés n'appartenaient pas à l'Église catholique. C'est parce que le Saint-Siège présente l'homosexualité comme « contre nature » que les ecclésiastiques gays font tout leur possible, voire l'impossible, pour cacher leur orientation sexuelle, de crainte d'être dénoncés et sanctionnés par la hiérarchie. Il est évident que ça les rend particulièrement vulnérables au chantage.

— Au chantage ?

— Oui, au chantage. Faites un effort d'imagination. Imaginez que la mafia, harcelée parce que le pape a décidé de s'en prendre à ses intérêts et à ceux de ses amis politiques de la banque du Vatican, ait prévu de l'éliminer sans attirer sur elle les soupçons. Quelle meilleure solution que de faire porter le chapeau à des terroristes ? Les mafieux contactent un groupe affilié à l'État islamique et concluent un marché : vous voulez tuer le pape, nous vous aidons à atteindre votre objectif, mais nous restons dans l'ombre. Les islamistes recherchent la publicité, la mafia la discrétion. L'alliance est parfaite. Cependant, pour le succès de l'opération, il fallait trouver un traître parmi les plus fidèles collaborateurs du pape, quelqu'un qui soit suffisamment proche de lui pour le livrer sur un plateau. Le problème, c'est que les plus fidèles collaborateurs du pape lui sont justement... fidèles. Comment les briser ? Il n'est guère difficile d'imaginer la suite. Les mafieux ont commencé à enquêter sur les proches du pape, afin de trouver les points faibles qu'ils pourraient exploiter à leur avantage, et ils ont fini par découvrir que le secrétaire d'État, numéro deux de la hiérarchie du Vatican, est homosexuel. Tout comme le secrétaire particulier du pape. Que pensez-vous que la mafia a fait alors ?

L'inspecteur Trodela regarda le cardinal Barboni et le secrétaire particulier.

— C'est vrai ça, Votre Éminence ? C'est vrai, Ettore ?

Si aucun des deux ne répondit, aucun ne nia.

— Si vous me permettez, inspecteur, je crois que c'est allé plus loin encore, ajouta Tomás. La mafia ne s'est probablement pas limitée à menacer Son Éminence et le secrétaire particulier du pape de révéler leur homosexualité, car ils n'auraient pas trahi le chef de l'Église pour si peu. Pour faire d'eux des traîtres, la mafia avait besoin d'un atout imparable. Elle devait les compromettre gravement et irrémédiablement. Je fais allusion à des documents beaucoup plus compromettants, comme des photographies explicites ou une vidéo extrêmement embarrassante. Et j'imagine que la mafia les a menacés de tout publier sur Facebook, Twitter, YouTube et je ne sais quel autre réseau. L'humiliation aurait été absolument cataclysmique. C'est vraisemblablement grâce à une machination de ce genre que la mafia a réussi à prendre dans ses filets Son Éminence et le secrétaire particulier du pape. Et qu'elle les a transformés en Judas.

Les deux hommes demeuraient silencieux, la tête basse, écrasés par l'énormité de ce qu'ils avaient été contraints de faire.

— Je vous en prie, Votre Éminence révérendissime, supplia l'inspecteur Trodela. Dites-moi que c'est un mensonge, prouvez-moi que ce ne sont que des calomnies, élevez-vous contre de tels ragots ! Aidez-moi à vous aider.

Pour toute réponse, le cardinal Barboni fit le signe de croix et brisa son mutisme d'un timide murmure.

— Je désire parler à mon confesseur et avouer les péchés que j'ai commis contre Sa Sainteté, l'Église et l'Humanité.

Brisé, le secrétaire d'État était incapable de se défendre et prêt à tout admettre. Bien que muet, Ettore semblait être dans le même état d'esprit.

Se rendant à l'évidence, l'inspecteur Trodela respira profondément et se dirigea vers la porte de la chapelle Sixtine qu'il ouvrit. Le garde suisse qui se trouvait de l'autre côté se mit aussitôt au garde-à-vous.

— Conduisez Son Éminence et le secrétaire particulier de Sa Sainteté à la cellule du corps de la gendarmerie, je vous prie.

Le garde suisse cligna des yeux.

— Pardon ?

— Son Éminence et le secrétaire particulier de Sa Sainteté ont reconnu être à l'origine de l'enlèvement du Saint-Père ! précisa-t-il. Emmenez-les. Je vous rejoindrai pour les interroger et obtenir des aveux signés.

L'homme à l'uniforme coloré secoua la tête, décontenancé par ce qu'il entendait.

— Mais... mais...

— Emmenez-les !

D'un pas hésitant, sans véritablement comprendre ce qui se passait, mais obéissant à l'ordre donné par l'inspecteur Trodela, le garde suisse entra dans la chapelle Sixtine et se dirigea vers les deux hommes, se demandant comment il devait procéder. Son véritable chef n'était finalement pas le commissaire de la police judiciaire, mais le secrétaire d'État lui-même, celui sur qui portaient les soupçons.

— Votre Éminence ?

Sans prononcer un mot, gardant toujours la tête basse, le cardinal Barboni et Ettore se tournèrent vers le garde suisse, se soumettant implicitement à son commandement. Encore ébranlé, le garde leur fit signe de le précéder et les accompagna jusqu'à la porte de la chapelle Sixtine.

Avant que les trois hommes ne sortent, Tomás posa au garde suisse la question qui ne cessait de le tourmenter.

— Avez-vous des nouvelles du pape ?

Le garde s'arrêta avant de franchir la porte et se retourna, livrant au groupe la dernière nouvelle qui était arrivée de l'hôpital.

— Sa Sainteté est hors de danger, grâce à Dieu.

ÉPILOGUE

La chambre de l'hôpital universitaire Agostino Gemelli donnait sur un joli jardin potager, mais à ce moment-là l'attention de Tomás était exclusivement centrée sur Maria Flor. Sa fiancée avait passé deux nuits assise à côté du lit dans lequel il dormait sous l'effet des sédatifs qu'on lui avait administrés. Lorsqu'il s'était enfin réveillé, elle le regardait avec une expression pleine de repentir.

— Je sais que j'ai un sale caractère, mon chéri, dit-elle d'une voix douce. J'étais remontée contre toi. J'ai même éteint mon portable pour ne pas recevoir tes appels. Mais lorsque j'ai entendu que le pape avait été enlevé, j'ai pris peur et je suis allée t'attendre à l'hôtel. Pour ne pas perdre la face, j'étais déterminée à ne pas t'appeler, alors que j'avais bien vu que tu avais essayé de le faire deux fois. Mais tu n'arrivais pas et j'ai commencé à m'inquiéter. J'ai même fini par t'appeler, mais ton portable était éteint. J'ai pensé que tu étais toujours fâché et...

— Pour quelle raison aurais-je été fâché contre toi ?

— Eh bien parce que je te faisais la tête, bien sûr. Tu sais bien que je peux être très énervante parfois...

Ils rirent tous les deux.

— Que tu es bête...

— Quoi qu'il en soit, je t'ai encore appelé deux fois ! Mais ton téléphone était toujours éteint et j'ai décidé de m'arrêter là. J'avais répondu à tes appels, tu n'avais qu'à me rappeler si tu le voulais, après tout... Mais j'étais de plus en plus préoccupée par ton silence. Comme il se passait toutes ces choses à cause du pape, j'ai même songé un moment à venir participer à la veillée place Saint-Pierre, mais de peur de te rater j'ai décidé de rester à l'hôtel. Et puis, avec tous les attentats qui avaient lieu un peu partout, il m'a semblé plus prudent d'éviter de descendre dans la rue. À minuit, j'étais assise sur mon lit, à regarder les événements terribles qu'on montrait à la télévision. Je pleurais à chaudes larmes pour le Saint-Père, et qui est-ce que je vois sur l'écran, au milieu de ces horribles terroristes ? Toi !

— Tu as été surprise ?

— Surprise ?! s'exclama-t-elle. J'ai failli tomber dans les pommes, oui !

Nouvel éclat de rire de Tomás.

— J'imagine.

— Non tu n'imagines pas ! C'était horrible. *Ho-rri-ble !* J'ai pensé que ces bandits t'avaient tué ! Je me suis mise à crier et je suis sortie dans le couloir pour demander que l'on te vienne en aide. À l'hôtel, plusieurs personnes pleuraient aussi à cause du pape, et nous avons tous pleuré en chœur. Écoute... je ne sais pas comment te décrire la scène, c'était indicible. On se serait cru dans un film.

— Et après ? Qu'as-tu fait ?

714

— Je suis sortie et je me suis précipitée au Vatican, j'avais l'air d'une folle, je courais en pleurant. En fait, si on ne m'a pas vraiment prise pour une folle, c'est parce qu'il y avait plein d'autres gens en larmes sur les trottoirs, tout le monde était en état de choc à cause de ce qui se passait et...

À ce moment-là, une voix féminine et enjouée résonna dans la chambre.

— *Coucou, mon chou !* salua Catherine. Comment va notre malade ce matin ?

Les deux femmes restèrent figées, chacune se demandant qui était l'autre et, surtout, de quel droit elle se trouvait dans cette chambre. Allongé sur son lit, Tomás eut envie de se cacher sous les draps. Mais il ne le pouvait pas.

— Maria Flor, voici Catherine Rauch, auditrice du Vatican, annonça-t-il d'une voix vaguement effrayée. Catherine, je vous présente Maria Flor, ma... euh... fiancée.

Elles échangèrent un regard glacial.

— Bonjour, dit Catherine.

— Comment allez-vous ? répondit Maria Flor.

Se remettant du choc qu'elle venait de ressentir en apprenant que Tomás avait une fiancée, la Française le regarda de la façon la plus neutre possible.

— Sa Sainteté souhaite vous parler.

Il haussa les épaules.

— Je ne pourrai sortir d'ici que lorsque le médecin me le permettra.

— Vous l'ignorez peut-être, mais Sa Sainteté est également hospitalisée ici, l'informa-t-elle. La Polyclinique universitaire Agostino Gemelli appartient à l'université catholique du Sacré-Cœur et le Saint-Siège y dispose de plusieurs chambres réservées en permanence. (Elle fit un large geste, balayant la pièce.) D'ailleurs, celle-ci en fait partie.

— Ah bon, s'étonna Tomás. Vous voulez dire que je suis hospitalisé aux frais du Vatican ?

— Oui. (D'un signe, elle désigna la porte du couloir.) Vous sentez-vous capable de marcher jusqu'à la chambre de Sa Sainteté, ou préférez-vous que j'aille chercher un fauteuil roulant ?

Tomás sortit du lit et, se sentant parfaitement d'aplomb, il se dirigea vers l'armoire d'où il sortit un peignoir à l'emblème de l'hôpital Agostino Gemelli. Il eut quelques difficultés à enfiler la manche droite, les pansements entravaient ses mouvements et sa blessure le gênait encore.

Une fois prêt, il se tourna vers la Française.

— Pensez-vous que je puisse me présenter devant le pape dans cette tenue ?

— Tout comme le Saint-Père, vous êtes un patient et Sa Sainteté le sait, je ne vois donc pas où est le problème. (Elle se se dirigea vers la porte.) Allons-y !

Maria Flor intervint.

— Je peux venir aussi ?

Son fiancé lui répondit avec un sourire.

— Bien sûr.

Ils tournèrent à droite dans le couloir. Dans l'hôpital, assez calme malgré les fréquents va-et-vient des médecins et des infirmiers, planait une odeur aseptisée. Catherine marchait en tête ; ils avançaient lentement, Tomás se sentant encore faible. Maria Flor était nerveuse à la perspective de rencontrer le pape en personne ;

716

déjà intimidante en soi, pour une catholique comme elle, c'était encore plus impressionnant.

Et puis, il y avait cette Française, cette belle blonde que Maria Flor n'avait jamais vue et qui semblait si bien connaître son fiancé, dont l'arrivée fracassante lui déplaisait fortement. Méfiante, elle s'approcha de Tomás et lui demanda à l'oreille :

— Qui est cette fille ?

— Catherine ? C'est... on a travaillé ensemble sur l'enquête pour retrouver le pape.

— Non, mais tu as vu son décolleté ?

— Arrête avec ça, Florzinha, tu veux !

— Ces Françaises, pour qui se prennent-elles ? Elles enfilent une toilette sophistiquée, s'aspergent de parfum, se mettent sur leur trente et un et se donnent des airs de coquettes. Et les hommes tombent comme des mouches, ces grands dadais ! (Elle haussa les épaules.) D'ailleurs, il faudra que tu m'expliques ce qu'il y a entre vous pour qu'elle se soit autorisée à entrer dans ta chambre en t'appelant « mon chou ». Tu sais que j'ai fréquenté l'Alliance française, et je crois bien me souvenir que les petites Françaises ne donnaient pas du « mon chou » au premier venu... Il faut une certaine intimité.

— Arrête, je te dis.

Sans parler portugais, Catherine avait bien compris le sens général de la conversation. Agacée par les observations de Maria Flor, elle s'arrêta et se retourna brusquement avec un sourire contraint, avant de décocher une vanne à sa rivale.

— Vous saviez que ma femme de ménage est portugaise ? Elle est très douée pour le ménage...

— Ménage ? reprit la Portugaise, feignant de ne

pas comprendre. Un ménage à trois, très peu pour moi, espèce de chipie !

Tomás ne savait où donner de la tête.

— Arrêtez, je vous en prie !

Décidée à ne pas laisser l'avantage à sa rivale, Catherine se retourna et recommença à marcher.

— Regarde comme elle remue du popotin, cette grande vache, murmura Maria Flor. Non, mais tu as vu ça ? Où le Saint-Père est-il allé chercher cette cocotte ? Au Moulin Rouge ou au Crazy Horse ? Pff !

Tournant à l'angle du couloir, ils se retrouvèrent face à deux carabiniers et à plusieurs ecclésiastiques, plantés devant la porte d'une chambre. Ils étaient très certainement arrivés chez le Saint-Père et Maria Flor se sentit obligée de se taire. Tomás souffla presque de soulagement.

Sauvé par le pape !

Le chef de l'Église était allongé sur le lit, des tubes de sérum reliés à son bras droit, le tronc plâtré, le cou et la tête recouverts de pansements. Seuls ses yeux bougeaient ; il ressemblait à une momie, totalement immobilisé. Malgré cela, il s'anima dès qu'il aperçut Tomás.

— Quelle joie de vous voir, professeur ! lui dit-il avec chaleur. Il paraît que je vous dois la vie. Moi, et beaucoup de monde.

Le Portugais voulut baiser son anneau, mais il y avait tellement d'appareils autour du lit qu'il renonça. Au lieu de ça, il s'inclina en une révérence.

— Allons, Votre Sainteté, n'exagérez pas. Tout le mérite vous revient, pour l'intelligence avec laquelle vous avez codé l'information sur le lieu de votre détention dans le message vidéo. Quant à moi, disons que je n'ai été que « l'instrument de Dieu ».

Le souverain pontife sourit.

— Plus que vous ne l'imaginez, professeur.

Tomás examina le chef de l'Église ; il était pâle et avait une voix faible, mais il paraissait soulagé et de bonne humeur. Après tout ce qui s'était passé et les interventions chirurgicales qu'il avait subies en urgence deux jours plus tôt, son apparence et sa condition semblaient normales.

— Comment vous sentez-vous, Votre Sainteté ?

Le pape ébaucha une grimace de douleur.

— J'ai connu des jours meilleurs, reconnut-il. J'ai la gorge partiellement déchirée, deux balles m'ont transpercé le thorax et une autre m'a touché à l'épaule. Mais je ne me plains pas. Il y a eu plus de peur que de mal, grâce à Dieu. Les opérations chirurgicales se sont révélées moins délicates que ce qu'on pouvait craindre. Le docteur Cuffaro dit que j'ai eu beaucoup de chance ; la divine Providence a voulu que je ne sois atteint ni au cœur ni à la colonne vertébrale, et que la blessure au cou soit superficielle.

— C'est vrai, il commençait à peine à vous couper la gorge lorsque je l'ai atteint avec... avec... enfin, avec la pioche.

Le visage du chef de l'Église s'assombrit.

— Je ne saurais approuver le recours à la violence pour répondre à la violence, dit-il. Mais, vu les circonstances... disons que votre intervention a été un moindre mal.

— Les criminels doivent être punis, Votre Sainteté.

— Sans doute, mais les deux hommes qui m'ont enlevé sont morts, comme vous le savez. Le véritable châtiment, c'est Dieu qui l'imposera le jour du Jugement dernier.

Tomás fronça les sourcils.

— Vous n'ignorez sans doute pas, Votre Sainteté, qu'ils n'ont pas agi de leur propre initiative, rappela-t-il. Quelqu'un les a envoyés...

Le souverain pontife acquiesça.

— Oui, un groupe affilié à l'État islamique, dit-il. Les présidents américain et français, ainsi que le Premier ministre britannique m'ont appelé aujourd'hui pour m'exprimer leur solidarité et m'informer qu'ils vont procéder à de nouveaux bombardements en représailles. Je les ai implorés de ne pas le faire, faisant valoir que la violence n'engendrait que la violence, et que le Christ nous enseigne d'aimer notre ennemi et de tendre l'autre joue.

— Et ils ont accepté votre requête ?

— Hélas, non. Ils disent que c'est à contrecœur, mais qu'ils doivent agir car ce n'est pas seulement ce que les terroristes m'ont fait qui est en cause. Il y a aussi les attentats à Disneyland, et dans les autres pays, notamment au sanctuaire de Medjugorje, en Bosnie. Le conflit entre Croates et Bosniaques a pu être arrêté, les Turcs se sont retirés de la frontière avec la Grèce, mais il s'en est fallu de peu. Le président américain m'a dit que les différentes composantes de l'État islamique et d'autres mouvements djihadistes, comme Al Qaïda, Al Shabab et Boko Haram, notamment, veulent provoquer une guerre religieuse mondiale, et qu'ils y sont presque arrivés. C'est pourquoi rien ne de ce qui s'est passé ne saurait demeurer impuni.

— Dans ce cas, les terroristes contrôlés par les différents mouvements liés à l'État islamique vont être de nouveau bombardés.

Le pape regarda Tomás avec une expression résignée.

— Je le crains en effet.

— Cependant, comme vous le savez certainement, Votre Sainteté, ce ne sont pas seulement les groupes affiliés à l'État islamique qui sont à l'origine de votre enlèvement.

Le chef de l'Église respira profondément et son expression devint encore plus grave.

— Vous faites allusion à Angelo, murmura-t-il, mentionnant le cardinal Barboni par son prénom. Pauvre Angelo ! On me dit qu'il est totalement anéanti. Ah, quel malheur ! (Il secoua la tête.) Vous voyez qu'au Saint-Siège rien ni personne n'est ce qu'il paraît être.

— Avez-vous déjà parlé avec Son Éminence ?

— Je le ferai dès qu'on me laissera quitter cet hôpital. Pour le moment, je me contente de prier pour son salut, ainsi que pour celui d'Ettore. Tous deux doivent être extrêmement mal à l'aise. Nous devons faire preuve d'indulgence et de compréhension, même au regard de la gravité des actes qui ont été commis. Que personne n'oublie qu'eux aussi ont été des victimes.

— C'est vrai, Votre Sainteté, acquiesça Tomás. Dois-je en conclure que vous allez leur pardonner ?

Le chef de l'Église hocha la tête.

— Pardonner, c'est ce que notre religion nous apprend à faire de mieux, rappela-t-il. Nous sommes tous fils de Dieu. (Il afficha une expression mélancolique.) Le problème, c'est que la trahison fait également partie du christianisme. N'a-t-il pas fallu que Judas trahisse le Seigneur pour trente deniers pour que Jésus soit crucifié puis qu'il ressuscite ?

— C'est ce que disent les Évangiles, Votre Sainteté.

— Dans son immense sagesse, le Seigneur fait certainement les choses avec une intention, Ses desseins sont mystérieux et nous ne sommes que de simples pions entre Ses mains. (Il soupira.) Pauvre Angelo. Imaginez le chantage qu'on a dû exercer sur lui pour l'obliger à faire ce qu'il a fait. Lui et Ettore, les pauvres. (Son expression se raffermit.) Il nous faut à présent déterminer qui les a contraints à de tels actes, la mafia et les politiciens qui lui sont associés. Voilà nos véritables ennemis.

— Mais c'est Votre Sainteté qui nous a mis sur la piste du dossier de monseigneur Dardozzi, fit observer Tomás. Comment avez-vous compris que votre enlèvement n'était pas une opération menée exclusivement par l'État islamique ?

— J'ai entendu mes ravisseurs s'entretenir au téléphone avec ceux qui leur ont fourni un appui logistique en Italie, et j'ai compris que celles-ci n'étaient pas au Moyen-Orient, mais à Palerme, en Sicile. Le reste coulait de source. En lisant le dossier de monseigneur Dardozzi, j'avais compris que de nombreux hommes politiques avaient des comptes occultes à l'IOR, destinés à blanchir l'argent des pots-de-vin liés à l'affaire Enimont et à d'autres. Il y avait aussi des mafieux, des *capi* comme Matteo Denaro et des gens du même acabit. Pour ne rien dire de ceux qui étaient installés au sein même de la curie. Visiblement, la décision de mettre mon nez dans les comptes des politiciens et de la mafia et de prendre des mesures pour mettre de l'ordre à l'IOR les a tellement effrayés qu'ils n'ont pas hésité à s'allier à des terroristes islamistes pour commettre cette folie.

— Que va-t-il arriver à ces gens-là ?

— Je crois que la police judiciaire va procéder à un certain nombre d'arrestations, révéla le pape. Cependant, je n'ignore pas que nous devons aller plus loin en ce qui concerne le Vatican. L'argent est utile pour bien des choses, mais lorsqu'il en vient à conquérir notre cœur, il finit par nous détruire. Voilà pourquoi j'avais envisagé de fermer l'IOR, car cette institution s'est révélée une source permanente et inépuisable de problèmes. J'ai fini par conclure qu'il était préférable de la réformer.

— Dans quel sens, Votre Sainteté ?

Les yeux du souverain pontife s'animèrent.

— J'ai engagé une authentique révolution au Saint-Siège, annonça-t-il. Ce matin, j'ai signé ici même, sur mon lit d'hôpital, une convention monétaire qui soumet le Vatican à tous les règlements en matière de lutte contre le blanchiment d'argent en vigueur au sein de l'Union européenne, ainsi qu'un décret papal portant création d'une unité ayant pour mission d'enquêter sur tous les fonds d'origine douteuse qui passent par l'IOR. En outre, j'ai approuvé un autre décret qui permettra de clôturer tous les comptes suspects au sein de l'institution. Nous allons également créer un site web sur lequel sera publié un rapport annuel sur les comptes de l'IOR, ce qui n'a jamais été fait au Vatican. Enfin, nous allons signer avec l'Italie un accord d'échange d'informations fiscales afin d'empêcher certains Italiens fortunés et les hommes politiques de prendre le Vatican pour un paradis fiscal et l'IOR pour une machine à laver l'argent sale. Nous en finirons ainsi avec toute cette histoire lamentable. Les groupes affiliés à l'État islamique et la mafia vont être sanctionnés et l'IOR sera profondément réformé. D'un seul coup, le Vatican aura réussi à expulser les voleurs qui ont fait du temple du Seigneur leur maison.

Un bref silence s'installa dans la chambre, comme si tous les sujets de conversation avaient été épuisés. Catherine et Maria Flor se trouvant hors du champ de vision du chef de l'Église, le pape ne s'était peut-être même pas aperçu de leur présence. Le souverain pontife s'éclaircit la voix et prit un ton solennel.

— Professeur, je vous ai fait venir car je tiens à vous exprimer mes profonds remerciements pour tout ce que vous avez fait pour nous et pour l'humanité, dit-il sur un ton grave. Vous avez été à la hauteur de votre réputation. Lorsque mes ravisseurs me retenaient captif et qu'ils m'ont donné la possibilité d'enregistrer ce fameux message, je n'ai pas douté un seul instant que vous seriez capable de comprendre toutes les informations que j'y avais cachées. Ce fut un grand réconfort en ces heures difficiles. (Il fit une grimace.) Je dois avouer, cependant, que lorsque minuit a sonné et que ces gens ont commencé à se préparer pour... enfin, pour faire ce qu'ils allaient faire, j'ai douté. Mais à tort, comme vous avez fini par le prouver.

— Ce fut de justesse, Votre Sainteté. Cela a en tout cas permis de prouver que les prophéties de Malachie, de Pie X et de Fátima n'avaient pas le moindre fondement.

— C'est vrai que, pour cette fois, elles ne se sont pas accomplies, grâce à Dieu, reconnut le pape. Le Seigneur est miséricordieux. Mais qui sait ce que nous réserve l'avenir ? Il n'est pas dit que ces terribles prophéties ne se réaliseront pas un jour.

— Allons, allons, Votre Sainteté...

Le chef de l'Église essaya de tourner la tête, sans doute pour identifier les silhouettes qu'il devinait du coin de l'œil, mais le plâtre et les bandages l'empêchaient de bouger.

— Mme Rauch, vous êtes là ?

— Oui, Votre Sainteté.

— Ah, très bien. Je crois que vous avez autre chose à annoncer au professeur, n'est-ce pas ?

Ils avaient dû préparer cette petite mise en scène, comprit Tomás. Catherine ouvrit son sac et en sortit une enveloppe qu'elle tendit à l'historien.

— C'est pour vous.

Le Portugais se figea.

— Veuillez m'excuser, mais je ne veux pas être rémunéré pour ce que j'ai fait, réagit-il avec emphase. Je vous suis très reconnaissant de votre gentillesse, mais le seul paiement que je pourrais accepter concerne le travail que j'ai effectué, en tant qu'historien, dans la nécropole du Vatican. Rien d'autre.

Voyant qu'il ne prenait pas l'enveloppe, la Française l'ouvrit et en sortit une feuille de papier.

— Il ne s'agit pas du tout d'un règlement, déclara-t-elle. C'est le rapport que le laboratoire nous a transmis ce matin.

Le visage de Tomás prit une expression d'incompréhension.

— Le laboratoire ?

Catherine déplia la feuille et la consulta.

— Ce document est signé du professeur Carlo Lauro, voici ce qu'il dit. (Elle s'éclaircit la voix.) « S'agissant des échantillons d'os que Son Éminence, le cardinal Angelo Barboni, a récemment confiés au laboratoire de l'Université de Rome, nous tenons à vous informer que... »

— Les ossements de saint Pierre ! s'exclama le Portugais, en se frappant le front. J'avais complètement oublié ! (Il se tourna vers le pape.) Je ne sais pas si on vous l'a dit, Votre Sainteté, mais j'ai trouvé au Vatican des ossements qui pourraient bien être ceux de l'apôtre Pierre et j'ai demandé à Son Éminence de les faire analyser en laboratoire. (Il se tourna vers la chef de la COSEA.) Quels sont les résultats ?

Catherine ébaucha un léger sourire.

— Ah, vous voilà intéressé à présent...

L'historien était extrêmement impatient.

— S'il vous plaît, dites-moi ce qu'a révélé l'analyse !

Elle porta à nouveau son attention sur le document du laboratoire.

— Eh bien, voyons cela... dit-elle en survolant le rapport. Ah, voilà ! Je lis : « Nous pouvons conclure, sans qu'il y ait le moindre doute, qu'il s'agit des ossements d'un individu de sexe masculin, âgé de 60 à 70 ans, et de constitution robuste. »

Tomás était très excité par la conclusion.

— Cela concorde avec ce que nous savons de Pierre !

— Attendez, ce paragraphe concerne l'analyse de la terre qui était incrustée dans les os, ajouta la Française. Écoutez : « La terre en question correspond à celle qui existe dans la nécropole du Vatican. »

— Ça colle !

— Il a également été procédé à l'analyse du tissu qui entourait les os, indiqua-t-elle. Voici ce qui est dit : « Le tissu pourpre a été cousu avec des fils d'or, ce qui dénote par conséquent une vénération particulière. En effet, il n'était pas courant à l'époque d'utiliser un tissu aussi cher et précieux pour protéger des ossements. »

Tomás regarda le pape avec enthousiasme.

— Vous entendez, Votre Sainteté ? Nous avons découvert les restes de saint Pierre ! C'est extraordinaire !

Le chef de l'Église hésita.

— Bien... ne nous précipitons pas. Quelles garanties avons-nous que ces ossements datent vraiment du premier siècle ?

— La zone de la nécropole d'où ces ossements ont été retirés correspond aux tombeaux du premier siècle, Votre Sainteté. Par ailleurs, le *loculus* où ils ont été découverts se trouve près du trophée de Pierre et la cavité est référencée par un fragment qui indiquait, en grec, *Pierre est ici*. De plus, l'emplacement se situe exactement sous l'autel papal, ce qui signifie que la basilique Saint-Pierre a été érigée en tenant compte de l'importance majeure du trophée, présenté par Gaius comme étant le lieu où avaient été déposées les reliques de saint Pierre. Il n'y a aucun doute, Votre Sainteté. (Il agita le rapport.) Il s'agit vraiment des ossements du pêcheur Simon, la pierre sur laquelle a été érigée l'Église. Nous avons découvert les restes du principal disciple de Jésus !

Enfin convaincu, le pape se signa et pria à voix basse, les paupières closes, avec ferveur. Puis il ouvrit les yeux et dévisagea l'historien.

— C'est un grand jour pour la chrétienté, proclama-t-il, ému. Je remercie Dieu pour la grâce qu'il nous a faite. Cette découverte est un don du ciel qui vient raviver la foi que certains agissements de la curie ont pu émousser. Elle ne pouvait pas mieux tomber.

— C'est... c'est extraordinaire ! acquiesça l'historien. Cette confirmation est absolument merveilleuse ! (Il hésita.) Et... et maintenant ?

— Maintenant... Eh bien, je suppose que nous allons devoir rendre saint Pierre à son repos éternel, répondit le pape, hésitant. (Il eut tout à coup une idée.) Écoutez, vous savez ce que je vais faire ? Je vais faire placer les ossements de saint Pierre sous une cloche en plexiglas, c'est transparent et extrêmement résistant. Et nous allons les déposer dans la cavité du trophée de Pierre où les premiers chrétiens les avaient conservés à l'origine.

Une ombre de déception assombrit le visage de Tomás.

— Mais, Votre Sainteté, les gens devraient avoir le droit de voir ces reliques...

— Et ils les verront, soyez rassuré, affirma le chef de l'Église, déterminé à poursuivre son idée. Nous pourrons, par exemple, organiser des visites guidées de la nécropole pour que les fidèles puissent vénérer les restes de saint Pierre.

Jusqu'alors immobile et silencieuse, Maria Flor s'approcha de son fiancé pour jeter un coup d'œil sur le rapport du laboratoire de l'université de Rome.

— Pourrais-je également voir ces ossements ?

La voix de Maria Flor surprit le chef de l'Église qui n'avait pas encore remarqué sa présence.

— Mais qui est cette jeune et si jolie personne ?

La Portugaise hésita.

— Moi ? s'étonna-t-elle, se sentant tout à coup au centre de l'attention. (Elle fit une révérence timide.) Je m'appelle... je m'appelle Maria Flor, Votre Sainteté.

— Elle est venue avec moi, s'empressa de préciser Tomás. C'est ma fiancée.

— Votre fiancée ?

— Eh bien...

— C'est votre fiancée.

Cette fois-ci, le pape ne posait pas une question. C'était bien une affirmation. Les deux tourtereaux échangèrent un regard vaguement embarrassé ; jamais ils ne s'étaient posé la question des fiançailles et encore moins celle du mariage. À présent, le chef de l'Église lui-même la soulevait.

— Eh bien... c'est-à-dire..., bredouilla l'historien. En effet, oui, c'est... ma fiancée.

La réponse surprit Maria Flor et choqua Catherine, qui n'avait pas encore abandonné tout espoir. La Portugaise dévisagea intensément Tomás, tentant de deviner s'il parlait sérieusement, s'il lui faisait indirectement une proposition ou s'il s'agissait d'une simple réponse de convenance pour contourner élégamment l'affirmation gênante du pape.

— Toutes mes félicitations ! dit le souverain pontife avec malice. Et quand aura lieu le mariage ?

Il était évident que le pape prenait un certain plaisir à son espièglerie, ce qui convainquit le Portugais que le chef de l'Église faisait exprès de précipiter les événements et de le contraindre à s'engager.

— C'est-à-dire que... rien n'a encore été fixé, répliqua Tomás prudemment. Nous devons d'abord régler certaines choses et ce n'est qu'ensuite que nous pourrons fixer une date, n'est-ce pas ?

— J'ai un problème, Votre Sainteté, intervint Maria Flor. Tomás ne se considère pas comme croyant, mais je suis catholique et, lorsque je me marierai, je le ferai à l'église. Je crains qu'il ne veuille même pas en entendre parler, tant il a un esprit scientifique et rationnel. Or ce désaccord risque de poser un problème, voire de créer un obstacle insurmontable...

Le pape fronça les sourcils.

— Vous me donnez une idée, dit-il. Vous savez que votre fiancé nous a rendu d'insignes services, à moi et à l'Église, n'est-ce pas ? Je vais donc vous faire une proposition très spéciale. S'il accepte de se marier religieusement, la cérémonie se déroulera à la basilique Saint-Pierre et c'est moi-même qui la célébrerai. Qu'en dites-vous ?

Tous deux écarquillèrent les yeux, stupéfaits par ce qu'ils venaient d'entendre.

— Votre Sainteté célébrerait la cérémonie ? Au Vatican ?

Le chef de l'Église fit un geste vague de la main, pour montrer que sa proposition n'avait rien d'extraordinaire.

— Je ne comprends pas votre étonnement, dit-il. Après ce que le professeur Noronha a fait pour nous, c'est le moins que je puisse faire pour le remercier. Vous ne croyez pas ? Vous vous marierez à la basilique, et c'est moi qui célébrerai votre union, entendu ?

Tomás et Maria Flor se regardèrent, et l'historien dut faire un grand effort pour dissimuler le sentiment de panique qui s'était emparé de lui.

Il s'était fait avoir !

Telle fut sa première sensation. De main de maître et l'air de rien, le souverain pontife lui avait tendu un piège. Tomás avait réussi, au fil des années, à ne pas s'engager définitivement vis-à-vis de Maria Flor, non qu'il ne l'aimât pas, il l'aimait, mais parce que s'il y a une chose que les hommes chérissent par-dessus tout, c'est bien leur liberté. Comment pourrait-il continuer à vivre librement, à agir sans être tenu par des devoirs et des responsabilités, et même à flirter comme il l'avait fait avec Catherine, en étant marié ?

Il avait bien sûr toujours su que cette liberté ne pourrait durer éternellement. Tôt ou tard, il devrait prendre une décision, forcé de choisir, il serait confronté à un dilemme : se marier ou rompre. Il devrait choisir entre vivre seul ou se ranger définitivement.

Ce moment était arrivé.

Cependant, maintenant que la question se posait vraiment, il se sentait étrangement mieux. De manière très surprenante, il devait admettre que ça le tranquillisait. À vrai dire, cela n'avait jamais été un choix à faire, et il comprit à ce moment-là qu'il avait pris sa décision il y a fort longtemps. Sans se l'avouer, comme s'il ne s'agissait pas exactement d'une décision, mais d'une conséquence, du corollaire logique de la relation qu'il avait construite avec Maria Flor. Car les relations humaines sont des toiles qui nous emprisonnent mais qui nous libèrent aussi. Et, à bien y réfléchir, cette décision lui plaisait bien plus que ce qu'il n'avait pu imaginer. Elle l'enthousiasmait même. S'il aimait Maria Flor, et il l'aimait vraiment, leur mariage ne pouvait être envisagé que comme un aboutissement naturel. Finalement, tout prenait son sens.

Il fixa Maria Flor de ses yeux couleur chocolat avec une intensité soudaine et répondit d'une voix assurée, conscient qu'il était heureux de faire enfin ce pas irréversible.

— Oui, dit-il avec fermeté. Bien sûr que oui.

NOTE FINALE

L'aspect le plus déconcertant des affaires vaticanes tient probablement au fait que la liste des atteintes du Saint-Siège à l'éthique, à la transparence et à la légalité présentée dans ce roman n'est pas le produit de l'imagination d'un auteur de fiction, mais un simple compte rendu factuel. À vrai dire, il existe tellement d'informations authentiques sur la question que je me suis vu contraint de laisser de côté une source presque inépuisable de scandales, pour me concentrer uniquement sur quelques cas emblématiques.

Les relations entre le Saint-Siège et la mafia, ainsi que l'implication de l'IOR dans des opérations de blanchiment d'argent à grande échelle, passant par l'utilisation de comptes fictifs, comme ceux de la Fondazione Cardinale Francis Spellman et du Fonds Mamma Roma pour la lutte contre la leucémie, entre autres, ont été amplement décrites dans plusieurs documents explosifs, en particulier les célèbres dossiers Dardozzi, mettant en cause des hommes politiques italiens de renom, notamment le plus important chef d'État italien d'après-guerre, le démocrate-chrétien Giulio Andreotti. Lorsqu'on lui a fait part de l'affaire, Andreotti a affirmé ne pas se souvenir de ce compte.

Le comportement du Vatican a été clairement répréhensible. Ainsi, au lieu de coopérer avec la justice au sujet des nombreux scandales impliquant l'IOR, il a, pendant des années, entravé et saboté les enquêtes judiciaires successives concernant l'argent des politiciens et des mafieux, parmi lesquels des barons de la drogue. Même ceux qui, au sein de l'Église, s'opposaient à cet état de faits, avaient peur d'enquêter. « Je crains pour ma vie lorsque je contrôle le nom des titulaires de certains comptes », a reconnu Ettori Gotti Tedeschi, le successeur de l'archevêque Marcinkus à la tête de l'IOR, qui avait jugé prudent d'établir un dossier de deux cents pages comme « assurance-vie ». Ce que craignait Tedeschi, ce n'étaient pas les autorités, mais la curie.

Les audits ordonnés par le pape, qui ont été menés par des entreprises internationales réputées, comme Promontory Group et McKinsey, ou par des équipes telles que la COSEA, et dont il a été rendu compte, au fil des années, dans divers ouvrages soulignant les irrégularités du fonctionnement du Vatican et de sa banque, en particulier ceux du journaliste italien Gianluigi Nuzzi, ont révélé la déliquescence qui se cachait derrière les murailles léonines. D'autres organisations indépendantes sont parvenues à des conclusions similaires. Par exemple, l'Institute of Applied Economic and Social Research de l'université de Melbourne a comparé les systèmes bancaires de deux cents pays et conclu que le Vatican se classait parmi les dix premiers sanctuaires internationaux du blanchiment d'argent. De même, selon un rapport publié dans l'*Inside Fraud Bulletin*, l'IOR était considéré comme la huitième banque la plus populaire du monde parmi les criminels impliqués dans le blanchiment d'argent sale, et la quatrième meilleure banque du monde pour dissimuler l'origine de fonds illégaux. À cet égard, le Vatican a été jugé encore plus efficace que les Bahamas.

Ironiquement, c'est au milieu de toutes ces turpitudes que le pape Benoît XVI a estimé disposer de l'autorité suffisante pour publier, deux ans après la crise financière qui a éclaté en 2008 avec la chute de la banque Lehman Brothers, l'encyclique *Caritas in veritate* qui prône l'éthique dans la banque et un sens moral dans la conduite des activités bancaires.

Il est important de souligner qu'après toutes les violations commises sous plusieurs pontificats, en particulier ceux de Paul VI et de Jean-Paul II, un grand nombre de gens d'Église ont ressenti de la honte et appelé de leurs vœux un grand nettoyage général. François est le premier pape à s'attaquer, de façon soutenue et avec détermination, à cet état de faits. Il a dû pour cela faire face à la résistance de la curie.

Le cambriolage du palais des Congrégations raconté dans le prologue, au cours duquel ont été volés des documents embarrassants pour le Saint-Siège qui avaient été rassemblés par la COSEA, est un fait avéré. Il s'est produit le 30 mars 2014 et, aujourd'hui encore, on présume qu'il a été commandité, au sein même du Vatican, par des entités qui voyaient leurs intérêts remis en cause par le pape François. Les seuls éléments de fiction dans le récit de ce cambriolage concernent les cambrioleurs et la « piste » islamique. Il va de soi que tout ce qui touche à l'enlèvement du pape est, bien évidemment, fictif.

Je dois néanmoins souligner que les menaces de l'État islamique contre la vie du souverain pontife sont bel et bien réelles. Du reste, les autorités israéliennes et irakiennes ont alerté le Vatican au sujet des intentions des fondamentalistes islamiques à cet égard. *Dabiq*, le magazine publié par l'État islamique, a consacré la couverture de son quatrième numéro à la conquête de Rome, en l'illustrant avec une image du drapeau noir du mouvement flottant sur l'obélisque de la place Saint-Pierre et, en 2016, il est revenu sur cette question en déclarant que le pape était son « ennemi numéro un ». En outre, l'État islamique a confirmé dans une vidéo son intention d'envahir Rome et d'assassiner le pape. Un porte-parole du Vatican a révélé que le chef de l'Église « est au courant de toutes ces menaces », mais qu'« il n'a pas peur ».

Les menaces contre la vie du pape proviennent également des milieux dont les intérêts sont remis en cause par François. La mafia, par exemple, a manifesté son profond mécontentement. « Le pape veut faire le ménage, mais la 'Ndrangheta n'apprécie guère », a déclaré Nicola Gratteri, le procureur adjoint de la région de Calabre, faisant référence à la mafia calabraise. Il a ajouté : « Si les parrains le peuvent, ils entraveront son action. Le pape représente un danger pour eux. »

Même dans la curie, des voix menaçantes contestent les actions engagées par le pape François. En novembre 2015, l'évêque Luigi Negri aurait même souhaité la mort du souverain pontife. « Espérons que la Madone réservera à Bergoglio le même sort qu'elle a réservé à l'autre », aurait dit Negri. L'« autre » à qui l'évêque fait allusion serait le pape Jean-Paul Ier, lequel avait également voulu réformer la curie et qui est mort dans des circonstances peu claires décrites dans ce roman, trente-trois jours après le début de son pontificat. La responsable des relations publiques du Vatican, Francesca Chaouqui, a d'ailleurs confirmé en public que de nombreux cardinaux « n'attendent qu'une chose, que le pape François meure rapidement. »

François lui-même a indiqué qu'il connaissait bien les menaces qui pesaient sur lui. Dans un entretien accordé en 2015 à un journaliste mexicain, il a fait une déclaration assez énigmatique. « J'ai le sentiment que mon pontificat va être bref, quatre ou cinq ans », a-t-il dit, avant de répéter aussitôt la même idée : « J'ai une sensation un peu vague, celle que le Seigneur m'a choisi pour une mission brève. »

Mais ce roman ne raconte pas seulement des histoires de corruption et de malversations. Il évoque aussi un certain nombre d'autres faits véridiques, notamment la découverte du mausolée et des ossements de saint Pierre. Tout s'est déroulé comme c'est décrit ici – à ceci près que Tomás Noronha n'y a pas participé, bien sûr ! On peut aujourd'hui visiter le mausolée et voir les ossements de l'apôtre qui a fondé l'Église, dans les catacombes situées directement sous le maître-autel de la basilique Saint-Pierre. Le nombre de visiteurs étant limité, il est conseillé de réserver à l'avance.

Les prophéties présentées dans ce roman concernant la mort du pape sont également authentiques, notamment celles de Malachie, de Pie X et de Fátima. Comme nous le savons tous, l'histoire de l'humanité regorge de prophéties qui ne se sont pas réalisées ; cela étant, les trois qui sont ici mentionnées évoquent un cataclysme destructeur qui s'abat sur Rome et culmine avec la mort du souverain pontife.

Pour élaborer la partie non fictive de ce roman, j'ai consulté une multitude d'ouvrages, à commencer par ceux consacrés aux anomalies touchant l'activité financière et la gestion du Vatican, ainsi qu'aux liens de l'Église avec le monde politique et criminel, y compris le crime organisé. Ma source principale est constituée par les ouvrages de référence de Gianluigi Nuzzi, en particulier *Sua Santidade : As Cartas Secretas de Bento XVI* ; *Vatican SA : Les Archives secrètes du Vatican* ; et *Merchants in the Temple : Inside Pope Francis's Secret Battle Against Corruption in the Vatican*.

J'ai consulté d'autres sources sur la même question, notamment les suivantes : *Avareza*, d'Emiliano Fittipaldi ; *God's Bankers : A History of Money and Power at the Vatican*, de Gerald Posner ; *The Vatican at War : From Blackfriars Bridge to Buenos Aires*, de Phillip Willan ; *In God's Name : An Investigation Into*

The Murder of Pope John Paul I et *The Power and the Glory : Inside the Dark Heart of John Paul II's Vatican*, de David Yallop ; *The Vatican Connection*, de Richard Hammer ; *The Vatican Exposed : Money, Murder, and the Mafia*, de Paul L. Williams ; *Dark Mysteries of the Vatican*, de H. Paul Jeffers ; *Render Unto Rome : The Secret Life of Money in the Catholic Church*, de Jason Berry ; *Histoire secrète du Vatican*, de Corrado Augias ; *La Maxitangente Enimont*, des juges Romeo Simi De Burgis, Salvatore Cappelleri et Marisella Gatti, *Tribunale di Milano, V Sezione Penale ; Os Abutres do Vaticano*, d'Eric Frattini ; *Francisco entre os Lobos : O Segredo de Uma Revolução*, de Marco Politi ; *Curiosidades do Vaticano*, de Luís Miguel Rocha ; et *Associates of the Sicilian Mafia : Roberto Calvi, Licio Gelli, Giulio Andreotti, Salvatore Lima, Salvatore Cuffaro, Michele Zaza*, de divers auteurs.

Concernant la découverte du tombeau et des ossements de saint Pierre, les références bibliographiques ont été les suivantes : *The Tomb of St Peter*, de Margherita Guarducci ; *Vatican : La nécropole et le tombeau de saint Pierre*, de Paolo Liverani et Giandomenico Spinola ; et *Les Derniers Secrets du Vatican*, de Bernard Lecomte.

Enfin, et s'agissant spécifiquement des prophéties relatives au dernier pape, j'ai consulté : *Pope Francis : The Last Pope ? Money, Masons and Occultism in the Decline of the Catholic Church*, de Leo Zagami ; *Petrus Romanus : The Final Pope is Here*, de Thomas Horn et Cris Putnam ; *The Last Pope : Francis and the*

Fall of the Vatican, de Robert Howells ; et *Les Secrets du Vatican*, de Bernard Lecomte.

J'adresse mes remerciements à Ana Paula Faria, du Bureau des fouilles du Saint-Siège, qui m'a ouvert les catacombes du Vatican et montré le trophée de Pierre ; et à Mario Nissolino, qui m'a guidé dans les passages secrets qui mènent du Vatican à l'extérieur. Merci également à Paulo Almeida Santos, pour l'assistance qu'il m'a apportée en arabe et en ce qui concerne les spécificités des djihadistes, et à Giancarlo Bocchi, pour son aide en italien.

Il convient de souligner, au sujet des prophéties, que les expériences de physique quantique ont démontré qu'il est possible, sur le plan expérimental, d'avoir accès à des informations venant du futur. La démonstration en a été faite à plusieurs reprises, en laboratoire, avec l'expérience de la double fente retardée, théorisée par le physicien américain John Wheeler, et expliquée en détail dans *La Clé de Salomon*, une autre aventure de Tomás Noronha.

Faut-il en conclure que les trois prophéties relatives à l'assassinat du pape vont effectivement se réaliser et que la papauté s'achèvera avec François ? Pas le moins du monde. Après le pape actuel, un autre sera élu. Vous en doutez ?

Qui vivra verra.

Nul ne peut servir deux maîtres :
ou il haïra l'un et aimera l'autre,
ou il s'attachera à l'un et méprisera l'autre.
Vous ne pouvez servir Dieu et l'argent.

JÉSUS-CHRIST

La photocomposition de cet ouvrage
a été réalisée par
GRAPHIC HAINAUT
59410 Anzin